UTB **2118**

Eine Arbeitsgemeinschaft der Verlage

Böhlau Verlag · Köln · Weimar · Wien
Verlag Barbara Budrich · Opladen · Farmington Hills
facultas.wuv · Wien
Wilhelm Fink · München
A. Francke Verlag · Tübingen und Basel
Haupt Verlag · Bern · Stuttgart · Wien
Julius Klinkhardt Verlagsbuchhandlung · Bad Heilbrunn
Lucius & Lucius Verlagsgesellschaft · Stuttgart
Mohr Siebeck · Tübingen
Orell Füssli Verlag · Zürich
Ernst Reinhardt Verlag · München · Basel
Ferdinand Schöningh · Paderborn · München · Wien · Zürich
Eugen Ulmer Verlag · Stuttgart
UVK Verlagsgesellschaft · Konstanz
Vandenhoeck & Ruprecht · Göttingen
vdf Hochschulverlag AG an der ETH Zürich

Petrus Han

Soziologie der Migration

Erklärungsmodelle · Fakten · Politische
Konsequenzen · Perspektiven

3. überarbeitete und aktualisierte Auflage

mit 20 Tabellen und 9 Übersichten

Lucius & Lucius · Stuttgart

Anschrift des Autors:

Prof. Dr. Petrus Han
Trampeweg 9
33098 Paderborn

1. Auflage 2000
2. Auflage 2005

Bibliographische Information der Deutschen Nationalbibliothek

Die Deutsche Nationalbibliothek verzeichnet diese Publikation in der Deutschen Natio-nalbibliographie; detaillierte bibliographische Daten sind im Internet über http://dnb. ddb.de abrufbar

ISBN 978-3-8282-0498-0 (Lucius)
ISBN 978-3-8252-1458-6 (UTB)

© Lucius & Lucius Verlagsgesellschaft mbH · Stuttgart · 2010
Gerokstraße 51 · D-70184 Stuttgart · www.luciusverlag.com

Druck und Einband: F. Pustet, Regensburg

Printed in Germany

UTB-Bestellnummer: ISBN 978-3-8252-2118-8

Vorwort

Die vorliegende 3. Auflage bringt alle verwendeten statistischen Daten auf den verfügbar neuesten Stand und berücksichtigt auch die politischen und wirtschaftlichen Entwicklungen, die die Bedingungen der nationalen und internationalen Migration aktuell beeinflussen. Dadurch wurde die Überarbeitung und Erweiterung vieler Textstellen unumgänglich, insbesondere die der Kapitel 1.3, 1.4, 1.6 und 2.2 - 2.4.

Über die positiven Rückmeldungen zu diesem Buch, insbesondere von Studierenden und Doktoranden, habe ich mich sehr gefreut und danke dafür herzlich.

Paderborn, im November 2009   Petrus Han

Inhalt

Vezeichnis der Tabellen und Übersichten

Tabellen

Übersichten

Einführung

Seit dem Ende des Zweiten Weltkrieges nehmen die Migrationsbewegungen weltweit stetig zu und erfassen die gesamten Weltregionen, so dass heute kaum eine Region von dieser Entwicklung unberührt bleibt. Im Jahr 2005 erreichte die Zahl der Migranten weltweit 191 Millionen, während sie bereits im Jahr 2008 die Schwelle von 200 Millionen überstieg. Zwischen 2000 und 2005 sind jährlich 3,3 Mio. Menschen aus den Entwicklungsländern in die Industrieländer ausgewandert. Man rechnet damit, dass diese Zahl zwischen 2005 und 2010 jährlich bei etwa 2,5 Mio. und zwischen 2010 und 2050 jährlich etwa bei 2,3 Mio. liegen wird (IOM, 2008, 2, 36, 80). Es wird davon ausgegangen, dass die Zahl der Migranten bis zum Jahr 2050 auf 230 Mio. ansteigen wird (vgl. UN, 2002/1; IOM, 2003, 5). Neu bei dieser Entwicklung ist die zirkulierende Fließrichtung der Migrationsbewegungen. Die einstige Einteilung zwischen den sog. Aus- und Einwanderungsländern relativiert sich. Viele Länder sind zeitgleich Aus- und Einwanderungsländer. Dabei findet ein Prozess der Diversifizierung der Migrationsbewegungen in dem Sinne statt, dass ihre Formen zunehmend differenzierter werden. Migration entwickelt sich zu einem globalen Phänomen, so dass von einem „age of migration" (vgl. Stephen Castles, Mark J. Miller, 1993, 3) gesprochen wird.

Soziologie der Migration als Forschungsrichtung der speziellen Soziologie ist keineswegs neu. Sie bildete bereits in den 1920er Jahren einen Forschungsschwerpunkt der Soziologie an der Universität Chicago/USA. Sicherlich ist es kein Zufall, dass diese Disziplin bisher in dem größten Einwanderungsland, den USA, und in den anglophonen Einwanderungsländern ihre theoretische und empirische Akzentuierung und Fortentwicklung erfahren hat und noch erfährt. Dagegen ist sie in Deutschland, von da aus zwischen 1820 und 1930 fast 6 Mio. Menschen nach Nordamerika ausgewandert sind, bis in die 1970er Jahre kaum bekannt. Sie gewinnt ihre fachliche Aufmerksamkeit erst im Zusammenhang mit der Einwanderung großer Zahlen von Arbeitsmigranten seit der Mitte der 1950er Jahre und mit den von ihr zeitlich versetzt eintretenden sozialen Problemen in den 1970er Jahren. In der Bundesrepublik Deutschland beginnt die sporadische Rezeption der Migrationssoziologie erst in den 1980er Jahren. Seit den 1990er Jahren nehmen in der Bundesrepublik Deutschland die Forschungen über selektive Themen der Zuwanderungsproblematik in ihrem Umfang zu. Sie bleiben jedoch als Einzelforschungen weitgehend unkoordiniert und ohne integralen Theorieansatz.

Vor diesem Hintergrund wurde das vorliegende Buch als Einführung in die komplexen Themenbereiche der Migrationssoziologie konzipiert. Anlass dazu waren die Erfahrungen des Autors mit Studierenden und Mitarbeitern in den Migrationsdiensten, mit denen er in Lehr- und Fortbildungsveranstaltungen über Fragen aus dem Themenkomplex der Migration arbeitete. Ausgangspunkt dieser Diskurse bildete die Zuwanderungssituation in der Bundesrepublik Deutschland im unmittelbaren Zusammenhang mit den globalen Entwicklungstendenzen der Migrationsbewegungen.

Absolut gesehen verzeichnete Deutschland seit den 1980er Jahren die größte Zuwanderung in Europa, die wesentlich aus der anhaltenden Zuwanderung der Familienangehörigen von Arbeitsmigranten, deutschstämmigen Aussiedlern und Asylsuchenden bestand. Die Folgen dieser Zuwanderung waren vielfältig. Deutlich wurde insbesondere, dass die Zahl der Ausländer trotz des generellen Anwerbestopps von Arbeitsmigranten 1973 und trotz der restriktiven Verschärfung der legislativen Bestimmungen der Zuwanderung kontinuierlich gestiegen war. Diese Entwicklung war auch in allen europäischen Nachbarländern zu beobachten. Sie wurde von einem großen Teil der deutschen Bevölkerung mit diffusen Ängsten und wirtschaftlich begründeten Sorgen beobachtet. Zu Beginn der 1990er Jahre löste sie sogar gewalttätige fremdenfeindliche Reaktionen aus, die nicht nur dem internationalen Ansehen Deutschlands schadeten, sondern auch die interethnischen Beziehungen belasteten.

Seit der zweiten Hälfte der 1990er Jahre geht die Zahl der Zuwanderer in der Bundesrepublik Deutschland aufgrund der restriktiven Zuwanderungspolitik kontinuierlich zurück. Dennoch blieb die Frage der gesellschaftlichen Integration der Zuwanderer ungelöst. Die Fachkräfte in den Migrationsdiensten, die mit der professionellen Betreuung und Beratung von Migranten unterschiedlicher ethnischer Herkunft beauftragt sind, suchen nach wissenschaftlichen Erkenntnissen und problemorientiertem Fachwissen aus der Migrationsforschung. Zudem nimmt an den Hochschulen die Zahl der Studierenden und Doktoranden der 2. und 3. Generation der Aussiedler und Arbeitsmigranten zu, die sich in ihren Examens- und Promotionsarbeiten auch mit der eigenen familialen Migrationsgeschichte auseinandersetzen.

Ein weiterer Anlass zu dem vorliegenden Buch war die zunehmende Bedeutung, die der Autor der Migrationsthematik beimisst. Viele Anzeichen sprechen dafür, dass die Migrationsbewegungen und die damit verbundenen Folgeprobleme weiter zunehmen werden. Die fortschreitende Liberalisierung und Globalisierung im Personen-, Waren- und Kapitalverkehr werden zu wachsenden internationalen Verflechtungen der Nationalstaaten im politischen, wirtschaftlichen, soziokulturellen und ökologischen Bereich führen. Diese Entwicklung bedeutet faktisch die kontinuierliche Zunahme der Migrationsbewegungen von Arbeitskräften. Die Fortentwicklung von Informations-, Kommunikations- und Transporttechnologien erleichtert und fördert nicht nur die Globalisierung von Politik und Wirtschaft, sondern auch die der Migrationsbewegungen. Menschen können heute nicht nur große geographische Entfernungen relativ schnell und kostengünstig überwinden, sie werden auch laufend über die Lebensbedingungen in anderen Ländern informiert, so dass ihr Informationsstand über die „Push-und-Pull-Faktoren" ständig verbessert wird. Die wachsenden strukturellen Ungleichheiten zwischen Nord und Süd bzw. zwischen Ost und West werden den allgemeinen Migrationsdruck auf die wenigen Industrieländer weiter erhöhen. Die Bemühungen der Industrieländer, dem weltweit wachsenden Migrationsdruck durch restriktive Verschärfung ihrer legislativen und administrativen Maßnahmen zu begegnen, werden zwangsläufig zu steigenden illegalen Migrationsbewegungen führen. Auf der anderen Seite werden die politischen und wirtschaftlichen Gemeinschaftsbildungen von Nationalstaaten (z.B. EU, NAFTA, AFTA, APEC, ASEAN) die regionale Integration der Länder vorantreiben und dadurch in wachsendem Ausmaß regionale Migrationsbewegungen innerhalb der jeweiligen Gemeinschaften auslösen.

Vor dem Hintergrund der Zuwanderungssituation in der Bundesrepublik Deutschland und der weltweit zunehmenden Migrationsbewegungen hat das vorliegende Buch das Ziel, Studierenden, Mitarbeitern in den Migrationsdiensten und interessierten Lesern einen strukturierten Überblick über migrationssoziologische Zusammenhänge zu vermitteln. Es handelt sich um eine selektive Zusammenfassung, Strukturierung und Bewertung von Themen, die den Lesern umfassende und praxisnahe Orientierung bieten sollen.

Der inhaltliche Aufbau des Buches folgt dabei, um vorab einen Überblick zu geben, einer Konzeption, in der versucht wird, Begriffe, Ursachen, Verläufe, Folgen und Perspektiven der Migration in der Reihenfolge der Nennung zu thematisieren. Dadurch soll sich aus der Summe der behandelten Themen ein abgerundetes Bild des Migrationsvorganges, angefangen von dem individuellen Entscheidungsprozess über die physische Emigration aus dem Herkunftsland bis zur schwierigen und prozesshaft verlaufenden wirtschaftlichen und psychosozialen Eingliederung in die Einwanderungsgesellschaft, ergeben. Unter Berücksichtigung dieser Konzeption sind in den einzelnen Kapiteln folgende Inhalte thematisiert.

Im ersten Kapitel werden, ausgehend von der Klärung des Migrationsbegriffes, grundlegende und in der migrationssoziologischen Literatur häufig angewandte Grundbegriffe vorgestellt, um die Leser in die Begriffssprache einzuführen. Im Anschluss daran werden die multikausale Verursachung der Migration und die dadurch stattfindende Selektion der Migranten exemplarisch aufgezeigt, um dann vor dem Hintergrund der grundlegenden Charakterisierung des Migrationsgeschehens die Entwicklung migrationssoziologischer Theorien sowie die vielfältigen Formen der Migration vorzustellen. Themen des zweiten Kapitels sind makrostrukturelle Bedingungen (Bildung von Nationalstaaten, Bevölkerungswachstum, Umweltzerstörung, ungleiche wirtschaftliche Entwicklungen, Armutsprobleme, restriktive politische Reaktionen der Industrieländer), die die weltweiten Migrationsbewegungen in der Gegenwart auslösen. Im dritten Kapitel folgt die Analyse von Phasen des individuellen Entscheidungsprozesses zur Migration und den mit der Migration verbundenen Risiken und Folgeproblemen für die einzelnen Migranten, um die psychosoziale Verfassung der Migranten in ihrer Aufnahmegesellschaft verständlich zu machen. Das übergreifende Thema im vierten Kapitel ist die Lebenssituation der Migrantengruppe in der Aufnahmegesellschaft. Dabei handelt es sich um die Arbeits- und Wohnungsmarktsituation der Migranten und um die Probleme der ethnischen Vorurteile, Diskriminierungen und Fremdenfeindlichkeit, die teilweise durch die residentiale und berufliche Konzentration der Migranten provoziert werden. Im abschließenden fünften Kapitel werden die langfristigen strukturellen Veränderungen der Aufnahmegesellschaft in den Blick genommen, die durch eine große Zahl von Immigranten eingeleitet werden. Die zu diesem Zweck behandelten Themen sind: Richtungswechsel der Eingliederungspolitik, migrationssoziologische Theorieansätze zur Integration, Erklärungsansätze zur zunehmenden ethnischen Mobilisierung und Vorstellungen zur multikulturellen Gesellschaft in Deutschland.

Mit dieser subjektiven Themenwahl hat der Autor die ihm wesentlichen Aspekte angesprochen, ihre theoretischen Zusammenhänge dargestellt und Praxisbezüge aufgezeigt. Das vorliegende Buch versteht sich als Einführung und soll grundlegende Orientierung zu wichtigen Themenbereichen der Migrationssoziologie geben. Hier sei noch darauf hingewiesen, dass die Begriffe „Migrant" und „Immigrant" in Anlehnung an den englischen Sprachgebrauch für die migrierenden und immigrierenden Frauen und Männer verwendet werden.

Ich danke meiner Frau Anne Han für ihre Unterstützung und ihre konstruktiven Anregungen bei der Durchsicht dieses Manuskriptes.

1. Entwicklung soziologischer Migrationstheorien und Wandel der Migrationsformen seit 1945

Migrationsbewegungen sind in allen Zeiten zu beobachten. Sie sind fester Bestandteil der Kulturgeschichte der Menschheit. Ihre Formen haben sich im Laufe der Zeit kontinuierlich mit den Veränderungen der soziokulturellen und materiellen Lebensbedingungen der Menschen gewandelt. Ihre Vielfalt lässt sich am Beispiel der Wanderbewegung in der Sammler- und Jägerkultur, der Nomaden- und Völkerwanderung, der unfreiwilligen Massenauswanderung der Arbeitskräfte aus Afrika nach Nordamerika (Sklavenhandel im 17. und 18. Jahrhundert) und der freiwilligen Massenauswanderung der Arbeitskräfte aus dem indischen Subkontinent in die Kolonialgebiete und der transatlantischen Massenauswanderung der Europäer im 18. und 19. Jahrhundert nach Nordamerika dokumentieren. Der historische Beleg der freiwilligen Massenauswanderung von Arbeitskräften aus dem indischen Subkontinent ist in der Rekrutierung von 12 bis 37 Mio. „indentured worker" durch die „Britisch East India Company" zu sehen. Die rekrutierten Arbeiter mussten sich für eine vertraglich vereinbarte Zeit zur Arbeit verpflichten, um ihre Überfahrtkosten abzuarbeiten. Im Gegensatz zu der langen Geschichte der Migrationsbewegungen beginnen die wissenschaftliche Befassung und Auseinandersetzung mit dem Phänomen der Migration erst seit den 1920er Jahren in den USA mit den ersten systematischen soziologischen Migrationsforschungen an der Universität Chicago. Das Ziel dieses Kapitels ist es, ausgehend von einer Begriffsklärung der Migration, in komplexe Zusammenhänge multikausaler Determinanten der Migration, in ausgewählte soziologische Migrationstheorien und in die sich zunehmend diversifizierenden Migrationsformen einzuführen.

1.1 Begriff der Migration und Grundbegriffe der Migrationssoziologie

Der Begriff der Migration stammt von dem lateinischen Wort „migrare bzw. migratio" (wandern, wegziehen, Wanderung). Er ist in den letzten Jahren, beeinflusst durch das weltweit verwendete englische Wort „migration", sowohl in der deutschen Alltagssprache als auch in der Begriffssprache der Sozialwissenschaften heimisch geworden. In diesem Buch wird er, so weit wie möglich, anstelle des deutschen Begriffes der Wanderung gebraucht, um die Mehrdeutigkeit des Letzteren und die evtl. damit verbundenen Missverständnisse auszuschließen.

In den Sozialwissenschaften werden unter dem Begriff der Migration allgemein solche Bewegungen von Personen und Personengruppen im Raum (spatial movement) verstanden, die einen dauerhaften Wohnortwechsel (permanent change of residence) bedingen. Die internationale statistische Erfassung der Migrationsbewegungen hat bis 1950, angelehnt an die Empfehlung der UN, einen Wohnortwechsel als dauerhaft und damit als Migration erfasst, wenn er länger als ein Jahr dauerte. Ab 1960 wurde ein Wohnortwechsel, der länger als fünf Jahre anhielt, als Migration erfasst (vgl. Charles F. Longino Jr., 1992, 975; William Petersen, 1972, 286). Nach der revidierten Empfehlung der UN zur statistischen Erfassung der internationalen Migranten von 1998 werden nun diejenigen Personen als Migranten erfasst, die zumindest für die Zeitspanne von einem Jahr (for a period of at least a year) den ständigen Wohnsitz (usual residence) von ihrem Herkunftsland in ein anderes Land verlegen (vgl. IOM, 2003, 296).

Dagegen wird in Deutschland das Kriterium der Dauerhaftigkeit des Wohnortwechsels bei der statistischen Erfassung der Migrationsbewegungen als erfüllt angesehen, wenn die Migration mit einem tatsächlichen Wohnsitzwechsel verbunden ist. Dabei ist unerheblich, ob die Migrationsbewegungen freiwillig oder unfreiwillig erfolgen. Mit dem Wohnortwechsel ist der Wechsel des Wohnsitzes von einer Gemeinde A zu einer Gemeinde B gemeint, d.h. der neue Wohnort muss in einer anderen politischen Wohngemeinde liegen, um diese räumliche Bewegung von Menschen als Migration bezeichnen zu können (vgl. W. A. V. Clark, 1986, 20; Wolfgang Mälich, 1989, 875).

Das Kriterium des dauerhaften Wohnortwechsels ist auch für die soziologische Begriffsbestimmung der Migration konstitutiv, unabhängig davon, ob dieser Wechsel von Migranten selbst gewollt ist oder nicht. Räumliche Bewegungen von Personen und Personengruppen, die nicht mit einem dauerhaften Wechsel des Wohnortes verbunden sind, der über die bisher ansässigen politischen Gemeindegrenzen hinausgeht (z.B. Reisende, beruflich bedingte Pendelbewegungen von Arbeitnehmern, Umzüge innerhalb derselben politischen Gemeinde), werden begrifflich nicht dem Phänomen der Migration zugerechnet (vgl. Rudolf Herberle, 1955, 2). Nach dem Begriffsverständnis der Sozialwissenschaften wird damit nicht jede räumliche Bewegung von Personen und Personengruppen als Migration bezeichnet (vgl. Hans-Joachim Hoffmann-Nowotny, 1970, 54).

Die Migrationsbewegungen der Menschen werden, wie das nächste Kapitel 1.2 zeigen wird, durch eine Vielzahl zusammenhängender Ursachen und Zwänge kultureller, politischer, wirtschaftlicher, religiöser, demographischer, ökologischer, ethnischer und sozialer Art ausgelöst. Sie sind in der Regel das Ergebnis eines Zusammenspiels von mehreren Ursachen, die sowohl auf der gesellschaftlich strukturellen als auch auf der persönlich individuellen Ebene angesiedelt werden können. Migration kann selten monokausal erklärt werden. Die vielschichtigen Ursachen sind oft so miteinander verwoben und vermengt, dass eine eindeutige Trennung der freiwilligen von der unfreiwilligen Migration kaum möglich ist. Darüber hinaus ist Migration immer ein Prozess, der, beginnend von der Vorbereitung über den faktischen Verlauf bis hin zu einem vorläufigen Abschluss, in einem langen zeitlichen Kontinuum stattfindet. Der vollzogene Wohnortwechsel ist zwar ein sichtbares Zeichen, aber keineswegs der Endpunkt der Migration. Es kann gesagt werden, dass der wesentlich zeitintensivere und schwierigere Teil der „inneren psychosozialen Migration" erst nach der „äußeren physischen Migration" beginnt.

Bei der theoretischen Erfassung und Differenzierung des Migrationsprozesses von Personen und Personengruppen in der sozialwissenschaftlichen Fachliteratur finden daher die motivationale (Beweggründe und Aspirationen), die räumliche (geographische Distanz und die mit der zunehmenden Entfernung steigende Fremdheit von Kultur, Sprache, Gewohnheiten), die zeitliche (dauerhaft bzw. vorübergehend) und die soziokulturelle (gesamtes neues Lebensumfeld) Dimension der Migration besondere und teilweise fachlich unterschiedlich gewichtete Berücksichtigung (vgl. J. A. Jackson, 1986, 4).

Im Folgenden werden grundlegende Begriffe geklärt, die im unmittelbaren Zusammenhang mit dem Begriff der Migration verwendet werden. Weitere Begriffsklärungen werden in den jeweiligen Kapiteln vorgenommen.

a)   Binnenmigration (internal migration)

Wenn die Verlegung des ständigen Wohnsitzes von einer politischen Gemeinde in eine andere, die sich innerhalb gleicher nationalstaatlicher Grenzen (within the boundaries of a given country) befindet, erfolgt, wird diese als Binnenmigration bezeichnet (vgl. Charles F. Longino, Jr.,1992, 974; Ludwig Neundörfer, 1961, 497). Bezogen auf eine Gemeinde, in der die Zu- und Wegzüge der Wohnbevölkerung stattfinden, wird in der Fachliteratur englischer und deutscher Sprache zwischen der „in-migration", d.h. die Migration in die Gemeinde und der „out-migration", d.h. die Migration aus der Gemeinde unterschieden (vgl. David M. Heer, 1996, 538). So wird beispielsweise die Migration von Menschen aus den ländlichen Gegenden in städtische Regionen als „rural out-migration" bezeichnet. Oft wird für die Zuwanderung in eine Gemeinde/in ein Land der Begriff „in-flow", für die Abwanderung aus einer Gemeinde/aus einem Land der Begriff „out-flow" verwendet.

b) Internationale Migration (international migration)

Findet die Verlegung des Wohnsitzes der Migranten dauerhaft oder vorübergehend zwischen den Nationalstaaten statt, wird diese als internationale bzw. grenzüberschreitende Migration bezeichnet (vgl. David M. Heer, 1992, 984; Alfred Kruse, 1961, 503). Dabei wird die Immigration (Einwanderung) von der Emigration (Auswanderung) unterschieden. Die Unterscheidung zwischen Binnenmigration und internationaler Migration dient eher statistischen, formalrechtlichen (z.B. bei der Anerkennung des Flüchtlingsstatus nach der Genfer Flüchtlingskonvention) und theoretischen Zielsetzungen und weniger der tatsächlichen Differenzierung des Migrationsgeschehens. Die formale Zuordnung ist relativ, weil sie durch die Verschiebung bzw. Auflösung nationalstaatlicher Grenzen korrigiert werden muss. Das faktische Migrationsgeschehen ist so gesehen von seiner statistischen bzw. formalen Einordnung zu trennen. Der Zusammenbruch der ehemaligen Sowjetunion, die Entstehung der Gemeinschaft unabhängiger Staaten (GUS bzw. CIS: Commonwealth of Independent States) und die dadurch ausgelösten grenzüberschreitenden Migrationsbewegungen zwischen den 15 Nachfolgestaaten sind Beispiele dafür, wie relativ die formale Unterscheidung zwischen nationaler und internationaler Migration sein kann.

c) Migrationsstrom (migration stream)

Mit diesem Begriff bezeichnet man die Richtung der Migrationsbewegungen von einem bestimmten Ausgangsort (Auswanderungsort) zu einem bestimmten Zielort (Einwanderungsort) hin. Diese Richtungsangabe kann auf einen konkreten Ort (specific stream) oder auf ein konkretes typologisches Gebiet (typological stream), wie z.B. die Migration in eine städtische Region, bezogen sein. Der Migrationsstrom kann sowohl in der Binnenmigration als auch in der internationalen Migration durchaus von einem Gegenstrom (counterstream) begleitet sein (vgl. Charles F. Longino, Jr., 1992, 975). In der Zeit der Frühindustrialisierung emigrierten Menschen aus den ländlichen Regionen mit bäuerlicher Wirtschaftsstruktur in die städtischen Ballungsgebiete mit neu entstehender industrieller Wirtschaftsstruktur. Diese sog. Landflucht hält bis in die Gegenwart hinein in vielen Regionen der Welt weiter an, weil die städtischen Regionen insgesamt bessere Chancen und Bedingungen im Bereich der Ausbildung, Beschäftigung, Freizeit, Kultur und Infrastruktur bieten. Es ist jedoch auch zu beobachten, dass die Zahl umweltbewusster Menschen zunimmt, die ihren Wohnsitz aus dem städtischen in den ländlichen Raum verlegen. Im internationalen Bereich ist zu beobachten, dass Arbeitsmigranten aus den wenig entwickelten in die hochentwickelten Länder emigrieren, während umgekehrt immer mehr Manager und hochqualifizierte Fachberater aller Fachrichtungen die temporäre Migration von den hochentwickelten Industrieländern in die Entwicklungsländer antreten, um dort für eine begrenzte Zeit beim wirtschaftlichen Aufbau mitzuhelfen.

d) Migrationsvolumen und Migrationssalden bzw. -bilanzen

Die Summe der Zu- und Abwanderung von Menschen innerhalb eines Gebietes und einer bestimmten Zeit wird als Migrationsvolumen bezeichnet, während die Gewinne und Verluste, die eine Bevölkerung eines bestimmten Gebietes in einer bestimmten Zeit durch die Migration erfährt, als Migrationssalden bzw. Migrationsbilanz bezeichnet werden. Die „Netto-Migration" (net migration) ist die Differenz zwischen den Zahlen der Zu- und Abwanderungen. Die Gewinne bzw. Verluste der Bevölkerung, die durch die Migrationsbewegung eintreten, werden als „positive bzw. negative Netto-Migration" bezeichnet (vgl. Rudolf Heberle, 1955, 9; Charles F. Longino, Jr., 1992, 975).

e) Mobilitätsziffer

Unter dem Begriff der Mobilitätsziffer versteht man die Summe der Ein- und Auswanderungen von Menschen eines Gebietes bezogen auf die Bevölkerung per Tausend, d.h. das Verhältnis des Migrationsvolumens eines Gebietes zu seiner Bevölkerung, ausgedrückt per Tausend (vgl. Wolfgang Mälich, 1989, 880). Die Mobilitätsziffer eines Gebietes darf jedoch nicht direkt mit der Durchschnittsmobilität seiner Bewohner gleichgesetzt werden, weil deren Intensität berufsspezifisch unterschiedlich ist. Allgemein besteht die Tendenz, dass die Angehörigen der freien Berufe (z.B. Unternehmer, selbstständige Ärzte, Anwälte) sesshafter sind als abhängige Lohnarbeiter und Angestellte. Die sachgerechte Interpretation der Mobilitätsziffern setzt daher die Berücksichtigung der berufsspezifischen Zusammensetzung der Zu- und Abwanderung voraus (vgl. Rudolf Heberle, 1955, 11-13)

f) Kettenmigration (chain migration)

Unter dem Begriff der Kettenmigration versteht man eine Form der Migration, in der die Pioniermigranten ihren Familienangehörigen oder Bekannten aus dem Primärgruppenkreis im Herkunftsland nachfolgende Migrationen ermöglichen. Die nachkommenden Migranten werden durch persönliche Informationen (z.B. Briefe, Erfolgsberichte, Erzählungen, Informationen zu Beschäftigungs- und Verdienstmöglichkeiten) und materielle Hilfen (z.B. Überweisung der Fahrtkosten aus eigenem Ersparnis, Besorgung von Unterkunft und Arbeit) zur Migration motiviert, während und nach der Migration begleitet (vgl. Charles Tilly und Harold C. Brown, 1967, 142; Harvey M. Choldin, 1973, 175). Indem auf diese Weise einer nachfolgenden Migration die nächste folgt und dadurch eine Mehrzahl von Menschen sukzessiv den bereits im Ausland lebenden nahen und fernen Familienangehörigen, Bekannten, ehemaligen Nachbarn oder Landsleuten folgt, entsteht im übertragenen Sinn eine Kette von Migrationen.

„chain migration can be defined as that movement in which prospective migrants learn of opportunities, are provided with transportation, and have initial accommodation and employment arranged by means of primary social relationships with previous migrants." (John S. MacDonald und Leatrice D. MacDonald, 1974, 227).

Die Pioniermigranten stammen überwiegend aus Großfamilien bzw. erweiterten Familien (extended families), weil diese von ihrer Alters-, Geschlechts- und Generationsstruktur sowie von ihrer finanziellen Situation her eher in der Lage sind, die Migrationskosten zu tragen und den migrationsbedingten Ausfall von produktiven Arbeitskräften zu verkraften (vgl. Harvey M. Choldin, 1973, 164). Die Kettenbeziehungen (the chain relationships) können jedoch über die Verwandtschaftsbeziehungen hinaus auch zwischen den Menschen entstehen, die gleicher Herkunft sind und ähnliche wirtschaftliche Interessen verfolgen. So wurden bei Untersuchungen italienischer Einwanderer in den USA drei Formen der Kettenmigration festgestellt. Eine Form der Kettenmigration süditalienischer Migranten war die, die durch sog. „padroni", eine Art von Vermittlern, organisiert wurde. Die „padroni" vermittelten amerikanischen Arbeitsgebern italienische Arbeitskräfte und erhielten dafür ihre Provision. Sie boten den Neuankömmlingen verschiedene Dienstleistungen an, um diese in Abhängigkeitsbeziehung zu halten. Das „Padroni-System", das einst die Funktion des traditionellen Familien- und Verwandtschaftssystems übernommen hatte, verlor seine Bedeutung, als die Arbeitergewerkschaften direkte Verhandlungen mit den Arbeitnehmern führten. Eine weitere Form der Kettenmigration entwickelte sich durch die Männer, die ohne ihre Familien allein eine temporäre Arbeitsmigration angetreten haben (serial migration of breadwinners). Da sie nicht die Absicht hatten, dauerhaft in den USA zu bleiben, und da sie nicht sozial isoliert in der Fremde arbeiten wollten, unterstützten sie die Arbeitsmigration anderer Männer aus der Heimat, so dass eine Kettenmigration von Familienvätern (bzw. Familienernährern/breadwinners) ausgelöst wurde. Eine dritte Form der Kettenmigration bestand aus dem späteren Nachzug der Familien (delayed family migration) dieser Arbeitsmigranten. Als eine Folge der Massenemigration von Arbeitskräften aus Süditalien trat dort eine Inflation ein, die durch Geldüberweisungen der italienischen Arbeitsmigranten aus den USA ausgelöst wurde. Die Arbeitsmigranten stellten bald fest, dass es für sie kostengünstiger war, ihre Familien nachzuholen statt sie regelmäßig in Italien zu besuchen. Der Familiennachzug hatte außerdem einen zusätzlichen finanziellen Vorteil, weil die Frauen durch ihre Erwerbsarbeit das Familieneinkommen verbessern konnten. Die Kettenmigration aus Süditalien hat nicht nur zur Entstehung von „Little Italies" in den USA, sondern auch zu dem Phänomen der „chain occupations" geführt, indem die Pioniermigranten die nachfolgenden Migranten in die gleiche Arbeitsmarktnische vermittelten, in der sie selbst beschäftigt waren. Dieser Vorgang wiederholte sich bei den nachfolgenden Neuankömmlingen, so dass die Kettenmigranten sukzessiv der gleichen Arbeitsmarktnische zugewiesen wurden (vgl. John S. MacDonald und Leatrice D. MacDonald, 1974, 230-232).

Die Kettenmigration, die besonders oft bei den aus südeuropäischen Ländern stammenden Einwanderern in Australien und in den USA beobachtet wurde (vgl. Charles Price, 1969, 210), wurde in den 60er und 70er Jahren des vorigen Jahrhunderts eingehend untersucht. Sie ist eine persönlichere Migrationsform im Gegensatz zu den kommerziell organisierten (z.B. Rekrutierungsagenturen) Migrationen (vgl. John S. MacDonald und Leatrice D. MacDonald, 1974, 227).

Ein Beweggrund der Pioniermigranten, die Kettenmigration zu fördern, ist die Einsamkeit, die sie fernab der Heimat in der fremden Umgebung besonders intensiv spüren und die oft durch die persönlich erlebten Diskriminierungen, Erniedrigungen und Enttäuschungen zusätzlich verstärkt wird. Für sie ist die Aufrechterhaltung ihrer sozialen Bindungen und Beziehungen zur Heimat überaus wichtig. Zudem suchen sie im Aufnahmeland Kontakte zu Menschen gleicher Herkunft und bauen soziale Netzwerke auf, um einen „Heimatersatz" zu schaffen. In vielen Fällen wird die ursprünglich vorgesehene Verweildauer im Ausland verlängert, weil die persönlich gesetzten wirtschaftlichen Ziele nicht wie geplant zu erreichen sind. Aus einer temporären wird somit oft eine permanente Migration.

Die Entstehung ethnischer Gemeinschaften im Aufnahmeland, die prozesshafte Entscheidung zur permanenten Migration und die Einsamkeit sind wesentliche Gründe für die „Pioniermigranten", ihre Familienangehörigen und Bekannten aus der Heimat nachzuholen (vgl. Charles Price, 1968, 7). Für die nachfolgenden Familienangehörigen und Bekannten bedeutet die Kettenmigration eine vorbereitete und relativ risikofreie Migration, die die Angst vor der Unsicherheit in der Fremde relativiert und zugleich die Verbesserung der Lebensbedingungen verspricht.

g) „Push-Faktor" und „Pull-Faktor"

Der Migrationsvorgang ist ein komplexer Prozess, der von seiner Entstehung und von seinem Ablauf her durchgehend multikausal und multifaktorial bestimmt wird. Es wird somit überaus schwierig bzw. kaum möglich, eine exakte Trennungslinie zwischen den freiwilligen und unfreiwilligen Migrationen zu ziehen. Ihre auslösenden Ursachen bestehen im Regelfall aus einer komplizierten Mischung von objektiv zwingenden exogenen Faktoren und subjektiv unterschiedlich begründeten Entscheidungen. Ein klassischer Erklärungsansatz der komplexen und multikausalen Bestimmungsfaktoren der Migration besteht darin, dass man diese in Anlehnung an das sog. Gravitationsmodell in die zwei Gruppen der „Push-" und „Pull-Faktoren" einteilt. Das Gravitationsmodell der Migration geht auf „The laws of migration" von Ernest George Ravenstein im Jahre 1885 zurück (vgl. J. A. Jackson, 1986, 13-16), die er in Analogie zu den Gravitationsgesetzen der Physik entwickelt hat. Er vertritt dabei die These, dass ein inverser Zusammenhang zwischen Migrationshäufigkeit und geographischer Entfernung besteht, d.h. dass die Zahl der Migrationsfälle mit zunehmender Entfernung abnimmt. Diese These wurde dadurch begründet, dass die Migrationskosten (z.B. Umzugskosten, Mobilitätskosten, Eingewöhnungskosten, soziale Kosten bei der generellen Umstellung im Aufnahmeland) mit wachsender Entfernung größer werden. Mit der wachsenden Entfernung nimmt auch die allgemeine Information über die Zielregion ab, so dass eher eine nah als weit entfernt gelegene Region von den Migranten als Zielort gewählt wird (vgl. Wolfgang Mälich, 1989, 880). Aus heutiger Sicht ist diese These zu revidieren, weil die Migrationshäufigkeit heute mehr von den restriktiven politischen und legislativen Bestimmungen der Aufnahmeländer abhängt und weniger von der geographischen Entfernung und Informationsgewinnung.

Nachdem Everett S. Lee die Bedeutung der „Push- und Pull-Faktoren" der Migration in seiner Migrationstheorie differenziert dargestellt hat (vgl. Everett S. Lee, 1966, 49-56), werden unter den „Push-Faktoren" (Druckfaktoren) all die

Faktoren des Herkunftsortes bzw. -landes der Migranten zusammengefasst, die diese zur Emigration (Auswanderung) zwingen. Dabei kann es sich um politische und religiöse Verfolgung, wirtschaftliche Krisen, zwischenstaatliche Kriege, Bürgerkriege, Umwelt- und Naturkatastrophen handeln, um nur einige Beispiele zu nennen. Unter den „Pull-Faktoren" (Sogfaktoren) werden dagegen all die Faktoren des Aufnahmeortes bzw. -landes der Migranten zusammengefasst, die diese zur Immigration (Einwanderung) anreizen und motivieren. Anziehungsfaktoren sind z.B. politische Stabilität, demokratische Sozialstruktur, religiöse Glaubensfreiheit, wirtschaftliche Prosperität und bessere Ausbildungs- und Verdienstmöglichkeiten.

Es wird allgemein angenommen, dass die „Push- und Pull-Faktoren" vor dem Hintergrund der modernen Informations-, Kommunikations- und Transportmöglichkeiten wachsende Bedeutung für die individuelle Migrationsentscheidung erhalten (vgl. Reinhard Lohrmann, 1989, 137; Sidney Weintraub, Chandler Stolp, 1987, 139). In einer Zeit der Nachrichtenübermittlung per Satellit werden Menschen, die im entferntesten Winkel der Welt leben, tagtäglich ohne zeitliche Verzögerung über Ereignisse und Lebensbedingungen in aller Welt informiert. Sie haben durch die verschiedenen modernen Kommunikationsmöglichkeiten unmittelbare und schnelle Kontakte mit emigrierten Verwandten, Bekannten und Landsleuten, die aus erster Hand zuverlässige und nützliche Auskünfte vermitteln. Die schnellen und teilweise preisgünstigen modernen Transportmöglichkeiten ermöglichen heute sogar armen Menschen große räumliche Entfernungen relativ problemlos zu überbrücken (vgl. Antonio Golini, Corrado Bonifazi, 1987, 133).

Die Aussagekraft dieser „Push- und Pull-Faktoren" ist jedoch im konkreten Einzelfall zu überprüfen, weil die Migranten in ihrer Entscheidung nicht immer an dem logisch rational erwartbaren Vorteil (z.B. objektiv vorhandene bessere Verdienstmöglichkeiten in einem Land als „Pull-Faktor"), sondern oft mehr an den sozialen und emotionalen Bindungen (z.B. Gemeinschaft mit den Verwandten und Bekannten) orientiert sind. Der bewusste Verzicht auf den objektiv erwartbaren Vorteil mag irrational erscheinen. Für die Migranten können jedoch emotionale Sicherheit und soziale Einbindung wichtiger sein als der ökonomische Vorteil, wie die Kettenmigration dokumentiert.

h) Migrationssystem (migration system) und Migrationsnetzwerke
(migration networks)

Die Begriffe der Kettenmigration und "Push- und Pull-Faktoren" betonen implizit die aktive Rolle der einzelnen Individuen im Migrationsprozess. In der Kettenmigration sind die einzelnen Pioniermigranten diejenigen, die einen Migtionsstrom auslösen, während bei den „Push- und Pull-Faktoren" die Migration als eine Folge der rationalen individuellen Entscheidung unterstellt wird. Die Rolle der Sende- und Empfängerländer bei der Bestimmung der Größe, Richtung, Komposition und Dauer des Migrationsstroms bleibt dagegen unberücksichtigt. Die Migrationsforschung in den 1980er Jahren, die von einem systemisch-strukturellen Ansatz ausging, war bestrebt, die Zusammenhänge zwischen den Sende- und Empfängergesellschaften sowie dem Migrationsstrom aufzuzeigen. Sie ging dabei von der Existenz des Migrationssystems (migration system) aus, das durch die engen historischen, kulturellen, politischen und wirtschaftlichen Verbindungen (linkages) zwischen zwei oder mehreren territorial getrennten Gesellschaften gebildet wird. Die Migration wird dabei nicht auf die individuelle Entscheidung zurückgeführt, sondern als das Ergebnis der Interaktionen aller Faktoren angesehen, die die Sende- und Empfängerländer zu einem Migrationssystem miteinander verbinden. Sie wird durch die historisch entstandenen sozialen, wirtschaftlichen und politischen Strukturen der Sende- und Empfängerländer konditioniert. Sie ist somit nicht das Resultat individueller Entscheidung, sondern ein soziales Produkt (migration as a social product), das in seiner Größe, Komposition, Dauer und Fließrichtung kontingent bleibt (vgl. Monica Boyd, 1989, 640-641).

Migrationsnetzwerke (migration networks) sind eine der „linkages", die die Sende- und Empfängerländer der Migranten zu einem Migrationssytem verbinden (vgl. Monica Boyd, 1989, 641). Sie bestehen aus interpersonellen Bindungen (interpersonal ties), die über Raum und Zeit hinweg die Migranten mit Menschen aus ihrem Herkunftsland auf der Basis der Verwandtschafts- und Freundschaftsbeziehungen sowie der gemeinsamen Herkunft miteinander verbinden. Durch sie wird die Möglichkeit zur Migration größer, weil sie die erwarteten Gewinne der Migration sicherer erscheinen lassen, indem sie einerseits die Kosten der Umsiedlung reduzieren und andererseits bessere Verdienstmöglichkeiten am Zielort versprechen. Die Migrationskosten umfassen dabei die Reisekosten (Kosten für Transport und Unterkunft), die Informations- und Suchkosten (Kosten bei der Suche nach Arbeit), die Opportunitätskosten (Verdienstausfall während der Reise und Arbeitsuche) und die psychischen Kosten (Kosten bei der Überwindung von Problemen, die mit dem Verlassen der vertrauten Lebensumgebung und mit der Eingewöhnung in der fremden Umgebung verbunden sind). Diese Kosten sind bei der grenzüberschreitenden Migration größer als bei der Binnenmigration. Sie werden jedoch entscheidend reduziert, wenn der potentielle Migrant zu sozialen Netzwerken am Zielort Zugang hat. Jeder Migrant senkt die Kosten der nachfolgenden Migration für die Verwandten bzw. Freunde. Die progressiv zunehmenden Migrationsnetzwerke setzen daher einen sozialen Mechanismus der kumulativen Verursachung (cumulativ causation) der Migration in Gang und lassen von einer bestimmten Schwelle an die Migration zu einem selbsterhaltenden (self-sustaining) Prozess werden. Dies ist auch Erklärung dafür, warum die Migration unabhängig von den wirtschaftlichen Bedingungen, von denen sie ausgelöst wurde, weiter fortdauert (vgl. Douglas Massey, 1988, 396-397). Dagegen haben die Pioniermigranten die vollen Kosten zu tragen, weil sie nicht durch die vorhandenen Migrationsnetzwerke entlastet werden können. Für sie ist daher die Migration wesentlich teurer. Dies ist auch Grund dafür, warum sie in der Regel aus der relativ vermögenden sozialen Mittelschicht stammen. Für sie ist die Migration oft ein strategisches Mittel gegen den drohenden sozialen und wirtschaftlichen Abstieg (vgl. Patricia R. Pessar, 1982, 351-353).

Das Alltagswort „Wanderung" bzw. „Wandern" ist in der deutschen Sprache mehrdeutig. Es wird unter anderem auch im Sinne eines „Spazierengehens" gebraucht, so dass Günther Albrecht an seiner Stelle die Verwendung des Begriffs der „geographischen Mobilität" vorschlägt (vgl. Günther Albrecht, 1972, 23). In der Tat stellen die räumlichen Bewegungen eine Form der Mobilität dar. Zudem ist das Vorhandensein der grundsätzlichen Bewegungsfreiheit (Reisefreiheit) die Grundvoraussetzung der Migration. Berücksichtigt man darüber hinaus den Sachverhalt, dass die Migration durchgehend die soziale Stellung der Migranten innerhalb der Aufnahmegesellschaft verändert, könnte der Gedanke naheliegen, den Migrationsvorgang im Zusammenhang mit der sozialen Mobilität im Sinne von Pitirim A. Sorokin zu sehen (vgl. J. A. Jackson, 1986, 74-75). Eine nähere Betrachtung seiner Theorie zeigt jedoch, dass ein theoretischer Zusammenhang zwischen Migration und sozialer Mobilität nur indirekt und interpretativ herzustellen ist.

Unter dem Begriff der sozialen Mobilität versteht Pitirim A. Sorokin die Veränderung (shifting/transition) der sozialen Position des Individuums innerhalb eines sozialen Raumes (social space).

„By social mobility is understood any transition of an individual or social object or value - anything that has been created or modified by human activity - from one social position to another." (Pitirim A. Sorokin, 1964, 133).

Er unterscheidet den sozialen von dem geometrischen Raum. Die Nähe der Menschen in einem geometrischen Raum (geometrical space) kann unter Umständen eine unüberbrückbare Distanz im sozialen Raum bedeuten (z.B. Herr und Knecht), während umgekehrt große Distanz in einem geometrischen Raum große Nähe im sozialen Raum (z.B. geographisch getrennt lebende Brüder) bedeuten kann. Der soziale Raum ist dabei ein von Menschen bevölkertes Universum. Die soziale Position des Individuums innerhalb dieses sozialen Raumes wird durch die Gesamtheit seiner Beziehungen zu anderen Menschen bestimmt (vgl. Pitirim A. Sorokin, 1964, 3-6).

Sorokin reduziert die komplizierten und pluralen Beziehungen der Menschen in einem sozialen Raum auf die horizontale und vertikale Dimension. Die Beziehungen zwischen Menschen und Gruppen werden dabei entweder horizontal auf der gleichen Ebene (as situated on the same honrizontal level) oder vertikal hierarchisch übereinander liegend (hierarchically superimposed upon each other) gesehen (vgl. Pitirim A. Sorokin, 1964, 8). Der Begriff der sozialen Mobilität besteht dabei aus der vertikalen und horizontalen Mobilität. Die Menschen können auf der vertikalen Ebene auf- und absteigen, so dass sie dadurch die Möglichkeit haben, ihre sozialen Positionen zu verbessern bzw. zu verschlechtern. Dagegen bringt die horizontale Mobilität nur die territoriale Veränderung auf gleichem horizontalem Niveau mit sich, so dass sie keine Veränderung sozialer Positionen bewirkt (vgl. Pitirim A. Sorokin, 1964, 136).

Die differenzierte Zuordnung der Menschen in die hierarchisch eingeteilten Klassen auf der vertikalen Dimension des sozialen Raumes bezeichnet er als soziale Stratifikation (social stratification). Sie besteht wesentlich aus drei Einzelstratifikationen, aus der politischen, der ökonomischen und der beruflichen Stratifikation (vgl. Pitirim A. Sorokin, 1964, 11).

Er thematisiert die territoriale Mobilität bzw. territoriale Migration (territorial mobility/territorial migration) als eine besondere Form der horizontalen Mobilität (vgl. Pitirim A. Sorokin, 1964, 381-382). Mit anderen Worten ist für ihn die Veränderung sozialer Positionen innerhalb der sozialen Stratifikation der Gesellschaft kein Thema bei der Behandlung der territorialen Mobilität. In seiner Konzeption der horizontalen Mobilität geht er nur von der räumlichen Veränderung der Menschen aus, die ohne Veränderung ihrer sozialen Position bleibt. Er thematisiert lediglich die Folgen des mit der territorialen Mobilität verbundenen Wohnsitzwechsels auf die Psyche des Menschen (vgl. Pitirim A. Sorokin, 1964, 508).

Zusammenfassend kann Folgendes festgehalten werden: Pitirim A. Sorokin bezeichnet zwar die horizontale und vertikale Mobilität als zwei Hauptformen der sozialen Mobilität, er setzt aber seinen theoretischen Schwerpunkt auf die vertikale Mobilität. Für ihn ist daher der Begriff der sozialen Mobilität fast ein Synonym für die vertikale Mobilität. Der Kernaspekt der sozialen Mobilität ist die Veränderung der sozialen Position in der sozialen Stratifikation der Gesellschaft (vgl. Kurt Horstmann, 1976, 104).

Im Mittelpunkt der Migration steht dagegen der Wohnortwechsel und nicht der Wechsel der sozialen Position der Migranten innerhalb der sozialen Stratifikation der Gesellschaft. Es wäre daher irreführend, wollte man die Migration als eine Form der sozialen Mobilität bezeichnen. Die Migration bewirkt jedoch oft die vertikale Aufwärts- bzw. Abwärtsmobilität der Migranten innerhalb der Sozialstruktur der Aufnahmegesellschaft, weil sie zwangsläufig zur Neubewertung der beruflichen Qualifikationen führt. Die Zugangschancen zum Arbeitsmarkt und die neue soziale Position innerhalb der sozialen Stratifikation der Aufnahmegesellschaft hängen entscheidend von dieser Neubewertung ab (vgl. Günther Albrecht, 1972, 139, 141). Berücksichtigt man jedoch die Vielzahl von unfreiwillig erfolgenden Formen der Migration, bei der die Veränderung sozialer Positionen nur einen Nebeneffekt darstellt, dürfte die primäre Zielsetzung der Migration nicht generell und nicht immer in der beabsichtigten Veränderung unbefriedigender sozialer Positionen der Migranten gesehen werden. Diese kann als Folge der Migration eintreten, ohne von den Migranten direkt intendiert zu werden. Die Migration als geographische Mobilität mit einem dauerhaften Wohnortwechsel ist daher von der sozialen Mobilität im Sinne der vertikalen Mobilität nach Pitirim A. Sorokin zu unterscheide

1.2 Multikausale Determinanten der Migration und Typologisierung ihrer Formen

Die Vorstellung, dass Menschen sesshaft sind, ist nur im oberflächlichen Sinn zutreffend. In der Realität bleiben sie selten ein Leben lang dort, wo sie geboren sind. Sie sind in Bewegung und ständig auf der Suche nach neuen und besseren Lebensbedingungen und Lebensoptionen. Der amerikanische Soziologe Robert E. Park hat bereits in den 1920er Jahren die These vertreten, dass die Fortschritte in der Geschichte und die Prozesse der Zivilisation nur durch kontinuierliche Migrationsbewegungen von Menschen und die dadurch eintretenden Vermischungen von Völkern und Kulturen möglich geworden sind. Er bezeichnet die Migrationsbewegungen, die einschneidende Veränderungen und Fortschritte in Kultur und Zivilisation brachten, als historische Bewegungen (the historical movement). Zivilisation ist dabei das Ergebnis von Kontakt und Kommunikation der Menschen, die im Zuge solcher historischen Migrationsbewegungen zusammenkamen und gezwungen waren, zu konfrontieren und zu kooperieren. Für ihn ist daher die Untersuchung der Migrationsprozesse identisch mit der Verfolgung von Spuren der Kultur und Zivilisation (vgl. Robert E. Park, 1928, 883; Petrus Han, 1990, 129).

Eine der schwierigsten Aufgaben der Migrationsforschung ist jedoch die theoretische Erfassung und Systematisierung der Gründe von Migrationsentscheidungen und der dadurch ausgelösten Migrationsbewegungen. Mehrere Gründe machen diese Schwierigkeiten aus. Zuerst ist der Migrationsvorgang ein hochkomplexer Vorgang (vgl. Kurt Horstmann, 1969, 141), der selten monokausal verursacht wird. Die genaue Identifizierung der einzelnen Determinanten der Migration aus einer Vielzahl von kausalen Bedingungsfaktoren ist kaum möglich. Sie würde dazu noch eine schwierige methodische Herausforderung darstellen. Zweitens lässt die Veränderung der historischen Kontexte, die die jeweiligen epochalen Migrationsschübe einzelner Weltregionen auslösen, kaum allgemeingültige Aussagen zu, die über die singuläre Analyse hinausgehen. Letztlich muss die Tatsache berücksichtigt werden, dass der Migrationsvorgang oft nicht rational begründet werden kann. Dies ist häufig dann der Fall, wenn sich die Migration zu einer sozialen Massenbewegung entwickelt, so dass sich Menschen auch ohne triftige individuelle Gründe von einer allgemeinen Stimmung mitreißen lassen.

Die im 17. und 18. Jahrhundert beginnende transatlantische Emigration von Deutschland nach Nordamerika, die anfänglich in kleinen Familienverbänden begonnen hatte, entwickelte sich zu Beginn des 19. Jahrhunderts zu einer Massenauswanderung. Zwischen 1820 und 1930 wanderten etwa 5,9 Mio. Deutsche in die USA aus. Zwischen 1846 und 1857 und zwischen 1864 und 1873 sind jeweils mehr als 1 Mio. Deutsche nach Nordamerika ausgewandert. Die größte Welle der Massenauswanderung fand zwischen 1880 und 1893 statt, mit dem Spitzenwert von 1,8 Mio. deutschen Auswanderern (vgl. Klaus Bade, Hrsg., 1992, 148). Diese Massenauswanderung ist ein anschauliches Beispiel für die hier postulierte These der Multikausalität des Migrationsvorganges. Im Folgenden soll dieses Beispiel näher beschrieben werden, um die komplexen Zusammenhänge und Bedingungfaktoren des Phänomens der Migration exemplarisch zu analysieren.

Die oben erwähnte Massenauswanderung von Deutschland nach Nordamerika hatte ihre Ursachen unter anderem in der bedrückenden Armut und Not im gesamten bäuerlich-handwerklichen Bereich, die durch die Überbevölkerung verursacht wurde. Die Bevölkerung in Deutschland war seit der Mitte des 18. Jahrhunderts durch die stetig steigende Geburtenrate und sinkende Sterberate kontinuierlich gewachsen. Die Bevölkerungszahl betrug 1740 etwa 18 Mio., vermehrte sich bis 1800 auf 24 Mio., bis 1856 auf 36 Mio. und erreichte 1900 bereits 56 Mio. Sie betrug 1939 etwa 69 Mio. Während in Großbritannien um 1800 nur jeder dritte Beschäftigte in der Landwirtschaft tätig war, arbeiteten im gleichen Zeitraum in Deutschland sieben bis acht von zehn Beschäftigten in der Landwirtschaft (vgl. Rolf Engelsing, 1973, 100, 107).

Während die Vollbauernhöfe durch die Realteilung des Bodens, d.h. die sukzessive Aufteilung des Bodens unter den Erben, immer mehr verkleinert wurden und kaum eine ausreichende Familienwirtschaft erlaubten, stand für den agrarischen Flächenausbau kein zusätzlicher Raum zur Verfügung. Die Ertragssteigerung durch die Dreifelderwirtschaft reichte zur Existenzsicherung der wachsenden Bevölkerung nicht aus. Darüber hinaus führten die Ablösegesetze zu Beginn des 19. Jahrhunderts, die im Zuge des langwierigen Prozesses der Bauernbefreiung erlassen wurden, in Süd- und Westdeutschland zur hohen Verschuldung der bäuerlichen Betriebe. Das traditionelle Handwerk, wie Hausweberei, Glaserei und Druckerei, das einen Teil des Bevölkerungsüberschusses absorbierte, war, trotz der rigorosen Restriktionen der Zünfte, nicht nur hoffnungslos übersetzt, sondern in seiner Existenz unmittelbar von der Nachfrage aus dem agrarischen Bereich abhängig. Die Krise der Landwirtschaft führte daher zur Krise des Handwerks. Die Situation verschlechterte sich zusätzlich durch die vermehrte Neugründung von Betrieben nach der Einführung der Gewerbefreiheit um 1850 und durch die Errichtung von Fabriken ab etwa 1860 (vgl. Friedrich Lütge, 1966, 433-453; Rolf Engelsing, 1973, 108-111; Peter Assion, 1989, 258-259).

Vor dem Hintergrund der beschriebenen Überbevölkerung und des Pauperismus in der ersten Hälfte des 19. Jahrhunderts suchten viele verarmte Menschen in Deutschland einen Ausweg durch die Emigration nach Nordamerika. Ab etwa 1825 stieg allmählich die Zahl der Emigranten, wobei die ersten Migrationswellen aus relativ vermögenden Bevölkerungsgruppen bestanden, die der Politik Fähigkeit und Kraft zur Problemlösung absprachen und durch ihre Emigration vor der drohenden Verarmung flüchteten. Ab etwa 1843/1844 begann dann die Armenauswanderung mit einer steil nach oben schnellenden Zahl. Die Armenauswanderung aus Teilen Nordwestdeutschlands setzte ein, als die Hausweberei, die für viele besitzlose Heuerlinge den Broterwerb sicherte, der aufkommenden Textilindustrie zum Opfer fiel. Ab den späten 1860er Jahren folgte dann die Emigration der armen Landbevölkerung aus dem Osten

Deutschlands, als die bäuerlichen Kleinwirtschaften durch die Landabtretungen an den Adel (Bauernbefreiung) neben den großen Gutsbetrieben nicht mehr bestehen konnten und darüber hinaus Verdienstverluste durch die Mechanisierung der Landwirtschaft erlitten. Schließlich folgte die Emigration der Kleinbauern im Süden und Westen Deutschlands, die durch die Grundlastenablösung infolge der Ablösegesetze hoch verschuldet waren, als die Wein-, Getreide- und Kartoffelmissernten ihre Existenzgrundlage endgültig zerstörten. Bis in die 1850er Jahre hinein blieben somit Baden, Württemberg, die bayerische Pfalz und die hessischen Staaten Zentren der Emigrationsbewegung (vgl. Peter Assion, 1989, 259).

Wie skizziert, bildet die Migration den Endpunkt eines Zusammenspiels von demographischen (Bevölkerungswachstum, Überbevölkerung), soziokulturellen (Migration als soziale Massenbewegung und Amerikafieber), politischen (Bauernbefreiung, Ablösegesetze und Versagen der Politik), wirtschaftsstrukturellen (überwiegend landwirtschaftliche Monokultur, die keine Ausweichmöglichkeit zuliess) und produktionstechnischen (Mechanisierung der Landwirtschaft und Textilerzeugung) Faktoren. Wie aufgezeigt, ist es nicht möglich, aus diesen komplexen Beeinflussungsfaktoren nur einen einzigen Faktor herauszugreifen und für die Massenauswanderung dieser Zeit verantwortlich zu machen. Ein monokausaler Erklärungsversuch würde zu unvollständigen Teilerklärungen bzw. Verzerrungen der Realität führen.

Zu diesen objektiven Bedingungen kommen die subjektiven Faktoren der Emigranten hinzu. Die Briefe, die die Auswanderer den Zurückgebliebenen in Deutschland schrieben, machen deutlich, dass sie die komplexen Zusammenhänge zwischen demographischer Entwicklung und ökonomischer Krise sowie die Relation zwischen Verelendung und Bevölkerungskrise nicht durchschauen konnten. Die Verantwortlichkeit für die wirtschaftliche Misere wurde personalisiert und als selbstverschuldet bewertet. Nach einer durch die Emigration erreichten Verbesserung der Lebensbedingungen sprachen paradoxer Weise die Auswanderer diejenigen von der Verantwortung frei, die die desolaten Verhältnisse in Deutschland verursacht und zudem davon persönliche Vorteile hatten. Die Emigration der Armen wurde zu einer Massenbewegung, die einerseits Amerika als Land der Hoffnungen und Wünsche glorifizierte (Amerika-Utopie des 19. Jahrhunderts) und andererseits das Bild von Deutschland als Land der Armut, Unfreiheit, Sklaverei und des Elends negativ prägte (vgl. Peter Assion, 1989, 260, 263-264; Klaus Bade, Hg.,1992, 150-157).

Die theoretische Erfassung und Systematisierung der Migrationsgründe sind, wie oben aufgezeigt, allgemein schwierig. In der einschlägigen Literatur werden statt konkreter Kausalanalysen der Migration allgemeine und umfassende strukturelle Bedingungen jeweiliger Gesellschaften genannt. Diese Bedingungen sind im wesentlichen politische (z.B. Verfolgung, gesetzlich verankerte Diskriminierung), soziokulturelle (z.B. Vorurteile und Stereotypen gegenüber Angehörigen von Minderheiten und ihre soziale und institutionelle Ausgrenzung), wirtschaftliche (z.B. niedrigerer materieller Lebensstandard, Arbeitslosigkeit, Unterbeschäftigung, fehlende soziale Sicherung), ökologische (z.B. Naturkatastrophen wie Erdbeben, Vulkanausbrüche, Überschwemmungen, Dürren), religiöse (z.B. Verbot freier Religionsausübung und religiöse Verfolgung), ethnische (z.B. Spannungen zwischen ethnischen Gruppen, ethnische Homogenisierungspolitik wie „ethnische Säuberung"), kriegerische (z.B. Bürgerkriege, zwischenstaatliche Kriege) Bedingungen, die bei näherer Betrachtung letztendlich für die Entstehung des komplizierten Ursachenbündels der Migration sowie für ihre wechselseitigen „Push-Pull-Beziehungen" verantwortlich sind. Dies bedeutet jedoch nicht, dass die Ursachenforschung überflüssig ist. Die Erfassung und Systematisierung der Migrationsgründe werden von der Migrationsforschung nach wie vor angestrebt, um das Phänomen der Migration analytisch differenzierter erforschen und dadurch Ansätze für Migrationstheorien gewinnen zu können. Im Folgenden wird exemplarisch eine Typologie der Migrationsformen von William Petersen (vgl. William Petersen, 1958, 256-266) mit dem Ziel vorgestellt, die unterschiedlichen Anlässe der Migrationsbewegungen in einer theoretisch-klassifikatorischen Zusammenfassung aufzuzeigen. Diese theoretischen Zusammenfassungen erleichtern die weitere fachliche Auseinandersetzung. Die Auswahl dieser Typologie erfolgt dennoch primär unter dem Aspekt der pragmatischen und illustrativen Brauchbarkeit und weniger unter dem ihrer theoretischen Gültigkeit.

William Petersen beginnt seine Abhandlung über die allgemeine Typologie der Migration mit einer Kritik an der Typologie von Henry P. Fairchild, der die Migrationen in folgende vier Typen einteilt (vgl. Henry P. Fairchild, 1925, 13 ff; William Petersen, 1958, 257):

a) „Invasion": Die Überflutung eines höheren Kulturgebietes durch Krieger mit niedrigerer Kultur (z.B. der Einfall der Goten in Rom).

b) „Conquest": Die gewaltsame Eroberung eines Gebietes durch Menschen mit höherer Kultur.

c) „Colonization": Die Besiedlung eines neu entdeckten bzw. dünn besiedelten Gebietes durch ein etabliertes und forschrittliches Staatswesen.

d) „Immigration": Die individuell motivierte und friedliche Migrationsbewegung der Menschen zwischen den Staaten, die eine annähernd gleich hohe Stufe der Zivilisation erreicht haben.

Diese Typologie der Migration von Henry P. Fairchild basiert nach der Auffassung von William Petersen auf zwei Kriterien: Auf dem der Niveauunterschiede der Kultur und auf dem der friedlichen bzw. kriegerischen Art der Bewegung. Petersen kritisiert, dass Fairchild mit seinem ersten Kriterium faktisch die Gefahr des Ethnozentrismus herbeiführt. Weiterhin kritisiert er seine undeutliche und missverständliche Begriffsverwendung „friedlich bzw. kriegerisch". Er ist entschieden gegen einseitige psychologische All-Aussagen (psychological universals), die entweder den Menschen „Wanderlust" oder Sesshaftigkeit unterstellen. Er will vielmehr unter Berücksichtigung der individuellen Wunschvorstellungen (migrants level of aspiration) den Unterschied klären, warum bestimmte Menschen wandern und bestimmte nicht. Zu diesem Zweck führt er zwei Charakterisierungen der Migrationsziele (innovative und konservative) ein, um auf deren Grundlage seine Typologie der Migration zu entwickeln (vgl. William Petesen, 1958, 258):

a) „Innovating": Wenn Migration als Mittel zur Erlangung von etwas Neuem unternommen wird: „Some persons migrate as a means of achieving the new. Let us term such migration innovating."

b) „Conservative": Wenn Migration als Reaktion auf Veränderung benutzt wird, um den alten Zustand wiederherzustellen: „Others migrate in responce to a change in conditions, in order to retain what they have had."

Aufgrund dieser beiden Charakterisierungen entwickelt William Petersen 5 Migrationstypen (primitive, forced, impelled, free, mass migration):

1) „Primitive migration"

Diese bedeutet nicht die Migration primitiver Menschen, sondern die Migration, die durch das Unvermögen der Menschen, die Mächte bzw. Gewalt der Natur unter Kontrolle zu bringen, d.h. unter dem Druck der Natur (ecological push), ausgelöst wird. Aufgrund der engen Wechselbeziehung zwischen dem Niveau der technischen Entwicklung und der damit zusammenhängenden Kontrollmöglichkeit der Naturmächte ist dieser Typus der Migration besonders häufig bei primitiven Kulturen. Er ist überwiegend konservierend, weil Menschen hier vorrangig auf der Suche nach Plätzen waren, die die Beibehaltung ihrer alten Lebensgewohnheiten erlaubten (z.B. Suche nach Weideland für die Viehzucht). Die Völker- und Seewanderung, die Wanderung der Sammler und Nomaden zählen auch zu diesem Typus der Migration. Diese konservierende Migration trat in früheren Zeiten auch durch die Überbevölkerung ein, für die der begrenzte Ertrag des Bodens nicht ausreichte. Dagegen stellt z.B. die Landflucht (flight from land) der Menschen in die Städte in der modernen Zeit durchweg eine innovative Migration dar, weil die Migranten hier bewusst städtische Lebensräume suchen, um ihren Lebensstil grundlegend zu verändern.

2) „Forced and impelled migration"

Die Ursache primitiver Migration ist ökologischer Druck. Dagegen ist der Auslöser der Zwangsmigration der Staat bzw. die ihm funktional äquivalenten sozialen Institutionen. Dabei wird die Zwangsmigration als veranlasste Migration (impelled) bezeichnet, wenn die Migranten eine gewisse Entscheidungsmacht über ihre eigene Migration behalten konnten, während sie als erzwungene (forced) Migration bezeichnet wird, wenn die Migranten bezüglich ihrer Migration keine Entscheidungsmacht hatten. Als historisches Beispiel werden die durch antisemitische Gesetze und Aktivitäten veranlasste Emigration der Juden aus Nazideutschland in den Jahren 1933 bis 1938 sowie ihre erzwungene Deportation in die Konzentrationslager in den Jahren 1938 bis 1945 angeführt.

Ein weiteres Kriterium für die Bestimmung des Typus der „forced and impelled migration" ist die Funktion der Migration, die nicht von den Migranten selbst, sondern von den die Migration auslösenden Institutionen bestimmt wird. So sind alle Arten der Flucht (flight) Formen der veranlassten (impelled) Migration, die wesentlich mit konservierender Zielsetzung stattfinden. Dagegen waren die Verschiffung afrikanischer Sklaven nach Nordamerika und die zwangsweise Rekrutierung von Arbeitskräften zur Kriegswirtschaft in Nazideutschland historische Beispiele der erzwungenen (forced) Migration, die unter innovativer Zielsetzung der Betreiber erfolgten. Diejenigen, die die erzwungene Migration überlebt haben, werden wegen ihrer passiven Rolle als „displaced person" bezeichnet. Nach dem Ende des Zweiten Weltkrieges haben die Alliierten die Bezeichnung „Displaced Persons" (DPs) eingeführt, um die ausländischen Zwangsarbeiter, die in der Kriegswirtschaft eingesetzt waren, zu bezeichnen. 1944 gab es insgesamt 10,5 - 11,7 Mio. DPs mit rund 20 Nationalitäten und über 35 verschiedenen Sprachen, die ohne alliierte Unterstützung nicht heimkehren oder eine neue Heimat finden konnten (vgl. Wolfgang Jacobmeyer, 1992, 368).

3) „Free migration"

Im Gegensatz zu den bisher beschriebenen Typen steht im Mittelpunkt der freien Migration die persönliche Entscheidung als zentrale Grundlage zur Migration. Die transatlantische Pioniermigration aus Europa nach Nordamerika im 18. und 19. Jahrhundert wird als ein historisches Beispiel für diesen Typus genannt.

4) „Mass migration"

Diese Migrationsform beginnt in kleinem Umfang und entwickelt sich zu einer sozialen Bewegung. Die Masse wird vom Migrationsfieber angesteckt. Wenn die Migration zum sozialen Muster wird, dann spielt die Frage nach der individuellen Motivation kaum eine Rolle, weil hier die Migration Anderer zum Grund der Migration wird. Dann genügt ein kleiner Anlass, jemanden zur Migration zu bewegen. Unmittelbare Folgen der so induzierten Massenmigration sind die Entvölkerung der Herkunftsregion und die Besiedlung (settlement) und Urbanisierung neuer Gebiete.

Die Massenmigration regt in der Regel die Verbesserung des Transportwesens an, die die Migration erleichtern soll. Neue Strassen und Häfen werden gebaut und Technologien für den Transport entwickelt. Dadurch werden sowohl die geographischen Entfernungen als auch die sozialen Distanzen kleiner. Proportional dazu nimmt die Angst vor dem Risiko der Migration ab. In dem Ausmaß, in dem immer mehr Menschen emigrieren und neue Siedlungen und Städte im Zielland errichtet werden, wird auch der Anpassungsdruck für neue Migranten niedriger. Die transatlantische Massenmigration von Europa nach Nordamerika im 19. Jahrhundert, die von dem sog. Amerikafieber begleitet wurde, ist ein Beispiel dafür.

Übersicht 1: Typologie der Migration nach William Petersen

Relation	Migratory force	Class of migration	Type of migration	
			conservative	innovating
Nature and man	Ecological push	Primitiv	Wandering Ranging	Flight from land
State equiva-lent	Migratory policy	Forced Impelled	Displacement Flight	Slave trade Coolie trade
Man and his norms	Higher Aspiration	Free	Group	Pioneer
Collective	Social Momentum	Mass	Settlement	Urbanization

Source: William Petersen, 1958, 266

Trotz einiger Kritik (vgl. Hans-Joachim Hoffmann-Nowotny, 1970, 60-64; Günther Albrecht, 1972, 29) gibt die Typologie der Migration von William Petersen eine gute Zusammenfassung der unterschiedlichen Formen und komplexen Gründe der Migration wieder (vgl. Charles Price, 1969, 195). Sie vermittelt in ihrer Zusammenfassung eine gute Orientierung.

Die weltweit deutlich zunehmenden Migrationsbewegungen seit 1945 zeigen in ihren vielfältigen Ursachen, strukturellen Entstehungsbedingungen und Erscheinungsformen einen grundlegenden Wandel an, für dessen theoretische Erfassung die von William Petersen aufgestellte klassifikatorische Einteilung nicht ausreicht. Eingehende Ausführungen zur angedeuteten Diversifizierung der Migrationsformen und ihrer strukturellen Entstehungsbedingungen in der zweiten Hälfte des 20. Jahrhunderts folgen im Kapitel 1.6 sowie im Kapitel 2.

1.3 Migration als Selektionsprozess des Humankapitals und das Problem des „Brain Drain"

Der Vorgang der weitgehend vereinzelten Migrationsbewegungen in der modernen Welt ist in mehrerer Hinsicht ein Selektionsvorgang, der sowohl durch die aktive Rolle der Migranten selbst als auch durch die spezifischen Aufnahmekriterien der Zielländer in Gang gesetzt wird.

Unabhängig von den individuellen Migrationsmotiven ist generell zu beobachten, dass die Menschen, die sich zur Migration entschließen, überwiegend aus mittleren Alterskohorten stammen. Es sind überwiegend junge Männer und Frauen im gesunden und produktiven Alter, die Mut zum Risiko haben und von den Zielländern unter arbeitsmarkt- und sozialpolitischen Gesichtspunkten bevorzugt werden. Eine der neuesten Entwicklungen bei den weltweiten Migrationsbewegungen besteht darin, dass der Anteil junger Frauen kontinuierlich steigt und fast die Hälfte aller Migranten ausmacht (vgl. IOM, 2008, 32). Vor diesem Hintergrund ist von der „Feminisierung der Migration" (feminization of migration) die Rede (vgl. Stephen Castles, Mark J. Miller, 1993, 8; IOM/UN, 2000, 7, 49; Petrus Han, 2003, 57-60). In den Migrationsbewegungen findet somit eine geschlechts- und altersspezifische Selektion statt (vgl. W. A. V. Clark, 1986, 21; J. A. Jackson, 1986, 79). Dabei kommt die altersspezifische Selektion der Arbeitskräfte durch die Migration wirtschaftlich primär den Aufnahmeländern zugute, weil sie für diese eine Vergrößerung der produktiven Bevölkerung (Erhöhung des Produktionsfaktors der Arbeit) bedeutet, die umittelbar zur wirtschaftlichen Wertschöpfung und Vermehrung des Wohlstandes beiträgt. Dagegen bedeutet die Migration junger Menschen für die Herkunftsländer einen wirtschaftlichen Verlust, da die produktiven Arbeitskräfte verloren gehen und die ältere und konsumtive Bevölkerung zurückbleibt (vgl. Alfred Kruse, 1961, 511).

In den Migrationsbewegungen erfolgen oft weitere Selektionen der Migranten nach rassischen, ethnischen und religiösen Kriterien, die die Einwanderungspolitik der einzelnen Aufnahmeländer aufstellen. Ein Beispiel rassischer Selektion ist in der Einwanderungsgeschichte Australiens zu finden. Die überwiegend britischen Einwanderer Australiens haben bis in die 1960er Jahre hinein die Einwanderungspolitik unter rassistischem Gesichtspunkt beeinflusst. Das erste Gesetz zur Einschränkung der Einwanderung (The Immigration Restrict Act von 1901) und die damit zusammenhängende „Politik des Weißen Australiens" (White Australia Policy) gehen auf den Einfluss der Mehrheit der Bevölkerung mit britischer Herkunft zurück. Dies führte zur rassischen Selektion der Einwanderer, so dass bis 1966 die Einwanderer aus Nordeuropa bevorzugt aufgenommen, während Einwanderer aus Südeuropa und Asien kaum zugelassen wurden (vgl. Stephen Castles, 1990, 45-46).

Ähnliche Muster der rassischen, ethnischen und religiösen Selektion der Migranten sind auch in der Einwanderungsgeschichte und -politik der USA zu finden. Von 1820 bis 1983 sind insgesamt 51,4 Mio. Menschen aus allen Teilen der Welt in die USA eingewandert. 71 % dieser Einwanderer (36,5 Mio.) waren Europäer (vgl. Luciano Mangiafico, 1988, 6). Von 1880 bis 1892 wanderten allein von Deutschland fast 1,8 Mio. Menschen in die USA aus. Bei dieser Massenemigration der Europäer markiert das Jahr 1882 insofern einen Wendepunkt, als die zahlenmäßige Dominanz der Einwanderer aus Nord- und Westeuropa (England, Irland, Deutschland, Frankreich, Holland und skandinavische Länder), die sog. „old migration", durch die neu einsetzende zahlenmäßige Dominanz der Einwanderer aus Süd- und Osteuropa (Italien, Portugal, Polen, Griechenland, slawische Länder und Juden), die sog. „new migration", abgelöst wurde (vgl. J. W. Vander Zanden, 1966, 29). Diese Wende sorgte in den USA für große soziale Spannungen und religiös-ethnisch begründete Unruhen, weil die Einwanderer aus Nord- und Westeuropa eine Verdrängung der überwiegend protestantischen und anglo-teutonischen Grundelemente in den USA durch überwiegend katholische und alpin-mediterrane Einflüsse befürchteten. Auf diesem Hintergrund entstanden in den USA nativistische Bewegungen (siehe S. 284-285) unter der Organisation „The American Protectiv Association", die den Kongress zur restriktiven Einwanderungspolitik mit entsprechenden Gesetzgebungsinitiativen veranlassten (vgl. Milton M. Gordon, 1964, 97). 1921 wurde die Quotenregelung (the national quota system) eingeführt, die anfänglich die Einwanderung von Nord- und Westeuropäern begünstigen sollte, jedoch unter dem Druck der öffentlichen Diskussion mehrmals novelliert werden musste (vgl. J. W. Vander Zanden, 1966, 31).

Migration stellt weiterhin in dem Sinne einen Selektionsprozess dar, in dem die Migranten streng nach den beruflichen Qualifikationen ausgewählt werden, die für die Aufnahmeländer nützlich sind. Das Einwanderungsgesetz und das Ausländerrecht einzelner Aufnahmeländer enthalten durchgehend Bestimmungen, nach denen die Einwanderung nur erlaubt wird, wenn sie für die allgemeinen wirtschaftlichen, kulturellen und öffentlichen Interessen des jeweiligen Landes nützlich ist, bzw. die Belange des Aufnahmelandes nicht beeinträchtigt. Diese positiv oder negativ formulierten Gesetze entscheiden dann im Einzelfall über die faktische Erteilung von Einreisevisa und Aufenthaltsgenehmigungen.

Im Mittelpunkt der Einwanderungspolitik der USA steht das Prinzip der weltweiten Bewegungsfreiheit aller Menschen (the principle of the free flow of people across the borders). Um dieses politische Ideal besser verwirklichen zu können, war die Einwanderungspolitik in den USA darum bemüht, die Einwanderungsgesetze durch sukzessive Novellierungen zu verbessern. 1965 wurde die im Jahre 1921 eingeführte „Quotenregelung" (the national quota system), die zuvor über drei Jahrzehnte Rassendiskriminierungen in der Einwanderungspolitik legalisiert hatte, aufgegeben und durch die neue und liberale Gesetzgebung „The Immigration and Nationality Act" ersetzt. Damit sollten die Diskriminierungen in der Einwanderungspolitik endgültig beseitigt werden, die in den rassisch bevorteilten nationalen Quotenzuweisungen an die Länder der westlichen Hemisphäre (Western Hemisphäre) bestanden. Nach dem Quotensystem machten die Einwanderer aus Großbritannien, Irland und Deutschland 70 % aller Einwanderungen in die USA aus (vgl. Thomas L. Bernard, 1970, 31).

Bis zum 1. März 2003 war der „Immigration and Naturalization Service" (INS) der USA für die Erteilung von Einreisevisa zuständig. Dieser unterschied sieben verschiedene Präferenzgruppen. Der ersten Präferenzgruppe („relative preference") wurden diejenigen zugeordnet, die amerikanische Staatsbürger als nahe oder weite Verwandte hatten. Sie wurden bei der Einwanderung in die USA vorzugsweise berücksichtigt, so dass eine nach Verwandtschaftsbeziehungen vorgenommene Selektion stattfand. Der dritten und sechsten Präferenzgruppe („occupational preference") wurden die sog. „qualified immigrants" bzw. „persons of exceptional ability in the sciences and arts" zugeordnet, deren berufliche Qualifikation den Anforderungen des Arbeitskräftebedarfs der USA (berufliche Selektion) entsprach. Dabei galt für die einwanderungswilligen Fachkräfte und Wissenschaftler aller Fachrichtungen, unabhängig von ihrer Herkunft, das Prinzip: „first come, first served" (vgl. Philip M. Boffey, 1968, 284; Hans P. Schipulle, 1973, 228, 237). So trat an die Stelle der einstigen Diskriminierung der Einwanderer nach ihrer nationalen Herkunft eine „Diskriminierung" nach ihrer Ausbildung und beruflichen Qualifikation ein, wobei der selektive Charakter der Einwanderungspolitik unverändert bleibt (vgl. Thomas L. Bernard, 1970, 32).

Die Terroranschläge auf das „World Trade Center" und auf das Pentagon am 11.9.2001 hat zur Aufteilung der Einwanderungsbehörde INS in zwei Behörden geführt. 1.) „Bureau of Immigration Enforcement" für den Grenzschutz und die Grenzkontrolle, 2.) „Bureau of Immigration Services and Adjudications" für die Einreisevisa, Einbürgerung und Asylanträge. Seit dem 1. März 2003 sind beide Behörden dem Ministerium für nationale Sicherheit (Department of Homeland Security) unterstellt (vgl. MuB, 5/2002).

Die Rekrutierung von hochqualifizierten Wissenschaftlern und Arbeitskräften aus dem Ausland gehört zu einem flexibel angewandten arbeitsmarktpolitischen Instrument der USA, das den „manpower-input" in Schlüsselbereichen der Industrie, der Forschung und des Gesundheitsdienstes steuert. Die USA beschreiten mit ihren Selektionskriterien nach beruflicher Qualifikation keinen Sonderweg. Alle traditionellen Einwanderungsländer (z.B. Kanada, Australien,

Großbritannien) betreiben eine ähnlich selektive Einwanderungspolitik. Sie gehen von der Erfahrung aus, dass die eigene wissenschaftliche und wirtschaftliche Entwicklung substanziell von der kontinuierlichen Einwanderung qualifizierter Arbeitskräfte aller Fachrichtungen abhängt.

Die Migration von qualifizierten Arbeitskräften bedeutet für die Aufnahmeländer einen Gewinn von Humankapital, während sie für die Herkunftsländer einen Verlust von Investitionen in das „manpower-resource" bedeutet. Die zu Beginn der 1960er Jahre einsetzende wissenschaftliche und politische Diskussion über den „Brain-Drain-Vorgang" ist vor diesem Hintergrund zu verstehen.

Zu Beginn der 1960er Jahre stellte man zunächst in Europa und seit Mitte der 1960er Jahre auch in den Entwicklungsländern fest, dass unter den Emigranten in den USA zunehmend Fachkräfte aller Fachrichtungen (z.B. Naturwissenschaftler, Mediziner, Ingenieure, Techniker, Krankenschwestern) zu finden waren. In den betroffenen Herkunftsländern entstand die Sorge, dass der Massenexodus von hochqualifizierten Akademikern und Fachkräften ihre eigene Entwicklung und Modernisierung gefährden könnte. Statistische Zahlen begründeten diese Sorge: Von 1949 bis 1965 emigrierten allein aus Großbritannien, Deutschland und Kanada insgesamt ca. 97.000 hochqualifizierte Wissenschaftler und Fachkräfte in die USA. Zwischen 1961 und 1980 emigrierten mehr als 500.000 Wissenschaftler und Fachkräfte aus den Entwicklungsländern in die USA (vgl. Stanislav Simanovsky, 1994, 17).

Die Emotionen, die bei den wissenschaftlichen und politischen Auseinandersetzungen über Ausmaß und Auswirkung des Massenexodus von hochqualifizierten Arbeitskräften (migration of talents and skills) mitschwangen, kommen in dem dafür geprägten Begriff „Brain Drain" (Abfluss der Gehirne) anschaulich zum Ausdruck, ein Begriff, der als „Elitenmigration" ins Deutsche übersetzt wird (vgl. Hans P. Schipulle, 1973, 21, 24).

In der weltweiten Diskussion über das Problem des „Brain Drain" sind zwei kontroverse theoretische Positionen zu finden. Die erste Position sieht im „Brain Drain" einen Prozess der Abwanderung des Humankapitals zum großen Nachteil der Herkunftsländer. Die andere bewertet die Auswirkungen des „Brain-Drain-Vorgangs" für die Herkunftsländer nicht negativ, sondern als entlastend, weil sie darin den sog. „overflow"-Effekt, d.h. die Abwanderung überflüssiger Arbeitskräfte sieht. "The less developed countries are not being stripped of manpower they badly need." (vgl. George B. Baldwin, 1970, 359). Der „Drain" (Abfluss) bedeutet in diesem Sinne keinen Verlust von Humankapital für die Herkunftsländer, sondern ein Ventil für diejenigen Arbeitskräfte, die nicht in den Produktionsprozess eingesetzt werden können und möglicherweise soziale Spannungen erzeugt hätten.

Der von der „overflow"-These hergestellte Zusammenhang zwischen Arbeitslosigkeit und Abwanderung von überflüssigen Arbeitskräften scheint teils richtig und teils falsch zu sein. Er ist insofern richtig, als arbeitslose Fachkräfte und hochqualifizierte Wissenschaftler tatsächlich nach Beschäftigungsmöglichkeiten im Ausland suchen und zwecks beruflicher Umorientierung emigrieren. Auf der anderen Seite ist er falsch, weil er unterstellt, dass alle qualifizierten Arbeitskräfte, die emigrieren, Arbeitslose wären. Die Realität zeigt oft das Gegenteil. Die türkischen Arbeitsmigranten in Deutschland sind ein Beispiel dafür. 1972 arbeiteten in der Bundesrepublik Deutschland 500.000 türkische Arbeitsmigranten, von denen ca. 82 % der Männer und 21 % der Frauen in der Türkei eine reguläre Beschäftigung hatten, bevor sie in die Bundesrepublik kamen (vgl. Ali Nahit Babaoglu, 1982, 111-112).

Als weiteres Beispiel kann die Auswanderung von medizinischem Fachpersonal aus Indien in die USA genannt werden. Die Migration von Ärzten und Krankenschwestern aus Indien in die USA war in ihrem Ausmaß auffallend hoch, obwohl diese selten von Arbeitslosigkeit betroffen waren (vgl. Hans P. Schipulle, 1973, 135, 142). Sie wanderten aus, nicht weil sie arbeitslos waren, sondern weil sie nach besseren Arbeits- und Lebensbedingungen suchten. "In fact, brains go where brains are" (Thomas L. Bernard, 1971, 355).

In den 1960er und 1970er Jahren waren die traditionellen Einwanderungsländer weitgehend auf die Einwanderung von Ärzten aus den Entwicklungsländern angewiesen, um den Ärztebedarf für die medizinische Versorgung ihrer Bevölkerung zu sichern. Die Ausbildungskapazität der medizinischen Hochschulen im eigenen Land war für den Bedarf nicht ausreichend (vgl. O. Gish, 1970, 398; Hans P. Schipulle, 1973, 201). Die Ärzte gehörten daher zu den Immigranten, die bevorzugt aufgenommen wurden. Die Kehrseite dieser Einwanderungspolitik waren die hohen Verlustraten an medizinischem Fachpersonal, die von 1968 bis 1971 z.B. in einigen asiatischen Ländern zu beobachten waren: In China um 93 %, in Indien um 830 % und in Südkorea um 1400 % (vgl. Hans P. Schipulle, 1973, 208). Für die USA bedeutete die Einwanderung von Ärzten einen Gewinn an Humankapital, während sie für die Herkunftsländer einen schmerzlichen „Brain Drain" darstellten. Einige Zahlenbeispiele machen diese Gewinn- und Verlustrechnung deutlich.

1967 entsprach die Zahl der in die USA eingewanderten Ärzte aus Entwicklungsländern in etwa der der gesamten Jahreskapazität der 15 größten amerikanischen Medizinhochschulen. Im selben Jahr wurden die jährlichen Betriebskosten einer solchen Hochschule auf etwa 8 Mio. US-Dollar geschätzt. Dies bedeutete, dass die USA ohne diese eingewanderten Ärzte rein rechnerisch jährlich rund 120 Mio. US-Dollar zusätzlich nur für die Betriebskosten von 15 Medizinhochschulen hätten aufbringen müssen, wenn sie eine entsprechende Anzahl von Ärzten selbst ausgebildet hätten. 1966 wurden in den USA die Kosten der medizinischen Ausbildung eines Arztes auf etwa 82.200 US-Dollar geschätzt. Wollte man die gesamten Kosten der medizinischen Ausbildung ermitteln, so wären zu den genannten Betriebs- und Ausbildungskosten auch die Verlustkosten („earnings foregone") am Sozialprodukt hinzu zu rechnen, die durch die Nichtbeteiligung der Auszubildenden am direkten Produktionsprozess während ihrer Ausbildungszeit entstehen (vgl. Hans P. Schipulle, 1973, 336).

Eine Gewinn- und Verlustrechnung des „Brain Drain" kann auch am Beispiel Irans aufgezeigt werden. Die Revolution und die Gründung einer islamischen Republik im Iran (1979) haben etwa 3 Mio. Iraner, vorwiegend Studenten, Politiker und Intellektuelle, zur Emigration veranlasst. Nach der Statistik des „US Census Bureau" lebten 1997 in den USA 165.000 Iraner im Alter von 25 Jahren, die im Iran ihre tertiäre Ausbildung abgeschlossen hatten. Geht man davon aus, dass die US-Regierung für jeden Schüler in der elementaren und sekundaren Ausbildung 7.000 US-Dollar ausgibt und das Studium an einem College in den USA im Studienjahr 1997/98 durchschnittlich 22.500 US-Dollar gekostet hat, dann bedeutet die Einwanderung von 165.000 Iranern mit Collegeausbildung für die USA, hier vorbehaltlich der Überprüfung der Gleichwertigkeit der Ausbildung und Vergleichbarkeit der Lebenshaltungskosten, eine Ersparnis in Höhe von 28,7 Mrd. US-Dollar (vgl. Akkbar E. Torbat, 2002, 276, 282-283).

Die genannten Beispiele lassen die Dimensionen des faktischen Gewinns für die USA erahnen, wenn die Einwanderung von hochqualifizierten Fachkräften aus allen Teilen der Welt andauert. Allein aus Südafrika wandern jährlich 30 bis 50 % aller Absolventen der Medizinhochschulen nach USA und Großbritannien aus, obwohl dort 2003 ca. 4.000 Stellen für Ärzte im öffentlichen Bereich unbesetzt blieben. 2003 sind aus der Republik Korea 8.800 Fachkräfte nach USA und Kanada ausgewandert (vgl. IOM, 2008, 412, 441-442). Die Problematik des „Brain Drain" gehört keineswegs der Vergangenheit an. Seit den 1990er Jahren gewinnt die Diskussion darüber durch folgende Entwicklungen neue Aktualität:

a) Der Zusammenbruch der sozialistischen Systeme in Osteuropa, insbesondere der ehemaligen Sowjetunion, hat dazu geführt, dass der „Brain Drain" aus

Osteuropa zu einem ernstzunehmenden globalen Problem geworden ist. Von 1986 bis 1990 haben ca. 1,5 Mio. Menschen Osteuropa und die ehemalige Sowjetunion verlassen. Davon waren ungefähr 25 bis 30 % (ca. 450.000) Wissenschaftler und Ingenieure. Das Migrationspotential aus den GUS-Staaten wird jährlich auf bis zu 1,5 Mio. Menschen geschätzt, mit einem Anteil von Wissenschaftlern und Fachkräften in Höhe von 250.000. Dies bedeutet, dass diese Länder bis Ende der 1990er Jahre einen Verlust von ca. 1,5 bis 1,8 Mio. hochqualifizierten Wissenschaftlern und spezialisierten Fachkräften erlitten haben. Die Experten der UN gehen davon aus, dass für die GUS-Staaten mit jedem emigrierenden Wissenschaftler ein Humankapital im Wert von 300.000 US-Dollar bzw. insgesamt ein jährliches „manpower-resource" im Wert von 60 bis 75 Mrd. US-Dollar verloren geht. Der Exodus von Atomphysikern ist politisch noch brisanter. Seit 1989 sind schätzungsweise 3.000-5.000 Atomphysiker bzw. Nuklearwissenschaftler aus den GUS-Staaten emigriert. Sie arbeiten überall dort, wo sie gebraucht werden, so z.B. in Algerien, Indien, Irak, Iran, Israel, Süd- und Nordkorea, Lybien. (vgl. Stanislav Simanovsky, 1994, 18-20).

b) Seit den 1990er Jahren entsteht in den USA eine große Nachfrage nach jungen Wissenschaftlern. Viele Universitätsprofessoren, die in den Boomjahren des Hochschulausbaus von 1950 bis 1960 nach USA angeworben wurden, sind bereits im Ruhestand oder werden in den nächsten Jahren das Pensionsalter erreichen. 1994 betrug die Zahl der Professoren im Alter um 50 Jahre, mit deren Emiritierung derzeit zu rechnen ist, 485.000. Die vakant werdenden Stellen an den Universitäten müssen sukzessiv neu besetzt werden. Solange dieser Nachfrage kein entsprechendes inländisches Angebot entgegen gesetzt werden kann, werden die USA eine weltweite Sogwirkung auf junge qualifizierte Wissenschaftler ausüben.

c) „The U.S. Immigration Act of 1990", unterzeichnet am 29.11.1990 als „Public Law 101-649" und im Oktober 1991 in Kraft getreten, lässt über die bisher bestehenden Quoten hinaus die Einwanderung von bis zu 40.000 Professoren und wissenschaftlich Forschenden in die USA zu. Diese neue Einwanderungspolitik, die die umfassendste Revision der Einwanderungspolitik seit 1965 darstellt, wird für viele migrationswillige Wissenschaftler aus aller Welt anziehend wirken.

d) Die Wachstumsschwäche der Wirtschaft und die dadurch bedingten Beschäftigungsprobleme in den westlichen Industrieländern haben unter anderem dazu geführt, dass sich die akademischen Arbeitsbedingungen durch die Kürzungen der Haushalts- und Forschungsetats der Hochschulen und Forschungsinstitute deutlich verschlechtert haben. Dies trifft die Hochschulen in den ehe-mals sozialistischen Staaten Ost- und Zentraleuropas besonders hart, so dass viele hochqualifizierte Wissenschaftler auf der Suche nach neuen und besseren Arbeitsmöglichkeiten sind (für die Punkte b bis d vgl. Jack H. Schuster, 1994, 437- 438).

Zum anderen gewinnt die Diskussion über „Brain Drain" seit den 1990er Jahren neue Aktualität, weil sich der Wettbewerb der Industrieländer bei der Anwerbung von hochqualifizierten Arbeitskräften durch folgende Entwick-lungen verschärft hat (vgl. IOM, 2008, 51). Erstens steigt der Bedarf an Fach-kräften im Bereich der Wissenschaft und Technologie in allen OECD-Ländern, weil die Zahl der jüngeren Fachkräfte geringer ausfällt als die der älteren, die das Pensionsalter erreichen (vgl. OECD, 2009, 162). Auf der anderen Seite hat die Globalisierung der Wirtschaft die Industrieländer veranlasst, ihre Produkti-onsstätten in Billiglohnländer zu verlagern (offshoring, outsourcing, global resourcing) und zu dezentralisieren. Dies macht jedoch notwendig, dass die Zirkulation und Mobilität des Kapitals gesteigert werden müssen, um die not-wendigen Auslandsdirektinvestitionen tätigen zu können. Gleichzeitig müssen die Industrieländer dafür Sorge tragen, dass die dezentralisierten Produktions-stätten und die Arbeiterschaft trotz ihrer räumlichen Streuung (spatial dispersi-on) global kontrolliert und in einem zentralisierten Besitzverhältnis integriert werden. Zur Bewältigung dieser Aufgaben müssen viele produktionsorientierte Dienstleistungen (producer services) und spezialisierte Finanzdienstleistungen erzeugt und eingesetzt werden, die wiederum mit Hilfe der hochentwickelten Informations- und Telekommunikationstechnologien nur von hochqualifizier-ten Fachkräften zu leisten sind (vgl. Petrus Han, 2006, 250-259). Diese haben den Anforderungen an Flexibilität und Anpassungsfähigkeit zu genügen, um gegenüber den sich schnell verändernden Erfordernissen des globalen Marktes angemessen reagieren zu können. Die Nachfrage der Industrieländer nach hochqualifizierten Fachkräften wächst daher schneller als das Angebot auf dem internationalen Arbeitsmarkt. Die Folge ist der globale Wettbewerb bei der Gewinnung von hochqualifizierten Arbeitskräften (vgl. IOM, 2008, 38).

Tabelle 1:   Percentage of All Tertiary Educated Foreign-born Adults by Region of Residence and Region of Birth 2000

Region of birth	Region of residence					
	Europe	North America	Latin America and the Caribbean	Asia	Oceania	Total
Europe	36,7	49,9	0,6	1,6	11,3	100
North America	24,9	62,1	4,6	2,3	6,1	100
Latin America & Caribbean	8,0	88,3	1,3	1,4	1.0	100
Asia	14,5	73,1	0,1	4,2	8,0	100
Oceania	22,4	27,2	0,1	0,7	49,6	100
Africa	47,8	44,5	0,1	0,1	7,6	100
Total OECD	23,6	64,8	0,7	2,4	8,5	100

Source: IOM, 2008, 62

Die hochqualifizierten Arbeitskräfte unter den Migranten sind Personen mit abgeschlossener tertiärer Ausbildung, insbesondere junge Erwachsene, die eine zweijährige oder darüber hinausgehende Collegeausbildung abgeschlossen haben: „The most basic definition of highly skilled migrants tends to be restricted to persons with tertiary education, typically adults who have completed a formal two-year college education or more." (IOM, 2008, 52). Nach der Statistik findet die Migration dieser Arbeitskräfte überwiegend innerhalb ihrer Herkunftsregion statt. So ist festzustellen, dass 33 % der hochqualifizierten Immigranten in den USA aus Kanada und Mexiko kommen (vgl. IOM, 2008, 56), während 36,7 %, die sich in den europäischen Ländern niedergelassen haben, aus anderen europäischen Ländern kommen, wie den Angaben der obigen Tabelle 1 zu entnehmen ist.

Nach Angaben der Tabelle 1 erhält Nordamerika die überwiegende Mehrzahl ihrer hochqualifizierten Arbeitskräfte aus Lateinamerika (88,3 %) und Asien (73,1 %). Es ist auffallend, dass etwa 50 % der aus Europa stammenden Fachleute nach Nordamerika ausgewandert sind. Auf der anderen Seite arbeiten in Europa mehr hochqualifizierte Arbeitskräfte aus Afrika (47,8 %) als aus Nordamerika (44,5 %). Damit wird der anhaltende „Brain Drain" aus Lateinamerika, Asien und Afrika nach Nordamerika und Europa offenkundig.

Tabelle 2:   Health Workers Moving to OECD Countries from Developing Countries 2006

OECD country	Doctors from abroad		Nurses from abroad	
	Number	% of total	Number	% of total
Australia	11.122	21		
Canada	13.620	23	19.061	6
Finland	1.003	9	140	0
France	11.269	6		
Germany	17.318	6	26.284	3
Ireland			8.758	14
New Zealand	2.832	34	10.616	21
Portugal	1.258	4		
United Kingdom	69.813	33	65.000	10
United States	213.331	27	99.456	5

Source: IOM, 2008, 63

Die Angaben der obigen Tabelle 2 dokumentieren ebenfalls den anhaltenden „Brain Drain" von Ärzten und Krankenschwestern aus den Entwicklungsländern in die traditionellen Aufnahmeländer von Migranten. So machte 2006 die Zahl der in den USA arbeitenden ausländischen Ärzte (213.333) einen Anteil von 27 % an der gesamten Ärzteschaft aus, dieser war jedoch kleiner als der in Großbritannien (33 %) und Neuseeland (34 %). Der Anteil der ausländischen Ärzte an der gesamten Ärzteschaft in Kanada und Australien erreichte jeweils 23 % und 21 %.

Viele Anzeichen sprechen dafür, dass der „Brain Drain" von hochqualifizierten Arbeitskräften und Wissenschaftlern auch in Zukunft anhalten wird. Die Herkunftsländer des „Brain" können diesen Vorgang kaum verhindern, weil seine Beweggründe nicht immer wirtschaftlicher Natur sind. Für die Wissenschaftler ist die fachliche Weiterentwicklung oft wichtiger bzw. genauso wichtig wie die materiellen Lebensbedingungen. Sie wollen weder unter den unzureichenden Forschungsbedingungen ihrer Herkunftsländer arbeiten noch von den fachlichen Entwicklungen abgekoppelt und dadurch isoliert werden (vgl. Markus Schlegel; Ludger Wiedemeier, 1994, 105). Die modernen computergestützten Kommunikationsmöglichkeiten können zwar ihre Isolation relativieren, diese aber nicht beseitigen. Es ist verständlich, dass sie sich zum Zentrum von Wissenschaft und Forschung hingezogen fühlen, um dort mit Fachkollegen von Rang zusammenzuarbeiten. Für die Wissenschaftler aus den GUS-Staaten ist die ethnische Diskriminierung oft ein zusätzlicher Beweggrund der Emigration (vgl. Stanislav Simanovsky, 1994, 19).

Diese Ausführungen lassen die Schlussfolgerung zu, dass die Länder, in denen „Brain Drain" stattfindet, auf der Verliererseite stehen, während die Empfängerländer als Gewinner zu sehen sind. Der Gewinn für die USA als das größte Empfängerland von „Brains" wird am Anteil der Wissenschaftler ausländischer Herkunft (foreign-born persons) an der Zahl der Nobelpreisträger deutlich. Er betrug in den Fachgebieten Chemie 26 %, Wirtschaftswissenschaft 31 %, Physik 32 % und Medizin 31 % (vgl. George J. Borjas, 1999, 88). Geht man von der Erkenntnis aus, dass die Wissenschaft heute die produktivste Kraft der Gesellschaft ist, so ist zu folgern, dass der Gewinn, den der „Brain Drain" für seine Empfängerländer einbringt, über den ökonomischen Gewinn hinausgeht.

Die Herkunftsländer können jedoch vom „Brain Drain" profitieren, wenn es ihrer Politik gelingt, die ausgewanderten Fachkräfte und Wissenschaftler zur Gründung einer Diaspora zu motivieren und deren Heimatbindung zu erhalten. Eine solche Diaspora würde dazu beitragen, den Transfer von Wissen, Technologie, Kapital und sozialen Netzwerken aktiv zu fördern. Davon können die Herkunftsländer kulturell und wirtschaftlich mehr profitieren als von einer restriktiven Verbotspolitik des „Brain Drain" (vgl. IOM, 2008, 65-67).

Abschließend sei darauf hingewiesen, dass die bisher dargestellten Selektionsvorgänge bei der grenzüberschreitenden Migration in vergleichbarer Form auch bei der Binnenmigration stattfinden. Die Landflucht als eine Form der Binnenmigration ist ein Selektionsvorgang, in dem vornehmlich junge und produktive Arbeitskräfte für die wirtschaftliche Entwicklung städtischer Regionen selektiert werden, so dass in den dadurch betroffenen ländlichen Regionen die ältere, wenig produktive und überwiegend konsumtive Bevölkerung zurückbleibt.

1.4 Ausgewählte soziologische Migrationstheorien

In den Anfängen der soziologischen Migrationsforschung bildete die Frage nach der Eingliederung der Immigranten in die Aufnahmegesellschaft den zentralen thematischen Schwerpunkt, der unter dem umfassenden Begriff der Assimilation untersucht wurde. Dabei wurden unterschiedliche deskriptiv-klassifikatorische Sequenz- und Zyklenmodelle entwickelt, die den Assimilationsvorgang der Immigranten als Prozess darstellten, der in einer Abfolge von Phasen progressiv voranschreitet. Die wissenschaftlich kritischen Auseinandersetzungen mit diesen Modellen haben in den 1960er Jahren nicht nur zu einem Paradigmenwechsel in der soziologischen Migrationsforschung, sondern auch zur Konzipierung von wesentlich umfassenderen Theorieansätzen geführt. Im Folgenden werden selektiv Sequenz- und Zyklenmodelle sowie inhaltlich darüber hinausführende Theorieansätze vorgestellt.

1.4.1 Anfänge und Entwicklung der Migrationsforschung

Die wissenschaftliche Erforschung des Phänomens der Migration beginnt, wie in vielen anderen Forschungsgebieten, erst in der zweiten Hälfte des 19. Jahrhunderts. Dies liegt nicht darin begründet, dass die Migration in früheren Zeiten unbekannt gewesen wäre. Die Sammler- und Jägerkultur, die Völker- und Nomadenwanderung und die unzähligen Kriegszüge der Stämme und Völker weisen eher darauf hin, dass das Phänomen der Migration ein fester Bestandteil der Kulturgeschichte der Menschheit ist und bleibt. Die Tatsache, dass das Phänomen der Migration erst im 19. Jahrhundert Gegenstand der wissenschaftlichen Forschung wurde, hat mit dem Umstand zu tun, dass sich die empirischen Natur- und Sozialwissenschaften erst in dieser Zeit etablierten.

Die ersten beachtenswerten Forschungsarbeiten zur Migration stellen die beiden Publikationen von Ernest George Ravenstein mit dem Titel „The Laws of Migration" im „Journal of The Royal Statistical Society" von 1885 und 1889 dar. Wie die Überschriften bereits verdeutlichen, war es das Ziel, nach dem Muster der naturwissenschaftlichen Forschung, die Gesetze der Migration zu entdecken. Dabei ging Ravenstein von der Prämisse aus, dass der entscheidende Migrationsgrund der Wunsch der Menschen ist, ihre materiellen Lebensbedingungen zu verbessern. Die Migration der überschüssigen Bevölkerung (surplus population) von den unterentwickelten zu den besser entwickelten Gebieten mit florierendem Handel und Industrieansiedlung war für ihn ein selbstverständlicher Vorgang (vgl. Ernest George Ravenstein, 1889, 241, 261, 286-289). Nachdem Ravenstein eine Reihe statistischer Daten zu Migrationsbewegungen in den europäischen und nordamerikanischen Ländern analysiert hatte, sah er in der geographischen Distanz den entscheidenden Faktor für seine Migrationsgesetze, die er in folgenden Hypothesen zusammenfasste (vgl. Ernest George Ravenstein, 1889, 288):

a) Unter normalen Bedingungen ist Migration ein Prozess, der sich langsam und schrittweise (step by step) vollzieht.

b) Der Migrationsstrom nimmt proportional zur wachsenden geographischen Distanz in seiner Stärke ab. Die Mehrzahl der Migranten entscheidet sich für die „short-journey migration", so dass sie vom Land in die angrenzenden Städte oder in unmittelbare Nachbarländer migrieren.

c) Migration löst Gegenmigration aus.

d) Das Wachstum der Städte geht auf Kosten der Entvölkerung (depopulation) der ländlichen Regionen.

e) Unter den „short-journey" Migranten überwiegen die weiblichen Migranten.

f) Je mehr die Entwicklung des Verkehrswesens und der Industrie voranschreitet, umso mehr wird die Migration der Menschen zunehmen, weil „migration means life and progress; a sedentary population stagnation.".

Die Arbeiten von Ravenstein stellen keine Theorie im Sinne der heutigen Sozialwissenschaften dar, sondern beanspruchen „nur den Status empirischer Regularitäten" (vgl. Hans-Joachim Hoffman-Nowotny, 1970, 45). Sie haben dennoch wichtige Anregungen für die nachfolgenden Forschungen gegeben.

Den zentralen Schwerpunkt der nachfolgenden Migrationsforschung bildete der Eingliederungsprozess der Migranten in das Aufnahmeland. In allen vorliegenden Forschungsergebnissen wird er unter dem Begriff der Assimilation thematisiert. Zunächst bestanden die Forschungsarbeiten aus einer Reihe von deskriptiv-klassifikatorischen Sequenz- bzw. Zyklenmodellen, die die Assimilation von Einwanderern und ethnischer Einwanderergruppen in das Aufnahmeland als einen Prozess darstellten, der in einer Abfolge von Phasen bzw. Stadien verläuft. Die Abhandlung „The Study of Assimilation" von Charles Price vermittelt einen strukturierten Überblick über die verschiedenen Modelle, deren Sequenzen sich durch ihren jeweiligen Forschungsschwerpunkt voneinander unterscheiden. Insgesamt sind ökonomisch-ökologische Sequenzen, Generationensequenzen und „race-relation-cycle" zu unterscheiden (vgl. Charles Price, 1969, 200-213).

Das ökonomische Sequenzmodell besteht aus 4 Phasen (vgl. Charles Price, 1969, 201):

Phase 1: Wachsende industrielle Nachfrage nach Arbeitskräften, die die Einwanderung fremder Arbeitskräfte nötig macht. Die Arbeitsmigranten schließen die Lücken des Arbeitsmarktes im unteren Lohnbereich, verschärfen den Wettbewerb und lösen dadurch Fremdenhass aus.

Phase 2: Wirtschaftlicher Abschwung schürt generelle Vorurteile gegenüber Fremden und Fremdenfeindlichkeit. Teilweise kommt es zu gewalttätigen Ausschreitungen, was zur restriktiven politischen und administrativen Handhabung der Einreisebestimmungen führt.

Phase 3: Mit zyklischer Erholung der Wirtschaft und nachlassender Fremdenfeindlichkeit tritt eine politische Lockerung der Einreisebestimmungen ein, so dass erneut die Einwanderung von Ausländern erlaubt wird.

Phase 4: Wirtschaftliche Rezession belebt wiederum die Fremdenfeindlichkeit, deren Intensität jedoch diesmal schwächer ausfällt, aufgrund der gewachsenen Pluralität der Gesellschaft.

Das ökologische Sequenzmodell über das amerikanische Judentum von Louis Wirth und Nathan Glazer beinhaltet 5 Phasen (vgl. Charles Price, 1969, 202-203):

Phase 1: Die Juden nordeuropäischer (Ashkenazim) und westeuropäischer (Sephardim) Herkunft besiedeln ein Gebiet und errichten ethnische Institutionen wie Synagogen, Schulen, Bestattungseinrichtungen, jüdische Friedhöfe, usw.

Phase 2: Allmählicher beruflicher Aufstieg einzelner jüdischer Familien, die dann in bessere Wohngebiete umziehen, wo eine mehr ethnisch gemischte Bevölkerung mit liberalen religiösen Einstellungen lebt. Die Wahrscheinlichkeit der Assimilation dieser Juden in die säkulare Gesellschaft (the Gentil world) erhöht sich.

Phase 3: Die freiwerdenden Räume, die durch den zunehmenden Auszug der Juden nordeuropäischer Herkunft aus den ersten jüdischen Siedlungen entstehen, werden durch neu einwandernde orthodoxe Juden aus Osteuropa gefüllt, die wiederum ihre religiösen und kulturellen Einrichtungen schaffen.

Phase 4: Die Juden aus Osteuropa fliehen aus dem bisherigen jüdischen Siedlungsghetto in bevorzugtere Wohngebiete und errichten dort 2. bzw. 3. neue jüdische Siedlungsgebiete.

Phase 5: Die zweite und dritte Generation der Juden zieht aus ihren Siedlungsgebieten fort, um sich in den Siedlungsgebieten mit besserer Wohnqualität niederzulassen. Dadurch beginnt die allmähliche Vermischung (Assimilation) mit der nichtjüdischen Bevölkerung.

Das Generationen-Sequenzmodell von H. G. Duncan gliedert sich in drei Sequenzen der Assimilation (vgl. Charles Price, 1969, 204):

1. Generation

Die Mehrheit der ersten Generation der Einwanderer passt sich nur im wirtschaftlichen und sozialen Bereich des Aufnahmelandes an und versucht durch ethnische Gruppen- und Institutionenbildungen ihre Herkunftskultur zu bewahren, um dadurch ihre emotionale Geborgenheit und psychische Sicherheit zu erhalten.

2. Generation

Die zweite Generation versucht in der Familie die Herkunftskultur der Eltern zu bewahren, während sie sich in Schule und Beruf die Verhaltensmuster und Kultur des Aufnahmelandes aneignet. Sie lebt in zwei Kulturen mit gemischten Wertestandards.

3. Generation

Die dritte Generation gibt die Herkunftskultur ihrer Eltern auf und assimiliert sich gänzlich in die „core culture" des Aufnahmelandes, so dass interethnische Mischehen normal werden.

Gemeinsam für die gezeigten Sequenzmodelle ist die Tatsache, dass sie, unabhängig von ihren unterschiedlichen Phaseneinteilungen, wissenschaftliche Bemühungen darstellen, durch die die deskriptive Rekonstruktion und Klassifikation des faktischen Assimilationsvorganges einzelner Einwanderer und -gruppen induktiv zu einer allgemeinen Theoriebildung gelangen. Diese Konstruktion beruht jedoch auf der Erforschung einzelner Teilbereiche (z.B. Siedlungsweise, berufliche und ethnische Konzentration, Generationenabfolge), die die Einwanderer und -gruppen unter bestimmten regionalen und soziohistorischen Bedingungen des Aufnahmelandes in ihrem Assimilationsprozeß durchlaufen haben. Ihre Erklärung kann daher auf die jeweilige Untersuchungssituation bezogen Gültigkeit besitzen. Sie ist jedoch nicht zur Verallgemeinerung geeignet. Generell können Sequenzmodelle nicht erklären, wie, wann und unter welchen Bedingungen sich der Übergang von einer Phase zur nächsten vollzieht. Sie können bei der Strukturierung komplexer Einzelaspekte der Assimilation hilfreich sein, stellen jedoch in sich keine allgemeinen Theorien dar, die die Zusammenhänge von Migration und Assimilation erklären können.

Im Gegensatz zu den vorgestellten Sequenzmodellen zeichnet sich das Modell des „race-relation-cycle", das zwei Exponenten der Chicagoer Schule für Soziologie in den USA, Robert E. Park und Ernest W. Burgess, in den 1920er Jahren entwickelt haben, durch eine wesentlich größere Theorienähe aus. Von ihnen geht, wie es Charles Price konstatiert, ein wichtiger und nachhaltiger Impuls für die nachfolgende migrationssoziologische Theorieentwicklung aus (vgl. Charles Price, 1969, 213- 217). Im Folgenden soll daher das Modell des „race-relation-cycle" vorgestellt und kritisch gewürdigt werden, um die Anfänge der Entwicklung der soziologischen Migrationstheorien aufzuzeigen und die in diesem Buch vorgenommene Selektion der soziologischen Migrationstheorien zu begründen.

Robert E. Park und Ernest W. Burgess vertreten in ihrem Modell des „race-relation-cycle" die These, dass jedesmal, wenn zwei oder mehrere ethnische Gruppen durch Migration in einem Gebiet zusammenleben, sie folgende fünf zyklische Phasen durchlaufen (vgl. Charles Price, 1969, 213-217):

1. „Contact"- Phase: Ethnische Gruppen, die durch Migration in einem Gebiet zusammenkommen, versuchen im Regelfall friedliche und klärende (exploratory) Kontakte untereinander aufzunehmen.

2. „Competition"- Phase: Sie treten in Wettbewerb um die knappen Ressourcen, wie Arbeitsplätze, Wohnungen, Kindergartenplätze usw.

3. „Conflict"- Phase: Als Folge des Wettbewerbs treten Diskriminierungen, Auseinandersetzungen und Aufstände auf.

4. „Accommodation"- Phase: Die ethnischen Gruppen arrangieren sich zu einem „modus vivendi", indem sie jeweils für ihre Gruppe berufliche Nischen suchen, sich in gesonderte Gebiete zurückziehen und sich mit ihrem jeweiligen sozialen Status begnügen.

5. „Assimilation"- Phase: Durch die Vermischungen (interethnische Ehen) verschwinden die ethnischen Unterschiede. An deren Stelle entsteht eine völlig neue Gesamtgruppe, in der ethnische Unterschiede nicht mehr erkennbar sind.

Obwohl das Zyklenmodell der Assimilation von Park und Burgess viele Anhänger gefunden und wertvolle Impulse für die weitere Entwicklung soziologischer Migrationstheorien gegeben hat, blieb es von Kritik nicht verschont. Eine der ersten Kritiken richtet sich gegen die Vorstellung, dass der zyklische Phasenverlauf unvermeidbar und irreversibel progressiv sein soll. Diese These ist empirisch nicht haltbar, weil sich die interethnischen Beziehungen keineswegs immer progressiv in Richtung Assimilation entwickeln müssen. Sie können auch in dauerhafte Konflikte, Unterordnung oder sogar in die Eliminierung ethnischer Gruppen einmünden (vgl. Hartmut Esser, 1980, 46). Das Zyklenmodell trägt damit in keiner Weise der Vertreibung, Zerstörung bzw. Vernichtung (z.B. die „Endlösung der Judenfrage" in Nazideutschland) ethnischer Gruppen Rechnung, die während des Assimilationsprozesses vorkommen und diesen abrupt beenden können. Darüber hinaus können ethnische Gruppen ausgelöscht werden. Robert E. Park hat in seinen späteren Arbeiten nur andeutungsweise auf die Möglichkeit des regressiven Phasenverlaufs und auf alternative Formen des Endzustandes (Kastensystem als Endzustand) hingewiesen. Die Annahme, dass die völlige Assimilation zwangsläufig der einzig mögliche Endzustand des Eingliederungsprozesses sein soll, bleibt somit einseitig (vgl. Charles Price, 1969, 214).

Zweitens wird die im Modell enthaltene These, dass die ethnischen Unterschiede mit dem Erreichen der Assimilationsphase völlig aufgehoben würden, besonders von denjenigen kritisiert, die den kulturellen Pluralismus favorisieren. Sie weisen auf die Möglichkeit hin, dass ethnische Gruppen, wie die Frankokanadier, voll in die „core society" integriert werden können, ohne dabei ihre ethnische Identität aufzugeben. In diesem Sinne kann die Integration eine Form der Akkommodation sein (vgl. Charles Price, 1969, 216). Weiterhin ist kritisch anzumerken, dass der Assimilationsprozess keineswegs eine Mechanik (vgl. Hartmut Esser, 1980, 48) darstellt, die irreversibel progressiv verläuft. Statt des linear progressiven Verlaufes kann Assimilation auch durch Diskontinuität und Regression bestimmt sein, so dass sie als „uneven assimilation", d.h. ungleichmäßig verlaufende Assimilation, bezeichnet wird (vgl. Charles Price, 1969, 216). Das Modell des „race-relation-cycle" kann diese „uneven assimilation" nicht erklären.

Die Tatsache, dass die Sequenz- und Zyklenmodelle die „uneven assimilation" nicht erklären können, hat in der weiteren Migrationsforschung, die in den 1960er Jahren beginnt, zu neuen erkenntnisleitenden Forschungsinteressen geführt. Die Assimilationsforschung wandte sich zunehmend neuen Fragen der Gruppenzugehörigkeit, Sozialisation, Rollenerwartung, psychischen Anpassung und „community relations" der Migranten zu. Die Migrationstheorien von Shmuel N. Eisenstadt und Milton M. Gordon schließen diese Lücken (vgl. Charles Price, 1969, 217, 219). Hartmut Esser bewertet sogar die theoretischen Analysen von Eisenstadt und Gordon als „die bis heute am weitesten entwickelten und systematischsten Fassungen des Problems der Eingliederung" (vgl. Hartmut Esser, 1980, 70).

Der bisherige Überblick zu Anfängen und Entwicklungen der Migrationsforschung ist Grundlage dafür, dass die Theorien von Shmuel N. Eisenstadt und Milton M. Gordon aus dem englischsprachigen Raum für dieses Buch ausgewählt und vorgestellt werden. Aus dem deutschsprachigen Raum werden die soziologischen Migrationstheorien von Hans-Joachim Hoffmann-Nowotny und Hartmut Esser gewählt, weil sie am ausführlichsten auf die migrationssoziologischen Fragen eingehen und versuchen, eine allgemeine soziologische Theorie der Eingliederung und Integration von Migranten zu entwickeln. „Beide können sicher als die prominentesten, theoretisch und methodologisch befriedigendsten in deutscher Sprache formulierten Theorien aus dem Bereich der Wanderungssoziologie bezeichnet werden" (Bernhard Nauck, 1988, 17). Die migrationssoziologischen Ansätze von Shmuel N. Eisenstadt und Milton M. Gordon finden in den theoretischen Überlegungen von Hartmut Esser breite Berücksichtigung, so dass die Leser in diesen Ansätzen auch eine kontinuierliche Theorieentwicklung der Migrationssoziologie kennenlernen.

Im Folgenden werden migrationstheoretische Theorieansätze vorgestellt. Ausführungen zur Integration werden aus diesen Ansätzen herausgenommen und im Kapitel 5.2 behandelt.

1.4.2   Migrationstheorie von Shmuel N. Eisenstadt

Migration ist der Wechsel des Wohnortes bzw. die physische Transplantation (physical transition) von Einzelnen und Gruppen aus einer angestammten und vertrauten zu einer fremden soziokulturellen Lebensumwelt (vgl. Shmuel N. Eisenstadt, 1952(1), 225; 1953, 169; 1954,1). Der Migrationsvorgang besteht nach Eisenstadt generell aus drei Phasen.

Die erste Phase ist die der Motivbildung zur Migration. In dieser Anfangsphase verdichten sich die Gefühle von Unsicherheit und Unzulänglichkeit (feelings of insecurity and inadequacy), die die potentiellen Migranten an ihrem Herkunftsort bezüglich ihrer Lebensbedingungen empfinden, nach und nach zu einem Motivbündel hinsichtlich ihrer Migrationsüberlegungen (vgl. Shmuel N. Eisenstadt, 1954, 1-4). Schließlich kommt nur noch die endgültige Aufgabe der gewohnten Lebensumwelt als Problemlösung in Frage. Weil die Migration im Regelfall mit einer Reihe von kaum abschätzbaren existentiellen Unsicherheiten und Risiken verbunden ist, findet die Motivbildung zur Migration nicht als einmalige Ad-hoc-Entscheidung, sondern als ein sich allmählich verdichtender psychischer Dispositionsprozess statt. In diesem Prozess wird sowohl eine materielle als auch soziokulturelle Verbesserung der Lebensbedingungen am Zielort gedanklich vorgestellt und vorweggenommen (vgl. Shmuel N. Eisenstadt, 1952(1), 225; 1953, 169).

Die zweite Phase besteht aus dem aktuellen Vorgang der Migration selbst, in dem die zur Migration Motivierten tatsächlich ihren Herkunftsort verlassen, um in eine ihnen völlig fremde und neue soziokulturelle Lebensumwelt einzuwandern. Diese Immigration ist mehr als ein Vorgang des Wohnortwechsels. Sie ist ein Prozess gravierender und radikaler sozialer Veränderungen, in dem die gesamten bisherigen sozialen Rollen, Interaktionen und Partizipationsbezüge aufgegeben werden. Hier tritt ein Prozess der Desozialisation (desocialization) in dem Sinne ein, in dem all das, was bisher durch Sozialisation vermittelt worden ist, weitgehend an soziokultureller und gesellschaftlicher Verbindlichkeit verliert. Die Folgen dieser radikalen Veränderungen sind oft existentielle Orientierungsstörungen sowie vorübergehende Strukturlosigkeit des Lebens. Die Unsicherheit der Migranten, die durch das Verlassen des Herkunftsortes eingetreten ist, wird nun durch die Unsicherheit in der neuen Umwelt zusätzlich verstärkt (Einzelheiten in Kapitel 3.2). Die Folge ist die generelle Angst vor der Zukunft (vgl. Shmuel N. Eisenstadt, 1952(1), 225). Die Migranten sind angehalten, einen erneuten und mühsamen Lernprozess zu beginnen (Resozialisierung), um sich mit den neuen soziokulturellen Gegebenheiten des Aufnahmelandes vertraut zu machen. Ihr Selbstkonzept und ihre Werthierarchie müssen entsprechend den neuen Bedingungen und Anforderungen reformiert und transformiert werden (vgl. Shmuel N. Eisenstadt, 1954, 5-6).

Die dritte Phase besteht aus dem lang andauernden und umfassenden Prozess der Eingliederung der Immigranten in die Aufnahmegesellschaft, den Shmuel Eisenstadt zuerst unter dem Begriff der Assimilation (vgl. Shmuel N. Eisenstadt, 1951, 222), später jedoch durchgehend unter dem Begriff „the process of absorption" thematisiert hat (vgl. Shmuel N. Eisenstadt, 1954, 6, 9). Dieser Prozess der „absorption", von dem das Gelingen des neuen Lebens der Immigranten in der Aufnahmegesellschaft entscheidend abhängt, umfasst nach der Darstellung von Eisenstadt drei wichtige Teilprozesse (vgl. Shmuel N. Eisenstadt, 1954, 11), die wegen ihrer besonderen Bedeutung für die später zu behandelnde Thematik der Integration beschrieben werden sollen.

a) Institutionalisierung der Rollenerwartungen und Verhaltensweisen im Alltag
   (institutionlization of role-expectation and behavior)

Bei diesem Teilaspekt handelt es sich um einen Lernprozess, in dem die Immigranten vor allem die neue Sprache und deren formgerechte Anwendung, neue soziale Rollen und deren angemessene soziale Erfüllungsformen (performance of roles), neue Denk- und Umgangsformen sowie eine Vielzahl von Alltagstechniken erlernen, die für das allgemeine Zurechtkommen in der Aufnahmegesellschaft unabdingbar notwendig sind. Mit anderen Worten müssen sie all ihre Lernvorgänge, vor allem ihre Rollenerwartungen, mit den allgemein geltenden Werten, Normen, Gewohnheiten und Erwartungen der Aufnahmegesellschaft kompatibel gestalten, so dass ihr Rollenvollzug im Rahmen der Rollendefinition der Aufnahmegesellschaft erfolgen kann (vgl. Shmuel N. Eisenstadt, 1952(3), 373; 1954, 7). Indem sie ihre Lernvorgänge institutionalisieren und ihr Alltagsverhalten danach ausrichten, werden sie in der neuen Gesellschaft nach und nach akkulturiert. Die logische Konsequenz der allmählichen Institutionalisierung des Verhaltens ist somit die Akkulturation (vgl. Shmuel N. Eisenstadt, 1953, 168; 1954, 12), während die fehlende Institutionalisierung zu anomischen Verhaltensweisen (unstructured anomic behaviour) führt, die die geltenden Werte und Normen der Aufnahmegesellschaft untergraben (vgl. Shmuel N. Eisenstadt, 1952(3), 374; 1953, 177). Durch die Institutionalisierung der Rollenerwartungen und der Verhaltensweisen im Alltag findet eine allmähliche Umformung (transformation) des gesamten Verhaltens und der gesamten sozialen Beziehungen der Immigranten statt (vgl. Shmuel N. Eisenstadt, 1953, 169).

b) Anpassung der Immigranten an die Anforderungen der Aufnahmegesellschaft (satisfactory and integral personal adjustment of immigrants)

Die Immigranten müssen in ihrem Anpassungsprozess mit Schwierigkeiten rechnen, nicht weil ihnen die Bereitschaft zur Anpassung fehlt, sondern weil ihnen die Chancen für diese Anpassungsleistung verweigert werden können. Ihre soziale und gesellschaftliche Anpassung hängen somit entscheidend von der Bereitschaft der Aufnahmegesellschaft ab, ihnen die notwendigen Opportunitäten zur Anpassung zu eröffnen. Für Shmuel Eisenstadt ist die Ausweitung sozialer Interaktionen und Partizipationen über die Primärgruppenbeziehungen hinaus, d.h. über die Grenzen sozialer Gruppen hinaus, die nur auf der Grundlage verwandtschaftlicher und ethnischer Affinitäten gebildet werden, eine der wesentlichen Voraussetzungen für die erfolgreiche „absorption" in die Aufnahmegesellschaft (vgl. Shmuel N. Eisenstadt, 1951, 223). Nach seiner Auffassung schaffen erst solche ausgeweiteten sozialen Interaktionen und Partizipationen die Grundlage dafür, eine Kompatibilität zwischen den Werten der Immigrantengruppe und denen der Aufnahmegesellschaft herzustellen. Erst auf der Grundlage solcher Wertkompatibilität kann es möglich sein, das gestörte Selbstkonzept der Immigranten (the immigrant´s concept of himself) zur Stabilisierung ihrer Persönlichkeit neu zu organisieren. Die erfolgreiche individuelle Anpassung in dem hier dargestellten Sinn wird damit zu einer Grundvoraussetzung der „absorption" (vgl. Shmuel N. Eisenstadt, 1954, 9).

Gleichzeitig wird deutlich, dass die Immigranten nur dann ihre sozialen Interaktionen und Partizipationen ausbauen und diese über die Grenzen ihrer Primärgruppe hinaus ausdehnen können, wenn die Aufnahmegesellschaft dies zulässt. Da dies nicht selbstverständlich ist, sind die Anpassungsbemühungen oft mit persönlichen Frustrationen verbunden, die zur verstärkten persönlichen Desorganisation (personal disorganization; z.B. psychische Störung, geistige Erkrankung, Kriminalität, Selbstmord) führen können.

c) Eindringen der Immigranten in die institutionellen Sphären der Aufnahmegesellschaft und Verschmelzung (institutional dispersion of immigrants)

Mit dem von Shmuel Eisenstadt häufig gebrauchten Begriff „dispersion" ist ein typischer Prozess der Verschmelzung gemeint, in dem die Immigranten in die verschiedenen institutionellen Sphären der Aufnahmegesellschaft so eidringen, dass sie letzlich ihre separate ethnische Gruppenexistenz und -identität verlieren. Ihre separatistische Tendenz und Gruppenidentität aufgrund der Konzentration in bestimmten institutionellen Sektoren werden als Zeichen mangelnder „absorption" gedeutet (vgl. Shmuel N. Eisenstadt, 1954, 13). Ihre vollkommene Absorption (full absorption) ist dann erreicht, wenn sie ihre Gruppenidentität restlos abgelegt haben (vgl. Shmuel N. Eisenstadt, 1954, 13).

Der zentrale Begriff „absorption" in der Migrationstheorie von Eisenstadt ist inhaltlich verwandt mit dem Begriff der Assimilation, der einen sehr langwierigen, oft mehrere Generationen andauernden Eingliederungsprozess der Immigranten in die Aufnahmegesellschaft zum Ausdruck bringt. „Dispersion" meint den Prozess der Eingliederung, in dem die Immigranten in die verschiedenen institutionellen Bereiche der Aufnahmegesellschaft (z.B. Politik, Wirtschaft, Kultur) so eindringen und damit verschmelzen, dass sie ihre mitgebrachte ethnische Gruppenidentität verlieren und schließlich zur vollkommenen Absorption gelangen.

1.4.3   Migrationstheorie von Milton M. Gordon

Ausgangspunkt der Assimilationstheorie von Milton M. Gordon sind die Probleme der Vorurteile und Diskriminierungen, denen Einzelne und Gruppen aufgrund ihrer Rassen- und Religionszugehörigkeit sowie nationalen Herkunft ausgesetzt sind (vgl. Milton M. Gordon, 1964, 3, 233). Der Bezugsrahmen dieser Theorie ist die amerikanische Gesellschaft mit ihren eingewanderten ethnischen Minderheiten. Dabei geht es Gordon um die Strukturen des Gruppenlebens (structure of group life) der Menschen in „subsocieties" und die interethnischen Gruppenbeziehungen im sozialen und kulturellen Kontext der amerikanischen Gesellschaft. Der Gruppenkontext stellt für ihn den soziokulturellen Rahmen dar, in dem die Einzelnen mit ihren psychosozialen Verfassungen eingebettet sind (vgl. Milton M. Gordon, 1964, 233, 18).

Ausgehend von der Vorstellung, dass der Mensch sich als Angehöriger eines Volkes (peoplehood) bzw. einer ethnischen Gruppe versteht, durch Rasse, Religion und Nationalität definiert (vgl. Milton M. Gordon, 1964, 24, 27-29), hebt Gordon hervor, dass die amerikanische Gesellschaft aus einer Vielzahl von „ethnic subsocieties" zusammengesetzt ist, die jeweils ihre eigenen sozialen Strukturen und Subkulturen sowie ethnische Identität besitzen (vgl. Milton M. Gordon, 1964, 37-39). Die ethnischen Gruppen sind dabei als soziale Statusgruppen (social status group) in einem hierarchischen Gefüge der sozialen Klasse (social class) eingefügt. Soziale Klasse als hierarchische Zuordnung von Menschen nach ihrer ökonomischen, politischen und statusmäßigen Macht bestimmt somit die Gruppenidentität ethnischer Gruppen mit (vgl. Milton M. Gordon, 1964, 40-41, 46).

Im Zusammenhang mit der Entstehung sozialer Klassen und ethnischer Gruppen führt Gordon den Begriff „ethclass" ein, um die Folgen ethnischer Differenzierungen in der amerikanischen Gesellschaft aufzuzeigen. Die „ethclass" entsteht im Schnittpunkt der horizontalen Differenzierung nach Ethnien und der vertikalen Differenzierung nach Klassenzugehörigkeit. Dabei nimmt er an, dass Menschen gleicher sozialer Klassen sich ähnlich verhalten und miteinander mehr oder minder ähnliche Wertvorstellungen teilen, so dass die Klassenzugehörigkeit für die kulturellen Verhaltensweisen wichtig wird. Dagegen hält er die ethnische Zugehörigkeit für die sozialen Beteiligungen (social participation) für bedeutsam, da die Einwanderer ihre sozialen Beziehungen und Kontakte zunächst auf den Primärgruppenbereich ihrer ethnischen Gruppe beschränken (vgl. Milton M. Gordon, 1964, 51-52). Hiernach werden Menschen gleicher Klassenzugehörigkeit und unterschiedlicher ethnischer Herkunft in ihren Verhaltensweisen ähnlich sein, jedoch kein Zugehörigkeitsgefühl zu einem Volk (peoplehood) empfinden. Umgekehrt werden Menschen gleicher ethnischer Zugehörigkeit und unterschiedlicher Klassenzugehörigkeit zwar ein ethnisches Zugehörigkeitsgefühl haben, jedoch keine klassenbezogenen Verhaltensweisen zeigen.

Ausgehend von dem Begriff „core group" von August B. Hollingshead und von den Begriffen „core society" und „core culture" von Joshua Fishman glaubt auch Milton M. Gordon an die Existenz der „core society" und „core culture" der amerikanischen Gesellschaft, die die dominante Mehrheit der weißen Einwanderer aus nordeuropäischen Ländern mit überwiegend angelsächsischer Herkunft und protestantischer Religionszugehörigkeit bilden. Die anderen ethnischen Einwanderergruppen sind angehalten, sich an diese „core culture" und „core society" der dominanten Mehrheit anzupassen (vgl. Milton M. Gordon, 1964, 72). Die Fragen, ob diese Anpassung der Einwanderer, die nicht angelsächsischer Herkunft und protestantischer Religionszugehörigkeit sind, bei der jeweiligen „ethclass" beendet, oder ob diese bis in die „core society" und „core culture" hinein fortgesetzt wird, ob ihre Anpassung überhaupt so weit geht, dass die ethnischen Vorurteile und Diskriminierungen, die die dominante Mehrheit gegen sie hat, generell ausgeschlossen werden können, machen die einzelnen Aspekte bzw. Variablen dieser Assimilationstheorie aus (vgl. Milton M. Gordon, 1964, 75).

Gordon benutzt den Begriff Assimilation, um den gesamten Anpassungsprozess, den die Einwanderer in der amerikanischen Gesellschaft durchlaufen, modellhaft zusammenzufassen und theoretisch zu generalisieren. Nach seiner Auffassung sind bei dem Assimilationsprozess sieben Teilprozesse zu unterscheiden, die jeweils als einzelne Phasen des Assimilationsvorganges (particular stage of the assimilation process) zu verstehen sind (vgl. Milton M. Gordon, 1964, 70). Dabei hebt er die Unterscheidung zwischen der kulturellen und strukturellen Assimilation als für seine Theorie besonders wichtig hervor (vgl. Milton M. Gordon, 1975, 84).

Der Assimilationsprozeß beginnt mit der kulturellen Assimilation (cultural assimilation), wie Milton M. Gordon am Beispiel der amerikanischen Einwanderungsgeschichte aufzeigt. Alle Einwanderer haben, unabhängig von ihrer Herkunft und unabhängig davon, ob sie Vorurteilen und Diskriminierungen ausgesetzt sind oder nicht, damit beginnen müssen, sich Sprache und Verhaltensweisen anzueignen. Kulturelle Assimilation bildet immer den Anfang eines Assimilationsprozesses und tritt auch dann ein, wenn andere Teilprozesse, aus welchen Gründen auch immer, nicht stattfinden können (vgl. Milton M. Gordon, 1964, 77; 1975, 84).

Damit macht Gordon im Gegensatz zu den allgemeinen Annahmen der Phasen- und Zyklenmodellen zur Assimilation deutlich, dass der Prozess der Assimilation keineswegs ein mechanischer und unumkehrbar sich fortsetzender Prozess ist. Er ist eher der Auffassung, dass die erfolgreiche Akkulturation der Einwanderer oft weder ihren Zugang zur „core society" der weißen protestantischen Bevölkerung Amerikas noch die Abschaffung von Vorurteilen und Diskriminierungen gegenüber deprivierten Minderheiten bewirkt hat. Die räumliche Isolation und soziale Deprivation im Bereich von Berufs- und Bildungsstrukturen haben viele Einwandererminderheiten in ihrer untersten Klassenzugehörigkeit verfestigt (vgl. Milton M. Gordon, 1964, 78).

Die strukturelle Assimilation bildet den zweiten Teilprozess und besteht darin, dass Einwanderer nach und nach in die strukturellen Bereiche der Aufnahmegesellschaft eindringen und zunehmend am Leben sozialer Cliquen, Organisationen und Institutionen partizipieren. Gordon weist besonders darauf hin, dass die kulturelle Assimilation nicht notwendigerweise zur strukturellen Assimilation führen muss, dass aber umgekehrt die strukturelle Assimilation unvermeidbar (inevitably) zur Akkulturation bzw. kulturellen Assimilation und damit zu weiteren Phasen der Assimilation führt (vgl. Milton M. Gordon, 1975, 84). Die strukturelle Assimilation bildet damit die grundlegende Voraussetzung für den gesamten Assimilationsprozesses: „it need hardly be pointed out that while acculturation, as we have emphasized above, does not necessarily lead to structural assimilation, structural assimilation inevitably produces acculturation. Structural assimilation, then, rather than acculturation, is seen to be the keystone of the arch of assimilation" (Milton M. Gordon, 1964, 81). Die Begriffe Akkulturation und kulturelle Assimilation sind Synonyme bei Gordon: „cultural assimilation, or acculturation, is likely to be the first of the types of assimilation to occur when a minority group arrive on the scene" (Milton M. Gordon, 1964, 77).

Übersicht 2: Phasen des Assimilationsprozesses von Milton M. Gordon

Subprozess bzw. Bedingungen	Teilprozesse der Assimilation	Spezielle Bedingungen
Wandel der kulturellen Verhaltensmuster in Richtung auf Angleichung mit der Aufnahmegesellschaft	Kulturelle oder verhaltensmäßige Assimilation	Akkulturation
Eintritt in Cliquen, Vereine und Institutionen der Aufnahmegesellschaft auf der Basis der Primärbeziehungen	Strukturelle Assimilation	---------
Entstehen interethnischer Heiratsmuster	Marital Assimilation	Amalgamierung
Entwicklung des Zugehörigkeitsgefühls zur Aufnahmegeselschaft	Identifikative Assimilation	---------
Fehlen von Vorurteilen	Attitude receptional Assimilation	---------
Fehlen von Diskriminierungen	Behavioral receptional Assimilation	---------
Fehlen von Wertkonflikten und Machtkämpfen	Zivile Assimilation	---------

Quelle: Milton M. Gordon, 1964, 71

Dem Teilprozess der strukturellen Assimilation schließt sich der Teilprozess der „marital assimilation" an, in dem die Assimilation auf der Basis der interethnischen Heirat von Einwanderern mit Angehörigen der „core society" stattfindet. Die dabei stattfindende biologische Angleichung bezeichnet Gordon als Prozess der Amalgamierung. Mit dieser biologischen Vereinigung geht, so die Auffassung von Gordon, die spezifisch ethnische Identität verloren, so dass die identifikative Assimilation als nächster Teilprozess eintritt. Mit ihrem Eintreten soll die Voraussetzung zum Abbau von Vorurteilen und Diskriminierungen geschaffen sein. Nach der identifikativen Assimilation treten die restlichen Phasen des Assimilationsprozesses sukzessiv, relativ problemlos und zügig ein, so dass Wertkonflikte weitgehend ausgeschlossen sind (vgl. Milton M. Gordon, 1964, 80-81).

1.4.4   Migrationstheorie von Hans-Joachim Hoffmann-Nowotny

Hans-Joachim Hoffmann-Nowotny versteht seine Migrationstheorie als Anwendung der „Theorie struktureller und anomischer Spannungen" von Peter Heinz auf das Phänomen der Migration. Der Ausgangspunkt seiner Analyse der Migration ist die Existenz „struktureller und anomischer Spannungen" im Rahmen sozietaler Systeme bzw. Kontexte. Die Theorie struktureller und anomischer Spannungen geht unter anderem von den Postulaten aus, dass Macht und Prestige als die zentralen Dimensionen sozietaler Systeme differentiell zugänglich, ungleich und ungleichgewichtig verteilt sind, und dass in sozietalen Systemen ein Konsens über die zentralen Werte sowie eine Tendenz zur Angleichung von Macht an Prestige besteht (vgl. Hans-Joachim Hoffmann-Nowotny, 1970, 35). Macht wird dabei als „der Grad, zu dem ein Anspruch des Akteurs auf Teilhabe an zentralen sozialen Werten durchgesetzt werden kann" definiert, während Prestige als „der Grad, zu dem der Anspruch von Akteuren auf Teilhabe an zentralen sozialen Werten oder ihr Besitz als legitim angesehen wird", definiert wird. Prestige hat die Funktion, Machtansprüche und -besitz zu legitimieren (vgl. Hans-Joachim Hoffmann-Nowotny, 1970, 26, 29).

Strukturelle Spannungen im sozietalen System, Hoffmann-Nowotny verwendet anstelle des Begriffes „soziales System" den Begriff „sozietales System", treten durch Ungleichheit von Macht und Prestige auf. Die sozietalen Systeme zeichnen sich dadurch aus, dass auf den unteren Positionen - gemessen am Prestige - tendenziell ein Machtdefizit und auf den oberen Positionen tendenziell ein Machtüberschuss zu verzeichnen ist. Strukturelle Spannungen können in drei unterschiedlichen Spannungstypen auftreten: In Ungleichgewichtsspannung (wenn die Balance in der Einheit der Macht-Prestige-Relation beim einzelnen Akteur so gestört wird, dass Machtüberschuss bzw. Machtdefizit die Folge ist, d.h. „soziale Spannung" eintritt), in Rangspannung (ungleiche Teilhabe an einem zentralen machtrepräsentierenden Wert) und in Unvollständigkeitsspannung (wenn eine der beiden Dimensionen von Macht und Prestige nicht besetzt wird). Strukturelle Spannungen sind zentrale Determinanten des Wandels sozietaler Systeme. Anomische Spannungen treten als Konsequenz struktureller Spannungen mit dem Ziel auf, die Letzteren abzubauen bzw. auszugleichen (vgl. Hans-Joachim Hoffmann-Nowotny, 1970, 31-33, 36).

Wie Robert K. Merton verschiedene Lösungsmöglichkeiten des anomischen Devianzdrucks aufzeigt, gibt auch Hoffmann-Nowotny verschiedene Varianten anomischen Verhaltens vor, die zum Ausgleich von Macht und Prestige führen können. Eine dieser Varianten ist die Veränderung der Position auf den gegebenen Macht- und Prestigelinien, die er mit dem Begriff „Mobilität" umschreibt. Erfährt ein Mitglied eines Systems anomische Spannung, kann es versuchen, diese durch einen lokalen Wechsel zu einem anderen sozietalen System (Emigration), dessen strukturelle Spannung geringer ist als die des Herkunftssystems, auszugleichen (vgl. Hans-Joachim Hoffmann-Nowotny, 1970, 37). Migration ist eine Form dieser Mobilität, die der Migrant als Instrument zur Veränderung seiner Position auf Statuslinien einsetzt, um die strukturellen Spannungen, denen er in einem sozietalen System ausgesetzt ist, auszugleichen bzw. abzubauen (vgl. Hans-Joachim Hoffmann-Nowotny, 1970, 98).

Auf individueller Ebene ist die Migration ein rationaler Entscheidungsprozess in kleinen Schritten, in dessen Verlauf der Einzelne seine bisherige Mitgliedschaft zu einem spannungsreichen Kontext aufgibt und eine andere in einem spannungsärmeren Kontext anstrebt. Dieser Entscheidungsprozess zielt damit auf die dauerhafte Veränderung des Aufenthaltsortes, die durch geographische Mobilität erreicht wird. Die Migration ist damit eine Form der geographischen Mobilität, die der Migrant als geeignete Möglichkeit für die Lösung seiner strukturellen Spannungen in Betracht zieht. Der Einzelne strebt dabei nach einer positiven Veränderung seiner Position auf den Statuslinien. Die Migration als geographische Mobilität soll damit eine vertikale Aufwärtsmobilität des Einzelnen in einem neuen sozietalen Kontext herbeiführen, um hier den Begriff von Hoffmann-Notwotny zu gebrauchen, (vgl. Hans-Joachim Hoffmann-Nowotny, 1970, 95-119). Somit werden die strukturellen Spannungen des Herkunftsortes, ähnlich wie bei Shmuel N. Eisenstadt, zu den entscheidenden strukturellen Determinanten der Migration.

Mit dieser Migrationstheorie verfolgt Hoffmann-Nowotny, wie er selbst konstatiert, die Intention, das Phänomen der Migration im Rahmen einer umfassenden soziologischen Theorie einzuordnen und es nicht länger als singuläre Erscheinung zu erklären (vgl. Hans-Joachim Hoffmann-Nowotny, 1970, 82, 143). Seine eher individualistisch angelegten Definitionen von Macht und Prestige als zentralen Determinanten und Konzepten sozietaler Systeme scheinen jedoch dieser Intention zu widersprechen (vgl. Bernhard Nauck, 1988, 19).

Hoffmann-Nowotny baut in einem Aufsatz mit dem Titel „World Society and the Future of International Migration: A Theoretical Perspective" (1997)

seine von der strukturellen und anomischen Spannung ausgehende migrationssoziologische Theorie zu einer makrosoziologischen Theorie der Weltgesellschaft (world society) aus. Dabei betont er, dass er die Gegensätze zwischen
dem mikro- (z.B. Migration als individuelle Entscheidung) und makrosoziologischen Forschungsparadigma des Migrationsphänomens (z.B. Migration als
Folge kultureller und struktureller Bedingungen) überwinden will, indem er die
beiden Forschungsansätze als komplementär behandelt. Für seine Theorie ist
die Unterscheidung der Fragen wesentlich, unter welchen soziostrukturellen
und soziokulturellen Bedingungen der Mensch sesshaft oder mobil wird, weniger die grundsätzliche Diskussion darüber, ob der Mensch von Natur aus eher
sesshaft oder eher mobil ist (vgl. Hans-Joachim Hoffmann-Nowotny, 1997, 96-
98).

Der Ausgangspunkt seiner erweiterten makrosoziologischen Migrationstheorie ist die Feststellung, dass die Welt im Zuge des Globalisierungsprozesses zu
„einer Welt" (one world) bzw. zu „einer Weltgesellschaft" (a world society)
zusammenwächst. Eine der Folgen dieser Entwicklung sowie der anhaltenden
Bevölkerungsexplosion ist das kontinuierlich wachsende internationale Migrationspotential. Die Frage, ob dieses Potential tatsächlich Migrationsbewegungen
auslösen wird oder nicht, hängt nach seiner Auffassung weitgehend von den
strukturellen und kulturellen Bedingungen (structural and cultural characteristics of world society) der neu entstehenden Weltgesellschaft ab. Dabei ist er
der Überzeugung, dass das internationale Migrationspotential letztendlich von
zwei zentralen Charaktermerkmalen der Weltgesellschaft bestimmt sein wird.
Diese sind zum einen die entwicklungsmäßigen Disparitäten (developmental
disparities) zwischen den nationalen Einheiten innerhalb der Weltgesellschaft
auf der strukturellen Ebene und zum anderen die wertmäßige Integration (value
integration) der Gesellschaften auf der kulturellen Ebene, die die soziale Mobilität auslöst und legitimiert (vgl. Hans-Joachim Hoffmann-Nowotny, 1997, 103).

Die entwicklungsmäßigen Disparitäten in der Weltgesellschaft sind ein Ausdruck der sozialen Ungleichheit, die für die Entstehung sozialer Stratifikationen ursächlich ist. Diese Disparitäten sind als quantifizierbare strukturelle
Distanzen (structural distaces) zwischen den Nationen anzusehen, die jeweils an
ökonomischen, sozialen und demographischen Indikatoren gemessen werden
können. Damit bleibt die Weltgesellschaft prinzipiell für die soziale Mobilität
(z.B. Auf- und Abstieg) offen, die oft auch mit der geographischen Mobilität
(z.B. Emigration) verbunden sein kann. Die Konzeption einer Weltgesellschaft
setzt an sich die gemeinsame Teilhabe aller Menschen an Wohlstand, Wohlfahrt, Mobilität und sozialer Gerechtigkeit als erstrebenswerte Ziele voraus. Die

grenzüberschreitende Migration ist ein Mittel für die aufstiegsorientierte soziale Mobilität (upward social mobility), die diese Teilhabe ermöglichen soll. Damit die entwicklungsmäßigen Disparitäten tatsächlich internationale Migrationen auslösen können, muss jedoch auf der kulturellen Ebene die wertmäßige Integration (value integration) als zweite unerlässliche Bedingung hinzukommen. Dies bedeutet, dass die Homogenisierung und Diffusion der kulturellen Wertvorstellungen westlicher Prägung durch die Sozialisation (z.B. die Vermittlung der Wertvorstellungen, wie Freiheit, Gleichheit, Gerechtigkeit und Freizügigkeit der Bewegungen von Personen, Waren, Kapital und Technolgie) erst die bewusstseinsmäßigen Voraussetzungen dafür schaffen, dass die Menschen die soziale Stratifikation und Ungleichheit tatsächlich als Hindernisse für die Chancengleichheit wahrnehmen. Die Entwicklung individueller und kollektiver Aspirationen zur Teilhabe an den kulturellen Werten der Weltgesellschaft wird erst durch diese Wertintegration möglich (vgl. Hans-Joachim Hoffmann-Nowotny, 1997, 103-105).

Ausgehend von den genannten zwei zentralen Charaktermerkmalen der Weltgesellschaft, d.h. zum einen die entwicklungsmäßigen Disparitäten (strukturelle Distanzen) und zum anderen die ungleiche wertmäßige Integration (kulturelle Distanzen), die das internationale Migrationspotential bestimmen werden, kommt Hoffmann-Nowotny zu folgenden neun denkbaren Konstellationen des internationalen Migrationspotentials.

Hoffmann-Nowotny betrachtet das internationale Migrationspotential als Funktion des Wandels der strukturellen und kulturellen Distanzen zwischen den nationalen Einheiten innerhalb der Weltgesellschaft. Dabei geht er davon aus, dass die Veränderungen der kulturellen Distanzen einen wesentlich stärkeren Einfluss auf das Migrationspotential ausüben als die der strukturellen Distanzen (vgl. Hans-Joachim Hoffmann-Nowotny, 1997, 111).

Übersicht 3: Veränderung des Migrationspotentials aufgrund veränderter Konstellationen von kulturellen und strukturellen Distanzen zwischen den nationalen Einheiten in der Weltgesellschaft

		Structural Distance		
		Increasing	Constant	Decreasing
	Increasing	- - -	- -	-
Cultural Distance	Constant	+ +	=	-
	Decreasing	+ + +	+ +	+

Migration potential: +(increasing), = (constant), - (decreasing)
Quelle: Hans-Joachim Hoffmann-Nowotny, 1997, 111

1.4.5 Migrationstheorie von Hartmut Esser

Entscheidend für die theoretische Position von Hartmut Esser ist seine von der kognitiven Theorie des Lernens und Handelns ausgehende Orientierung am methodischen Individualismus. Esser nimmt diese theoretische und methodische Position sehr bewusst in Anlehnung an Max Weber, Talcott Parsons und Alfred Schütz ein, wie er selbst konstatiert (vgl. Hartmut Esser, 1980, 1885-187). Alle sozialen Prozesse, Systemerfordernisse und Funktionen sind danach auf das Empfinden, interessengeleitete Handeln und Lernen von Individuen zurückzuführen (vgl. Hartmut Esser, 1980, 14). Er versucht daher unter Nutzung des „handlungstheoretisch-individualistischen Ansatzes" theoretische Ansätze und empirische Ergebnisse der Migrationsforschungen zu interpretieren, zu ordnen und zu integrieren (vgl. Hartmut Esser, 1980, 16). Seine Aussagen zur Eingliederung und Integration der Migranten in die Aufnahmegesellschaft sind daher vor dem genannten theoretischen und methodischen Hintergrund zu verstehen.

Wie Shmuel N. Eisenstadt geht Esser auch davon aus, dass Migration die Desozialisation der Migranten (d.h. die Aufgabe der Bezugswelt, der Rollenverflechtungen und der Alltagsroutinen, wie im Kapitel 3.2 näher ausgeführt) beinhaltet, die zur Marginalität und zum Zusammenbruch der „relativ natürlichen Weltanschauung" im Sinne von Max Scheler führt (vgl. Hartmut Esser, 1980, 107; zur „relativ natürlichen Weltanschauung" siehe Kapitel 3.4). Die Migranten müssen daher ihre Beziehungen zum kulturellen und sozialen System ihrer Aufnahmegesellschaft insgesamt neu strukturieren und aufbauen, um dort individuelle Ziele erreichen zu können. Für diesen Prozess der Re-Sozialisierung und Re-Organisierung der Immigranten und für alle Aspekte ihrer zu entwickelnden Beziehungen zur Aufnahmegesellschaft benutzt Esser den Begriff der Eingliederung als zusammenfassenden Oberbegriff (vgl. Hartmut Esser, 1980, 14, 16-17, 19; 1981, 77,80).

Esser analysiert die Gesamtheit der Beziehungen der Immigranten zum System der Aufnahmegesellschaft unter drei zentralen Teilaspekten der Eingliederung: Akkulturation, Integration und Assimilation. Im Folgenden sollen zunächst nur die ersten beiden Aspekte der Akkulturation und Assimilation dargestellt werden. Der Aspekt der Integration ist dem späteren Kapitel 5.2 zum Thema der Integration der Immigranten vorbehalten.

Akkulturation ist ein Prozess der Angleichung, der im kognitiven Bereich als Lernprozess stattfindet, in dessen Verlauf Personen oder Gruppen von Personen kulturelle Orientierungsmuster, Eigenschaften und Verhaltensweisen in den institutionalisierten Teilbereichen der Aufnahmegesellschaft übernehmen. Akkulturation ist dabei weder ein automatisch einsetzender noch ein in ihrer Verlaufsrichtung und ihren Ergebnissen unumkehrbar festgelegter Prozess. Eine bewusste partielle und teilidentifikative Anpassung ist denkbar und möglich (vgl. Hartmut Esser, 1980, 20).

Assimilation ist ein „Zustand der Ähnlichkeit" in Handlungsweisen, Orientierungen und interaktiven Verflechtungen zum Aufnahmesystem. Dabei wird unterstellt, dass Kultur und Sozialsysteme nicht homogen und daher mit dem Erwerb sehr verschiedener subkultureller Eigenschaften vereinbar sind. Assimilation ist dabei der Zustand der Ähnlichkeit einer Person relativ zu den Teilbereichen der Aufnahmegesellschaft. Eine vollständige faktische Teilnahme, ist oft auch für Einheimische nicht möglich (vgl. Hartmut Esser, 1980, 22).

In Anlehnung an das Assimilationsmodell von Ronald Taft unterscheidet Esser (vgl. Hartmut Esser, 1980, 56) zwischen den absoluten (z.B. Fertigkeiten, Werte, Bräuche, Gewohnheiten) und den relationellen Eigenschaften (z.B. Interaktionen, Statuseinnahme, Rollenausübung), die die Individuen assimilativ erwerben. Danach ergeben sich vier verschiedene Assimilationsformen (vgl. Hartmut Esser, 1980, 22; 1981, 77; 1982, 282):

Bezogen auf die individuell-absoluten Eigenschaften

(1) Kognitive Assimilation in Wissen, Fertigkeiten und Mittelbeherrschung (Wissens-Dimension)
(2) Identifikative Assimilation in der kathektischen Hochschätzung von Elementen (Wert-Dimension)

Bezogen auf die individuell-relationellen Eigenschaften

(3) Soziale Assimilation (Interaktions-Dimension)
(4) Strukturelle Assimilation (Institutions-Dimension)

Ausgehend von den allgemeinen sozialpsychologischen Konzeptionen versteht Esser unter dem Handeln „alle motorischen und nicht-motorischen Aktivitäten (kognitiver oder evaluativer Art) einer Person, die die faktischen oder vorgestellten Beziehungen zwischen der Person und ihrer Umwelt (irgendwie) verändern." (vgl. Hartmut Esser, 1980, 182). Das so verstandene Handeln wird nach seiner Auffassung von einer bestimmten Handlungstendenz (Kraft) verursacht, die von den folgenden vier Variablen abhängt (vgl. Hartmut Esser, 1980, 182-185, 210):

a) Motivation (Anreizwert einer Zielsituation für den Akteur: Wertaspekt der Handlung),

b) Kognition (subjektive kognitive Erwartung, durch eine Handung die Zielsituation zu erreichen: Wissensaspekt der Handlung),

c) Attribution (generalisiertes subjektives Vertrauen des Akteurs in die Wirksamkeit des eigenen Tuns, in die Kontrollierbarkeit der Umgebung: Attribuierungsaspekt),

d) Widerstand (die vom Akteur eingeschätzten Kosten, Nebenfolgen und der Aufwand einer Handlung: Kostenaspekt der Handlung).

Diese Variablen sind die Determinanten des Handelns und die bestimmenden Elemente für die Person-Umgebung-Relation. Ein Akteur wählt in einer Ausgangssituation, unter Berücksichtigung dieser Variablen, aus allen möglichen Handlungen die Handlung aus, von der er annimmt, dass er die Zielsituation mit dem relativ höchsten Anreizwert am sichersten durch eigenes Handeln bei relativer Kostenminimierung erreichen wird. Somit bestimmen der vermutete Nettonutzen und die vermutete Wirksamkeit des eigenen Handelns die Handlungswahl. Ein Akteur setzt somit seine Handlung als Mittel für die angestrebten Ziele ein. Er wird dabei in seiner rationalen Handlungsentscheidung, im Sinne der kognitiven Theorie des Lernens und Handelns, von der „Kraft" der Ziel-Mittel-Kosten-Kalkulation geleitet (vgl. Hartmut Esser, 1980, 194).

Unter Lernen versteht Hartmut Esser „die Ausbildung und die Veränderung bestimmter Wert-Erwartungszusammenhänge, wie sie dem Handeln zugrunde liegen." (vgl. Hartmut Esser, 1980, 190). Zwei Formen des Lernens werden unterschieden. Die erste Form besteht in der Selektion von Reaktionen als umweltabhängigen Assoziationsbildungen. Die zweite Form besteht in der Selektion von Bewertungen und Erwartungen auf der Grundlage aktiver Kalkulation (vgl. Hartmut Esser, 1980, 190). Mit dieser Unterscheidung der Lernformen wird deutlich gemacht, dass Lernen und Handeln nicht ausschließlich akteurbestimmt werden können. Person und Umgebung stehen im Handeln und Lernen in wechselseitiger Interaktion. Die Umgebungsvariablen, die das Handeln und Lernen bestimmen, sind (vgl. Hartmut Esser, 1980, 211-213):

a) Opportunitäten (Gelegenheiten und Bedingungen, die assimilative Handlungen erlauben und unterstützen),

b) Barrieren (Faktoren, die den assimilativen Handlungen entgegenstehen, wie die materiellen und rechtlichen Beschränkungen, sozialen Vorurteile, Askriptionen und Diskriminierungen)

c) Alternativen (Handlungsmöglichkeiten nicht assimilativer Art).

Hartmut Esser formuliert nach den dargestellten Person-Umgebung-Variablen zwei Hypothesen bezüglich der assimilativen Handlungsentscheidung der Migranten:

Hypothese 1:
„Je intensiver die Motive eines Wanderers in bezug auf eine bestimmte Zielsituation; je stärker die subjektiven Erwartungen eines Wanderers sind, dass diese Zielsituation über assimilative Handlungen und/oder assimilative Situationen erreichbar ist; je höher die Handlungsattribuierung für assimilative Handlungen ist; und je geringer der Widerstand für assimilative Handlungen ist, um so eher führt der Wanderer - ceteris paribus - assimilative Handlungen (aller Art, einschließlich Bewertungen, Wahrnehmungen und Informationssuche) aus." (vgl. Hartmut Esser, 1980, 211).

Hypothese 2:
„Je mehr assimilative Handlungsopportunitäten dem Wanderer im Aufnahmesystem offenstehen; je geringer die Barrieren für assimilative Handlungen im

Aufnahmesystem sind; und je weniger alternative Handlungsopportunitäten nicht assimilativer Art verfügbar sind, um so eher führt der Wanderer - ceteris paribus - assimilative Handlungen aus." (vgl. Hartmut Esser, 1980, 211).

Übersicht 4:   Grundmodell der Assimilation von Wanderern

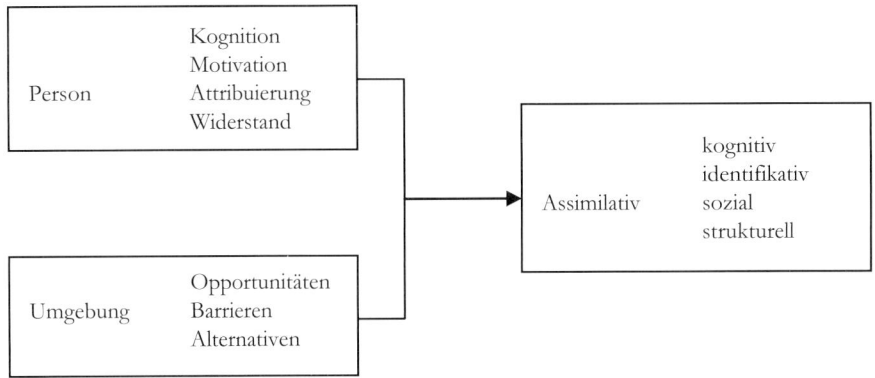

Quelle: Hartmut Esser, 1980, 213

Die assimilativen Handlungen der Migranten haben immer auch „externe Effekte", die andere Akteure zur Reaktionshandlung veranlassen, die die Letzteren ohne die vorherigen Assimilationshandlungen der Ersteren unterlassen hätten. Die Reaktionshandlung bedeutet umgekehrt für die Migranten eine bedeutsame Veränderung ihrer Handlungsumgebung, die sie wiederum in ihrer weiteren rationalen Handlungswahl berücksichtigen müssen. So entsteht ein Ablauf von interessengeleiteten Handlungsketten bzw. „gesellschaftlichem Zwang", dem sich sowohl die Migranten als auch andere Akteure gegenübersehen. Strukturelle Zwänge und Prozesse werden, so meint Esser, individualistisch deutbar (vgl. Hartmut Esser, 1980, 217). Die Strukturierung eines Sozialsystems wird somit als Folge von Handlungsentscheidungen der das System bildenden Individuen aufgefasst (vgl. Hartmut Esser, 1980, 14).

Im zeitlichen Verlauf des Eingliederungsprozesses stellt die Akkulturation die Anfangsphase dar, der die Phasen der Integration und Assimilation zwar nicht zwangsläufig, aber unter bestimmten Bedingungen folgen können (vgl. Hartmut Esser, 1980, 72-80). „Die identifikative Assimilation tritt erst nach Vorliegen der anderen Assimilationstypen ein. Die kognitive Assimilation geht sowohl der sozialen wie der strukturellen Assimilation voraus. Die strukturelle Assimilation geht dann ihrerseits der sozialen Assimilation voraus." (Hartmut Esser, 1980, 231; 1982, 283). Die identifikative Assimilation ist damit das Endstadium des gesamten Prozesses.

1.5 Transmigranten und Transnationalismus als neue Themen der Migrationsforschung

Das zentrale Thema der Migrationsforschungen war bis in die 1980er Jahre hinein die Eingliederung der Migranten in die Aufnahmegesellschaft. Die deskriptiv-klassifikatorischen Sequenz- und Zyklenmodelle, die mit der Institutionalisierung der Migrationssoziologie als Fachdisziplin an der Universität Chicago/USA in den 1920er Jahren nach und nach entwickelt wurden, sind in ihren unterschiedlichen Phasen- und Zykleneinteilungen weitgehend von einem linear-progressiv verlaufenden Eingliederungsprozess der Migranten in die Aufnahmegesellschaft ausgegangen. Die darauf folgenden Migrationstheorien der 1960er Jahre (z.B. die von Shmuel N. Eisenstadt und Milton M. Gordon) waren inhaltlich umfassender angelegt (z.B. theoretische Berücksichtigung der in der Realität oft vorkommenden Diskontinuitäten und Regressionen des Eingliederungsprozesses der Migranten) als die Sequenz- und Zyklenmodelle. Ihre zentralen Interessen waren ebenfalls auf die Eingliederung der Migranten in die Aufnahmegesellschaft gerichtet. Im Mittelpunkt der Migrationsforschungen im deutschsprachigen Raum steht seit den 1980er Jahren auch die Eingliederung der Migranten.

Gemeinsam für die genannten Migrationsforschungen war die Vorstellung der bipolaren Verhältnisse, die zwischen den Sende- und Empfängerländern generell zu beobachten waren (vgl. Roger Rouse, 1992, 26-27). Erkenntnisleitend war dabei die historische Realität des einseitig fließenden Migrationsstroms von den Sende- zu den Empfängerländern (z.B. Siedlungsmigration von Millionen verarmter Menschen aus Europa in traditionelle Einwanderungsländer). Unter diesem bipolaren Denkmodell machten unter anderem die Probleme der Entwurzelung (uprooted), der soziokulturellen Entfremdung (alienation) und des unvermeidlichen Abbruches (rupture) der Migranten von bzw. mit ihren Herkunftsländern einerseits und ihrer schwierigen und mühevollen Niederlassung (settlement), Akkulturation, Integration und Assimilation/Absorption in die Aufnahmeländer andererseits die zentralen Fragestellungen der Migrationsforschungen aus (vgl. Nina Glick-Schiller, Linda Basch, Cristina Blanc-Szanton, 1992, 1).

Zu Beginn der 1990er Jahre thematisierten zunehmend Anthropologen und Soziologen in den USA einen neuen Typus von Immigranten aus karibischen Ländern, Mexiko und den Philippinen, der sich grundlegend von dem traditionellen Typus der Immigranten unterscheidet. Dieser neue Typus zeichnete sich durch die Tatsache aus, dass er, abweichend von dem traditionellen Bild der Immigranten, aus den zirkulierenden (circulation) Migranten bestand, die sich ständig zwischen ihrer Residenz- und Herkunftsgesellschaft hin und her bewegten (the constant back and forth flow of people). Sie waren damit weder permanente noch temporäre Einwanderer im herkömmlichen Sinn bzw. „sojourners", die nur für einige Jahre ihr Glück im Ausland versuchten und dann als Remigranten in ihre Heimat zurückkehrten. Sie entwickelten Aktivitäten und multilokale soziale Beziehungen (multi-stranded social relations) über die nationalstaatlichen Grenzen hinweg und erhielten ihre Bindungen zu ihrem Heimatland aufrecht. Um die Erfahrungen dieses neuen Typus von Immigranten theoretisch zu erfassen, wurde eine neue Konzeption des Transnationalismus (transnationalism) für notwendig gehalten, weil die herkömmlichen Begriffe und Konzepte der Migrationssoziologie nach Auffassung der Forscher nicht geeignet waren. Der Transnationalismus wurde dabei als ein Prozess definiert, in dem die Immigranten soziale Felder (social fields) erschließen, die ihr Herkunftsland mit ihrem Aufnahmeland verbinden. Die Immigranten, die solche sozialen Felder erschließen und dadurch mehrfache Beziehungen (multiple relations) familialer, wirtschaftlicher, sozialer, religiöser, politischer und organisatorischer Art entwickeln und aufrechterhalten, die die nationalstaatlichen Grenzen überspannen, wurden als Transmigranten bezeichnet. Diese unternehmen Aktionen, treffen Entscheidungen, artikulieren Interessen und bilden Identitäten innerhalb ihrer sozialen Netzwerke, die gleichzeitig zwei oder mehrere Gesellschaften verbinden (vgl. Nina Glick-Schiller, Linda Basch, Cristina Blanc-Szanton, 1992, 1-2, 5; 1997, 121).

Transmigranten und Transnationalismus sind somit wissenschaftliche Konstruktionen, die helfen sollen, die strukturell bedingten Veränderungen von Einstellungen, Aktivitäten, Erfahrungen, Identitäten und Lebensentwürfen des neuen Migrantentypus theoretisch erklärbar und erfassbar zu machen. In den Publikationen, die sich mit diesen Themen auseinandersetzen, werden unterschiedliche strukturelle Bedingungen genannt, die ursächlich für diese Veränderungen sind:

a) Globalisierung der Wirtschaft

Die Energiekrise zu Beginn der 1970er Jahre hat nicht nur die 20jährige Wachstumsperiode der Wirtschaft (1950-1973) in den westlichen Industrieländern nach dem Zweiten Weltkrieg abrupt beendet, sondern grundlegende Strukturkrisen ausgelöst. Die Industrieländer waren zur grundlegenden Restrukturierung ihrer Wirtschaft gezwungen. Diese bestand im Wesentlichen in der massiven Kostensenkung durch die Einführung neuer Produktionstechniken und durch die Rationalisierung der Produktionsverfahren, in der generellen Verkürzung der Produktionszyklen und in der erhöhten Flexibilität der Produktion, um den sich schnell verändernden Marktbedingungen und Nachfragen gegenüber besser und flexibler reagieren zu können (vgl. Elisabeth Hagen, Jane Jenson, 1988, 9-11; Petrus Han, 2003, 83). Um 1990 tritt der Strukturwandel der Weltwirtschaft in eine qualitativ neue Phase der grundlegenden und akzelerierenden ökonomischen Globalisierung (economic globalization) ein. Zunehmend wurden Staatsunternehmen privatisiert und Arbeitskräfte in Privatunternehmen durch internationale Fusionen reduziert (downsizing). Die Zahl der transnationalen Unternehmen und die damit zusammenhängenden Auslandsdirektinvestitionen (foreign direct investments) stiegen kontinuierlich an (vgl. A. G. Kenwood, A. L. Lougheed, 1999, 247-250).

Die USA, aber auch andere Industrieländer, haben ihre exportorientierten Manufakturindustrien (z.B. im Produktionsbereich der Elektronik, Textil, Schuhe, Nahrungsmittel, Spielzeug) und die kommerzielle Landwirtschaft, deren Standorte unter dem besonderen Aspekt des Klimas und Transportes ausgewählt wurden, in die sog. „off-shore"-Länder der karibischen Region und nach Asien verlagert, um einerseits die billigen Arbeitskräfte (low-wage labor force) zu nutzen, andererseits gegen die Forderungen der organisierten einheimischen Arbeiterschaft druckvoll vorgehen zu können (vgl. Saskia Sassen-Koob, 1984, 1145-1151; Monica Boyd, 1989, 658-659). Diese Verlagerung, vergleichbar mit der Entwicklung in Deutschland, hat unter anderem die lokale Wirtschaftsstruktur zerstört und Arbeitskräfte freigesetzt, die migrieren mussten, um Beschäftigung zu finden. Unter den veränderten Lebensbedingungen konnten sie jedoch kaum eine sichere wirtschaftliche, soziale und kulturelle Lebensgrundlage schaffen, so dass sie sich auf eine transnationale Existenz einstellen mussten (vgl. Nina Glick-Schiller, Linda Basch, Cristina Blanc-Szanton, 1992, 8-9).

b) Entstehung von transnationalen Familien

Zwischen den USA und Mexiko, den karibischen Ländern sowie den Philippinen bestehen seit dem 19. Jahrhundert enge kolonialhistorisch bedingte politische, wirtschaftliche und kulturelle Beziehungen. Diese historischen Beziehungen haben zur Entstehung eines einzigartigen Migrationssystems (migration system) zwischen diesen Ländern beigetragen (vgl. Monica Boyd, 1989, 641-642), innerhalb dessen zirkulierende und temporäre Arbeitsmigrationen fast zur Normalität geworden sind. Die meisten Menschen in den karibischen Ländern haben ihren Arbeitsplatz außerhalb ihres Herkunftslandes. So ist für sie die Arbeitsmigration in die USA selbstverständlich. Es gibt kaum eine Familie in dieser Region, die keine Migrationserfahrungen hat (vgl. Rosina Wiltshire, 1992, 176, 182-183). Zur Arbeitsmigration von Mexiko in die USA ist festzustellen, dass sie vom 19. Jahrhundert bis in die Gegenwart hinein relativ kontinuierlich stattfindet. Die Knappheit an Arbeitskräften in den USA beim Bau von Eisenbahnstrecken, die den Südwesten mit dem Markt im Osten verbinden sollten, oder die vorübergehende Verknappung der Arbeitskräfte während des Zweiten Weltkrieges, waren Anlässe für die USA, die temporäre Immigration mexikanischer Arbeiter zuzulassen. Das „Bracero Programm", das die USA 1942 mit Mexiko vereinbarten, um die Knappheit an Arbeitskräften während des Zweiten Weltkrieges auszugleichen, und das aufgrund der wirtschaftlichen Interessen der amerikanischen Bauernbevölkerung im Süden mehrmals verlängert werden musste, hat es ermöglicht, zwischen 1942 und 1964 insgesamt 4,6 Mio. mexikanische Arbeitsmigranten (Braceros) in der Landwirtschaft zu beschäftigen (vgl. Douglas S. Massey, 1988, 402-404). Die Immigration von den Philippinen in die USA beginnt ebenfalls im 19. Jahrhundert, nachdem die USA die Philippinen 1898 mit 20 Millionen US-Dollar von Spanien erworben haben. Die USA errichteten dort Militärstützpunkte in „Subic Bay", „Olangapo" und Luftwaffenstützpunkte in „Angeles" (vgl. Agisra, 1990, 166).

Vor diesem skizzierten Hintergrund sind in Mexiko, auf den Philippinen und in den karibischen Ländern viele Familien zu finden, deren Angehörige in den USA arbeiten. Diese Familien sind deswegen als transnationale Familien (transnational families) zu bezeichnen, weil sie durch häufige grenzüberschreitende Mobilität (z.B. Besuche zu familiären Anlässen, wie Taufe, Einschulung der Kinder, Hochzeit, Todesfall) geprägt sind, und weil ihre Entscheidungen immer die Gegebenheiten von zwei Ländern berücksichtigen müssen (vgl. Bela Feldman-Bianco, 1992, 157). Die Existenz solcher transnationalen Familien ist die Grundvoraussetzung für die Entstehung von transnationalen sozialen, politischen, ökonomischen und kulturellen Netzwerken zwischen den Emigranten und den Menschen im Heimatland. Der Begriff „transnational" wird zur Beschreibung der Tatsache gebraucht, dass Migranten ihr Alltagsleben zunehmend über die nationalstaatlichen Grenzen hinweg gestalten und dabei ihre Bindungen zu ihrem Herkunftsland weiterhin aufrechterhalten (siehe hierzu Nina Glick-Schiller, Linda Basch, Cristina Blanc-Szanton, 1992, IX). Solche transnationalen Familien haben mehrfache Familienbasen (multiple home bases) und entwickeln mehrfache nationale Loyalitäten (multiple national loyalties), die nationalstaatliche Grenzen überspannen (vgl. Rosina Wiltshire, 1992, 175).

c)   Politik der Herkunftsländer zur Reintegration ihrer Emigranten in die nationale Kultur und Wirtschaft

Die Nationalstaaten, die durch gezielte politische Maßnahmen die Bindungen ihrer im Ausland lebenden ehemaligen Staatsbürger zu fördern und zu stärken versuchen, nehmen seit der zweiten Hälfte des vorigen Jahrhunderts in ihrer Gesamtzahl zu. Sie verfolgen dabei überwiegend nationalstaatlich orientierte kulturelle und wirtschaftliche Zielsetzungen. Um dies zu verdeutlichen, sind zum einen die ehemaligen Kolonialländer zu nennen, die ihre Staatsbürger, die verstreut in verschiedenen Kolonialgebieten leben, in ihren postkolonialen Staat zu integrieren versuchen. Der postkoloniale Staat Portugal hat z.B. 1980 „eine globale portugiesische Nation" (a global Portuguese nation) ausgerufen, die unabhängig vom Territorium als „the imagined political community" existiert. Die portugiesische Nation wurde dadurch ent-territorialisiert und erfasst nun alle Portugiesen, die in der Welt verstreut leben. Der portugiesische Staat ermöglicht danach allen Auslandsportugiesen das doppelte Staatsbürgerrecht (dual citizenship rights) mit dem politischen Wahlrecht. Auf dieser rechtlichen Grundlage können die Auslandsportugiesen zwischen Residenzgesellschaft und Mutterland hin und her reisen und dadurch ihre kulturelle Verbundenheit intensivieren (vgl. Bela Feldman-Bianco, 1992, 146-149, 152). Jamaika und Kuba gewähren ihren Emigranten ebenfalls die doppelte Staatsbürgerschaft, um die kulturellen Bindungen zum Herkunftsland im politischen und wirtschaftlichen Interesse nicht abreißen zu lassen (vgl. Palmira N. Rios, 1992, 225).

In ähnlicher Form versuchen auch Italien und Mexiko die ethnischen Heimatbindungen ihrer Emigranten im Ausland politisch zu fördern und im wirtschaftlichen Interesse dauerhaft zu erhalten. 1912 hat Italien seine Staatsangehörigkeitsgesetze so verändert, dass alle Italiener, die durch den Erwerb einer anderen Staatsangehörigkeit ihre italienische verloren haben, durch die Rückkehr nach Italien ihre verlorene Staatsangehörigkeit ohne Schwierigkeit und Kosten zurückerhalten können. Mexiko hat auch in seiner Verfassung den Passus entfernt, nach dem die Mexikaner bisher automatisch ihre mexikanische Staatsangehörigkeit verlieren, wenn sie eine andere erwerben. Damit hat Mexiko die rechtliche Bedingung geschaffen, dass seine Staatsangehörigen auch im Falle des Erwerbs einer anderen Staatsangehörigkeit (z.B. die der USA) ihre bisherige beibehalten können (vgl. Robert Smith, 1992, 208).

Ein weiteres Interesse der Herkunftsländer besteht darin, das Kapital und die im Ausland erworbenen technischen und unternehmerischen Qualifikationen der ehemaligen Staatsbürger für die Entwicklung des Heimatlandes zu nutzen. Zu diesem Zweck wird die ethnische Heimatbindung politisch und gesetzlich gefördert. Durch patriotische Appelle an nationale Gefühle und an die kulturelle Identität werden die Emigranten an ihre dualen kulturellen und nationalen Loyalitäten erinnert und als willkommene Fachleute und Investoren angeworben. Diese Politik zielt aktiv auf die Umkehrung des „Brain Drain" (to reverse the brain drain). Sie geht damit weit über die traditionelle Form der individuellen Geldüberweisungen (remittances) zur finanziellen Unterstützung der zurückgebliebenen Familien hinaus. Indien konnte aufgrund einer solchen Politik die Entstehung einer transnationalen „business class" von Auslandsindern erreichen (derzeit weltweit etwa 10 Mio., davon 650.000 in den USA), die von 1984 bis 1988 insgesamt ein Kapital in Höhe von 240 Mio. US-Dollar in Indien investierten (vgl. Johanna Lessinger, 1992, 53-57, 65-67, 71-72).

d) Soziale und rassische Diskriminierungen und Segregationen der Immigranten im Aufnahmeland

Die sozialen und rassischen Diskriminierungen und Segregationen der Immigranten, die nicht der weißen Rasse und protestantischen Religion angehören, durch die dominante Mehrheitsgesellschaft der USA schaffen strukturelle Bedingungen für die Entstehung transnationaler Einstellungen und Lebensweisen bei den Immigranten. Dies ist sowohl bei denen der Fall, die aufgrund ihrer niedrigen sozialen Herkunft besondere Schwierigkeiten bei der Integration in die Aufnahmegesellschaft der USA haben, als auch bei denen, die sich aufgrund ihrer höheren Bildung und ihres ansehnlichen Kapitals relativ schnell an die Standards der materiellen Kultur der amerikanischen Gesellschaft anpassen können. So ist zu beobachten, dass die Arbeiterklasse der portugiesischen Bevölkerung in der Stadt „New Bedford"/USA (größte portugiesische Kolonie), intensivere transnationale familiale Netzwerke zum Mutterland Portugal entwickelt und aufrechterhält als die aufstiegsorientierten Portugiesen, die sich schneller in die amerikanische Gesellschaft assimilieren. Die Arbeiterklasse konstruiert dadurch eine erdachte politische Gemeinde (imagined political community), die an die Vorstellung der erfolgreichen luzitanischen Rasse der Vergangenheit und deren Überseebesitzungen anknüpft (vgl. Bela Feldman-Bianco, 1992, 170).

Die reichen Hongkong-Chinesen, die seit den 1970er Jahren ihr Kapital in dem „The San Francisco Bay Area"/USA investieren, um an der globalen Wirtschaft (global economy) der USA teilzunehmen, stellen ein weiteres Beispiel dar. Allein im Jahr 1990 sind ca. 9.000 von ihnen in die USA eingewandert. In

„The San Francisco Bay Area" angekommen wurden sie jedoch von den „upper class"-Amerikanern nicht angenommen, obwohl sie aufgrund ihres Reichtums mühelos den Anforderungen der „upper class" entsprechen konnten. Diese bestanden in den Statussymbolen (z.B. Haus im Villenviertel, Luxusautos, Konsum von Luxusgütern), die in den Medien und in der populären Kultur der USA als „the american way of life" der „upper class" als selbstverständlich vermittelt wurden. Für die weiße Oberschicht der USA sind die reichen Hongkong-Chinesen dennoch nur Weltbürger zweiter Klasse (a second class world citizens). Eine der möglichen Erklärungen für diese soziale Ausgrenzung ist das historisch entstandene Bild der Chinesen in den USA. Die armen chinesischen Immigranten, die aus der Arbeiterklasse stammten und keine Ausbildung mitbrachten, hatten in den USA überwiegend als Lastenträger (coolies) beim Bau von Eisenbahnstrecken, in Minenbergwerken oder als Hilfsarbeiter in Wäschereien und Restaurants gearbeitet. Dieses Bild der Chinesen prägt nach wie vor die kollektive Erinnerung (collectiv memory) der Amerikaner, insbesondere in höheren sozialen Schichten. Vor diesem Hintergrund wird den reichen chinesischen Investoren und Unternehmern aus Hongkong „the cultural citizenship" der USA vorenthalten. Diese setzt über den materiellen Reichtum hinaus kulturelle Kompetenzen (cultural competence) voraus, die nur durch langjährige Investitionen in die Bildung von „symbolic capital" anzueignen sind. Der enttäuschte Rückzug in ihre exklusiven und transnationalen sozialen Netzwerke und Klubs ist damit die logische Konsequenz (vgl. Aihwa Ong, 1992, 132-140).

e) Entwicklungen der Informations-, Kommunikations- und Transporttechnologien

Die rasanten Entwicklungen der modernen Informations-, Kommunikations- und Transporttechnologien haben weltweit die Mobilität, Kontaktmöglichkeiten und die Möglichkeiten des Erfahrungsaustausches von Menschen in einem ungeahnten Ausmaß erleichtert und vergrößert. Sie tragen zur Entstehung von transnationalen sozialen Netzwerken bei, weil Menschen schnell und relativ unabhängig von der geographischen Entfernung notwendige Informationen und nützliche Erfahrungen miteinander austauschen und sich nach Bedarf kostengünstig und mit geringem zeitlichen Aufwand hin und her bewegen können. Der Eindruck, dass sich die Welt zu einem „globalen Dorf" (global village) entwickelt (vgl. Arjun Appadurai, 1990, 2), ist nicht von der Hand zu weisen. Für die Migranten wächst damit die Einsicht, dass eine völlige Inkorporation in die Residenzgesellschaft für sie weder möglich noch wünschenswert ist (vgl. Nina Glick-Schiller, Linda Basch, Cristina Blanc-Szanton, 1997, 126). In diesem globalen Kontext nehmen die transnationalen ökonomischen, politischen und kulturellen Netzwerke zwischen der Herkunfts- und Residenzgesellschaft der Migranten zu. Das Leben der Migranten hat damit über die nationalstaatlichen Grenzen hinaus multilokale Bezugspunkte, zwischen denen sie sich hin und her bewegen (vgl. Rosina Wiltshire, 1992, 176).

Bei der differenzierten Analyse des Phänomens der Transmigranten und des Transnationalismus, dessen Existenz durch das Zusammenspiel der genannten strukturellen Bedingungsfaktoren begründet wird, wird eine Vielzahl neuer Begriffe gebraucht, die die einzelnen Teilaspekte des Phänomens erklären. Zum zusammenfassenden Überblick der erkenntnisleitenden Interessen der neuen Forschungsrichtung wird im Folgenden die Zuordnung dieser Begriffe in einer Systematik (siehe die folgende Übersicht 5) versucht, die hier aufgrund der subjektiven Bewertung vorliegender Publikationen vorgenommen wird und daher nur vorläufigen Charakter hat.

Die Migration in der modernen Gesellschaft, insbesondere die Arbeitsmigration, ist unter anderem eine Funktion der Mobilität des Kapitals. Wo Kapital investiert wird, dort entsteht in der Regel Nachfrage nach Arbeitskräften. Diese Nachfrage spiegelt die gesellschaftlichen Produktions- und Reproduktionsbeziehungen wider, die durch die jeweiligen Machtverhältnisse zwischen dem Kapital und der Arbeitskraft bestimmt werden (vgl. Carolle Charles, 1992, 102; Palmira N. Rios, 1992, 226). Die Globalisierung der Wirtschaft bedeutet, dass der Transfer von Kapital, Waren, Technologien, technischem und unternehmerischem Wissen sowie qualifizierten und unqualifizierten Arbeitskräften relativ unabhängig von den nationalstaatlichen Grenzen stattfindet. Dieser Transfer erfolgt dabei flexibel nach der sich schnell verändernden Nachfrage und den Erfordernissen des Marktes. Die Globalisierung verändert damit zwangsläufig den Typus der Migranten und die Formen der Migration, weil sich diese den veränderten Formen der Wirtschaft anpassen müssen. Transnationale Migration und Transmigranten entstehen daher, wie in der folgenden Übersicht 5 zu sehen ist, durch die Globalisierung der Wirtschaft. Indem jedoch die Transmigranten gezwungen werden, insbesondere bedingt durch die global veränderte und kurzfristig angelegte Nachfrage nach Arbeitskräften, sich ständig zwischen ihrer Herkunfts- und Residenzgesellschaft hin und her zu bewegen, spielt sich ihr Leben zunehmend in einem transnationalen sozialen Raum (transnational social space) ab, der nicht an die nationalstaatlichen Grenzen gebunden ist (vgl. Luin Goldring, 1992, 179).

Übersicht 5   Vorläufige Systematik zentraler Begriffe der Forschung zur transnationalen Migration

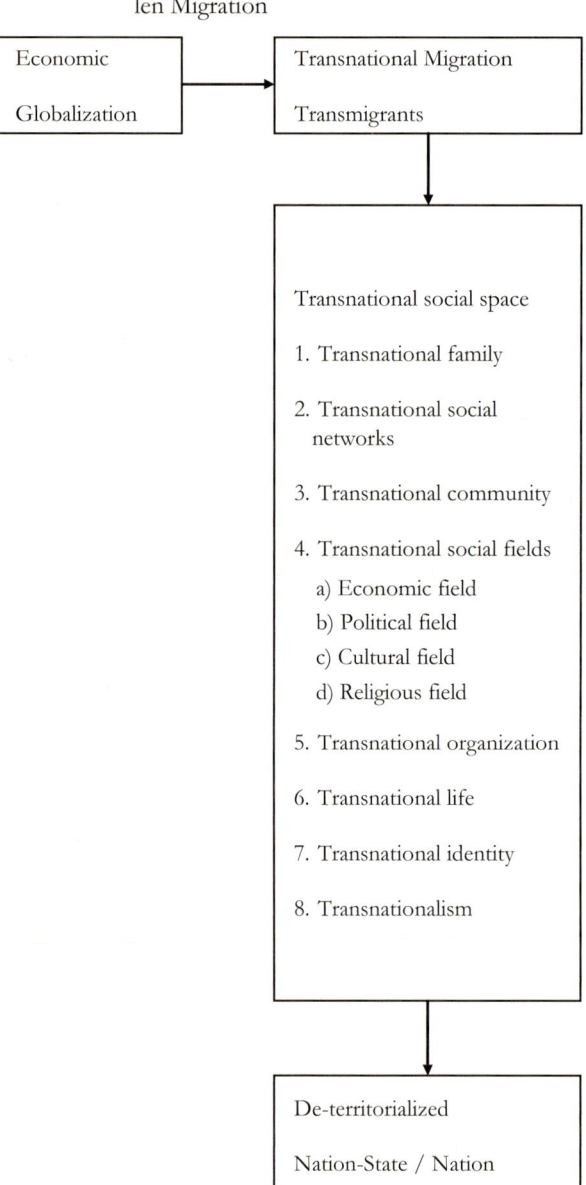

Der Begriff des transnationalen sozialen Raumes ist dabei als der vom geographischen Territorium unabhängige und über die nationalstaatlichen Grenzen hinausreichende Lebenskontext der Transmigranten zu verstehen, innerhalb dessen alle Aktivitäten stattfinden, die bei der Bewältigung des Alltagslebens individuell und kollektiv zu unternehmen sind (vgl. Luin Goldring, 1992, 179). Der transnationale soziale Raum in diesem umfassenden begrifflichen Sinn bleibt diffus und inhaltlich nicht konkret. Er kann nicht a priori vorausgesetzt, sondern erst im Zusammenhang mit den unterschiedlichen Aktivitäten, die die Transmigranten in ihrem konkreten Alltag unternehmen, a posteriori erdacht bzw. vorgestellt („imagined" im Sinne von Benedict Anderson) werden. Er ist somit als ein vorgestellter Gesamtrahmen für eine Reihe von konkreten Aktivitäten der Transmigranten zu verstehen. Die Zusammenfassung dieser Aktivitäten unter der Rubrik „transnational social space" in der Übersicht 5 ist ein Versuch, die diesbezüglich in der Literatur angewandten Begriffe in einer Systematik aufzulisten. Die Reihenfolge der Nennungen der einzelnen Begriffe gibt dabei die theoretisch denkbare zeitliche Abfolge wieder, in der die Transmigranten ihre Aktivitäten sukzessiv entwickeln und ausbauen.

Die Entstehung eines transnationalen sozialen Raumes beginnt mit der Bildung von transnationalen Familien, die bestrebt sind, die Verbindung zu ihren emigrierten Familienangehörigen aufrecht zu erhalten. Sie sind Ausgangspunkt und Basis für die transnationalen sozialen Netzwerke. In dem Ausmaß jedoch, in dem solche transnationalen Netzwerke nach den Kriterien der gemeinsamen ethnischen Wertvorstellungen, Lebenspraktiken, Geschichte usw. ausgebaut werden, entstehen grenzüberschreitende ethnische Gemeindebildungen (transnational communities), in denen die Transmigranten ihre sozialen Positions- und Statusanprüche einbringen und zu behaupten versuchen. Die „transnational community" stellt dabei eine (konkretere) Form der Vergesellschaftung innerhalb des diffusen transnationalen sozialen Raumes dar, die nicht durch nationalstaatliche Grenzen eingeschränkt bleibt (vgl. Luin Goldring, 1997, 181). Der Begriff „transnational community" kann daher nicht durch den Begriff „transnational social space" ausgetauscht bzw. ersetzt werden, obwohl dies in einigen Publikationen vorgeschlagen wird (vgl. Ludger Pries, 1996, 466).

Transmigranten werden definiert als Migranten, die die transnationalen sozialen Felder (transnational social fields) erschließen, die ihre Herkunfts- und Residenzgesellschaften verbinden. Sie unterhalten durch diese Felder mehrfache Beziehungen (multiple relations) familialer, sozialer, wirtschaftlicher, politischer, religiöser und kultureller Art, die die nationalstaatlichen Grenzen überspannen (vgl.Nina Glick-Schiller, Linda Basch, Cristina Blanc-Szanton, 1992, 1, 4). Obwohl der inhaltliche Unterschied zwischen den beiden Begriffen „transnational community" und „transnational social field" nicht eindeutig ist, sprechen viele Anzeichen dafür, dass der Begriff „transnational social field" im engeren und konkreteren Sinn zu verstehen ist als der Begriff „transnational community". Mit anderen Worten können innerhalb einer transnationalen Gemeinde mehrere transnationale Felder (z.B. kulturelle, religiöse, wirtschaftliche, politische, persönlich-familiale) entstehen (vgl. Lloyd L. Wong, 1997, 333, 346) und auf jedem einzelnen sozialen Feld entsprechende spezifische transnationale soziale Organisationen (transnational social organizations) gebildet werden, deren Aktivitäten mehrere Gesellschaften überspannen (vgl. Luin Goldring, 1997, 181). Die transnationalen sozialen Netzwerke, die anfänglich durch die individuellen Initiativen aufgebaut werden, können auf der Gruppenebene der transnationalen Organisationen, die sich in fortgeschrittenen Entwicklungsphasen der transnationalen Gemeinde in den einzelnen transnationalen Feldern (z.B. Wirtschaft, Politik, Kultur) bilden, effektiver ausgebaut und intensiviert werden.

Auf allen Ebenen der sozialen Einheiten (transnationale Familie, Gemeinde, Felder und Organisationen), findet transnationales Leben (transnational life) der Migranten statt (vgl. Robert Smith, 1997, 198). So können traditionelle religiöse Feste des Heimatlandes in der transnationalen Gemeinde als fester Bestandteil des transnationalen Lebens weiter gefeiert werden. Inhalte und Gestaltungsformen mögen zwar von ihrem Ursprungssinn abgerückt und modifiziert worden sein, sie dienen dennoch der Stärkung der Beziehungen zwischen der Herkunfts- und Residenzgesellschaft und der kollektiven Erinnerung an die ethnisch-kulturelle Identität.

Eine der Konsequenzen des transnationalen Lebens besteht in der dualen kulturellen Identität und Loyalität (vgl. Johanna Lessinger, 1992, 77-78). Die Transmigranten sind einerseits bemüht, ihre ethnisch-kulturelle Identität durch ihr transnationales Leben (z.B. religiöse Feste und Volksfeste) symbolisch zu reproduzieren (vgl. Bela Feldman-Bianco, 1992, 157-159), sie sind andererseits in ihre Residenzgesellschaft so integriert, dass sie auch eine auf der Residenzgesellschaft basierende kulturelle Identität entwickeln. Sie haben aufgrund ihrer gleichzeitigen plurilokalen sozialen Positionierung in beiden Gesellschaften „variierende und mehrfache Identitäten" (varying and multiple identities), die persönliche Spannungen zwischen Anpassung und Widerstand auslösen können (vgl. Nina Glick-Schiller, Linda Basch, Cristina Blanc-Szanton, 1992, 4). Eine andere Konsequenz besteht in der Transformation der Denkweisen der Transmigranten von ihrer nationalstaatlichen Orientierung zum Transnationalismus. Dies bedeutet, dass sie auf den unterschiedlichen transnationalen sozialen Feldern gleichzeitig und kontinuierlich sowohl in das Geschehen ihrer Herkunfts- als auch in das ihrer Residenzgesellschaft involviert bleiben. Dieses gleichzeitige (simultaneously) Einbezogensein bzw. Involviertsein in das Geschehen von zwei Gesellschaften ist kennzeichnend für den Transnationalismus (vgl. Nina Glick-Schiller, Linda Basch, Cristina Blanc-Szanton, 1992, IX; 4).

Alle Aktivitäten der Transmigranten entspringen im Grunde den allgemeinen Anpassungsbemühungen an die sich globalisierende und ent-territorialisierende Welt (a globalized and deterritorialized world), deren Ursprung auf die Globalisierung der Wirtschaft zurückgeht und deren Fortentwicklung durch den rasanten technischen Fortschritt im Bereich von Information, Kommunikation und Transport begünstigt und beschleunigt wird (vgl. Nina Glick-Schiller, Linda Basch, Cristina Blanc-Szanton, 1997, 123). Dieser Prozess der Globalisierung lockert schrittweise die Bindungen der Menschen an territorial und räumlich gebundene Gruppen mit homogener Kultur. An deren Stelle tritt nach und nach die globale Kultur. Vor dem Hintergrund dieser globalen Entwicklung stellt die Konstruktion des ent-territorialisierten Nationalstaates (a deterritorialized nationstate) den Ausdruck politischer Bemühungen einzelner Staaten dar, ihre im Ausland lebenden ehemaligen Staatsbürger in die Nationenbildung voll zu integrieren.

Die nähere Betrachtung der konzeptionellen Einzelaspekte der neuen Migrationsforschung in den USA, die bisher dargestellt wurden, lässt folgende abschließende Anmerkungen zu. Bei der neuen Migrationsforschung ist der analytische Bezugsrahmen auffallend, der mehr die vielschichtigen kulturellen, wirtschaftlichen, politischen Verbindungen (links) zwischen den Sende- und Empfängerländern, die die Transmigranten herstellen, in den Mittelpunkt der Analyse stellt. Dies ist insofern neu, als die Forschung bisher die Migration überwiegend aus dem Blickwinkel der Empfängerländer thematisiert hat, obwohl die Migranten schon immer Beziehungen zu ihrem Herkunftsland gepflegt haben. Die Begriffe der neuen Migrationsforschung sind dennoch die gleichen geblieben wie die der traditionellen Migrationsforschung. Sie setzt lediglich jedem Begriff das Adjektiv „transnational" vor. Dies wird besonders bei dem Begriff der „dualen kulturellen und nationalen Identität" deutlich, der bereits in den 1920er Jahren von Robert E. Park und Everett V. Stonequist thematisiert worden ist (siehe S. 239).

Die wissenschaftliche Konstruktion des „transnationalen sozialen Raumes" und der „Ent-Territorialisierung" (deterritorialization) des Nationalstaates sowie der Nation ist bei der Forschung zur transnationalen Migration ebenfalls neu. Ihre Bedeutung wird vor dem Hintergrund der Diskussionen über die

schleichende Auflösung der politischen Konstruktion des territorial gebundenen Nationalstaates mit homogener Kultur und über die Entstehung der globalen Massenkultur empirisch zu überprüfen sein.

In der Tat scheint die expandierende Mobilität der Menschen die Vorstellung
zu begünstigen, kulturelle Produkte und Praktiken nicht mehr ortsgebunden zu
sehen. Die einstige Denkweise, dass man eigene territoriale und kulturelle Wurzeln verlieren könnte, verblasst. Die Globalisierung der wirtschaftlichen und
politischen Bedingungen scheint somit zur Erosion der räumlich gebundenen
sozialen Welten (spatially bounded social worlds) und zur Entstehung von sozial konstruierten Räumen (z.B. der Westen) zu führen. In einer Zeit der Ent-
Territorialisierung werden Räume und Orte gemacht (spaces and places are
made), erdacht (imagined) und erzwungen (enforced). Selbst die Identität der
Menschen wird frei von der territorialen Gebundenheit (the deterritorialization
of identity), wie dies z.B. bei den Migranten, Staatenlosen, Flüchtlingen der Fall
ist (vgl. Akhil Gupta, James Ferguson, 1992, 9-11, 17-18). Der Fluss der globalen Kultur (global cultural flow) begünstigt die Schaffung von imaginären Welten (imagined worlds), die aus mehreren sich voneinander getrennt entwickelnden und entterritorialisierenden (deterritorialization) Landschaften (z.B. ethos-
cape, technoscape, finanscape, mediascape, idioscape) bestehen. Eine der be-
denklichen Folgen dieser Entwicklung könnte die Möglichkeit sein, dass ein
erdachtes „Heimatland" in einer Medienlandschaft erzeugt wird (a invented
homeland), das zur Entstehung einer Ideenlandschaft führt, die wiederum eine
ideologisch gefärbte Ethnolandschaft ins Leben ruft (vgl. Arjun Appadurai,
1990, 6-10). Dabei darf jedoch die auffällige Paradoxie nicht übersehen werden,
dass die Globalisierung in ihrer Kehrseite von der Renaissance des territorial
gebundenen Nationalismus begleitet wird.

Das Phänomen der Transmigranten und des Transnationalismus war bisher
nur in den USA ein aktuelles Forschungsthema. Das einzigartige Migrationssystem, das zwischen den USA, Mexiko, den Philippinen und den karibischen
Ländern aufgrund ihrer engen gegenseitigen kolonialgeschichtlich bedingten
politischen, wirtschaftlichen und kulturellen Beziehungen seit dem 19. Jahrhundert entstanden ist, hat mit der Globalisierung der Wirtschaft die Erscheinung
des neuen Typus der Transmigranten begünstigt. Transnationale Migration ist
damit als regional begrenzte neue Form der Migration zu betrachten, die zur
globalen Diversifizierung der Migrationsformen beiträgt.

Die wissenschaftlichen Erkenntnisse, die von den Forschungen der Transmigranten in den USA gewonnen werden, sind daher nicht uneingeschränkt auf
andere Länder und Regionen übertragbar. Die vorliegenden empirischen For-

schungsarbeiten versuchen die Existenz der Transmigranten durch die Untersuchung der Pendelbewegungen von mexikanischen Arbeitsmigranten in den Großraum New York, die größtenteils aus illegalen Arbeitern (indocumentado) bestehen, zu begründen (vgl. Ludger Pries, 1998, 136, 143-144). Diese Begründung ist jedoch für den europäischen Kontext kaum vorstellbar, weil solche Pendelbewegungen illegaler Arbeitsmigranten aufgrund der generell restriktiven Ausländer- und Arbeitsmarktpolitik der europäischen Aufnahmeländer kaum möglich sind. Dies bedeutet jedoch nicht, dass die neuen Forschungsansätze zur transnationalen Migration in den USA für den europäischen Migrationskontext irrelevant sind. Europäische Forschungen können davon viele Anregungen erhalten, um ähnliche Phänomene (z.B. Urlaubsreisen von Arbeitsmigranten und deren Kinder in ihre Heimatländer und transnationale Lebensformen als mögliche Folgen der Freizügigkeit der Bewegungen von Personen innerhalb der EU) untersuchen zu können.

1.6 Globalisierung der Migrationsbewegungen und Diversifizierung der Migrationsformen seit 1945

Seit dem Ende des Zweiten Weltkrieges nimmt das Ausmaß der Migrationsbewegungen weltweit stetig zu und erfasst die gesamten Weltregionen, so dass heute kaum eine Region von dieser Entwicklung unberührt bleibt. Heute leben bereits mehr als 200 Mio. Menschen weltweit außerhalb ihrer Herkunftsorte (vgl. IOM, 2008, 2). Die flächenmäßige und quantitative Ausweitung der Migrationsbewegungen haben inzwischen so sehr weltumspannende Dimensionen erreicht, dass man von einer Globalisierung der Migrationsbewegungen bzw. von einem „age of migration" spricht (vgl. Stephen Castles, Mark J. Miller, 1993, 3). Parallel dazu treten grundlegende Veränderungen in der Fließrichtung der Migrationsbewegungen auf. Die einseitig fließenden Migrationsbewegungen aus den sog. Aus- zu den Einwanderungsländern werden zunehmend durch rotierende bzw. zirkulierende Migrationsbewegungen abgelöst. Viele Länder sind heute gleichzeitig Aus- und Einwanderungsländer. Wirtschaftliche Sektoren und Wohnräume, aus denen Menschen emigrieren, werden durch die nachrückenden Immigranten wieder gefüllt und substituiert. Dabei nehmen Art und Weise der Migrationsbewegungen immer differenziertere Formen an, so dass von einer Diversifizierung der Migrationsformen gesprochen werden kann. Im Folgenden werden die seit 1945 eintretenden unterschiedlichen internationalen Migrationsformen (Arbeitsmigration, Familienzusammenführung, Flüchtlinge,

Migration von Studierenden, Migration ethnischer Minderheiten, illegale Migranten) skizziert, um die quantitativen und qualitativen Veränderungen der weltweiten Migrationsbewegungen in der zweiten Hälfte des 20. und zu Beginn des neuen Jahrhunderts exemplarisch aufzuzeigen. Im Bereich der Binnenmigration treten ebenfalls alle Migrationsformen auf, die mit denen der internationalen Migration vergleichbar sind, so dass hier auf eine gesonderte Betrachtung verzichtet wird. Damit sollen jedoch weder das zunehmende Ausmaß noch die äquivalente Bedeutung der Binnenmigrationen ignoriert werden.

1.6.1 Arbeitsmigration

Es ist bekannt, dass die allgemeine wirtschaftliche Entwicklung die Nachfrage nach Arbeitskräften bestimmt. Wenn der Mehrbedarf an Arbeitskräften in einer wachstumsorientierten Wirtschaft durch das Angebot des heimischen Arbeitsmarktes nicht voll befriedigt werden kann, wird die Nachfrageseite alles unternehmen, den Fehlbedarf durch Arbeitskräfte des ausländischen Arbeitsmarktes auszugleichen. Damit entstehen theoretisch Arbeitsmarktbedingungen, die die grenzüberschreitende Migration von Arbeitskräften notwendig machen. Diese bleibt jedoch zunächst theoretisch, weil die faktische Einwanderung von Arbeitsmigranten neben deren Bereitschaft die Öffnung des Arbeitsmarktes voraussetzt, die von der Arbeitsmarktpolitik des Aufnahmelandes administrativ getragen werden muss.

Die Arbeitsmarktpolitik und die strukturellen Bedingungen der Wirtschaft zu erhöhter Nachfrage nach Arbeitskräften sind somit zwei entscheidende Determinanten der Arbeitsmigration. Sie sind sowohl in der Vergangenheit als auch in der Gegenwart für die unterschiedlichen Formen der freiwilligen und ezwungenen Arbeitsmigration verantwortlich.

Der in der Mitte des 17. Jahrhunderts beginnende Sklavenhandel im Rahmen der expansiven Kolonialpolitik der europäischen Länder in Afrika und Asien hat bis Mitte des 19. Jahrhunderts schätzungsweise 15 Mio. Afrikaner als Sklaven nach Nordamerika verschifft, um sie dort als Arbeitskräfte im Bergbau (Gold- und Silberminen) und auf Plantagen (Anbau von Zuckerrüben, Tabak, Baumwolle, Kaffee) einzusetzen. Mit der Abschaffung des Sklavenhandels gegen Ende des 19. Jahrhunderts (1805 Abschaffung des Sklavenhandels durch die britische Regierung, 1865 Sklavenemanzipation in den USA, 1888 Ende des transatlantischen Sklavenhandels mit der Abschaffung der Sklaverei in Brasilien) haben die europäischen „Kolonialherren" das System der Vertragsarbeiter (indentured worker) eingeführt. Von 1834 bis 1941 sind schätzungsweise 12 bis 37 Mio. „indentured workers" (oft „coolies" genannt), die sich zur Vorfinanzierung der Reisekosten vertraglich zur Arbeit für mehrere Jahre verpflichteten, vom indischen Subkontinent nach Nordamerika, in die Karibik und nach Südostasien gebracht worden, um dort in Bereichen eingesetzt zu werden, die vormals Sklaven vorbehalten waren (vgl. Imanuel Geiss, 1988, 124, 333-335; Stephen Castles, Mark J. Miller, 1993, 48-49; Peter Stalker, 1994, 9-13).

Die Einwanderung von Arbeitsmigranten in größerer Zahl ist auch in der deutschen Geschichte nicht neu. Man kennt bereits gegen Ende des 19. Jahrhunderts russische und polnische Wanderarbeiter in der Großlandwirtschaft der ostelbischen Junker. Die Junker hatten aus wirtschaftlichen Interessen heraus die polnischen und russischen Wanderarbeiter den deutschen Arbeitern vorgezogen. Wegen ihrer bescheidenen Ansprüche und ihrer unsicheren Rechtslage konnten sie flexibel eingesetzt oder entlassen werden. Der wirtschaftliche Aufbau des Ruhrgebietes im 19. Jahrhundert ist ebenfalls auf die nach 1869 einsetzende Masseneinwanderung polnischer Arbeiter (ca. 500.000) zurückzuführen, die aus Masuren und aus den Provinzen Westpreußen, Ostpreußen, Polen und Schlesien kamen (vgl. Wilhelm Brepohl, 1948, 102-104; René König, 1985, 16-21). Neben den polnischen Einwanderern „arbeiteten und lebten 1910 1,2 Mio. Ausländer im Deutschen Reich, von denen die Hälfte aus Österreich-Ungarn stammten" (Friedrich Heckmann, 1992, 19). Es ist bekannt, dass das nationalsozialistische Regime in Deutschland Millionen von „Fremdarbeitern" aus Polen zwangsrekrutiert hat, um sie in der Kriegswirtschaft einzusetzen. „Im Sommer 1944 befanden sich 7,8 Mio. ausländische Arbeitskräfte auf Arbeitsstellen im Reich: 5,7 Mio. Zivilarbeiter und knapp 2 Mio. Kriegsgefangene. Insgesamt wurden zu dieser Zeit Menschen aus fast 20 europäischen Ländern im Reich zur Arbeit eingesetzt" (Ulrich Herbert, 1992, 361).

Die nach dem Zweiten Weltkrieg einsetzende wirtschaftliche Wachstumsphase in den westeuropäischen Industrieländern hat zur erhöhten Nachfrage nach Arbeitskräften geführt, die durch den heimischen Arbeitsmarkt nicht voll abgedeckt werden konnte. Die gezielte Anwerbung von ausländischen Arbeitnehmern aus südeuropäischen und mediterranen Ländern (Spanien, Portugal, Italien, Jugoslawien, Griechenland, Türkei, Algerien, Marroko, Tunesien) war die Folge. Dadurch hatten die traditionellen Aufnahmeländer von Migranten in Europa (Belgien, Frankreich, Bundesrepublik Deutschland, Luxemburg, Niederlande, Schweiz, Schweden) von 1950 bis 1982 insgesamt 8 Mio. Immigranten zu verzeichnen. Die Gesamtzahl der Immigranten in diesen Ländern stieg von 3,1 auf 11,2 Mio. an (vgl. Denis Maillat, 1987, 39). Damit fand von 1950 bis 1974 eine erst nach dem Zweiten Weltkrieg auftretende neue innereuropäische Arbeitmigration aus dem Süden in den Nordwesten statt.

Die gegen Ende 1973 beginnende Energiekrise hat eine radikale Wende in der Arbeitsmarkt- und Ausländerpolitik der europäischen Industrieländer herbeigeführt. Sie verhängten einen generellen Anwerbestopp für „Gastarbeiter" (ein mißverständlicher und irreführender Begriff, weil deren soziale Situation der Bedeutung des Wortes nicht entspricht), machten die Grenzen gegen unkontrollierte Zuwanderung dicht und gingen zu einer restriktiven Ausländer- und Arbeitsmarktpolitik über. Seitdem wird in allen europäischen Industrieländern, abgesehen von wenigen Ausnahmen, die Zuwanderung von Arbeitsmigranten nicht erlaubt. Ein Beispiel dieser Ausnahmen stellt die umstrittene Green-Card-Verordnung der Bundesregierung von August 2000 dar, nach der bis zu 20.000 IT-Spezialisten aus Drittländern angeworben werden sollten, um den Mangel in der deutschen Wirtschaft zu beheben. Die Bundesregierung gewährte den IT-Fachleuten befristete Aufenthaltserlaubnis bis zu 5 Jahren und erlaubte ihnen mit ihrer Familien die Einreise. Aufgrund fehlender Resonanz konnten jedoch bis Juli 2003 lediglich 14.876 Arbeitsgenehmigungen im Rahmen dieser Verordnung (IT-ArGV) erteilt werden. Eine weitere Ausnahme ist in den osteuropäischen Werkvertrags- und Saisonarbeitern zu sehen, denen der Zugang zum Arbeitsmarkt der Mitgliedländer der EU für einen befristeten Zeitraum erlaubt wird. Im Jahr 2006 waren in Deutschland 320.400, in Italien 70.200, in Frankreich 16.200 und in Großbritannien 15.700 Saisonarbeiter beschäftigt (vgl. IOM, 2008, 83). Mit diesen Ausnahmen ist die politische Intention verbunden, den osteuropäischen Arbeitnehmern Erfahrungen auf einem Arbeitsmarkt der Europäischen Union zu ermöglichen. Sie sollen dadurch einen positiven Beitrag zum Aufbau der Wirtschaft in ihrem Herkunfsland leisten, gleichzeitig soll der Migrationsdruck auf die EU gemindert werden (vgl. Beauftragte der Bundesregierung für Ausländerfragen, 2001, 52).

Innerhalb der EU findet derzeit eine temporäre Migration von Arbeitskräften aus den neuen Mitgliedländern nach Großbritannien und Irland statt. Großbritannien, Irland und Schweden haben bei der Osterweiterung der EU ihren Arbeitsmarkt für die Arbeitskräfte der neuen Mitgliedländer geöffnet. Dagegen halten Deutschland, Österreich, Belgien und Dänemark an der in den Beitrittsverträgen (16. April 2003) vereinbarten Übergangszeit von 7 Jahren fest, die die Masseneinwanderung von billigen Arbeitskräften aus den neuen Mitgliedländern verhindern soll. Zwischen dem 1. Mai 2004, an dem die Beitrittsverträge für die EU-Osterweiterung in Kraft getreten sind, und dem 31. März 2007 sind allein in Großbritannien 630.000 Anträge auf Arbeitserlaubnis registriert worden. Die Arbeitskräfte aus Polen hatten den größten Anteil daran (65 %), gefolgt von Arbeitsmigranten aus Litauen und der Slowakei mit einem Anteil von jeweils von 10 %. 82 % von ihnen waren im Alter von 18 und 34 Jahren. Der Frauenanteil betrug 43 % (vgl. IOM, 2008, 87, 457). Die Nachfrage der westeuropäischen Industrieländer nach billigen Arbeitskräften geht jedoch aufgrund der jüngsten Wirtschaftskrise (Finanzmarkt- und Bankenkrise) rapide zurück. Gleichzeitig führt der Bauboom in den neuen Mitgliedländern, insbesondere in Polen, zur Arbeitskräfteknappheit, so dass die Löhne dort steigen. Bereits 2007 hat die polnische Regierung eine Politik zur Rückwanderung ihrer ausgewanderten Arbeitskräfte eingeleitet, um den heimischen Arbeitskräftemangel zu beheben. Die Abwertung der britischen Währung und die damit verbundene Verschlechterung der Wechselkurse führten zu sinkenden Ersparnissen der osteuropäischen Arbeitsmigranten und unterstützen die Remigrationspolitik ihrer Heimatländer, so dass ihre Remigration wahrscheinlicher wird (vgl. OECD, 2009, 60).

Eine weitere Weltregion, deren Wirtschaft aufgrund ihrer geringen Bevölkerung und knappen heimischen Arbeitskräfte weitgehend auf ausländische Arbeitsmigranten angewiesen ist, ist die persisch-arabische Golfregion mit ihren 6 GCC-Staaten (Gulf Cooperation Council States: Barain, Kuwait, Oman, Quatar, Saudi Arabien, Vereinigte Arabische Emirate). Die Energiekrise 1973 und die Verteuerung des Ölpreises haben zu erhöhter Nachfrage nach Arbeitskräften in diesen Ländern geführt, zu deren Befriedigung keine weiteren heimischen Arbeitskräfte zur Verfügung standen. Die steigende Bildungsbeteiligung und die veränderte Lebensweise in diesen Ländern, die durch den zunehmenden materiellen Wohlstand induziert wurden, haben zu einem Rückgang der ohnehin knappen Arbeitskräfte im produktiven Bereich geführt. Eine Entlastung des Arbeitsmarktes durch die erhöhte Erwerbsbeteiligung der Frauen konnte auch nicht erwartet werden.

Die Folge war eine Masseneinwanderung ausländischer Arbeitnehmer aus den benachbarten arabischen Ländern (Jordanien, Palästina, Ägypten, Jemen, Libanon, Sudan) und aus süd- und ostasiatischen Ländern (Indien, Pakistan, Bangladesch, Sri Lanka, Indonesien und Phillipinen). Bis 1975 kamen 80 % aller temporären Arbeitsmigranten dieser Region aus den arabischen Ländern, deren Gesamtzahl 1,8 Mio. erreichte. Ab 1976 trat eine sprunghafte Zunahme der Arbeitsmigranten aus Südasien ein. Allein die Zahl der Arbeitsmigranten aus Pakistan stieg von 200.000 im Jahr 1976 auf 1,25 Mio. im Jahr 1979. Nach dem Zweiten Golfkrieg (1991), der mit der Invasion der irakischen Truppen in Kuwait begonnen hatte, hatten die GCC-Staaten begonnen, die Arbeitsmigranten aus den benachbarten arabischen Ländern, die während des Krieges den Irak politisch unterstützt hatten, auszuweisen und durch die aus Ägypten und Süd- und Ostasien zu ersetzen. Die Arbeitskräfte aus asiatischen Ländern sind nicht nur billiger als die arabischen, sondern auch bereitwilliger, die schwierigen Lebens- und Arbeitsbedingungen zu akzeptieren. Sie sind leicht zu identifizieren und ihre Integration in die arabische Kultur (z.B. durch die Heirat) ist fast ausgeschlossen. Nach Schätzungen leben derzeit insgesamt 12,8 Mio. Ausländer in den GCC-Staaten, davon 3,5 Mio. aus den arabischen Ländern, die nicht dem GCC angehören. Der Rest kommt aus Süd- und Ostasien. Die Ausländer machen 36 % der gesamten Wohnbevölkerung dieser Staaten aus. Die Hälfte der Ausländer leben in Saudi Arabien. Der Anteil der Ausländer an der Bevölkerung der Vereinigten Arabischen Emirate beträgt sogar 71 %. Die GCC-Staaten bilden nach den USA und Europa die drittgrößten Aufnahmeländer der Arbeitsmigranten der Welt. Dabei ist die Steigerungsrate der asiatischen Frauenarbeitskräfte, die in den privaten Haushalten als „domestic workers" Anstellung finden, besonders hoch. Ihre Zahl ist von 1 Mio. im Jahr 1990 auf 3,7 Mio. im Jahr 2005 gestiegen (vgl. UNESCWA, 2007, 4-6).

Die überaus große Zahl der Arbeitsmigranten in den GCC-Ländern führt zum demographischen Ungleichgewicht, so dass z.B. der Anteil der Einheimischen an den gesamten Arbeitskräften nur 8,7 % in den Vereinigten Arabischen Emiraten, 14,1 % in Quatar und 50 % in Saudi Arabien beträgt. Damit sind die Wirtschaftsleistungen der GCC-Länder weitgehend von den Arbeitsmigranten aus Asien abhängig. Eine unmittelbare Folge davon ist die hohe Arbeitslosigkeit der jungen Schul- und Hochschulabgänger, die freiwillig arbeitslos bleiben, weil sie auf gut bezahlte Arbeitsstellen im öffentlichen Sektor warten. Zwischen 2001 und 2004 stieg diese Zahl in den Vereinigten Arabischen Emiraten von 2,3 auf 3.0 %, in Barain von 2,5 auf 3,1 %, in Saudi Arabien von 5,9 auf 6 % und in Oman von 5 auf 7,1 %. Eine weitere Folge besteht darin, dass die gesamte Produktivität der einheimischen Arbeitskräfte kontinuierlich sinkt, weil die Investitionen im Finanzmarkt die direkten Investitionen in produktiven lokalen und regionalen Projekten bei weitem übersteigen. Der jährliche Produktivitätsverlust zwischen 1980 und 2000 betrug in den Vereinigten Arabischen Emiraten 2,9 % und in Saudi Arabien 2,5 %. Es kommt der jährliche Kapitalabfluss von 24 Mrd. US-Dollar hinzu, die die Arbeitsmigranten pro Jahr in ihre Heimat überweisen. Vor diesem Hintergrund hat das Arbeitsministerium in Saudi Arabien 2003 ein Projekt der „nationalization of the labour force" initiiert, um die ausländischen Arbeitskräfte, die im Bereich von Banken und Finanzen beschäftigt sind, durch Einheimische zu ersetzen. Dadurch sollte die Anzahl ausländischer Arbeitskräfte um 20 % reduziert werden (vgl. UNESCWA, 2007, 6-7, 40).

Die asiatisch-pazifische Region erlebte seit 1950 eine bisher beispiellose wirtschaftliche Wachstumsentwicklung. Sie begann zuerst in Japan in den 1950er Jahren und erfasste in den 1960er Jahren die sog. Schwellenländer: Republik Korea, Taiwan, Hongkong und Singapur. Diese Länder wurden in englischer Sprache unter der Bezeichnung NIEs - Newly Industrializing Economies – zusammengefasst. In den 1970er Jahren begann auch in Indonesien, Malaysia und Thailand die wirtschaftliche Aufwärtsentwicklung. In den 1980er Jahren trat in China ein stetiges wirtschaftliches Wachstum ein. Eine Gemeinsamkeit in der wirtschaftlichen Entwicklung dieser Länder bestand darin, dass sie aufgrund ihrer niedrigen Industrialisierung und knappen Kapitalakkumulation erst mit der Industrialisierung arbeitsintensiver Produktionsbereiche (z.B. Textil und Bekleidung, Schuhe, Leder, Spielzeug) begonnen haben, um zunächst die im Überschuss vorhandenen ungelernten Arbeitskräfte für die Produktion zu nutzen und die dadurch erzielten Kostenvorteile in Wettbewerbsvorteile umzuwandeln. Die Kosten- und Wettbewerbsvorteile der Vorreiterländer gingen jedoch in dem Maße verloren, wie die nachrückenden Länder nach gleichem Muster ihre Industrialisierung forcierten (vgl. OECD, 1996, 16).

Die schrumpfenden Wettbewerbsvorteile und die Verknappung der billigen und geringqualifizierten Arbeitskräfte haben die Schwellenländer veranlasst, rechtzeitig die Umstellung ihrer Wirtschaft von den arbeits- zu kapitalintensiven Produktionsbereichen vorzunehmen. Die Folge war der steigende Bedarf an Kapitalinvestitionen und höher qualifizierten Arbeitskräften. In den ost- und südasiatischen Ländern trat dadurch ein Strukturwandel des Arbeitsmarktes ein, der die Länder dazu führte, im politischen und wirtschaftlichen Bereich enger miteinander zu kooperieren. Dadurch sollte die Wirtschaft zur Liberalisierung des Kapital-, Waren-, Informations- und Technologieverkehrs insgesamt dereguliert werden. Die Zusammenschlüsse der asiatischen Länder in Organisationen, wie AFTA (Asian Free Trade Area), APEC (Asia Pacific Economic Cooperation) und ASEAN (Association of South East Asian Nations) sind konkrete Ergebnisse der genannten Kooperationen.

Die wichtigsten Folgen dieser Entwicklung waren und sind die regionale Integration der asiatischen Länder und die globale Mobilität ihrer Arbeitskräfte. Aufgrund der realen Unterschiede in Lohnniveau und Marktchancen der einzelnen Länder nahmen die direkten Investitionen der Schwellenländer innerhalb Asiens zu. Wo aber Kapital zur Investition floss, floss auch ein Strom von Managern, Technikern und hochqualifizierten Arbeitskräften mit. Die Folge war die wachsende Arbeitsmigration innerhalb Asiens und über seine Grenzen hinaus.

Die Gesamtzahl der asiatischen Arbeitsmigranten wird derzeit auf etwa 25 Mio. geschätzt. Zwischen 2000 und 2005 waren davon schätzungsweise 7,5 Mio. in Südzentralasien (Indien, Pakistan, Nepal, Bangladesch, Sri Lanka, Iran,), 6,5 Mio. in Ostasien (Hongkong, Japan, Südkorea, China, Makao) und 5,6 Mio. in Südostasien (Singapur, Malaysia, Thailand, Phillippinen, Kambodscha, Indonesien, Brunei, Myanmar, Laos, Vietnam) beschäftigt. Damit findet die Migration asiatischer Arbeitskräfte überwiegend innerhalb Asiens statt (vgl. IOM, 2008, 439).

Dabei scheint der Strom von Arbeitsmigranten intensiv zwischen den Ländern Indonesien, Malaysia, Philippinen, Thailand und Singapur einerseits und zwischen der Volksrepublik China, der Republik Korea, Hongkong, Formosa und Japan andererseits zu zirkulieren. Besonders auffällig ist die Entwicklung, dass die Migration von Frauen, die als Arbeitskräfte im Dienstleistungsbereich (z.B. Hotel, private Haushalte, Unterhaltungssektor) eingesetzt werden, zunimmt, so dass man von der Feminisierung der Migration spricht (vgl. P. Wickramasekara, 1996, 97-122; Petrus Han, 2003, 60, 192-195).

Gleichzeitig wächst in vielen asiatischen Ländern der Mangel an geringqualifizierten Arbeitskräften, weil die Einheimischen im Zuge der wirtschaftlichen Entwicklung in anspruchsvollere Berufe übergewechselt sind. Der Bedarf an geringqualifizierten Arbeitern, die die sog. 3 D-Arbeiten (dirty, dangerous, difficult/demanding) verrichten, ist bei kleinen und mittleren arbeitsintensiven Betrieben besonders groß, weil diese weder hohe Investitionen vornehmen noch ihre Produktionsstätten in Billiglohnländer verlagern können.

Die Zahl der asiatischen Vertragsarbeiter, die im Mittleren Osten als temporäre Arbeitsmigranten beschäftigt sind, wird derzeit auf etwa 8,7 Mio. geschätzt. Während die Arbeitsmigranten aus Bangladesch, Indien und Pakistan dort überwiegend in Infrastrukturprojekten eingesetzt werden, sind die Arbeitsmigranten aus Indonesien, Sri Lanka und den Phillippinen weitgehend im Bereich der „Domestic Work" beschäftigt, so dass der Frauenanteil an den Arbeitsmigranten aus diesen Ländern 60 bis 80 % beträgt. Hier tritt wiederum eine Feminisierung der Arbeitsmigration ein (vgl. IOM, 2008, 443, 446).

Aufgrund der anhaltenden permanenten und temporären Emigration von Arbeitskräften bildet Asien die größte Diaspora in der Welt. 30 bis 40 Mio. Chinesen leben im Ausland. Sie bilden die größte Diapora, gefolgt von der indischen Diaspora mit 20 Mio. Auslandsindern. Danach bildet die phillippinische Diaspora mit 8,2 Mio. Auslandsphillippinen die drittgrößte Diapora. 2007 hatten Indien 27, China 25, Phillippinen 17,2, Bangladesch 6,6, Indonesien 6,1, Pakistan 6 und Vietnam 5,5 Mrd. US-Dollar Geldüberweisungen von ihren ehemaligen und im Ausland arbeitenden Staatsbürgern erhalten. 2007 erreichte die Gesamtsumme der Geldüberweisungen aus dem Ausland für Südzentralasien 45,1, für Südostasien 32,7 und für Ostasien 29,5 Mrd. US-Dollar (vgl. IOM, 2008, 448-449).

Viele Indizien deuten darauf hin, dass die Arbeitsmigration in Asien auch in Zukunft unvermindert anhalten wird. Allein die Tatsache, dass 2008 in Asien 4,052 Mrd. Menschen (60 % der Weltbevölkerung) leben (siehe Tabelle 8, S. 137) und dort zwei Drittel der Arbeitskräfte der Welt aufgebracht werden, lässt das überaus große Migrationspotential erahnen. Im Zuge der sukzessiv erfolgenden wirtschaftlichen Entwicklungen einzelner Länder und der damit verbundenen immensen Kapitalbewegungen innerhalb Asiens wächst der Bedarf an qualifizierten Fachkräften, die Investition, Technologie und Produktion kontrollieren und beraten. Zwischen 2002 und 2003 haben Malaysia, Singapur und Thailand 60.000 bis 70.000 hochqualifizierte ausländische Fachkräfte aus den G-8-Ländern, Australien und Neuseeland angeworben. Auch Indonesien und die Phillippinen haben jeweils 10.000 hochqualifizierte ausländische Fachkräfte aus Australien und anderen Industrieländern angeworben (vgl. IOM, 2008, 447). Damit wird offenkundig, dass der Bedarf an qualifizierten Arbeitskräften schneller wächst als durch Ausbildung nachgehalten werden kann. Die Humankapitalbildung ist kurz- und mittelfristig nicht möglich.

Nordamerika bleibt nach wie vor der Kontinent, der den größten Teil der weltweiten Migranten aufnimmt. In den USA lebten 2005 38,3 Mio. Migranten, von denen sich 27 % in Kalifornien und 11 % in New York niedergelassen hatten. In Kanada lebten 2005 6,1 Mio. Einwanderer, die 18,9 % der kanadischen Bevölkerung ausmachten. Typisch für Nordamerika ist die Tatsache, dass die Einwanderung aus Mexiko und Südamerika insgesamt 87 % der gesamten Migrationsbewegungen ausmacht. Die größte „South-North-Migration" der Welt findet damit auf diesem Kontinent statt (vgl. IOM, 2008,423-425).

Die USA und Kanada haben einerseits ein über Jahrzehnte bewährtes Einwanderungsprogramm, das den Ausländern die Beschäftigungsmöglichkeiten auf der Basis der permanenten Einwanderung (employment-based immigration) einräumt, um das heimische Wirtschaftswachstum und den Arbeitskräftebedarf sicher zu stellen. Beide Länder haben jedoch einen unterschiedlichen arbeitsmarktpolitischen Ansatz bei der Erteilung von Einreiseerlaubnissen. Die USA praktizieren eine nachfrageorientierte Arbeitsmarktpolitik (a demand-based system). Danach müssen die ausländischen Arbeitskräfte nachweisen, dass ihre Arbeitsplätze weder durch Einheimische noch durch die in den USA lebenden Ausländer zu besetzen sind. Kanada betreibt dagegen eine angebotsorientierte Arbeitsmarktpolitik (a supply-based point system), die von der Annahme ausgeht, dass das Angebot von qualifizierten Arbeitskräften positive Impulse für Innovation und Wirtschaftswachstum auslösen werden. Die Arbeitsmigranten werden daher nach einem Punktsystem in ihrer Qualifikation bewertet und ausgewählt. Nach diesen arbeitsmarktpolitischen Ansätzen haben beide Länder in der Zeit von 2005 bis 2007 jährlich jeweils die Einwanderung von über 400.000 Arbeitsmigranten zugelassen. Parallel dazu haben die USA durch ihren „The U.S. Immigration Act of 1990" die Einwanderung von qualifizierten Arbeitskräften von jährlich 54.000 auf 140.000 angehoben. Weitere 10.000 Einwanderungsvisa sind für diejenigen vorgesehen, die mindestens 1 Mio. US-Dollar in die Wirtschaft der USA zu investieren bereit sind. Weitere 7.000 Einwanderungsvisa sind für die vorgesehen, die mehr als 500.000 US-Dollar investieren. Die Einwanderung qualifizierter Arbeitskräfte wird jedoch den wirtschaftlichen Bedingungen angepasst und variiert (vgl. IOM, 2008, 297-299).

Trotz der genannten permanenten Einwanderung von Arbeitskräften besteht in den USA und Kanada Arbeitskräfteknappheit. Zu ihrer Lösung wurde die temporäre Arbeitsmigration eingeführt. In der Zeit von 2004 bis 2005 und von 2005 bis 2006 haben beide Länder jeweils 1,14 Mio. und 1,24 Mio. temporäre Arbeitsmigranten zugelassen. 2005 kamen die meisten temporären Arbeitsmigranten in Kanada aus Frankreich (7.582), Großbritannien (7.263), Deutschland (2.602) und Mexiko (12.610). Die Arbeitsmigranten aus Mexiko wurden überwiegend als Saisonarbeiter in der Landwirtschaft beschäftigt (vgl. IOM, 2008, 85-87).

Die Wirtschaftskrise von 2008 hat sich negativ auf die Beschäftigungssituation beider Länder ausgewirkt. In den USA sind bis zum Ende 2008 etwa 2,3 Mio. Jobs verlorengegangen, während in Kanada 6,4 % der Arbeitsplätze im Bereich der Bauwirtschaft bis Februar 2009 reduziert wurden. Februar 2009 betrug die Arbeitslosenquote der Einwanderer in den USA 10,5 % (vgl. OECD, 2009, 16-17).

Die drei großen Aufnahmeländer der Migranten in Südamerika sind Argentinien (1,5 Mio. Migranten), Venezuela (1 Mio.) und Brasilien (641.000). Costa Rica mit 130.000 Migranten stellt das viertgrößte Aufnahmeland dar. 2005 wurde die Gesamtzahl der Emigranten aus Südamerika auf 25 Mio. geschätzt, eine Zahl, die 13 % der Migranten der Welt (191 Mio.) ausmachte. Dabei werden die Zielländer der Migranten aufgrund der wachsenden sozialen

Netzwerke und spezieller Nachfrage nach Arbeitskräften pluraler. Die Zahl derjenigen, die nach Spanien, Portugal, Italien, Japan und Kanada migrieren, wächst. Die Hauptursachen der wachsenden Migration sind ökonomische Krisen und zunehmende politische Gewalt. Ein Beispiel ist die ökonomische Krise von 2001, die das Migrationsverhalten der Südamerikaner nachhaltig verändert hat. Aufgrund der Krise erlebte z.B. Venezuela, eines der Hauptzielländer der Migranten in Südamerika, einen Migrationsschub in die USA und nach Spanien. Brasilien ist ein weiteres Land, aus dem zunehmend Arbeitskräfte auswandern. 2005 erreichte die Zahl der Immigranten aus Brasilien in den USA 356.000, in Portugal 70.400 und in Japan 302.100. Dabei findet eine starke Feminisierung der Migration statt. Der Frauenanteil an den Migranten aus Südamerika beträgt 54 %. Dies stellt den höchsten Frauenanteil an der internationalen Migration dar. Parallel zu der skizzierten Entwicklung wächst auch illegale Migration von Lateinamerika nach Spanien und Portugal. Die Hauptherkunftsländer der illegalen Migranten sind Ecuador, Kolumbien, Bolivien und Peru. Eine für die wirtschaftliche Entwicklung dieser Region wichtige Tatsache ist jedoch der Kapitaltransfer aus dem Ausland. 2007 haben die Arbeitsmigranten aus Lateinamerika und den karibischen Ländern einen Betrag in Höhe von 60,7 Mrd. US-Dollar in ihre Heimatländer überwiesen (vgl. IOM, 2008,426-430).

Die wirtschaftlichen Probleme in den südamerikanischen Ländern haben dazu geführt, dass viele Nachfahren der europäischen Immigranten ins Land ihrer Vorfahren remigriert sind bzw. remigrieren wollen. Zwischen 1846 und 1939 haben insgesamt 59 Millionen Menschen Europa verlassen. Dabei sind Nordeuropäer mehrheitlich (38 Mio.) in die USA eingewandert. Die Quotenregelung von 1921 und „The Immigration Restriction Act" von 1924 haben die Zahl der südeuropäischen Einwanderer in die USA drastisch reduziert, so dass viele Südeuropäer (z.B. Spanier und Italiener) nach Südamerika emigriert sind, 7 Millionen nach Argentinien und 4,6 Millionen nach Brasilien. Allein aus Italien sind 3 Millionen Menschen nach Argentinien ausgewandert, deren Nachfahren heute nach Italien remigrieren wollen (vgl. Peter Stalker, 1994, 13-14, 16, 221, 224).

Eine weitere für die Migration wichtige Weltregion ist Ozeanien. Die traditionellen Einwanderungsländer Australien und Neuseeland haben reichhaltige historische Erfahrungen mit der Migration, weil sie bevölkerungs- und wirtschaftspolitisch auf die kontinuierliche Einwanderung von Arbeitskräften angewiesen waren und noch angewiesen sind. 2005 lebten in Australien 4,097 Mio. Migranten, 20,3 % an der gesamten Bevölkerung Australiens, während in Neuseeland 642.000 Migranten lebten, die 15,9 % an der gesamten Bevölkerung Neuseelands ausmachten. In beiden Ländern ist der Migrantenanteil an der gesamten Bevölkerung in der Zeit von 2000 und 2005 gesunken, weil ein Wechsel von der familienorientierten zur fachkräfteorientierten Einwanderungspolitik vollzogen wurde. Die hochqualifizierten Arbeitskräfte sind, wie die bisherigen Erfahrungen zeigen, überwiegend temporäre Migranten (vgl. IOM, 2008, 481-482).

Beide Länder betreiben, wie die USA und Kanada, eine Arbeitsmarktpolitik, die den Ausländern die Beschäftigungsmöglichkeiten auf der Basis der permanenten Einwanderung einräumt, jedoch nach einem angebotsorientierten Ansatz (supply-based point system), um das Qualifikationsniveau der permanenten Migranten anzuheben. Nach dieser Politik konnten beide Länder von 2006 bis 2007 jeweils 97.920 und 19.820 qualifizierte Arbeitskräfte als permanente Einwanderer aufnehmen. Die Zahl der temporären Migranten in beiden Ländern betrug 2005 jeweils 48.600 und 88.100 (vgl. IOM, 2008, 298, 483).

Die Zahl der Migranten auf dem afrikanischen Kontinent ist in der Zeit von 2000 bis 2005 um eine halbe Mio. von 16,3 auf 16,9 Mio. angestiegen, was im Vergleich mit der Wachstumsrate der Migranten anderer Kontinente die niedrigste darstellt. Dabei finden die Migrationsbewegungen weitgehend innerhalb des Kontinents statt. Die überwiegende Mehrheit der Migranten (14,5 Mio.) stammten aus Afrika südlich der Sahara, insbesondere von den großen Staaten in West- und Südafrika. Unter den ost- und zentralafrikanischen Ländern stellte Tansania mit 792.000 Migranten das größte Aufnahmeland der Migranten im Jahr 2005 dar. 7 Mio. Migranten aus Nordafrika leben derzeit in OECD-Ländern. Die Hälfte davon hat sich in Frankreich, Belgien, Spanien und in den Niederlanden niedergelassen. Unter den westafrikanischen Ländern ist die Elfenbeinküste das Hauptzielland der Arbeitsmigranten. 2005 lebten dort 2,4 Mio. Migranten, die 13,1 % der Bevölkerung ausmachten. Innerhalb des südlichen Afrikas stellt Südafrika das Hauptzielland der Arbeitsmigranten dar. 2005 lebte dort die größte Zahl der Arbeitsmigranten (1,1 Mio.), sie machte jedoch nur 2,3 % der Bevölkerung aus. Dagegen hatte Namibia 143.000 Migranten, die jedoch 4,5 % der Bevölkerung ausmachten. 2007 erhielt der afrikanische Kontinent Geldüberweisungen in Höhe von 23,1 Mrd. US-Dollar von seinen Arbeitsmigranten, davon hat Nordafrika 11,7 Mrd. US-Dollar und Afrika südlich der Sahara 11,4 Mrd. US-Dollar erhalten (vgl. IOM, 2008, 407-414).

Aufgrund des Wirtschaftsgefälles zwischen den einzelnen Staaten und der dramatischen Bevölkerungsexplosion der gesamten subsaharischen Region ist anzunehmen, dass das reale Ausmaß der grenzüberschreitenden Arbeitsmigration den offiziell genannten Umfang weit übersteigt. 1990 lebten dort 516,7

Mio. Menschen, 2006 bereits 781,8 Mio. und 2015 werden 962,6 Mio. Menschen dort leben (vgl. The World Bank, 2008, 42). Eine für Afrika völlig neue Entwicklung besteht in der steigenden Zahl der Frauen, die auf der Suche nach Erwerbsarbeit die unabhängige Arbeitsmigration antreten (vgl. IOM und UN, 2000, 146, 154; Petrus Han, 2003, 73-77).

1.6.2 Migration von Familienangehörigen (Familienzusammenführung)

Eine Migrationsform, die im engen Zusammenhang mit der Arbeitsmigration steht, ist die der Familienzusammenführung, d.h. der Nachzug von Ehegatten und minderjährigen Kindern der Pioniermigranten. Diese Migranten sind ursprünglich mit der Intention aus ihrem Heimatland emigriert, um nach vorübergehender Beschäftigung im Ausland in die Heimat zurückzukehren. Die temporäre Migration dieser Art wird oft zu einer permanenten, wenn die gesetzten Ziele, hier zumeist die wirtschaftlichen, nicht wie geplant erreicht werden können. Die dadurch bedingte Verlängerung der Verweildauer im Ausland ist zwangsläufig mit der zunehmenden Entfremdung der Pioniermigranten von ihren eigenen Familien und ihrem Herkunftsland verbunden. Aus ihrer Sicht ist es daher nur folgerichtig, solange sie ihre gesetzten Ziele weiter verfolgen, mit dem Gedanken zu spielen, den Nachzug ihrer Ehegatten ermöglichen zu wollen, um der schleichenden Entfremdung in der Partnerbeziehung vorzubeugen und gleichzeitig die Einsamkeit in der Fremde zu relativieren. Erst danach kann über den Nachzug der minderjährigen Kinder nachgedacht werden, weil dieser mit größerer Umstellung und größerem finanziellem Aufwand verbunden ist. Damit gewinnt die Familienzusammenführung in Etappen in der Lebensplanung der Pioniermigranten allmählich konkrete Gestalt, was oft den Beginn eines dauerhaften Niederlassungsprozesses markiert. Die global zunehmende Arbeitsmigration führt somit tendenziell zu steigenden Migrationsbewegungen, weil sie früher oder später die Migration von Familienangehörigen nach sich zieht.

Die Wunschvorstellung der Arbeitsmigranten zur Familienzusammenführung kann nur dann tatsächlich verwirklicht werden, wenn diese von der Politik und Gesetzgebung der Aufnahmeländer gewollt und erlaubt wird. Die politische Entscheidung der Aufnahmeländer für oder gegen die Familienzusammenführung ist jedoch von den Zielsetzungen abhängig, die nicht nur länderspezifisch unterschiedlich formuliert, sondern mit der Veränderung makrostruktureller Bedingungen neu gesetzt werden können. Die traditionellen Einwanderungsländer USA, Kanada, Australien und Neuseeland haben vitale bevölkerungs- und wirtschaftspolitische Interessen bei der kontinuierlichen Einwanderung von Arbeitskräften. Sie räumen daher Migranten Beschäftigungsmöglichkeiten auf der Basis der permanenten Einwanderung ein (employment-based immigration), um das heimische Wirtschaftswachstum und den Arbeitskräftebedarf sicher zu stellen.

Die Familienzusammenführung stellt somit einen selbstverständlichen Bestandteil der Einwanderungs-, Bevölkerungs- und Wirtschaftspolitik der traditionellen Einwanderungsländer dar. Dabei wurden sie von der Idee geleitet, dass die familialen und verwandtschaftlichen Netzwerke die soziale und wirtschaftliche Integration der nachfolgenden Familienangehörigen in die Aufnahmegesellschaft erleichtern. Diese Idee der dezentralisierten Integration der Einwanderer soll die zentral gesteuerte staatliche Integrationspolitik unterstützen (vgl. IOM, 2008, 167).

Der Begriff der Familienzusammenführung im Migrationskontext ist keineswegs ein einheitlich zu verstehender Begriff, weil er von Land zu Land unterschiedlich definiert wird. Sieht man von der länderspezifischen Definition ab, können generell folgende Typen der Zusammenführung genannt werden. Der erste Typus besteht in dem Prozess der Zusammenführung der direkten Familienangehörigen der Pioniermigranten, wie Ehegatten, minderjährige Kinder und Eltern (family reunification). Der zweite Typus besteht in dem Prozess der Familienbildung bzw. Heiratsmigration (family formation or marriage migration). Hier sind zwei Subformen zu unterscheiden. Zum einen ist der Prozess zu nennen, in dem die Kinder der zweiten und weiteren Generation der Migranten Ehepartner aus dem Herkunftsland ihrer Eltern heiraten. Diese Form der Familienzusammenführung ist gerade bei Migranten aus der Türkei und aus den nordafrikanischen Ländern oft vorkommend. Zum anderen ist der Prozess gemeint, in dem die permanenten Migranten und Einheimische ihre Ehepartner aus dem Ausland einreisen lassen, die sie während der Arbeit oder des Urlaubs kennengelent haben. Die globale Vernetzung der Länder und die wachsende Mobilität der Menschen führen zunehmend zu solchen bikulturellen Ehen. Der dritte Typus besteht in der Migration ganzer Familien (migration of entire familiy), wie bei den IT-Spezialisten, die nach der Green-Card-Verordnung der Bundesregierung angeworben wurden, und die mit ihren Familien einreisen durften. Der vierte Typus besteht in dem Prozess, in dem die Familienangehörigen der Migranten im erweiterten Sinn (verheiratete erwachsene Kinder oder Geschwister) durch die Unterstützung der Familie (sponsored family members) einwandern. Dieser Typus kommt in den traditionellen Einwanderungsländern (in settler societies) vor (vgl. IOM, 2008,155-156).

Wie weit bzw. wie eng der Begriff der Familienzusammenführung verstanden wird, hängt von der konkreten Formulierung der Ausländergesetze der einzelnen Länder ab, die den administrativen Rahmen für die praktische Handhabung der Familienzusammenführung vorgibt. Auch die Frage, ob die Familienzusammenführung nur auf den Nachzug von Ehegatten im engeren Sinne (nicht mehrere Ehegatten wie in polygamen Ehen) und deren minderjährigen ledigen Kindern beschränkt bleiben oder auf weitere Verwandtschaftsgrade ausgedehnt werden soll, wird von den einzelnen Aufnahmeländern unterschiedlich geregelt. Das neue Gesetz zur Steuerung und Begrenzung der Zuwanderung und zur Regelung des Aufenthaltes und der Integration von Unionsbürgern und Ausländern (Zuwanderungsgesetz) in der Bundesrepublik Deutschland, das am 1. Januar 2005 in Kraft getreten ist, regelt in seinen §§ 29-32 nur den Familiennachzug von Ehegatten und minderjährigen ledigen Kindern. Der Begriff der Familienzusammenführung wird damit auf die direkten Familienangehörigen begrenzt. Diese Regelung zielt, wie im § 27 Satz 1 ausdrücklich erwähnt wird, auf die Gewährleistung des Schutzes von Ehe und Familie gemäß Artikel 6 des Grundgesetzes ab. In der Bundesrepublik Deutschland findet damit eine restriktive Praxis und Begrenzung der Familienzusammenführung Anwendung.

Die traditionellen Einwanderungsländer USA, Kanada und Australien sehen dagegen in der großzügig geregelten Familienzusammenführung einen effektiven einwanderungspolitischen Weg, die Proportionalität der vorhandenen ethnischen Komposition der Bevölkerung zu wahren und Menschen, die sie für ihre Volksbildung (population building) und wirtschaftliche Entwicklung benötigen, mit geringeren Integrationskosten zu gewinnen. Insbesondere haben die USA mit der Aufhebung des Quotensystems durch „The Immigration and Nationality Act" von 1965 einen Wechsel der einwanderungspolitischen Leitidee von der rassischen Selektion zur Familienorientierung vollzogen. Dadurch macht die Einwanderung auf Familienbasis den größten Teil der Einwanderung in die USA aus, wie der folgenden Tabelle 3 zu entnehmen ist.

Eine der unvorhergesehenen Folgen dieser Entwicklung ist die grundlegende Veränderung des ethnographischen Gefüges der US-amerikanischen Gesellschaft. In den 1990er Jahren kamen 49 % der gesamten Einwanderer der USA aus Lateinamerika und 32 % aus Asien, während die europäischen Einwanderer nur 11 % ausmachten (vgl. George J. Borjas, 1999 39-41; Petrus Han, 2006, 198). Wenn man bedenkt, dass zwischen 1951 und 1960 der Anteil der Europäer an der gesamten Zahl der Einwnderer 53 % betrug (vgl. Stephen Castles; Mark J. Miller, 1993, 75, 82), dann ist das Ausmaß der eintretenden Veränderungen im ethnographischen Gefüge der US-amerikanischen Gesellschaft besonders deutlich erkennbar. Zwischen 1960 und 1990 ist damit eine historische Verschiebung (a historical shift) bei den Herkunftsländern der Immigranten in den USA eingetreten (vgl. George J. Borjas, 1999, 39; Petrus Han, 2006, 198). Ein ähnliches Bild der allmählichen Verschiebung des ethnographischen Gefüges ist auch in Kanada und Australien zu beobachten. Kanada hat erst im Jahre 1976 durch „The Immigration Act" die rassische Diskriminierung in seiner Einwanderungspolitik abgeschafft und das Tor für asiatische Einwanderer geöffnet. Seit 1980 machen die asiatischen Einwanderer, insbesondere aus China, Hongkong, Vietnam und den Philippinen, ca. 40 % aller Einwanderer aus. In Australien begann die asiatische Einwanderung mit der Aufnahme von Indochina-Flüchtlingen in den 1970er Jahren. Die damit beginnende Familienzusammenführung hat dazu geführt, dass der Anteil der Einwanderer aus Südostasien und dem indischen Subkontinent heute ca. 45 % der gesamten Einwanderer ausmacht. Dabei ist für beide Länder, auch für die USA, gemeinsam, dass die Familienzusammenführung nicht nur politisch gefördert, sondern extensiv ausgelegt wird (vgl. Stephen Castles, Mark J. Miller, 1993, 82-85, 157).

Tabelle 3:   Proportion of Familiy Migrants among Longterm Migrants in Thousand and %, 2005

Country	Family Migrants	Long-term Migrants	Family (%)
Australia	102,3	179,8	56,9
Austria	32,3	56,8	56,0
Canada	156,0	262,2	60,3
France	102,5	168,6	60,8
Germany	89,1	198,6	44,9
Italy	106,7	184,3	57,7
Japan	26,9	81,3	33,1
Netherlands	27,6	60,7	45,5
New Zealand	37,1	59,4	62,4
Norway	12,6	21,4	59,9
Portugal	5,3	13,3	39,6
Sweden	30,9	53,8	57,4
Switzerland	37,0	78,8	46,9
U:K.	113,8	362,4	31,4
U.S.	782,1	1.122,4	69,7

Source: IOM, 2008, 157

Die Migration zum Zwecke der Familienzusammenfürhung (family-related migration) ist der einzige legale Weg, in die EU und die traditionellen Einwanderungsländer einzuwandern. Sie macht, wie den Angaben in der obigen Tabelle zu entnehmen ist, zwei Drittel aller Einwanderer in den USA und ein Drittel bis ein Viertel aller Einwanderer in Kanada, Australien und Neuseeland aus. Der große Anteil der Familienmigranten in Frankreich (60,8 %) und Italien (57,7 %) weisen auf die großzügige (less restrictive) bzw. vereinfachte (simplified procedures) Handhabung der Familienzusammenführung in beiden Ländern hin. Dagegen hängt der hohe Anteil der Familienmigration in Norwegen und Schweden mit der liberalen Aufnahme von Flüchtlingen zusammen, deren Familienzusammenführung aus humanitären Gründen erlaubt wird (vgl. IOM, 2008, 151, 157, 159).

Auf der anderen Seite wird die Familienzusammenführung nicht von allen Aufnahmeländern der Arbeitsmigranten gewünscht. Die ölproduzierenden, aber bevölkerungsarmen Länder im Mittleren Osten (die 6 Mitgliedländer der GCC/Gulf Cooperation Council) haben bisher schätzungsweise 12,8 Mio. Arbeitsmigranten, davon 9,3 Mio. aus süd- und ostasiatischen Ländern, aufgenommen. Die Gesamtzahl dieser Arbeitsmigranten machen 36 % der Wohnbevölkerung dieser Länder aus (vgl. UNESCWA, 2007, 4-6). Gerade diese im Verhältnis zu den Einheimischen große Zahl der Arbeitsmigranten führt die GCC-Länder zu einer Politik des strikten Verbotes der dauerhaften Niederlassung und der Familienzusammenührung (vgl. IOM, 2008, 151). Sie wollen die Verfremdung der arabischen Kultur, die rassische Vermischung durch Heirat und eine demographische Entwicklung verhindern, in der die Einheimischen zur Minderheit werden könnten. Die Konsequenz dieser Politik ist die Anwendung des Rotationsprinzips bei der Beschäftigung von Arbeitsmigranten. Sie sollen nicht sesshaft werden. Die Nachfrage nach ausländischen Arbeitskräften erfolgt daher projektorientiert und auf Basis befristeter Arbeitsverträge.

Der grundlegende Strukturwandel und die Globalisierung der Wirtschaft nach der Energiekrise von 1973 (vgl. Petrus Han, 2003, 83-86) haben dazu geführt, dass der Bedarf an hochqualifizierten Arbeitskräften seit den 1990er Jahren weltweit schneller wächst als dieser durch Ausbildung nachgehalten werden kann. Die Knappheit an hochqualifizierten Arbeitskräften hat nicht nur einen verstärkten Wettbewerb der Industrieländer um die besten Arbeitskräfte, sonern auch zu einem allmählichen Wechsel der Einwanderungspolitik der Industrieländer von der bisherigen Familien- zur Fachkräfteorientierung geführt.

In den USA lieferte die wirtschaftswissenschaftliche Kosten-Nutzen-Analyse der Einwanderung Argumente für den einwanderungspolitischen Wechsel von der Familien- zur Fachkräfteorientierung. George J. Borjas, selbst ein Einwanderer, stellte in seinem Buch „Heaven's Door" (Eingangstor zum Wohlfahrtsstaat) fest, dass die Zahl der jährlichen Einwanderer in den USA seit 1965 kontinuierlich steigt, während deren Ausbildungsniveau umgekehrt generell sinkt. Die Gründe dafür sieht er in der familienorientierten Einwanderungspolitik der USA und in den neuen Herkunftsländern der Einwanderer. Dagegen weisen nach seiner Auffassung die Einwanderer in Kanada allgemein ein höheres Ausbildungsniveau als die in den USA auf, weil die Ersteren nach „point system" in ihrer Qualifikation bewertet und selektiert werden. Aufgrund einer Kosten-Nutzen-Analyse der Einwanderung sprach er die Empfehlung für den Wechsel der US-amerikanischen Einwanderungspolitik von der bisherigen Familien- zur Fachkräfteorientierung aus. Als Begründung führt er an, dass die hochqualifizierten Arbeitskräfte mehr verdienen, mehr Steuern aufbringen und weniger Sozialleistungen des Staates in Anspruch nehmen als die Arbeitskräfte mit geringer Qualifikation. Die Ersteren erhöhen damit das Einkommen der Einheimischen, während die Letzteren das Einkommen der Steuerzahler reduzieren.

Die Ersteren reduzieren die Steuerlast der Arbeitskräfte mit geringen Qualifikationen, weil das Einkommen der Ersteren progressiv versteuert wird. Sie tragen damit zur Verringerung der sozialen Ungleichheit bei. Außerdem erhöhen sie die Produktivität, weil die Produktivität qualifizierter Arbeitskräfte allgemein höher liegt als die geringqualifizierter Arbeitskräfte. Sie erhöhen zudem die soziale Wohlfahrt und führen einen positiven fiskalischen Verteilungseffekt herbei (vgl. Petrus Han, 2006, 195-209).

Die Einwanderung in die USA ist nach wie vor und überwiegend durch die Familienmigration geprägt. Dies liegt darin begründet, dass die größte Einwanderergruppe, die aus zentral- und südamerikanischen Ländern, die Familienmigration als einzigen legalen Weg zur Einwanderung in die USA nutzt. Sie holt daher von früher emigrierten Familienmitgliedern weiterer Verwandtschaftsgrades Unterstützung bei der Einwanderung in die USA, zumal die Familienmigration in vielen Staaten der USA großzügig (broader notion of the family migration) ausgelegt wird. Die Familienmigration substituiert damit die Arbeitsmigration (vgl. IOM, 2008, 165).

Der Übergang von der familien- zur fachkräfteorientierten Einwanderungspolitik vollzieht sich in Australien eindeutiger. Australien hat 1999 die bisherige Migrantengruppe der „family concessional category" in „skilled Australia sponsored" umbenannt. Die Familienmigranten sollen dadurch, in der gleichen Weise wie die qualifizierten Arbeitskräfte, nach dem „point system" ausgewählt werden und zugleich Unterstützung von den in Australien ansässigen Familienangehörigen erhalten. Dabei wird von der Annahme ausgegangen, dass die qualifizierten Arbeitsmigranten in der Regel Familienangehörige haben, die ebenfalls qualifiziert sind. Auf jeden Fall ist festzustellen, dass 56 % aller Migranten, die zwischen 1996 und 2004 nach Australien eingewandert sind, qualifizierte Arbeitskräfte waren (vgl. IOM, 2008, 164).

In einigen südeuropäischen Ländern (z.B. Spanien, Italien) wird die Politik der Familienzusammenführung als Mittel zur Erleichterung der Integration der Arbeitsmigranten eingesetzt. Dagegen sehen die nordeuropäischen Länder (Dänemark, Frankreich, Niederlande, Großbritannien) in der Familienzusammenführung zunehmend ein Hindernis bei der Integration der Migranten. Ihre bisherige Politik der Familienzusammenführung wird restriktiv eingeengt, indem Bedingungen gestellt werden, die die Arbeitsmigranten erfüllen müssen. Dies sind vor allem ausreichende finanzielle Mittel, angemessener Wohnraum sowie durch obligatorische Prüfung nachgewiesene Sprachkenntnisse der nachfolgenden Familienangehörigen. Dabei geht die Tendenz dazu, die Familienzusammenführung zugunsten der Selektion von qualifizierten Arbeitskräften (skilled migrants) zu begrenzen. Zu diesem Zweck wurden am 24. Juli 2006 in Frankreich die Einwanderungs- und Integrationsgesetze verabschiedet, die vier Ziele verfolgen: Rekrutierung von qualifizierten Arbeitskräften, Erleichterung der Einreise und Bleibe von Studierenden, Einengung der Bestimmungen der Familienzusammenführung, Begrenzung der Niederlassung und Einbürgerung. 2007 wurde in einem Folgegesetz der umstrittene DNA-Test für die nachfolgenden Kinder eingeführt. Dänemark ergreift auch restriktive Maßnahmen zur Familienzusammenführung. Danach dürfen dänische Staatsbürger nur dann ausländischen Ehepartner einreisen lassen, wenn sie über 24 Jahre alt sind und nachweisen, dass sie mindestens 12 Monate vor ihrer Antragstellung keine öffentliche Hilfe in Anspruch genommen haben. Dänische Staatsbürger, die selbst der ersten oder zweiten Generation der Migranten angehören, müssen ihre Loyalität zu Dänemark unter Beweis stellen. Ab 2005 haben sie auch eine Integrationserklärung zu unterschreiben, in der sie sich verpflichten, ihre Angehörigen beim Besuch der Sprachkurse aktiv zu unterstützen. Um den Missbrauch der Familienzusammenführung zu begrenzen, werden in Dänemark, Frankreich und Großbritannien verschiedene Kontrollen eingeführt, in denen unter anderem der Altersunterschied und die sprachliche Verständigung zwischen den Eheleuten überprüft werden. Hier geht es darum Scheinehen (sham marriage) zu identifizieren. Darüber hinaus muss für Frankreich die Dauer der Ehe mindestens drei Jahre (probationary period) und für Großbritannien mindestens zwei Jahre betragen. Trotzdem bleibt die Kontrolle der Vermittlungs- (arranged marriage) und Zwangsehen (forced marriage) problematisch (vgl. IOM, 2008, 159-162).

Idee und Praxis der Familienzusammenführung sind jedoch nicht nur im Kontext der Arbeitsmigration zu sehen. Sie haben bereits unmittelbar nach dem Zweiten Weltkrieg für Deutschland in einem humanitären Kontext eine wichtige Rolle gespielt. Vor dem Zweiten Weltkrieg waren ca. 16,5 Mio. Deutsche in ost- und südosteuropäischen Ländern (innerhalb und außerhalb der Gebiete des Deutschen Reiches) und ca. 1,48 Mio. Deutsche in der ehemaligen UdSSR ansässig. Die meisten von ihnen wurden nach Kriegsende aus diesen Ländern vertrieben bzw. in andere Gebiete deportiert. Nach Abschluss der allgemeinen Vertreibungsmaßnahmen in den 1950er Jahren konnten, aufgrund der Bemühungen des Internationalen Komitees des Roten Kreuzes, Deutsche im Rahmen der Familienzusammenführung ausgesiedelt werden. Von 1950 bis Ende 1985 gelangten insgesamt 1,23 Mio. Aussiedler in die Bundesrepublik. Die Errichtung der „Berliner-Mauer" im August 1961 und der systematische Ausbau der Sperranlagen entlang der Demarkationslinie zur Bundesrepublik haben einen deutlichen Rückgang der Flüchtlinge aus der SBZ und dem Sowjetsektor von Berlin herbeigeführt. Dennoch sind seither ca. 465.000 Mitteldeutsche, überwiegend im Rahmen der Familienzusammenführung, in die Bundesrepublik zugezogen (vgl. Fritz Wittmann, 1986, 620-622).

1.6.3 Migration von Flüchtlingen

Eine auffällige und zugleich besorgniserregende Migrationsform des vorigen und neuen Jahrhunderts wird durch die weltweiten Flüchtlingsströme ausgelöst. Flüchtlinge sind Menschen, die aufgrund unterschiedlich verursachter und begründeter Bedrohung für Leib und Leben ihren ursprünglichen Wohnsitz vorübergehend oder dauerhaft verlassen und anderswo Zuflucht suchen. Sie können auch durch staatliche Zwangsmaßnahmen vertrieben werden. Flucht und Vertreibung sind seit jeher eng mit der Geschichte der Menschheit verbunden und keineswegs neu. Die weltweit kontinuierlich gewachsene Zahl der Flüchtlinge bis zum Anfang des neuen Jahrhunderts ist jedoch dramatisch und beispiellos in der Geschichte. Flüchtlinge, d.h. von Flucht und Vertreibung Betroffene, prägen heute so entscheidend das Bild des weltweiten Migrationsgeschehens, dass die Begriffe „Migration" und „Flüchtlinge" fast in einem Atemzug gebraucht werden.

Nach den Angaben des UNHCR (United Nations High Commissioner for Refugees) bewegte sich die Zahl der Flüchtlinge bis zur Mitte der 1970er Jahre auf einem Niveau von ca. 2,5 Mio. Menschen. Ab der Mitte der 1970er Jahre stieg sie dann weltweit kontinuierlich und sprunghaft an und erreichte 1981 10 Mio., 1990 17,2 Mio., 1993 20 Mio. und Ende 1999 22,4 Mio. Menschen (vgl. UNHCR-Report 2000/2001, 345). Ende 2008 erreichte die Zahl der weltweiten Flüchtlinge sogar 42 Mio., von denen 26 Mio. Binnenflüchtlinge (IDPs/Internaly Displaced Persons), 15, 2 Mio. Flüchtlinge, die sich außerhalb ihres Herkunftslandes befanden, und 827.000 Asylsuchende waren. Diese Zahlen entsprechen jedoch nicht dem tatsächlichen Ausmaß der weltweiten Flüchtlingszahl. Der Grund dafür liegt zum einen darin, dass die Zahl der Binnenflüchtlinge, die aufgrund bewaffneter Konflikte innerhalb ihres Herkunftslandes vertrieben werden, in der Regel nur geschätzt werden kann. Für die Binnenflüchtlinge hat das UNHCR kein Mandat, so dass 2008 nur etwa die Hälfte von ihnen vom UNHCR „assistiert" werden konnte (vgl. UNHCR, 2009, 2-3). Zum anderen erfolgt die statistische Erfassung der Flüchtlinge, die sich außerhalb ihres Herkunftslandes befinden, nach der einseitig formulierten Definition des

Flüchtlingsbegriffes der Genfer Flüchtlingskonvention (GFK) vom 28.7.1951 und des Zusatzprotokolls vom 31.1.1967. Bis zum 1. September 2007 haben 141 Länder, auch die Bundesrepublik Deutschland, die Konvention und das Protokoll unterzeichnet (vgl. www.unhcr.org., siehe Rubrik Publikation: „1951 Refugee Convention Q & A", Seite „probationary period"). Danach wird der Begriff „Flüchtling" in dem „Abkommen über die Rechtsstellung der Flüchtlinge" wie folgt definiert:

„Im Sinne dieses Abkommens findet der Ausdruck 'Flüchtling' auf jede Person Anwendung : 2. Die (..) aus der begründeten Furcht vor Verfolgung wegen ihrer Rasse, Religion, Nationalität, Zugehörigkeit zu einer bestimmten sozialen Gruppe oder wegen ihrer politischen Überzeugung sich außerhalb des Landes befindet, dessen Staatsangehörigkeit sie besitzt, und den Schutz dieses Landes nicht in Anspruch nehmen kann oder wegen dieser Befürchtungen nicht in Anspruch nehmen will; oder die sich als Staatenlose infolge solcher Ereignisse außerhalb des Landes befindet, in welchem sie ihren gewöhnlichen Aufenthalt hatte, und nicht dorthin zurückkehren kann oder wegen der erwähnten Befürchtungen nicht dorthin zurückkehren will." (Art.1 Kapitel A Nr. 2 der GFK)

In dieser Definition werden fünf Verfolgungsgründe (Rasse, Religion, Nationalität, Zugehörigkeit zu einer sozialen Gruppe, politische Überzeugung) zur Anerkennung einer bestimmten Person als Flüchtling genannt. Es bleibt dabei offen, wann und nach welchen Kriterien Verfolgungen tatsächlich als solche anerkannt werden können. Ebenfalls bleibt die Frage offen, wann „begründete Furcht vor Verfolgung" vorliegt, die der einzige zur Anerkennung führende Fluchtgrund ist. Jede verfolgte, vertriebene und flüchtende Person, die im Sinne der GFK als Flüchtling anerkannt werden will, muss daher ihre „begründete Furcht vor Verfolgung" selbst und subjektiv glaubwürdig begründen und nachweisen. Mit dieser Individualisierung des Flüchtlingsbegriffes stellt die GFK den einzelnen Staaten frei, wen sie als Flüchtling aufnehmen wollen. In der Praxis setzt die Anerkennung von Flüchtlingen die Einzelfallprüfung voraus, die sowohl für die prüfenden Behörden als auch für die Verfolgten eine Reihe von Problemen und Unsicherheiten mit sich bringt. Der Ermessensspielraum der prüfenden Behörden kann oft zum Nachteil der Verfolgten und im Interesse einer restriktiven Ausländerpolitik von den einzelnen Ländern instrumentalisiert werden.

Diese Rechtsunsicherheit ist der Preis, den die GFK für den politischen Kompromiss bei der internationalen Konsensfindung in Kauf nehmen musste. Die GFK regelt nicht das Recht der Flüchtlinge (Asylsuchende), sondern lediglich das Recht der anerkannten Flüchtlinge (Asylberechtigte), die sich „rechtmäßig" im Aufnahmeland aufhalten. Diese erfahren im Bereich von Arbeit und sozialer Sicherheit die gleiche Behandlung wie die Staatsangehörigen des Aufnahmelandes (Art. 24 der GFK). Auf der anderen Seite haben sie die Verpflichtung, „die Gesetze und sonstigen Rechtsvorschriften sowie die zur Aufrechterhaltung der öffentlichen Ordnung getroffenen Maßnahmen" des Aufnahmelandes zu beachten (Art. 2 der GFK). Alle Signatarstaaten verpflichten sich, Flüchtlinge nicht gegen ihren Willen in das Land zurückzuschicken, aus dem sie geflohen sind (Recht der Flüchtlinge auf „non-refoulement"). Dies gilt jedoch nicht für die Flüchtlinge, die „eine Gefahr für die Sicherheit des Aufnahmelandes" darstellen (Art. 33 der GFK). Die einzelnen Signatarstaaten arbeiten zwar in Flüchtlingsfragen mit dem Amt des Hohen Kommissars der Vereinten Nationen für Flüchtlinge (UNHCR) zusammen, sie sind jedoch in ihren Entscheidungen bezüglich der Anerkennung und Aufnahme von Flüchtlingen souverän. Sie können ihre Vertragsbindung jeder Zeit kündigen.

Die Definition des Flüchtlingsbegriffes der GFK und die darin genannten fünf Verfolgungsgründe sind aus heutiger Sicht einseitig und nicht umfassend genug, weil sie ursprünglich für die Erfassung der Flüchtlingsprobleme nach dem Zweiten Weltkrieg in Europa konzipiert waren. Sie waren von Anfang an durch die Vorstellung bestimmt, dass die Flüchtlingsfrage bald geregelt sein würde (vgl. UNHC-Report 2000/2001, 2, 6). Die GFK war nicht auf die dramatische Zuspitzung der weltweiten Flüchtlingsprobleme abgestellt. Sie kann den neuen Ursachen und Entwicklungen der Flüchtlingsprobleme (z.B. Armuts- und Umweltflüchtlinge, Flüchtlinge, die aufgrund ethnischer Zugehörigkeit verfolgt werden, Kriegs- und Bürgerkriegsflüchtlinge, De-facto-Flüchtlinge) kaum Rechnung tragen. Für deren Erfassung wäre ein erweiterter Flüchtlingsbegriff erforderlich. Die ausdrückliche Beschränkung des Flüchtlingsbegriffes in der GFK auf diejenigen Personen, die sich außerhalb ihres Herkunftslandes befinden, bedeutet, dass die Binnenflüchtlinge, die innerhalb ihres Herkunftslandes verfolgt und vertrieben werden, keinen Flüchtlingsstatus haben und damit auch keinen internationalen Rechtsschutz erwarten können. Dies war auch der Grund dafür, warum 2008 nur etwa die Hälfte der 26 Mio. der weltweiten Binnenflüchtlinge vom UNHCR assistiert werden konnte. Vor diesem Hintergrund haben die Staaten der Dritten Welt die Forderung erhoben, die Hilfsmaßnahmen des UNHCR und den internationalen Rechtsschutz auf einen erweiterten Kreis von Flüchtlingen auszudehnen. Ein Beispiel, dass dieser Forderung näherkommt, ist die regionale Flüchtlingskonvention der OAU (Organization of African Unity) von 1969, die in Afrika angewandt wird. Sie schließt in den Flüchtlingsbegriff Kriegsflüchtlinge mit ein und verzichtet bei ihrer Definition auf die Formulierung „begründete Furcht vor Verfolgung", die in der Formaldefinition des Flüchtlingsbegriffes der GFK enthalten ist. Sie wird damit dem Massenphänomen der Kriegsflüchtlinge besser gerecht, erfasst aber nicht, wie die GFK, die Binnen-, Umwelt- und Armutsflüchtlinge (vgl. UNHCR-Report 2000/2001).

Die Flucht von Menschen vor Naturkatastrophen unterschiedlicher Art (z.B. Vulkanausbrüche, Überschwemmungen, lang anhaltende Dürreperioden) hat es schon immer gegeben. Die Flucht vor der anthropogenen Umweltzerstörung ist jedoch eine neue Entwicklung im 20. und 21. Jahrhundert, die weltweit bereits ein bedrohliches quantitatives und qualitatives Ausmaß erreicht hat. Jährlich werden weltweit ca. 211 Mio. Menschen direkt von Umweltkatastrophen betroffen, eine Zahl, die größer ist als die der Menschen, die in der letzten Dekade von kriegerischen Auseinandersetzungen betroffen waren (vgl. UNHCR, 2008, 27). Die Risiken und Unberechenbarkeiten in der modernen Gesellschaft haben damit eine zusätzliche Dimension angenommen (vgl. Ulrich Beck, 1986). Ihre Ursachenfaktoren sind komplex. Die technischindustrielle Zivilisation und die grenzenlose wirtschaftliche Wachstumseuphorie nach dem Zweiten Weltkrieg haben bekanntlich nicht nur zu verantwortungsloser Ausbeutung und Verschwendung von lebensnotwendigen Ressourcen aller Art, sondern auch zur atomaren und chemischen Verseuchung von Landschaften geführt. Die Unfälle bzw. Katastrophen in Seveso/Italien, in Bhopal/Indien und in Tschernobyl/Russland sind Beispiele dafür. Das rasante Bevölkerungswachstum in der Dritten Welt und der gewaltige Mehrbedarf an Nahrungsmitteln zwingen außerdem kleine Subsistenzbauern zur intensiven Nutzung und Ertragssteigerung der landwirtschaftlichen Anbauflächen. Die damit einhergehende Übernutzung des Bodens und die abnehmende Bodenfruchtbarkeit führen zu Kompensationsmaßnahmen durch intensive chemische Düngung und zur sukzessiven und unkontrollierten Rodung unberührter Wälder, um neue Anbauflächen zu gewinnen. Die Spirale der Umweltbelastung bzw. -zerstörung dreht sich weiter. Degradation (abnehmende Bodenproduktivität), steigende Erosion (Humusverlust) und Desertifikation (Verwüstung) des Bodens sind die Folgen, die den Boden von einer erneuerbaren in eine nicht-erneuerbare Ressource umwandeln und schließlich Menschen massenweise zur Aufgabe ihrer traditionellen Lebensgrundlage und zum Verlassen ihres Lebensraumes zwingen (siehe ausführlichere Darstellung im Kapitel 2.2). Die Berichte von Hungerkatastrophen und Massenverelendung im Sahelgebiet sind bedrückende Beispiele dafür. Diese wenigen Beispiele lassen bereits eine kontinuierliche quantitative Zunahme der Umweltflüchtlinge erahnen. Ihr Schicksal wird in der GFK nicht berücksichtigt und stellt Politik und Hilfsorganisationen vor kaum zu lösende Aufgaben.

Die Tatsache, dass die Zahl der Flüchtlinge weltweit größer ist als die offiziellen Angaben des UNHCR, kann auch am Beispiel derjenigen demonstriert werden, die in den Industrieländern politisches Asyl ersuchen (siehe folgende Tabelle 4). Es ist bekannt, dass den meisten europäischen Aufnahmeländern eine eindeutige Gesetzgebung zur Regelung der Einwanderung von Flüchtlingen fehlt. Diese für die Flüchtlinge nachteilige Rechtssituation ist von diesen Ländern politisch gewollt. Dies hat zur Folge, dass für die große Mehrzahl der Flüchtlinge, die Zuflucht in den europäischen Industrieländern suchen, das Asylgesuch der einzige legale Weg ist, als Flüchtlinge anerkannt und aufgenommen zu werden. Vor dem Hintergrund ist zu sehen, dass von 1987 bis 1993 die Zahl der Asylsuchenden unter dem weltweit wachsenden Migratonsdruck in fast allen europäischen Ländern kontinuierlich gestiegen ist. Sie hatte zu Beginn der 1990er Jahre in der Bundesrepublik Deutschland geschichtlich beispiellose Rekordhöhen (193.100 im Jahr 1990, 256.100 im Jahr 1991, 438.200 im Jahr 1992 und 322.600 im Jahr 1993) erreicht und dramatische Unterbringungs- und Versorgunsprobleme der Kommunen und freien Wohfahrtsverbände ausgelöst. Zwei Aspekte aus dieser Zeit sind besonders hervorzuheben. Zum einen fielen 53 % aller in Europa gestellten Asylanträge in Deutschland an. Zum anderen war eine Verteilung der Flüchtlinge nach ihren Herkunftsregionen zu beobachten, in der die zentraleuropäischen Länder (Deutschland, Österreich, Schweiz) aufgrund ihrer geographischen Lage überwiegend Flüchtlinge aus den osteuropäischen Ländern aufgenommen hatten, während die westeuropäischen Länder (Niederlande, Belgien, Frankreich und Großbritannien) aufgrund ihrer kolonialgeschichtlichen Verbindungen weitgehend Flüchtlinge aus Afrika (50 %) und Asien (11 %) aufnahmen (vgl. Ralph Rotte, Michael Vogler, Klaus F. Zimmermann, 1996, 3).

Die Zahl der Asylsuchenden ist jedoch seit den 1990er Jahren fast in allen euorpäischen Industrieländern kontinuierlich gesunken, weil diese sich rigoros abschotteten und zunehmend einen restriktiven Kurs in der Migrationspolitik eingeschlagen haben. Diese restriktive Ausländer- und Migrationspoltik war vor dem Hintergrund der wirtschaftlichen Folgen der Enegiekrise von 1973 und des dadurch eingeleiteten grundlegenden Strukturwandels der Weltwirtschaft zu sehen. In den 1980er Jahren hatten die wirtschaftliche Rezession und steigende Inflation in allen Industrieländern zur Massenarbeitslosigkeit geführt, so dass die OECD-Länder eine Arbeitslosigkeit von 30 Mio. Menschen zu verzeichnen hatten. Diese wirtschaftliche Entwicklung war keineswegs eine Folge der vorübergehenden Konjukturkrise. Sie war vielmehr eine fundamentale Strukturkrise, die die Industrieländer zur grundlegenden Umstrukturierung der Wirtschaft und zur protektionistischen Abschottung veranlasst hatte (vgl. Petrus Han, 2003, 83). 2005 verzeichneten fast alle OECD-Länder einen Rückgang der Zahl der Asylsuchenden um 15 %. Nur die Niederlande, Griechenland und die Republik Korea verzeichneten einen Anstieg um 5 % (vgl. OECD, 2007, 55; siehe die Tabelle 4).

Tabelle 4:   Inflow of Asylum Seekers into Selected OECD Countries

	2002	2003	2004	2005	2006
Australia	5.863	4.295	3.201	3.204	3.515
Austria	39.354	32.359	24.634	22.461	13.349
Belgium	18.805	16.940	15.357	15.957	11.587
Bulgaria	2.888	1.549	1.127	822	639
Canada	39.498	31.937	25.750	20.786	22.873
Czech Republic	8.484	11.396	5.459	4.160	3.016
Denmark	6.068	4.593	3.235	2.260	1.918
Finland	3.443	3.221	3.861	3.574	2.331
France	58.971	59.768	58.545	49.733	30.748
Germany	71.127	50.563	35.607	28.914	21.029
Greece	5.664	8.178	4.469	9.050	12.267
Hungary	6.412	2. 401	1.600	1.609	2.117
Ireland	11.634	7.900	4.769	4.324	4.314
Italy	16.015	13.455	9.722	9.548	10.348
Japan	250	336	426	384	954
Luxemburg	1.043	1.549	1.577	802	523
Netherlands	18.667	13.402	9.782	12.347	14.465
New Zealand	997	841	580	348	276
Norway	17.480	15.959	7.945	5.402	5.320
Poland	5.170	6.909	8.079	6.860	4.430
Portugal	245	88	113	114	128
Romania	1.151	1.077	662	594	460
Slovak Republic	9.743	10.358	11.395	3.549	2.871
Spain	6.309	5.918	5.535	5.254	5.297
Sweden	33.016	31.348	23.161	17.530	24.322
Switzerland	26.125	20.806	14.248	10.061	10.537
United Kingdom	103.080	60.050	40.625	30.840	28.320
United States	58.439	43.338	44.972	39.240	41.101
EU 25, Norway and Switzerland	467.188	377.368	289.906	244.498	391.209
North America	97.937	75.275	70.722	60.026	63.974
OECD	575.851	462.026	368.776	312.732	282.826

Source: OECD, 2008, 315

Unabhängig von der zahlenmäßigen Größenordnung der Asylgesuche haben die Industrieländer schon immer die Anerkennungsquoten der Asylanträge allgemein niedrig gehalten. 2008 lagen die Anerkennungquoten der Flüchtlinge (the Refugee Recognition Rate) auf globaler Ebene schätzungsweise beim 29 % (vgl. UNHCR, 2009, 18). Der Durchschnittswert der Asylanerkennungsquoten in Deutschland betrugen in der Zeit von 2001 bis 2007 nur noch 1,86 %. In Deutschland wird weit mehr als die Hälfte aller Asylanträge (62 %) abgelehnt, wie der folgenden Tabelle zu entnehmen ist.

Die Tatsache, dass weit mehr als die Hälfte aller Asylanträge abgelehnt wird und die Anerkennungquote allgemein gering ausfällt, bedeutet, dass faktisch weit mehr als die Hälfte der Flüchtlinge in Europa nicht als Flüchtlinge im Sinne der GFK anerkannt wird. In Deutschland werden sie entweder in ihre Heimat zurückgeschickt oder solange nicht abgeschoben, wie ihr Leben und ihre Freiheit in ihrem Herkunftsland bedroht werden (Abschiebeverbot nach § 60 des Zuwanderungsgesetzes), oder ihr Bleiben aus humanitären Gründen geduldet wird (§ 60a des Zuwanderungsgesetzes). Bedenkt man den Umstand, dass sogar Kriegs- und Bürgerkriegsflüchtlinge selten politisches Asyl erhalten, dann wird deutlich, dass die überwiegende Mehrzahl der Flüchtlinge keinen anerkannten Flüchtlingsstatus erhält.

Tabelle 5:   Entscheidungen über Asylanträge-Sachentscheidungen 2001-2007

Jahr	insgesamt	davon Anerkennungen als Asylberechtigte (Art. 16a GG und Familienasyl		davon Ablehnungen (unbegr. abgel./ öfter unbegr. abgel.)	
2001	107.193	5.716	5,3 %	55.402	51,7 %
2002	130.128	2.379	1,8 %	78.845	60,6 %
2003	93.885	1.534	1,6 %	63.002	67,1 %
2004	61.961	960	1,5 %	38.599	62,3 %
2005	48.102	411	0,9 %	27.452	57,1 %
2006	30.759	251	0,8 %	17.781	57,8 %
2007	28.572	304	24,1 %	12.749	44,6 %

Quelle: Bundesamt für Migration und Flüchtlinge, 2008: Aktuelle Zahlen zu Asyl (www.bamf.de), hier: Selektive Zusammenstellung

Allein der ethnoterritoriale Bürgerkrieg im Gebiet des ehemaligen Jugoslawien zwischen Kroatien, Bosnien und Herzegowina hat bis Dezember 1995 4,4 Mio. Flüchtlinge hervorgebracht. Die Kosovo-Krise von 1998 und die Intervention der NATO mit Luftangriffen gegen die Bundesrepublik Jugoslawien hat bis Mitte 1999 weitere 800.000 Flüchtlinge hervorgebracht (vgl. UNHCR-Report 2000/2001, 249, 265). Allein aus Afghanistan stammten 2008 2,8 Mio. und in den letzten drei Dekaden sogar 6,4 Mio. Flüchtlinge (vgl. UNHCR, 2009, 9).

In der Gesamtzahl der weltweiten Flüchtlinge von 2008, die UNHCR offiziell mit 42 Mio. ausweist, sind die neuen Erscheinungsformen der Umwelt- und Armutsflüchtlinge nicht enthalten. Allein die Tatsache, dass jährlich weltweit 211 Mio. Menschen direkt von Umweltkatastrophen betroffen werden (vgl. UNHCR, 2008, 27), lässt erahnen, wie groß die Zahl der Umwelt- und Armutsflüchtlinge sein könnte. Es ist somit davon auszugehen, dass das tatsächliche Ausmaß der Flüchtlinge die Angaben des UNHCR um ein Vielfaches übersteigt. Die Flüchtlinge machen somit einen wesentlichen Teil der Migrationsbewegungen der Gegenwart aus.

1.6.4 Migration ethnischer Minderheiten

Die ethnischen Minderheiten sind erst im Zusammenhang mit der Entstehung der politischen Ordnungskonzepte „Nation", „Staat" und „Volk" im 18. Jahrhundert Thema der staatlichen Politik, die das Verhältnis der verschiedenen Volksgruppen in ihrem nationalstaatlichen Rechtsgefüge zu klären hatte. Die ethnischen Minderheiten unterscheiden sich durch objektive (kulturelle Identität, numerische Inferiorität, machtmäßige Unterlegenheit) und subjektive (Zugehörigkeitsgefühl) Kriterien von der Mehrheitsgruppe ihres Residenzstaates (vgl. Gilbert H. Gornig, 2001, 19-46). Viele historische und regionaltypische Ursachenfaktoren sind verantwortlich für die Entstehung von ethnischen Minderheiten. Geht man von den historischen Erfahrungen in Europa aus, so können drei besondere Prozesse dafür genannt werden: Die Bildung von Nationalstaaten, die Ansiedlung angeworbener ethnischer Gruppen in einem Staatsgebiet zur wirtschaftlichen Erschließung und die Migration von Menschen und deren Einwanderung in einem Aufnahmeland, in dem sie zu einer ethnischen Minderheit werden, weil sie dort nicht als vollberechtigte Bürger akzeptiert werden (vgl. Stephen Castles, 1993, 195-230). Die Bildung von Nationalstaaten mit politischem Machtmonopol innerhalb eines territorial abgegrenzten Gebietes hatte immer zur Folge, dass diejenigen Nationalitätengruppen, die innerhalb der neu errichteten nationalstaatlichen Grenzen ansässig waren, automatisch in den neuen Staat territorial und politisch eingegliedert wurden. Da die politische Kontrolle des Staates in der Regel durch die mehrheitsbildende und staatstragende Nationalitätengruppe ausgeübt wird, werden im Vergleich dazu bedeutungslose bzw. kleine Nationalitätengruppen zu ethnischen Minderheiten (z.B. der Minderheitenstatus der schwarzen Bevölkerung in Südafrika während der Apartheidpolitik). Konflikte zwischen Nationalstaaten und die dadurch eintretenden Grenzverschiebungen und -korrekturen können zur Entstehung neuer bzw. Auflösung alter Minderheiten führen.

Ein anderer Vorgang ethnischer Minderheitenbildung ist die Ansiedlung von Menschen, die zur wirtschaftlichen Erschließung eines Staatsgebietes im Ausland angeworben werden. Für diese Art ethnischer Minderheitenbildung stehen Beispiele wie die Anwerbung und Ansiedlung von Sachsen (damals die generelle Bezeichnung für die Teutonen/Deutschen) in Siebenbürgen im Mittelalter und der Schwaben im Banat (Rumänien) im 18. Jahrhundert (vgl. Holm Sundhaussen, 1992, 37, 44) oder die Anwerbung und Ansiedlung von deutschen Bauern, überwiegend aus Hessen, im Wolgagebiet (Saratow) durch die Zarin Katharina II. (vgl. Detlef Brandes, 1992, 89-92). Die heute aus osteuropäischen Ländern nach Deutschland zurückkehrenden Aussiedler sind Nachkommen dieser Deutschen, die damals emigriert sind, um den bedrückenden Problemen von Überbevölkerung und Armut zu entfliehen. Ein Beispiel aus unserer Zeit sind die zwischen 1955 und 1973 angeworbenen Arbeitsmigranten aus südeuropäischen und mediterranen Ländern in Deutschland. Sie leben seit mehr als zwei Generationen hier und viele von ihnen sind immer noch Ausländer ohne staatsbürgerliche Rechte. Sie sind zu ethnischen Minderheiten geworden.

Ein grundlegendes Problem für Minderheiten besteht darin, dass ihnen von der staatstragenden Mehrheitsgruppe die gleichberechtigte Beteiligung am politischen Prozess und die Ausübung staatsbürgerlicher Grundrechte verweigert werden. Der Minderheitenschutz als Individualrecht besteht daher in der Erhaltung aller Freiheits- und Gleichheitsrechte für die Angehörigen der Minderheiten und richtet sich gegen Diskriminierungen jeglicher Art (vgl. Gilbert H. Gornig, 2001, 20; Dietrich Murswiek, 2001, 83-98). Die Gewährung des Minderheitenschutzes setzt jedoch voraus, dass ethnische Gruppen von der Mehrheitsgruppe ihres Residenzstaates als Minderheiten offiziell anerkannt werden. Hier tritt oft die Situation ein, in der die Minderheitengruppen um ihre kulturelle Eigenständigkeit und Anerkennung kämpfen, während die Mehrheitsgruppe die Existenz von Minderheitengruppen im Interesse ihrer Assimilierungs- und

Homogenisierungspolitik bewusst ignoriert. Eine häufig eintretende Folge dieser Situation ist, dass die Minderheiten in dem Ausmaß, in dem sie um ihre Rechte kämpfen, durch den Mehrheitsstaat mit allen Machtmitteln unterdrückt, bekämpft und verfolgt werden. Die ethnischen Minderheiten der Armenier, Aramäer und Kurden in der Türkei können hier als Beispiele genannt werden.

Wenn in diesem Kapitel von der Migration ethnischer Minderheiten die Rede ist, dann sollen vorrangig die freiwilligen Migrationsbewegungen in den Blick genommen werden, bei denen die subjektive Bestrebung der Angehörigen ethnischer Minderheiten zur Wahrung ihrer ethnischen und kulturellen Identität der entscheidende Grund für ihre Migration ist. Es handelt sich um die Migration von Angehörigen ethnischer Minderheiten, die wegen ihrer Herkunft vielfache Diskriminierungen erfahren mussten und solche auch für die Zukunft befürchten. Es geht weniger um die Flucht und Vertreibung der Minderheiten, die durch die minderheitenfeindliche offizielle Politik von Nationalstaaten ausgelöst werden. Im Folgenden soll in Beispielen aufgezeigt werden, dass die Migration ethnischer Minderheiten eine in ihrem Ausmaß nicht gering einzustufende Migrationsform der Gegenwart darstellt, die zunehmend die weltweite Diversifizierung der Migrationsformen mitbestimmt.

Das Migrationspotential ethnischer Minderheiten wächst weiter. Geht man von dem historisch ältesten Krisengebiet des Balkans mit seiner ethnischen Vielfalt aus, so ist die gebietsmäßige und ethnische Neugliederung dieser Region nach dem Zusammenbruch des Osmanischen Reiches und dem Zerfall der Habsburger Donaumonarchie noch nicht abgeschlossen (vgl. Peter J. Opitz, 1988, 18, 23). Heute leben z.B. 1,6 bis 2 Mio. ethnische Ungarn in Rumänien, 570.000 in der Slowakei, 300.000 in der serbischen Vojvodina, 160.000 in Transkarpatien/Westukraine, 22.000 in Kroatien und 8.000 in Slowenien (vgl. MuB, 5/2001). 2006 haben in Ungarn 6.100 Immigranten die ungarische Staatbürgerschaft erhalten, wobei deren überwiegende Mehrheit ethnische Ungarn waren, die aus den benachbarten Ländern nach Ungarn zurückgewandert sind (vgl. OECD, 2008, 248). Rund 3 Mio. ethnische Rumänen befinden sich in Moldawien und in der Ukraine, 1 Mio. Türken leben in Bulgarien (vgl. Florian Falkenstein, 1997, 97). Von 1950 bis 1992 sind 930.000 ethnische Türken aus Bulgarien und dem ehemaligen Jugoslawien in die Türkei, 1,25 Mio. Juden aus der ehemaligen Sowjetunion und Rumänien nach Israel und in die USA, 170. 000 Armenier griechischer Abstammung aus der ehemaligen Sowjetunion nach Griechenland und in die USA und 124.000 ethnische Ungarn aus dem ehemaligen Jugoslawien nach Ungarn ausgewandert (vgl. Bülent Kaya, 2002, 27-28). Aus der ehemaligen Sowjetunion emigrierten seit 1989 pro Jahr etwa 54.000

ethnische Griechen nach Griechenland. Die griechische Regierung versucht in Albanien und in der Türkei durch finanzielle Hilfen die Menschen von ihrem Vorhaben, nach Griechenland emigrieren zu wollen, abzubringen (vgl. OECD, 1998, 114). Die bulgarische Regierung versucht durch die Einführung der türkischen Sprache in Schulen und die Gewährung der Religionsfreiheit die ethnischen Türken zum Bleiben zu motivieren, um den Bevölkerungsrückgang im Süden des Landes zu reduzieren (vgl. OECD, 1995, 134). Von 1992 bis 1996 schwankt die Emigrantenzahl der ethnischen Türken aus Bulgarien in der Größenordnung zwischen 54.000 und 65.000 (vgl. OECD, 1998, 87). Nach der Teilung der Tschechoslowakei in zwei unabhängige Staaten, die Tschechische und Slowakische Republik (1993), sind 20.000 Tschechen von der Slowakischen in die Tschechische Republik und 8.000 Slowaken von der Tschechischen in die Slowakische Republik emigriert (vgl. OECD, 2003, 82). Diese Zahlenbeispiele vermitteln einen Eindruck von den anhaltenden Migrationsbewegungen ethnischer Minderheiten auf dem Balkan. Der Bürgerkrieg auf dem Gebiet des ehemaligen Jugoslawien hat die Migration ethnischer Minderheiten zusätzlich verstärkt.

Das Migrationspotential ethnischer Minderheiten ist nach dem Zusammenbruch der Sowjetunion und nach ihrer Aufgliederung in 15 Nachfolgestaaten weiter angestiegen. Bekanntlich lebten in der ehemaligen Sowjetunion etwa 130 verschiedene ethnische Bevölkerungsgruppen zusammen. Der Zusammenbruch der Sowjetunion hat dazu geführt, dass 9 Mio. ehemalige Sowjetbürger über Nacht heimatlos geworden sind. Weitere 54 bis 65 Mio. Menschen, davon 25 Mio. Russen, sind plötzlich zu ethnischen Minderheiten geworden und von Verfolgung und Vertreibung bedroht (vgl. Bernd Knabe, 1997, 111-112; Uwe Halbach, 1997, 122). Die Unabhängigkeit der drei baltischen Länder Estland, Lettland und Litauen von der Sowjetunion im Jahre 1990 hat dazu geführt, dass 1,7 Mio. Russen, die im Zuge der Russifizierung in diesen Ländern ansässig geworden sind, nun abrupt zu ethnischen Minderheiten wurden. Bereits 1990 sind 7 bis 10 % von ihnen nach Russland, d.h. in ihr ethnisches Mutterland remigriert (vgl. Thomas Schwarz, 1997, 58-61). Etwa 200.000 von den 540.000 Juden in Russland, die bei der Volkszählung 1989 erfasst wurden, sind nach Israel und in die USA emigriert (vgl. Bernd Knabe, 1997, 107). Der Zusammenbruch der Sowjetunion hat noch einmal deutlich vor Augen geführt, dass die Auflösung imperialer Mächte und die dadurch erfolgte Bildung von unabhängigen Nationalstaaten zur Entstehung und Migration ethnischer Minderheiten führen.

Abschließend soll die Emigration deutscher Minderheiten, die als Aussiedler bezeichnet werden, aus den ost- und südeuropäischen Ländern angeführt werden. Bis Ende des Jahres 1992 erfolgte die Aufnahme von Aussiedlern auf der Grundlage des Bundesvertriebenengesetzes. Ab 1. Januar 1993 erfolgt ihre Aufnahme nach dem zu diesem Zeitpunkt in Kraft getretenen Kriegsfolgenbereinigungsgesetz, demzufolge sie nun als Nachzügler der allgemeinen Vertreibung gelten und daher als Spätaussiedler bezeichnet werden. Bis 1990 stammte der überwiegende Anteil von ihnen aus Polen und Rumänien, während sich ihre Herkunft ab 1990 fast ausschließlich (95 %) zugunsten der ehemaligen Sowjetunion verschoben hat und deren neueste Zahlen der folgenden Tabelle 6 zu entnehmen sind.

Die jährliche Aufnahmezahl der Aussiedler ist von 1986 bis 1990 kontinuierlich gestiegen (40.000 im Jahr 1986, 80.000 im Jahr 1987, 200.000 im Jahr 1989 und 390.000 im Jahr 1990). Die generelle Liberalisierung des Reiseverkehrs in den Ostblockstaaten und die Möglichkeit der Aussiedler, den Aufnahmeantrag erst nach ihrer Einreise als Touristen in die (alte) Bundesrepublik Deutschland zu stellen, haben zu dieser Steigerung geführt. Vor dem Hintergrund des nun fehlenden Vertreibungsdrucks und zum Zwecke des geregelten Zuzugs hat die Bundesregierung das Aussiedleraufnahmegesetz erlassen, das am 1. Juli 1990 in Kraft getreten ist. Nach diesem Gesetz müssen nun die Aussiedler ihren Antrag auf Aufnahme in die Bundesrepublik Deutschland bereits vor ihrer Ausreise aus dem Herkunftsgebiet stellen und erhalten einen Aufnahmebescheid vom Bundesverwaltungsamt, um dann in die Bundesrepublik einreisen zu können (vgl. Rudolf Kraus, 1994, 15).

Tabelle 6:   Spätaussiedler und Spätaussiedlerinnen nach Herkunftsgebieten

Herkunftsgebiete	2004	2005	2006	2007
Kasachstan	19.828	11.206	1.760	1.279
Polen	278	80	80	70
Rumänien	76	39	40	21
Russische Förderation	33.358	21.113	5.189	3.735
Ukraine	2.299	1.306	314	244
Sonstige Länder	3.254	1.778	364	443
Insgesamt	**59.093**	**35.522**	**7.747**	**5.792**

Quelle: Statistisches Bundesamt, 2008, 62

Aussiedler bilden im Vergleich zu den anderen ethnischen Gruppen in Deutschland die privilegierteste Zuwanderergruppe, weil sie deutschen Staatsbürgern gleichgestellt sind, wenn sie nach Art. 116 Abs. 1 des Grundgesetzes und nach § 6 des Bundesvertriebenengesetzes ihre deutsche Volkszugehörigkeit nachweisen können (vgl. Franz Nuscheler, 1995, 124). Diese Rechtsstellung gewährt von Anfang an eine für die Lebensplanung notwendige Rechtsicherheit. Dagegen haben die Arbeitsmigranten in Deutschland, die im Vergleich zu den Aussiedlern aus der ehemaligen Sowjetunion oft bessere deutsche Sprachkenntnisse haben und die aufgrund ihres längeren Aufenthaltes mit den deutschen Lebensverhältnissen vertrauter sind, diese Rechtsicherheit nicht. Die Arbeitsmigranten sind „zwar anwesend", sie werden aber als „nicht zugehörig" betrachtet. (Friedrich Heckmann, 1992, 76). Sie sind „einheimische Ausländer", während die Aussiedler „fremde Deutsche" sind (vgl. MAGS NW, 1992, 17).

Bis 1990 war das Bundesvertriebenengesetz für die Hilfen zur Eingliederung in das soziale und wirtschaftliche Leben der Bundesrepublik sowohl von Millionen Vertriebenen als auch von fast 3 Mio. Aussiedlern maßgeblich. Die Nachkriegszeit in Deutschland ist jedoch nach Auffassung der Bundesregierung mit der Wiedervereinigung Deutschlands, mit der völkerrechtlichen Festlegung der deutsch-polnischen Grenze und den Verträgen mit den vier Siegermächten und Polen als beendet anzusehen. Die gesetzlichen Regelungen für die Aufnahme und Eingliederung von Aussiedlern im gesamten Gebiet Deutschlands mussten somit den veränderten Verhältnissen angepasst werden (vgl. Rudolf Kraus, 1994, 27).

Zur Neuregelung der Aufnahme und Eingliederung der Spätaussiedler, Ehegatten und Abkömmlinge ist am 1.1.1993 das Kriegsfolgenbereinigungsgesetz in Kraft getreten. Die Bundesregierung verfolgt damit die Zielvorstellung, die durch gewaltsame Umsiedlung, Vertreibungsmaßnahmen, Zerstreuung und Unterdrückung erschütterten Lebensbedingungen von Millionen Deutschen in ost- und südeuropäischen Aussiedlungsgebieten als Kriegsfolgen zu sehen und dafür besondere Verantwortung zu übernehmen. Dazu hält sie die Anpassung des Bundesvertriebengesetzes (BVFG) für unerlässlich, weil für die Aufnahme und Eingliederung der Aussiedler alternative gesetzliche Instrumente nicht zur Verfügung stehen. Seit 1993 ist die Zahl der jährlich aufzunehmenden Spätaussiedler, Ehegatten und Abkömmlinge durch § 27 BVFG verbindlich begrenzt (vgl. Rudolf Kraus, 1994, 9, 27-30). Die festgeschriebene jährliche Aufnahmezahl der Spätaussiedler und deren Familienangehörige beträgt rd. 100.000 (www.bva.bund.de).

Derzeit leben in den Staaten Ostmittel-, Ost-, und Südosteuropas und in den asiatischen Nachfolgestaaten der Sowjetunion insgesamt noch ca. 1,5 bis 2 Mio. Angehörige der deutschen Minderheiten, davon ca. 700.000 in der Russischen Förderation, 350.000 in Kasachstan und 400.000 in Polen. Sie sind die Nachfahren deutscher Auswanderer, die durch ihre Leiden, die sie als Minderheiten während und infolge des Zweiten Weltkrieges erlitten haben, sensibel für die Diskriminierungen und Ausgrenzungen geworden sind. Ihre Aussiedlung dauert noch an (www.bmi.bund.de, Suchbegriff: deutsche Minderheit).

1.6.5 Migration von Studierenden

Es ist bekannt, dass eine nicht geringe Anzahl von jungen, begabten und erfolgsorientierten Menschen die temporäre Migration antritt, um im Ausland zu studieren. Zwischen 1998 und 2004 stieg die Zahl ausländischer Studierender weltweit auf 52 % und erreichte 2,7 Millionen. 85 % von ihnen studierten in den OECD-Ländern (vgl. IOM, 2008, 105, 121). Von 2000 bis 2004 betrug die Steigerungsrate der ausländischen Studierenden in den allen OECD-Ländern 41 % (vgl. OECD, 2007, 53), während diese von 2000 bis 2005 sogar 50 % erreichte (vgl. OECD, 2008, 51). Diese Daten dokumentieren die weltweit kontinuierlich steigende und grenzüberschreitende temporäre Migration von Studierenden.

Geht man von den statistischen Zahlen dieser ausländischen Studierenden in den ausgewählten OECD-Ländern in der folgenden Tabelle 7 aus, so sind interessante Entwicklungen feststellbar. Zum einen fallen die USA, Großbritannien, Deutschland, Frankreich, Australien, Kanada und Japan durch die vergleichsweise große Zahl ausländischer Studierender auf.

Berücksichtigt man die Tatsache, dass gegen Ende der 1980er Jahre 366.000 ausländische Studierende an den Hochschulen der USA immakuliert waren (vgl. OECD, 1998, 182), so weist die neue Zahl von 584.814 ausländischen Studenten in den USA (2006) eine Steigerungsrate von 60 % aus. Dabei ist der prozentuale Anteil ausländischer Studierender an der Gesamtzahl aller Studenten auf Ebene der einzelnen Länder (2. Spalte) aufschlussreich. Danach studierten 2006 in Australien bedeutend mehr ausländische Studierende als in den USA. Dort betrug der Anteil ausländischer Studierender an der Gesamtzahl der Studierenden 17,8 %, während dieser in den USA lediglich 3,3 % ausmachte, obwohl in den USA in absoluten Zahlen die größte Gruppe ausländischer Studenten immatrikuliert war. Die Angaben der dritten Spalte in der Tabelle 7 verdeutlichen zudem, dass in Australien und Neuseeland proportional zur Bevölkerung fast fünfmal mehr ausländische Studierende eingeschrieben waren als in den USA.

Eine neue Entwicklung im Hochschulbereich besteht in der wachsenden zwischenstaatlichen Mobilität der Studierenden innerhalb der OECD-Länder, die derzeit 30 Länder der Welt umfassen. 2004 studierten 81 % aller Auslandsstudierenden aus den OECD-Ländern in anderen OECD-Ländern (vgl. IOM, 2008, 108). 2005 studierten 75.800 deutsche Studierende an ausländischen Hochschulen. Die Studienaufenthalte deutscher Studierender im Ausland sind in den letzten 10 Jahren kontinuierlich gestiegen. Die beliebtesten Zielländer sind dabei die Niederlande, Großbritannien, Österreich und die USA (Pressemitteilung des Statistischen Bundesamtes in Wiesbaden vom 12. 09. 2007). Im Wintersemester 2008/2009 waren an den deutschen Hochschulen 236.934 Bildungsausländer immatrikuliert, die ihre Hochschulreife außerhalb Deutschlands erworben haben. Sie machten 11,8 % der Gesamtzahl aller Studierenden in Deutschland aus. Von diesen studierten 28,8 % Rechts- und Sozialwissenschaften, 21,3 % Ingenieurwissenschaften, 19 % Sprach- und Kulturwissenschaften und 17,2 % Naturwissenschaften (vgl. Statistisches Bundesamt, 2009, 21).

Es ist davon auszugehen, dass das Migrationsvolumen von Studierenden parallel zu der sich intensivierenden Globalisierung der Wirtschaft weiter zunehmen wird. Mehrere Gründe sprechen für diese Annahme. Zum einen stellen die Sprachkenntnisse (language skills) der Auslandsstudierenden eine der wichtigsten Grundqualifikationen für die Übernahme verantwortungsvoller Aufgaben in der globalisierten Wirtschaft dar. Zum anderen sind die kulturellen Erfahrungen, die Studierende im Ausland machen, wertvolle Ressourcen, die für den Ausbau von Handelsbeziehungen sinnvoll eingesetzt werden können. Weiterhin stellen die Studierenden mit Auslandserfahrungen eine stille Reserve von hochqualifizierten Arbeitskräften dar, auf deren Beitrag und Fähigkeiten die globalisierte Wirtschaft der Zukunft angewiesen sein wird. Ein Studienaufenthalt im Ausland wird somit zunehmend attraktiver, weil er die beruflichen Chancen erhöht.

Tabelle 7:   All International Students 2006

	Total Enrolment	As % of Tertiary Enrolment	Per 1000 Population
United States	584.814	3,3	2,0
United Kingdom	330.078	14,1	5,4
Germany	261.363	11,4	3,2
France	247.510	11,2	4,0
Australia	187.710	17,8	8,9
Canada	148.164	14,6	4,5
Japan	119.120	2,9	0,9
Italy	48.766	2,4	0,8
New Zealand	36.900	15,5	8,8
Austria	30.366	12,0	3,7
Switzerland	28.016	13,7	3,7
Netherlands	27.037	4,7	1,7
Belgium	24.854	6,3	2,4
Republic Korea	22.260	0,7	0,5
Sweden	21.315	5,0	2,3
Spain	18.206	1,0	0,4
Portugal	17.077	4,6	1,6
Czech Republic	17.057	5,1	1,7
Greece	16.558	2,5	1,5
Ireland	12.740	6,8	3,0
Hungary	12.381	2,8	1,2
Finland	11.514	3,7	2,2
Poland	11.365	0,5	0,3
Denmark	10. 952	4,8	2,0
Norway	4.114	1,9	0,9
Slovak Republic	1.613	0,8	0,3
Iceland	715	4,5	2,3
Total	**2.255.900**	**5,0**	**2,3**

Source: OECD, 2009, 175

Parallel dazu setzt sich in den Industrieländern die Einsicht durch, dass die ausländischen Studierenden wertvolle und qualifizierte Fachkräfte sind, die im Interesse der Wirtschaft und zur Sicherung des Wohlstandes der Industrieländer motiviert und angeworben werden sollten, nach dem Studium zu bleiben. Dies ist einerseits auf die Tatsache zurückzuführen, dass in den Industrieländern die Zahl junger Menschen mit tertiärer Ausbildung aufgrund der rückläufigen demographischen Entwicklungen sinken wird. Weiterhin ist die wirtschaftliche Nutzenkalkulation zu nennen. Die Rekrutierung der bereits in den Industrieländern anwesenden ausländischen Studierenden ist mit mehreren Vorteilen verbunden. Diese Studenten haben Qualifikationen erworben, die weitgehend dem Bedarf des Arbeitsmarktes der Industrieländer entsprechen. Sie beherrschen die Sprache des Gastlandes und sind zudem mit den landesspezifischen Lebensverhältnissen vertraut, so dass sie kaum Integrationskosten verursachen. Die sozialen und wirtschaftlichen Renditen (social and economic returns) von ihrem Humankapital akkumulieren sich auf ihre gesamte Lebensarbeitszeit. Damit tragen sie nicht nur zum individuellen, sondern auch zum gesamtgesellschaftlichen Wohlstand bei (vgl. OECD, 2009, 168, 170- 173).

Aufgrund der genannten Überlegungen gehen die Industrieländer mehr und mehr dazu über, ihre Gesetze so zu verändern, dass ausländische Studierende grundsätzlich die Möglichkeit haben, nach dem Studium einen Arbeitsplatz zu suchen und zu bleiben (vgl. IOM, 2008, 119). Diese veränderte Arbeitsmarkt- und Wirtschaftspolitik der Industrieländer und ihr Wettbewerb bei der Gewinnung von hochqualifizierten Arbeitskräften schaffen strukturelle Bedingungen für weiter wachsende internationale Migrationsbewegungen der Studierenden, insbesondere zwischen den OECD-Ländern (vgl. OECD, 2007, 54).

Weiterhin werden die Migrationsbewegungen der Studierenden durch die finanzstrategische Neuausrichtung der Hochschulen in den Industrieländern zusätzlich gefördert. Die Hochschulen entdecken zunehmend die Möglichkeit, durch die Vergabe von Studienplätzen an ausländische Studierende ihre Finanzlage zu verbessern (income generation). In enger Kooperation mit politisch-administrativen Stellen tragen sie dafür Sorge, dass Einreise und Hochschulzugang für selbstzahlende Auslandstudenten erleichtert werden (vgl. IOM, 2008, 114-117). Diese hochschuleigene Strategie ist neu, weil der Austausch von Studierenden bisher unter dem Aspekt der Bildung als Entwicklungshilfe (education for aid) gefördert wurde. Nun scheint sich die Sichtweise durchzusetzen, Bildung auch als Geschäft (education for trade) zu verstehen. Die ausländischen Studierenden werden als „cash cows" neu entdeckt (vgl. OECD, 2008, 117).

Die angeführten Überlegungen und Beispiele verdeutlichen, dass die Migrationsbewegungen von Studierenden weltweit politisch gewollt und gefördert werden. Die Zahl der ausländischen Studierenden in den OECD-Ländern hat sich bereits verdoppelt (vgl. OECD, 2009, 174) und wird in Zukunft weiter zunehmen. Dabei erübrigt sich der Hinweis, dass die tatsächliche Zahl derjenigen, die im Ausland studieren, bereits im Jahr 2004 2,7 Mio. betragen hat (vgl. IOM, 2008, 105) und damit wesentlich höher lag als in der Tabelle 7 ausgewiesen.

Bei der Migration von Studierenden ist zunächst von einer temporären Migration auszugehen, weil im Regelfall unterstellt werden kann, dass junge Menschen, die im Ausland studieren, nach Abschluss ihres Studiums in ihr Herkunftsland zurückkehren. Geht man jedoch von den wenigen verfügbaren empirischen Daten aus, so scheint die Rückkehrbereitschaft derjenigen, die im Ausland studieren, keineswegs selbstverständlich zu sein. Viele von ihnen bleiben für immer im Gastland, so dass das Auslandsstudium oft einen Schritt zur permanenten Migration darstellt.

Bedenkt man die Tatsache, dass ein beachtlicher Anteil derjenigen, der im Ausland studiert, aus weniger entwickelten Ländern kommt, so gibt die geringe Rückkehrbereitschaft Anlass zu entwicklungspolitischen Diskussionen. Die permanente Migration von Studierenden in die Industrieländer bedeutet faktisch, dass die unterentwickelten Länder wertvolles Humankapital verlieren. Die Migration von Studierenden hatte vor diesem Hintergrund seit den 1960er Jahren sowohl in Entsende- als auch in Empfängerländern immer wieder hitzige bildungs- und entwicklungspolitische Debatten im Zusammenhang mit der generellen Diskussion des „Brain-Drain-Phänomens" ausgelöst.

Obwohl aufgrund fehlender Forschungsergebnisse kaum nähere Angaben zu den Ursachen der geringen Rückkehrquote der Auslandsstudierenden gemacht werden können, weisen die wenigen Daten darauf hin, dass die Rückkehrquote länder- und fächerspezifisch unterschiedlich ausfällt.

Im Folgenden werden Beispiele von Industrieländern angeführt, in denen viele ausländische Studenten immatrikuliert sind. Australien hat 2001 den ausländischen Studierenden die Möglichkeit eingeräumt sich dauerhaft niederlassen zu können. Zwischen 2002 und 2003 haben 5 % aller ausländischen Studierenden (8.500) diese Möglichkeit für sich in Anspruch genommen und das dauerhafte Niederlassungsrecht beantragt und erhalten. Zwischen 2003 und 2004 beantragten sogar 8 % aller ausländischen Studierenden (16.700) in Australien das dauerhafte Niederlassungsrecht. Großbritannien stellt ein weiteres Beispiel dar. Zwischen 2000 und 2001 sind dort 19 % der ausländischen Studierenden aus den EU-Ländern aufgrund der individuell gesuchten Beschäftigungsmöglichkeit geblieben. Der Anteil der in Großbritannien niedergelassenen ausländischen Studierenden betrug zwischen 2004 und 2005 sogar 27 %. In

Kanada bleiben schätzungsweise 15 bis 20 % aller ausländischen Studierenden nach ihrem Studium. In den USA steigt die Zahl der ausländischen Doktoranden seit 1991 kontinuierlich. Von 1992 bis 2001 ist der Anteil derer, die nach dem Erhalt des akademischen Doktorgrades in den USA geblieben sind, von 41 % auf 56 % gestiegen. Bei den Chinesen betrug dieser Anteil 96 % und bei den Indern 72 bis 85 % (vgl. IOM, 2008, 120-121). Allgemein wird davon ausgegangen, dass 15 bis 35 % aller ausländischen Studierenden nach dem Studium in ihrem Gastland bleiben (vgl. OECD, 2009, 172).

Die geringe Rückkehrquote der Auslandsstudierenden variiert dabei von Fachdisziplin zu Fachdiziplin. So ist anzunehmen, dass in einer Zeit der Globalisierung der Wirtschaft diejenigen, die z.B. Informations- und Kommunikationswissenschaften studiert haben, im Vergleich zu Absolventen anderer Fachdisziplinen, unproblematischer eine Anstellung im Gastland finden. Die Bleibequote der ausländischen Studierenden, die in den USA Physik und Computerwissenschaften studierten, beträgt 75 %, während die der Wirtschafts- und Agrarwissenschaftler bei 40 bis 45 % liegt (vgl. OECD, 2009, 172). Ein weiterer Faktor bei der Rückkehr der Auslandsstudierenden ist in der wirtschaftlichen Entwicklung im Herkunftsland zu sehen. Es ist anzunehmen, dass die Rückkehrwahrscheinlichkeit umso geringer sein wird, je schlechter die Arbeitsmarktchancen im Herkunftsland sind. Es bleibt jedoch offen, inwiefern die ausländischen Studierenden ihre Fächerwahl von der Nachfrage des Arbeitsmarktes im Gastland abhängig machen. Es ist jedoch davon auszugehen, dass bei unbefriedigender wirtschaftlicher Situation des Herkunftslandes die Wahrscheinlichkeit wächst, die Fächerwahl an der Nachfrage des Gastlandes zu orientieren. In solchem Fall wird mit dem Auslandstudium eine Migration antizipatorisch in Erwägung gezogen. Da eine Migration im Normalfall ohne ökonomische Grundlage nicht erfolgversprechend ist, könnte das Auslandstudium die Funktion übernehmen, eine an den Erfordernissen des Gastlandes orientierte Vorbereitung zur permanenten Migration einzuleiten. Beispiele aus den USA und Japan legen solche Vermutungen nahe.

Die USA, wo traditionell das größte Kontingent ausländischer Studierender nachweisbar ist, erteilen in unterschiedlichen Kategorien Visa. Abgesehen von den Studierenden, die von Anfang an mit einem Immigranten-Visum einreisen, kommen die meisten ausländischen Studierenden mit einem F-Visum, das ihnen den Aufenthalt für die Studiendauer erlaubt. Die USA räumen jedoch den F-Visum-Studierenden die Möglichkeit ein, dieses in ein Immigranten-Visum umzuwandeln (adjustment). Da die Umwandlung des F-Visums in ein Immigranten-Visum einen rechtmäßigen Aufenthalt von einigen Jahren voraussetzt, können die ausländischen Studierenden erst nach Jahren der Einreise diese Umwandlung beantragen.

In Japan erfolgt die Erteilung von Arbeits- und Residenzerlaubnissen für Ausländer streng nach „The Immigration Control and Refugee Recognition Act" von 1951. Die japanische Regierung gibt dabei denjenigen Ausländern den Vorzug, die entweder über besonderes technisches Fachwissen verfügen, oder deren in Japan ausgeübte Tätigkeiten solche sind, die besondere Kenntnisse über fremde Kulturen voraussetzen. Mit dieser Präferenzsetzung hofft die japanische Arbeitsmarktpolitik positive Impulse für Wirtschaft und Gesellschaft zu erhalten. Die Regierung räumt den ausländischen Studierenden generell die Möglichkeit ein, nach ihrem Studium einen Residenzstatus in Japan beantragen zu können. Sie werden von japanischen Firmen gern genommen, weil sie Mittlerfunktionen zwischen ihrer Herkunftskultur und der japanischen Kultur übernehmen können, mit der sie durch ihr Studium vertraut geworden sind (vgl. Masaki Kunieda, 1996, 195-198).

Neben den skizzierten wirtschaftlichen Gründen sind auch politische Bedingungen zu nennen, die eine Vielzahl von Studierenden veranlassen, nach ihrem Auslandsstudium nicht in ihre Heimat zurückzukehren. Als Beispiel hierfür kann die Niederschlagung der Demokratiebewegung in der Volksrepublik China genannt werden. Wie den Berichten in den Medien zu entnehmen war, wurde die Protestbewegung von chinesischen Studenten, Hochschullehrern und Intellektuellen in Beijing im Juni 1989 mit Militäreinsatz brutal niedergeschlagen. Darüber hinaus wurden viele Studenten und Intellektuelle, die sich an dieser Protestbewegung beteiligt hatten, verhaftet und zu langjährigen Haftstrafen verurteilt. Diese Vorgehensweise hat dazu geführt, dass von den 220.000 chinesischen Studenten, die seit 1979 im Ausland leben, bisher nur ein Drittel in die Volksrepublik China zurückgekehrt ist (vgl. Klaus Birk, 1997, 157). Nach der genannten Niederschlagung haben 20.000 chinesische Studierende in Australien Asyl bzw. Residenzstatus beantragt. Von den chinesischen Studierenden, die nach der Protestbewegung in Australien studierten, haben 34.800 Asylanträge gestellt. Die australische Regierung hat in ihrer Entscheidung am 1. November 1993 diesen den Residenzstatus mit der Möglichkeit der Familienzusammenführung gewährt (vgl. Jing Shu, Lesleyanne Hawthorne, 1996, 66, 81). Die Rückkehrquote der chinesischen Auslandsstudierenden scheint allgemein sehr niedrig zu liegen. Zwischen 1979 und 1998 ist nur ein Drittel nach China zurückgekehrt. Die Rückkehrquote der chinesischen Studierenden in den USA betrug nach einer Erhebung von 2000 nur 10 %. Dies ist die niedrigste Quote im Vergleich zu Studierenden anderer Nationen (vgl. IOM, 2008, 441).

Die geringe Rückkehrbereitschaft der Studierenden im Ausland hängt auch von einer Reihe sozialer Faktoren ab. Der Auslandsaufenthalt ist zwangsläufig mit einem Akkulturationsprozess verbunden. Je länger der Aufenthalt andauert, umso größer wird die Wahrscheinlichkeit, dass die Studierenden sich ihren heimatlichen Verhältnissen entfremden. Sie übernehmen bewusst oder unbewusst Wertvorstellungen, Verhaltensnormen und Lebensstil des Gastlandes, die oft mit den Traditionen und Konventionen ihres Heimatlandes nicht zu vereinbaren sind. Wenn dieser Akkulturationsvorgang durch bessere berufliche Chancen und Arbeitsbedingungen im Gastland verstärkt wird, ist die Bleibeentscheidung der Studierenden zunehmend wahrscheinlicher, vorausgesetzt, dass das Gastland dies politisch und rechtlich zulässt. Diese Situation wird besonders bei denjenigen deutlich, die für ihr Auslandsstudium Stipendien des Gastlandes erhalten haben. Die Vergabe solcher Stipendien an ausländische Studierende ist in der Regel mit der Auflage verbunden, nach der Beendigung des Studiums zumindest für einige Jahre in die Heimat zurückzukehren. Geht man von den Erfahrungen der USA und Australiens aus, so ist die Zahl der Studierenden, die nach der Erfüllung der Auflagen ins Gastland für immer zurückkehren, relativ hoch. Motive dafür liegen oft auch in der Unzufriedenheit mit Arbeitsbedingungen, Verdienstmöglichkeiten sowie fachlichen Entfaltungmöglichkeiten im Herkunftsland (vgl. Thomas L. Bernard, 1971, 355, Hans P. Schipulle, 1974, 310).

Die Notwendigkeit des Austausches von Studierenden im Rahmen der internationalen Zusammenarbeit im Bereich von Wissenschaft und Kultur ist unumstritten. Ihre temporäre Migration zum Zwecke des Auslandsstudiums ist daher in der Wahrnehmung des öffentlichen Bewusstseins selbstverständlich. Selbst der Übergang der temporären zur permanenten Migration von Studierenden findet unauffällig statt. Die traditionellen Einwanderungsländer und neuerdings auch weitere Industrieländer fördern diese Entwicklung wirtschaftspolitisch und legislativ (vgl. OECD, 2008, 120). In dieser stillen, deswegen aber nicht minder bedeutsamen Migrationsbewegung wird wertvolles Humankapital transferiert. Angesichts des zunehmenden Wettbewerbs der Industrieländer bei der Anwerbung hochqualifizierter Arbeitskräfte wird der Migration von Studierenden in Zukunft mehr Beachtung zu schenken sein.

1.6.6   Illegale Migration

Eine sowohl für die Migranten als auch für ihre Residenzländer in vieler Hinsicht problematische Migrationsform ist die der illegalen Migration, die unter Umgehung der gesetzlichen Normen zu Einwanderung, Aufenthalt und Beschäftigung im jeweiligen Land stattfindet. Es gibt logischerweise keine Statistik, die das tatsächliche Ausmaß der weltweiten illegalen Migrationsbewegungen aufzeigt. Viele Indizien, die in den OEDC-Ländern bekannt werden, sprechen jedoch dafür, dass die Zahl der illegalen Migranten global steigt. Vor allem bilden die ungleichen politischen, wirtschaftlichen und sozialen Entwicklungen zwischen den Ländern und Regionen der Welt die makrostukturellen Bedingungen für den wachsenden Migrationsdruck. Dabei ist die illegale Migration logische Konsequenz dieses wachsenden Drucks, der im Zuge der sich restriktiv verschärfenden Migrationspolitik aller potentiellen Einwanderungsländer in der Illegalität ein Ventil sucht. Das global wachsende Migrationspotential übersteigt heute bei weitem die vorhandene Kapazität der Aufnahmeländer. Dies löst eine Entwicklung aus, in der die Migrationspolitik sowohl der traditionellen Einwanderungs- als auch der Industrieländer umso restriktiver gehandhabt wird, je mehr der Migrationdruck steigt. Damit tritt ein circulus viciosus ein, in dem die zunehmende Begrenzung und verschärfte Kontrolle der Migration umgekehrt die illegale Migration verstärkt und die zunehmende illegale Migration wiederum eine noch restriktivere Migrationspolitik der potentiellen Aufnahmeländer zur Folge hat.

In der englischen Literatur wird die Illegalität der Migration inhaltlich unterschiedlich akzentuiert, indem für diese jeweils die Adjektive, wie „illegal", „undocumented", „unauthorized" und „irregular" verwendet werden. Trotz der berechtigten Nuancen, die die Adjektive zum Ausdruck bringen, scheint sich der Gebrauch des Begriffes „irregular migration" in der anglophonen Fachwelt durchzusetzen. Dabei bezieht sich der Begriff auf die Verletzung der gesetzlichen Normen bezüglich der Einreise, Bleibe und Beschäftigung (entry, stay, employment) im jeweiligen Land. Gerade die Tatsache, dass die illegale Migration gleichzeitig unterschiedliche Rechtsgebiete (z.B. Einwanderungs-, Aufenthalts-, Arbeitsrecht) tangiert, macht die begriffliche Definition umso schwieriger. Ein ausländischer Student mit legalem Residenzstatus in Großbritannien kann hier als Beispiel angeführt werden. Ihm ist unter anderem erlaubt, 20 Stunden pro Semester zu arbeiten und sogar in den Ferien einer Vollzeitbeschäftigung nachzugehen. Arbeitet er jedoch mehr als 20 Stunden pro Semester, so ist dies illegal, trotz seines legalen Aufenthaltsstatus. Damit wird deutlich, dass der Begriff der illegalen Migration/Migranten einen streitbaren Auslegungsspielraum (contested space of illegality) zulässt, je nachdem, in welchem Rechtskontext er seine Anwendung findet. Bezüglich der Vereinbarkeit (compliance) der Einreise, Bleibe und Beschäftigung der Migranten im Rahmen der jeweiligen gesetzlichen Normen sind drei Migrantentypen begrifflich zu unterscheiden: Zum einen der „compliant migrant", dessen Aufenthalt und Beschäftigung legal sind, zum anderen der „non-compliant migrant", dessen Aufenthalt und Beschäftigung illegal sind und letztlich der „semi-compliant migrant", dessen Aufenthalt zwar legal, seine Beschäftigung jedoch illegal ist (vgl. IOM, 2008, 202).

Eine weitere Schwierigkeit bei der begrifflichen Abgrenzung sind die fließenden Übergänge zwischen der illegalen Migration und dem Schmuggel von Menschen einerseits und dem Menschenhandel andererseits. Während der Schmuggel von Menschen unmittelbar mit der illegalen Migration verbunden ist, führt der Menschenhandel letzten Endes doch zur illegalen Migration, weil dabei in der Regel Menschen aus wirtschaftlich weniger entwickelten Ländern in die wohlhabenden Industrieländer illegal eingeschleust und verkauft werden. Bei näherer Betrachtung stellt der Schmuggel bzw. die illegale Einschleusung von Menschen (smuggling) eine Vorstufe des Menschenhandels (trafficking in human beings) dar. Dagegen besteht der Menschenhandel darin, durch Anwendung bzw. Androhung von Gewalt Menschen in Beschäftigung zu bringen, um deren Arbeitskraft auszubeuten. Diese Ausbeutung erfolgt unter Verletzung der allgemeinen Menschenrechte. Wie einst der Sklavenhandel schließt der Menschenhandel Zwang (coercion), Betrug (deception), Gewalt (violence) und Ausbeutung (exploitation) ein. Er ist illegal, weil er moralisch und gesetzlich verboten ist. Im Handel mit Frauen und Kindern geht es zusätzlich um Prostitution, Pornographie und Pädophilie (vgl. Petrus Han, 2003, 189-195). Angesichts der dargestellten Zusammenhänge kann die illegale Migration von Arbeitskräften in der globalen Wirtschaft nur dann umfassend dargestellt werden, wenn auf das Phänomen des Menschenhandels Bezug genommen wird (vgl. IOM, 2008, 204).

Eine weit verbreitete Form der illegalen Migration besteht darin, dass Immigranten mit einem international üblichen und befristeten Visum (in der Regel auf 90 Tage begrenzt) legal einreisen (z.B. als Touristen, Besucher, Geschäftsleute), nach Ablauf der gewährten Aufenthaltsfrist jedoch weiterhin im Land bleiben, ohne die dafür erforderliche Aufenthaltsverlängerung beantragt bzw.

erhalten zu haben. Die Zahl solcher sog. „visa overstayers" kann durch die Ermittlung der Differenzen zwischen den Zahlen der Ein- und Ausreisenden über eine bestimmte Zeitspanne ermittelt werden. Der Vergleich der Zu- und Abgänge ist ohne großen Aufwand möglich, weil in vielen Ländern Meldepflicht für die Ein- und Ausreisenden besteht. 65 bis 70 % der illegalen Einwanderer in Italien und 76 % der illegalen Einwanderer in Japan sind sog. „visa overstayers" (vgl. OECD, 2009, 123).

Eine andere Art von „overstayer" stellen diejenigen Immigranten dar, die zuvor eine legale Aufenthalts- und Arbeitserlaubnis hatten, die Verlängerung jedoch aufgrund veränderter wirtschaftlicher Bedingungen verweigert wird. Wenn sie dennoch bleiben, befinden sie sich in einem rechtlich nicht geregelten Raum (irregular situation) und werden zu illegalen Immigranten (vgl. OECD, 2009, 49). Eine politische Maßnahme, die für diese Situation Abhilfe schaffen und die problematische Illegalität beseitigen soll, ist das sog. Legalisierungs- bzw. Regularisierungsprogramm, das eine Reihe von Ländern in Form einer generellen Amnestie durchführt. Im Rahmen solcher Programme können die illegalen Immigranten formale Anträge zur Legalisierung ihrer Rechts-, Aufenthalts- und Arbeitssituation stellen. Länder, die solche Amnestieprogramme durchgeführt haben, geben wichtige Hinweise für die Einschätzung des realen Ausmaßes illegaler Migration.

Ein großer Teil derer, die illegal eingewandert sind, kann jedoch aus unterschiedlichen Gründen (z.B. Stichtagsregelung) an solchen Legalisierungsprogrammen nicht teilnehmen. Ihre genaue Zahl wird als Dunkelziffer unbekannt bleiben. Zu dieser anonymen Gruppe gehören diejenigen, die auf Land- oder Seewegen illegal über die Grenzen des Aufnahmelandes gekommen sind. Sie sind entweder im Alleingang, oft nach mehrmals wiederholten Versuchen, oder mit Hilfe teuer bezahlter Schmugglerorganisationen „erfolgreich" über die Grenze gelangt. Die „boat people" aus den Maghrebstaaten, die über die Straße von Gibraltar, oft als Straße des Todes bezeichnet, illegal die spanische Küste zu erreichen versuchen, und die Mexikaner, die die Grenzen zwischen Mexiko und den US-Staaten Kalifornien, Arizona und Texas illegal überqueren, sind Beispiele dafür. Die Zahl der illegal bleibenden Migranten ist wesentlich größer als die derer, die durch Legalisierungsprogramme bekannt werden.

Als weitere Form der illegalen Migration ist die derjenigen zu nennen, die entweder mit gefälschten Dokumenten oder ohne jegliches Dokument einreisen. Sie sind entweder auf den Schutz von Verwandten bzw. Bekannten angewiesen, die bereits im Zielland ansässig sind, oder sind von Anfang an der Ausbeutung durch illegale Schmugglerorganisationen ausgeliefert. Ihr Leben wird durch eine grundlegende existentielle Unsicherheit bestimmt. Sie können jederzeit entdeckt, verhaftet und ausgewiesen werden. Sie haben keine planbaren Lebensperspektiven. Ihr Leben im Versteck wird zu einem dauernden Provisorium, weil sie vom Staat ordnungspolitisch bekämpft und verfolgt werden. Zur Illegalität bleibt ihnen dennoch keine Alternative. So werden sie zu menschlichem Treibgut.

Die Ursachen der skizzierten Diversifizierung der illegalen Migration sind auf eine Vielzahl zusammenhängender „Push-" und „Pull-Faktoren" zurückzuführen. Auf der Seite der „Push-Faktoren" sind primär die wirtschaftlichen Unter- bzw. Fehlentwicklungen und die dadurch eintretende Perspektivlosigkeit in den Herkunftsländern der Migranten zu nennen. Auf der Seite der „Pull-Faktoren" ist vor allem die Nachfrage nach Arbeitskräften in den potentiellen Aufnahmeländern entscheidend. Für die illegale Migration von Arbeitskräften ist besonders die Nachfrage nach billigen Arbeitskräften aus dem Bereich der informellen Wirtschaft (informal economy) von zentraler Bedeutung. Viele arbeitsintensive Kleinbetriebe, die nicht in der Lage sind, ihre veralteten Produktionstechniken zu modernisieren, können nur überleben, wenn sie durch den Einsatz billiger Arbeitskräfte ihre Produktion aufrechterhalten. Technisch überalterte Betriebe sind daher oft Nährboden einer sog. Schattenwirtschaft, weil sie als arbeitsintensive Produktionsstätten reguläre Arbeitskräfte kaum bezahlen können. Um zu überleben, setzt ein großer Teil der genannten Wirtschaftszweige illegale Migranten als Arbeitskräfte ein. Die Schattenwirtschaft beschreitet somit selbst illegale Wege und fördert dadurch die illegale Migration. Diese Entwicklung ist ein Phänomen, das unabhängig vom Industrialisierungsgrad in fast allen Ländern zu beobachten ist (vgl. IOM, 2008, 206-207).

Der große Teil der Migranten mit geringer Qualifikation und insbesondere die illegalen Migranten konzentrieren sich in bestimmten Wirtschaftssektoren des Ziellandes (z.B. Bauwirtschaft, Manufakturindustrie), die sich besonders durch strukturelle Defizite kennzeichnen. Die Defizite bestehen primär in befristeten und unsicheren arbeitsvertraglichen Vereinbarungen, die in wirtschaftlichen Krisenzeiten zu weiteren Diskriminierungen und schließlich zu Entlassungen (selective layoffs) führen. Die wirtschaftlichen Krisen können also auch Migranten mit legalem Status in die Illegalität zwingen, wenn die Reintegration in den Arbeitsmarkt nicht gelingt und dadurch der Verlust des legalen Status folgt (vgl. OECD, 2009, 19, 63).

Im Anschluß an die vorangestellten Überlegungen sollen im Folgenden die empirischen Zahlen zur illegalen Migration auf regionaler Ebene vorgestellt werden, um das Ausmaß der weltweit wachsenden illegalen Migration aufzuzeigen. Nach Einschätzung der ILO soll der Anteil der illegalen Migration an der Gesamtheit der weltweiten Migrationsbewegungen 10 bis 15 % betragen (vgl. IOM, 2008, 209). Die Zahl der illegalen Migranten in der EU wird unterschiedlich geschätzt. Diese Schätzungen schwanken zwischen 3 bis 6,4 Mio. Menschen (vgl. IOM, 2008, 466-467).

Betrachtet man zunächst die südeuropäischen Länder, die einst Herkunftsländer der europäischen Emigranten waren, so ist festzustellen, dass sie seit den 1970er Jahren zu Aufnahmenländern der Migranten aus Osteuropa, Afrika und Lateinamerika wurden. Allein aus Afrika kommen jährlich mehr als 200.000 illegale Migranten. Diese Zahl macht jedoch nur einen kleinen Teil der illegalen Migranten aus, weil der größte Teil aus denjenigen besteht, die legal nach Europa einreisen, über die erlaubte Aufenthaltsfrist hinaus bleiben (overstayers) und dann schließlich illegal arbeiten. Dabei sind in Südeuropa Spanien und Italien die Hauptzielländer der illegalen Migranten. 2003 lebten in Spanien schätzungsweise über 1 Mio. illegale Migranten. 2005 haben sich 700.000 illegale Migranten dort zum Regularisierungsprogramm angemeldet, von denen 20 % aus Ecuador, 8 % aus Kolumbien, 7 % aus Bolivien, 17 % aus Rumänien und 12 % aus Marokko stammten. Italien hat 2006 durch ein Dekret die Gesamtzahl der Aufenthaltserlaubnisse für Drittländer auf 170.000 begrenzt. Daraufhin haben 517.000 bereits in Italien lebende Migranten aus Drittländern einen Antrag auf Aufenthaltserlaubnis gestellt. Schätzungweise leben 500.000 illegale Migranten in Italien. Die Größenordnung der illegalen Migranten in Portugal und Griechenland liegt bei jeweils 500.000 und 550.000. Die illegalen Migranten in den westeuropäischen Ländern sind weitgehend sog. „visa overstayers". Ihre Zahl wird in Frankreich auf 200.000 bis 400.000, in der Schweiz auf 90.000 und in Großbritannien auf 310.000 bis 570.000 geschätzt (vgl. IOM, 2008, 209-211).

Unter den nordamerikanischen Ländern nehmen die USA weltweit nicht nur die größte Zahl von Immigranten auf, sondern sie beherbergen auch das größte Kontingent an illegalen Migranten. Nach dem Bericht „The U.S. Department of Homeland Security" und „The Pew Hispanic Center" von Januar und März 2006 betrug die Gesamtzahl der illegalen Migranten 11 bis 12 Mio., zwei Drittel von ihnen leben bereits seit 10 Jahren in den USA. Etwa die Hälfte der illegalen Migranten stammt aus dem Nachbarland Mexiko. Das große Einkommensgefälle (6:1) und die langen Grenzen zwischen den USA und Mexiko scheinen dabei die illegale Migration von jährlich über 450.000 Mexikanern zu begünstigen. Mexiko ist dabei nicht nur das größte Herkunftsland, sondern zugleich auch Transitland, so dass viele Südamerikaner über Mexiko in die USA illegal einwandern (vgl. IOM, 2008, 212).

In Südamerika waren bisher Venezuela und Argentinien zwei Hauptzielländer der Arbeitsmigranten. Traditionell suchten Arbeitskräfte aus den Andenregionen in Venezuela nach Beschäftigung, während die Arbeitskräfte aus den südlich liegenden Ländern nach Argentinien einwanderten. Dieses Migrationsmuster ändert sich seit der Wirtschaftskrise nach dem 11. September 2001 derart, dass die Arbeitskräfte aus Peru, Ecuador, Argentinien und Brasilien nun zunehmend nach Nordamerika und Europa auswandern. Die Migrationsbewegungen innerhalb der Region nehmen dadurch ab. Auf der Kehrseite führt die wachsende Nachfrage nach geringqualifizierten Arbeitskräften in der sich allmählich erholenden Wirtschaft Argentiniens dazu, dass Arbeitskräfte aus Paraguay und Bolivien einwandern. Vor dem Hintergrund des veränderten Migrationsmusters sinkt generell die Zahl der illegalen Migranten. Abgesehen davon haben die südamerikanischen Länder eine lange politische Tradition, illegale Migranten durch Regularirungsprogramme zu legalisieren. 2003 haben Chile, Bolivien und Peru 700.000 illegale Migranten innerhalb des „Common Market of South" (MERCOSUR) legalisiert (vgl. IOM, 2008, 213).

Die Maghrebstaaten in Nordafrika sind gleichzeitig Ziel- und Transitländer der Migranten vom afrikanischen Kontinent. Die Migranten, jährlich schätzungsweise 7.000 bis 13.000, die illegal nach Europa einwandern wollen, versuchen auf dem Seeweg das Mittelmeer zu überqueren. Viele überleben die Überfahrt nicht. Dagegen finden die Migrationsbewegungen im Afrika südlich der Sahara weitgehend innerhalb der Region statt. Wenige Ausnahmen bestehen zum einen aus den illegalen Migranten aus Senegal, die überwiegend in Frankreich und Italien zu finden sind, und zum anderen aus den illegalen Migranten aus Nigeria, die nach Großbritannien und Irland einwandern. Innerhalb der Region stellt Südafrika das größte Hauptzielland der illegalen Migranten dar, deren Zahl insgesamt von 390.000 bis 470.000 geschätzt wird (vgl. IOM, 2008, 216).

Die Republik Korea und Japan sind die Länder in Ostasien, die durch „visa overstayers" illegale Migranten haben. Die illegalen Migranten in der Republik Korea sind überwiegend Lehrlinge (trainee), die in der Textil-, Gummi- und Plastikindustrie eingesetzt werden. Sie nutzen die Beschäftigungsmöglichkeiten in kleinen und mittelgroßen Wirtschaftsbetrieben und wechseln illegal ihren Arbeitsplatz. 2006 wurde ihre Zahl auf 190.000 geschätzt, was etwa die Hälfte aller Arbeitsmigranten in der Republik Korea ausmachte. 2005 wurde die Zahl der „visa overstayers" in Japan auf 207.000 geschätzt. Weitere 30.000 illegale Migranten sollen in Japan leben, die illegal ins Land eingeschleust wurden. Man geht davon aus, dass der eigentliche Zweck der Einreise der „visa overstayers" die Suche nach einer Beschäftigung war. Die gut ausgebildeten jungen Japaner lehnen die Arbeiten ab, die nur geringe Qualifikationen voraussetzen und damit nur niedrige Verdienstmöglichkeiten bieten. Die Folge ist die große Nachfrage nach geringqualifizierten Arbeitskräften in Bereichen von Bauwesen, Landwirtschaft und Dienstleistungen (z.B. Hotel, Unterhaltung, Altenpflege, private Haushalte), so dass dort oft illegale Immigranten eingesetzt werden (vgl. Kiriro Morita, Saskia Sassen, 1994, 154, 157).

Die südostasiatischen Länder sind gleichzeitig Transit-, Herkunfts- und Zielländer der legalen und illegalen Arbeitsmigranten. Juli 2006 waren in Malaysia 1,8 Mio. Arbeitsmigranten im Bereich von Plantagenindustrie, Dienstleistung und Bauwesen beschäftigt, von denen 65 % aus Indonesien stammten. Nach einer Schätzung des malaysischen Innenministeriums waren weitere 600.000 illegale Arbeitsmigranten dort beschäftigt. 2004 waren in Thailand 1,28 Mio. Arbeitsmigranten aus Myanmar, Kambodscha und Laos registriert. Die Registrierung bedeutet, dass sie zunächst ohne behördliche Erlaubnis bleiben und dann einen Antrag auf Arbeitserlaubnis stellen können, deren evtl. Genehmigung jährlich verlängert werden kann. 2004 haben 850.000 registrierte Arbeitsmigranten eine Arbeitserlaubnis erhalten. 2006 wurden weitere 220.892 illegale Migranten registriert (vgl. IOM, 2008, 218).

In der südasiatischen Region findet eine Migrationsbewegung illegaler Arbeitskräfte von Bangladesch nach Indien statt. Schätzungen gehen davon aus, dass etwa 10 Mio. Bangladeschis in Indien illegal leben und arbeiten. Sri Lanka ist ein weiteres Land, aus dem Menschen illegal nach Kanada, Italien, Japan und in die Republik Korea auswandern, obwohl hierüber keine konkreten Zahlen verfügbar sind. Weitere Migrationsbewegungen illegaler Arbeitskräfte finden von Afghanistan, Bangladesch und Myanmar nach Pakistan statt (vgl. IOM, 2008, 218-219).

Aus humanitären Gründen müsste die illegale Migration unterbunden werden, weil die rechtlose Situation eine grenzenlose Ausbeutung der Migranten geradezu anbietet und ermöglicht. Kriminelle Schmugglerbanden und Arbeitsvermittlungsagenturen haben es besonders auf die Ausbeutung der Arbeitskraft und auf die Ersparnisse der Migranten abgesehen. Selbst in der sog. informellen Wirtschaft werden sie rücksichtslos ausgebeutet, in ihrer Menschenwürde und in ihren Menschenrechten missachtet und erniedrigt. Sie führen ein Sklavenleben in hoffnungsloser Abhängigkeit. Die Illegalität lässt keine planbare Lebensperspektive zu. Auch aus Sicht der Volkswirtschaft ist die illegale Migration nicht zu vertreten, weil die Arbeitsleistung beim volkswirtschaftlichen Produktivitätszuwachs unberücksichtigt bleibt. Alleinige Nutznießer sind die Ausbeuter.

Andererseits ist die illegale Migration als verzweifelte Reaktion von Menschen aus ihrer wirtschaftlichen Perspektivlosigkeit anzusehen. Sie ist de facto eine Flucht vor Armut und Not. Dabei geben sich die illegalen Migranten der Illusion hin, nur gewinnen zu können, weil sie nichts zu verlieren haben. Sie werden ihre illegale Migration so lange versuchen, bis sie schließlich gelingt. Angesicht des global wachsenden Migrationsdrucks entwickelt sich die illegale Migration zu einer dominierenden Form. Ihr Ausmaß nimmt kontinuierlich und global zu, wie die vorangestellten Daten aufzeigen. An den Fakten ist zu erkennen, dass die illegale Migration zu einer ernstzunehmenden Herausforderung für die gesamte Weltgemeinschaft geworden ist. Solange die Ursachen der illegalen Migration nicht in den Herkunftsländern bekämpft werden, können weder eine Politik der Abschottung, noch verschärfte Grenzkontrollen oder die Errichtung von Sperrmauern (z.B. die 700 Meilen lange Grenzmauer zwischen USA und Mexiko) diese aufhalten und beseitigen.

2. Strukturelle Bedingungen der weltweit wachsenden Migrationsbewegungen

Die individuelle Migrationsentscheidung ist selten eine Ad-hoc-Entscheidung. In der Regel ist sie das Ergebnis eines mehr oder minder langen kognitiven Vorbereitungsprozesses, in dem sich die anfänglich unklaren individuellen Migrationsvorstellungen sukzessiv zu einem konkreten Migrationsmotiv verdichten. Sie wird von einer Vielzahl zusammenwirkender und voneinander kaum trennbarer „Push-und-Pull-Faktoren" beeinflusst und bestimmt. Eine adäquate Analyse und Erklärung kann durch eine monokausale Betrachtungsweise kaum erreicht werden. Somit ist es wesentlich schwieriger und langwieriger, sich dem Phänomen der Migrationsbewegungen durch Ursachenforschung zu nähern. Theoretisch von Bedeutung ist vielmehr eine Analyse der umfassenden makrostrukturellen Bedingungen der Weltregionen heute, die im weitesten Sinn den Nährboden der legalen und illegalen Migrationsbewegungen bilden. Diese sind, im Gegensatz zur schwierigen Ursachenforschung im Einzelfall, objektiv beobachtbar und analytisch beschreibbar. Sie vermitteln einen umfassenden Überblick über die generellen Zusammenhänge der Bedingungsfaktoren, innerhalb deren die Migrationsbewegungen hervorgerufen werden. Die folgenden Ausführungen sollen die umfassenden makrostrukturellen Bedingungen der heutigen Welt aufzeigen.

2.1 Bildung von Nationalstaaten und gewaltsame politische Konflikte

Politische Konflikte in Form innerstaatlicher Bürgerkriege oder zwischenstaatlicher Kriege haben immer Migrationsbewegungen ausgelöst. Der Zusammenbruch des Vielvölkerreiches der Sowjetunion sowie des Vielvölkerstaates Jugoslawien und die damit einhergehenden ethnonationalistischen Bürgerkriege zur Gründung eigenständiger unabhängiger Nationalstaaten haben wiederum deutlich und gleichzeitig in erschreckender Weise vor Augen geführt, dass weder der Prozess der Bildung von Nationalstaaten abgeschlossen noch der Nationalismus überwunden sind. Man spricht vielmehr von einer Renaissance des Nationalismus (vgl. Erhard Stölting, 1992, 255-269).

Diese zeitgeschichtliche Entwicklung in Ost- und Mitteleuropa ist jedoch keineswegs eine Ausnahmeerscheinung, die eine regionale Besonderheit darstellt. Sie tritt heute in vielen Regionen und Kontinenten in unterschiedlicher Intensität und in unterschiedlichem Ausmaß auf. Oberflächlich gesehen erscheint sie als Widerspruch, weil sie gerade in einer Zeit ihre Renaissance erfährt, in der die Bildung der politischen, wirtschaftlichen und sozialen Union Europas sowie Zusammenschlüsse in anderen Regionen konkrete Gestalt annehmen. Geht man jedoch von den historischen Erfahrungen aus, die die Nationalstaaten in Europa in ihrem Entstehungsprozess durchgemacht haben, so ist anzunehmen, dass die regionalen und ethnonationalen Sonderinteressen keineswegs der Vergangenheit angehören. Weiterhin werden sie den Modernisierungsprozess begleiten und versuchen, Wirkungskräfte zu entfalten, auch im vereinten Europa der Zukunft. Der Prozess der Bildung von Nationalstaaten dauert an. Bei den jungen Nationen, die das Modell der Nationalstaaten westeuropäischer Prägung nachahmen, verläuft dieser Prozess oft so konflikthaft, dass dadurch strukturelle Bedingungen für Flucht und Vertreibung für viele Menschen erzeugt werden. Die geschichtliche Darstellung der nationalstaatlichen Entwicklungen in Europa kann zu einem besseren Verständnis der strukturellen Zusammenhänge beitragen.

Der Nationalstaat ist eine Nation, die einen Staat trägt. Diese durch die Nation legitimierte Staatsform ist in Westeuropa eine relativ junge politische Konstruktion, die von der Französischen Revolution (1789) ihren Ausgang nimmt (vgl. Tilman Mayer, 1986, 25; Lutz Hoffmann, 1990, 119). Die Entstehung der demokratischen Idee eines republikanischen Nationalstaates war in Frankreich ein Prozess, in dem die Nationbildung innerhalb der räumlichen und politischen Bedingungen des absolutistischen Territorialstaates stattfand. Die so entstandene Nation und ihre Souveränität gab dem neuen Staat seine Verfassung. Diese für Westeuropa (z.B. Frankreich, England) typische politische Entwicklung ist von der in Mittel- und Osteuropa (z.B. Deutschland, Italien, slawische Länder) zu unterscheiden, weil hier die Nation- und Staatsbildung von einer grundlegend anderen Konzeption und von anderen politischen Voraussetzungen ausgegangen ist. Der Entstehungsprozess des Nationalstaates in Europa war somit ein Prozess, in dem das Verhältnis zwischen Nation und Staat durch unterschiedliche ideelle Prämissen in seiner inhaltlichen Konzeption und zeitlichen Reihenfolge bestimmt wurde.

Der Begriff der Nation ist von seinem Gebrauch her älter als der Begriff des Staates, der von Niccolo` Machiavelli (1469-1527) zum ersten Mal als „il stato" gebraucht wurde. Der Nationbegriff umfasst in seiner heutigen Bedeutung die

Gesamtheit der Bevölkerung bzw. die Gesamtheit der Teilnehmer des Staates, die als Legitimationsbasis dient (vgl. Klaus Hornung, 1983, 307). Seine ursprüngliche Bedeutung war jedoch eine völlig andere. Der Begriff stammt von dem lateinischen Wort „nasci" (geboren werden) und bedeutete Geburt bzw. Abstammung im unpolitischen Sinn. Mit „natio" wurde die natürliche Gemeinschaft bezeichnet, in die man hineingeboren wird (vgl. Emerich Francis, 1965, 70). In der römischen Antike wurde er als allgemeines Unterscheidungsmerkmal von Gruppen gebraucht (z.B. Aristokraten, Philosophen). Danach wurde er im Sinne der unzivilisierten Völkerschaft (z.B. englisches Wort „natives") zur Abgrenzung gegenüber „civitas" und schließlich zur Bezeichnung von Stämmen genutzt. Im Spätmittelalter festigte sich dann sein Gebrauch im ursprünglichen lateinischen Sinn als jene Rechtsgemeinschaft, zu der man qua Geburt gehört (vgl. Hagen Schulze, 1995, 113). Erst im Zeitalter des absolutistischen Staates, nach dem Ende des 30jährigen Krieges, erhält der Begriff der Nation in Frankreich sowie in den übrigen Nationen Europas eine politische Bedeutung. Er wurde als Bezeichnung für die Gesamtheit derjenigen im weltlichen und kirchlichen Adel gebraucht, die durch ihre ständische Vertretung eine Beziehung zur Krone unterhielten und sich am politischen Geschehen des absolutistischen Staates beteiligen konnten. So gesehen bildete nicht die Gesamtheit des Volkes die Nation, sondern nur die herrschenden und politisch repräsentierenden Schichten. Die Nation im 17. und 18. Jahrhundert war somit eine Adelsnation. Das einfache und ethnisch heterogene Volk lebte im Staatsgebiet, war aber vom politischen Geschehen ausgeschlossen. In diesem Sinn war es, um die Begrifflichkeiten von Emerich Francis zu gebrauchen, nur Ethnos und noch kein politisch bewusstes und handelndes Demos (vgl. Emmerich Francis, 1983, 74).

Der Siegeszug der Aufklärung im 18. Jahrhundert hat im politischen Bereich nicht nur zum aufgeklärten Absolutismus geführt, sondern viele Denker hervorgebracht, die sich kritisch mit dem Zustand des absolutistischen Staates auseinander gesetzt haben. Die theoretischen Überlegungen von Charles de Montesquieu (1689-1755) über die Gewaltenteilung des Staates zur Unterbindung von Machtmißbrauch durch die Monarchen, die Theorie der Souveränität des Volkes (volonté ge´ne´rale) und zur Unterordnungspflicht der tugendhaften Staatsbürger unter dem Gemeinwohl (Jean-Jacques Rousseau, 1712-1778) zeigen die Denkrichtung dieser Zeit an. Wie einflussreich damals solche Theorien waren, erkennt man daran, dass die amerikanische Unabhängigkeitserklärung von 1776 Rousseaus Thesen fast wortwörtlich aufnahm (vgl. Hagen Schulze, 1995, 101). Nach den genannten politischen Theorien soll die staatlche

Machtausübung an Gesetze, die aus der Vernunft abzuleiten sind, gebunden werden. Die Förderung und der Schutz des Gemeinwohls sind als zentrale Staatsaufgaben zu sehen. Dadurch soll ein Modell des republikanischen Rechts- und Verfassungsstaates entworfen werden, das auf die Souveränität des gesamten Volkes fußt. Das Modell des absolutistischen Staates wurde somit lange vor der französischen Revolution von den Intellektuellen in Frage gestellt.

Die Französische Revolution von 1789 markiert den ideengeschichtlichen Ausgangspunkt des modernen demokratischen Nationalstaates. Durch sie wurde proklamiert, dass der „Dritte Stand", d.h. die Gemeinschaft des einfachen und nichtprivilegierten Volkes, das mit seiner Arbeit - so die Auffassung von Abbé´ Sieye`s, dem Theoretiker der französischen Revolution - allein die Wohlfahrt der Gesellschaft aufrecht erhält, der alleinige Träger der Nation ist: „Der Dritte Stand umfasst also alles, was zur Nation gehört und alles, was nicht der Dritte Stand ist, darf sich nicht als zur Nation gehörend betrachten. Was ist also der Dritte Stand ? Alles." (zitiert nach Tilman Mayer, 1986, 33). Damit wurde die einstige Adelsnation, von der das Volk bisher ausgegrenzt war, nun durch die Volksnation, eine Nation, an der das gesamte Volk politisch teinimmt, ersetzt. Die Einheit der Nation mit dem Volk wurde somit hergestellt. Das Volk ist zuerst da und es ist der Ursprung von allem, auch der Nation. Die Nation in Gestalt des freien Volkes ist der Souverän. Sein Wille ist das Gesetz. Nur diese Volksnation gibt dem künftigen Staat seine Verfassung und legitimiert seine Gewalten, wie die Erklärung der Menschen- und Bürgerechte vom 26. August 1789 in ihrem Artikel 3 bekräftigt: „Die Nation bildet den hauptsächlichen Ursprung jeder Souveränität. Keine Körperschaft und kein Individuum können eine Gewalt ausüben, die nicht ausdrücklich von der Nation ausgeht." (Hagen Schulze, 1995, 169).

Die politische Bedeutung der Französischen Revolution und ihre historische Besonderheit im Vergleich mit dem Nationbildungsprozess in Deutschland sind darin zu sehen, dass die Nationbildung in Frankreich durch die Selbstbestimmung des politisch bewusst gewordenen Volkes zu Stande gekommen ist. Die Einheit der Nation wurde dabei nicht von oben durch machtpolitische Entscheidungen der Herrschenden mit der Begründung erzwungen, sich gegenüber Feinden von außen abgrenzen und zusammenschließen zu müssen. Die Nationbildung und die Herstellung ihrer Einheit in der Französischen Revolution waren allein das Ergebnis der freien Entscheidung der politisch aktiv gewordenen Basis des Volkes. Nation bedeutete in diesem Sinn eine Willensgemeinschaft (Willensnation), der der Einzelne durch seine freie und subjektive Willensbekundung, ihr anzugehören, angehört. Sie war „das von freien und gleichen Bürgern aus eigenem Recht gestaltete Gemeinwesen" (Lutz Hoff-mann, 1990, 121). Sie kann daher keine Vorgabe sein, die schon immer existier-te, sondern muss, wie Ernest Renan konstatierte, in gemeinsamer Anstrengung täglich gestaltet und ins Werk gesetzt werden: „La nation, c`est le plebiscite de tous les jours" (vgl. Klaus Hornung, 1983, 306).

Die Entwicklung des politischen Willens zur Nationbildung, die innerhalb der institutionellen und räumlichen Voraussetzungen des absolutistischen Territori-alstaates möglich war, löste das „ancient re´gime" ab und führte zur Ausrufung der Republik als neuer demokratischer Staatsform. Damit wurde eine Staatsna-tion, im Sinne der Gesamtheit der politisch bewussten Teilnehmer des demo-kratischen Staates, geboren, in der der Staat die Nation verwirklichte, aber der Staat durch die Nation legitimiert wurde. Die Staatsnation setzt sich aus einem Staatsvolk zusammen, das auch Minderheiten einschließt, die sich von der machtausübenden Mehrheit des Staatsvolkes ethnisch unterscheiden können (vgl. Emerich Francis, 1965. 104, 77). Die Staatsbildung braucht nicht die ethni-sche Homogenität des Staatsvolkes vorauszusetzen. Da die Staatsnation letzt-lich als Einheit angesehen werden muss, kann (wird) sie auch als Nationalstaat bezeichnet werden, obwohl der Nationalstaat begrifflich eine Nation meint, die einen Staat trägt. Der Einigungsprozess der Staatsnationen wird durch dynami-sche machtstaatliche Bewährungen verstärkt, so dass das Nationalbewusstsein mancher Staatsnationen ausgeprägter und dynamischer ist als das mancher Na-tionalstaaten (vgl. Tilman Mayer, 1986, 31). Die normative Grundlage und der Endzweck dieser Republik als Staatsnation war der Mensch selbst, der mit Ver-nunft begabt und zur Freiheit der Selbstbestimmung befähigt ist. Seine Freiheit und Gleichheit sind die Voraussetzungen der Einheit der Nation.

In Deutschland mit seinen territorial zersplitterten Staatengebilden erfolgte die Nationbildung unter gänzlich anderen konzeptionellen Voraussetzungen als in Frankreich. Aus dem einstigen Riesenreich „Heiliges Römisches Reich Deut-scher Nationen", das als einigendes Band der Reichsstände gegenüber Papst und Kurie errichtet worden war (vgl. Tilman Mayer, 1986, 22), ist ein nur locke-res Bündnis von 39 souveränen Territorialstaaten und Städten hervorgegangen, deren Vertreter lediglich im ständigen Gesandtenkongress (Bundestag) unter dem Vorsitz des österreichischen Kaisers zusammenkamen. Der Versuch dieser 585 Vertreter (Paulskirche zu Frankfurt Main am 15. Mai 1848), auf der Grund-lage einer gemeinsamen liberalen Verfassung die Vereinigung der Staaten des Deutschen Bundes zu bilden, war wegen ihrer auseinander strebenden politi-schen Eigeninteressen hoffnungslos gescheitert (vgl. Hagen Schulze, 1995, 217, 222).

Das konzeptionelle Modell des deutschen nationalen Denkens war, vor dem Hintergrund der schwierigen politischen Verhältnisse, das der romantisch-konservativen Vorstellung der Kulturnation, dem Bemühen entsprungen, die nationale Einheit der Deutschen in Abgrenzung gegenüber und gleichzeitig zur Unterscheidung vom rational-politischen Modell der Staatsnation bzw. Willensnation in Frankreich erreichen zu wollen. Die Entstehung der französischen Nation hat besonders den deutschen Intellektuellen sowohl die Sehnsucht nach der vergangenen politischen Einheit im Mittelalter als auch den Wunsch nach nationaler Einheit bewusst werden lassen. Ihr patriotisches Nationalbewusstsein wurde von dem Bemühen getragen, ein ebenbürtiges Gegengewicht zur französischen Nation schaffen zu wollen. Ihr Patriotismus wurde zusätzlich durch die allgemeine soziale Stimmung der damaligen Zeit verstärkt. Es war eine Zeit, in der die Erosion der altfeudalen Sozialstruktur durch die beginnende Industrialisierung eingeleitet wurde und die schwächer werdende soziale Integrationskraft der Religion generelle Orientierungsprobleme erzeugte. In dieser Situation kam der Nation als der integrierenden Idee quasi die Funktion einer säkularisierten Ersatzreligion zu. Eine Nation zu sein war für sich schon Auszeichnung. Vor diesem Hintergrund ist der theoretische Ausgangspunkt des deutschen nationalen Denkens mit seinem kulturellen Volksbegriff bzw. mit seiner kulturellen Volkstheorie zu sehen, als dessen Schöpfer Johann Gottfried Herder (1744-1803) gilt.

Herder war besorgt über die politische Zerrissenheit Deutschlands. Er wollte die Wiederherstellung der Einheit des deutschen Volkes. Sogar in einem Gedicht von 1780 forderte er den Kaiser, die 99 Fürsten und die Stände auf, den Deutschen ein Vaterland, ein Recht, eine Sprache und eine Religion zu geben. Er war ein Patriot. Er wollte den Nachweis dafür erbringen, dass die nationale Einheit trotz der politischen Zersplitterung über die territorialen Staatsgrenzen hinweg möglich ist. Diesem Zweck soll der Begriff der Kulturnation dienen. Herder stellte daher dem Staat als zufällig entstandenem Herrschaftsverband die Nation bzw. das Volk als eine „natürlich" gewordene Gemeinschaft und als staatsfreien Bereich gegenüber, um die zeitliche und moralische Priorität des Volkes gegenüber dem Staat zu begründen. Dabei führte Herder romantische und gefühlsbesetzte Argumente für eine kulturelle Volkstheorie an. Demnach wird die Einheit einer Nation nicht durch die politische Vereinigung der Bevölkerung im Staat, sondern durch die Eigenart ihrer Kultur erreicht. Kultur bedeutet „höhere geistige Leistungen", die der Mensch mit Hilfe der Sprache im Bereich von Literatur, Kunst, Wissenschaft, Religion, Recht usw. erbringt. Herder machte die Sprache zu einem konstitutiven Element der Nation. Er sah in der gemeinsamen Sprache die gemeinsame Herkunft und Verwandtschaft der sie sprechenden Menschen. Für ihn wird die Kulturnation sprachlich begründet. Sie ist damit identisch mit der Sprachnation. Die Kulturleistungen sind Ausdruckformen der geistigen Substanz des Volkes, d.h. eines „Geistes des Volkes" als einer „Kollektivseele" (vgl. Emerich Francis, 1965, 104 -110). Herder und andere romantischen Volkstheoretiker sahen in der Nationalliteratur und deren Verbreitung eine Offenbarung des Geistes und der Eigenart einer Nation.

Die Idee der Kulturnation und des Volksgeistes war ein bildungsbürgerlicher Beitrag zum Aufbau einer geistigen und nationalen Gemeinschaft, die die Priorität der Kultur gegenüber dem Politischen betonte. Sie ist jedoch einseitig und ständisch orientiert, weil sie die Bevölkerung außerhalb des Bildungsbürgertums zu „Hintersassen" der Nation macht (vgl. Tilman Mayer, 1986, 28). Die sprachliche Begründung einer einheitlichen Literatursprache übersieht die Tatsache, dass die Sprache keineswegs einheitlich ist, wie die verschiedenen Mundarten und der spezifische Sprachgebrauch belegen. Die meisten Nationalsprachen sind erst im Laufe des 19. Jahrhunderts den volkstümlichen Umgangssprachen entnommen und durch strenge grammatikalische Standardisierung zu Schriftsprachen umgeformt worden. Die Idee der Kulturnation suggeriert die Existenz einer geschlossenen einheitlichen Gesamtkultur, die in ihrer Eigenart eine Nationalkultur ausmacht und in ihrer Totalität in Erscheinung tritt. Diese suggestive Annahme kann nur geglaubt, aber nicht begründet werden. Die Idee, die Kultur allein in der Hochkultur sehen zu wollen, die durch die Nationalliteratur repräsentiert wird, entspricht nicht der Realität der plurivalenten, vielschichtigen und komplexen Kultur. Die Vorstellung von der Existenz der objektiv feststellbaren Wesensmerkmale einer Kultur ist ein Mythos.

Die Bemühungen der romantischen Volkstheoretiker, die Bildung einer Volksnation durch die Entdeckung der Gemeinsamkeiten eines Volkes zu rechtfertigen, haben zu einer beispiellosen Aufwertung der Geschichtswissenschaft und damit zu einer Geschichtsideologie geführt. Parallel zu der Neuentdeckung und Pflege des Volksgeistes in der Nationalliteratur, die die Sammlung von Märchen, Gedichten und Liedern des deutschen Volkes forcierten, gewann die Altertumsforschung einen neuen Stellenwert. Die sagenumwobenen Ursprünge des deutschen Volkes wurden bis in die römische und griechische Antike hinein verfolgt, um seine guten und heldenhaften Eigenschaften zu dokumentieren. Die Nation soll sich durch ihre Geschichte legitimieren. Das Resultat dieser Forschung war ein germanozentrisch verengtes Geschichtsbild, das das deutsche Volk als das „ursprüngliche, unverfälschte, tüchtigste" Volk (z.B. Johann Gottlieb Fichte, Heinrich Luden, Johannes Wimpfeling) glorifizierte. Heinrich Luden behauptete sogar, „nicht die Sprache sei das eigentlich Gemeinsame eines Volks, sondern das Blut" (vgl. Hagen Schulze, 1995, 176-182). Die Wiederherstellung der nationalen Einigung und die Befreiung von der französischen Vorherrschaft sollten dadurch als geschichtlicher Auftrag gerechtfertigt werden. Damit wurde die ideologische Grundlage nicht nur für die geschichtliche deutsche Sendung Preußens zur Errichtung eines Nationalstaates aller Deutschen, sondern auch für die spätere Entwicklung des Nationalsozialismus und seiner Rassenideologie gelegt.

Mit dem Nationalstaat aller Deutschen ist jedoch nicht ein Zusammenschluss aller deutschen Territorialstaaten nach französischem oder englischem Muster gemeint. Vielmehr sollte der Nationalstaat aller Deutschen nach dem Vorbild des romantisch-heroischen und mittelalterlichen Bildes der deutschen Humanisten errichtet werden, nach dem das deutsche Volk, vereint unter der glorifizierten Kaiserherrschaft, zur höchsten Machtentfaltung kommt. Mit diesem Nationalstaat wurde somit eine monarchische Staatsform projektiert, in der der Kaiser durch die entschlossene und solidarische Unterstützung seiner Fürsten das Volk zu einer Einheit zusammenführt (vgl. Hagen Schulze, 1995, 182). Der Norddeutsche Bund, der 1866 nach dem Sieg von Preußen in Königgrätz im Preußisch-Österreichischen Krieg entstand, war ein kleindeutscher, aber großpreußischer Nationalstaat, der unter dem Oberbefehl des Königs von Preußen stand und dem die süddeutschen Staaten Bayern, Württemberg, Baden und Teile von Hessen noch nicht angehörten. Die politische Einigung aller deutschen Kleinstaaten vollzog sich erst nach dem Sieg von Preußen im Preußisch-Französischen Krieg von 1870/1871 mit der Proklamation Wilhelms I. (1797-1888) zum Deutschen Kaiser im Spiegelsaal von Versailles. Der Deutsche Bund nannte sich Reich, das durch die Reichsverfassung vom 1. Januar 1871 den Zusammenschluss der süddeutschen Landtage und des Norddeutschen Reichstages besiegelte (vgl. Hagen Schulze, 1995, 235-237). Die politische Einigung aller Deutschen vollzog sich damit durch die machtpolitische Entscheidung von oben, Bismarck sprach von „Eisen und Blut" als politischem Mittel, und nicht durch die souveräne Entscheidung des Volkes wie in Frankreich.

Fasst man die dargestellten nationalstaatlichen Entwicklungen in West- und Mitteleuropa zusammen, sind zwei Konstitutionsprinzipien des Nationalstaates zu unterscheiden (vgl. Klaus Hornung, 1983, 306 ff; Urs Altermatt, 1996, 15ff):

a) Staatsnationales Konstitutionsprizip (subjektiver Nationbegriff)

Das Nationalbewusstsein formt sich in einem bereits bestehenden Staat. Die Nation ist dabei mit der Gesamtheit der Staatsbürger identisch. Der Nationbegriff ist politischer Natur. Die Existenz des Nationalstaates geht auf den subjektiven Willensakt der Einwohner zurück, dem Staat angehören zu wollen. Damit wird das subjektive Moment betont. Unter diesem voluntaristischen Aspekt wird die Nation als Willensnation bezeichnet. Die Entstehung von Nationalstaaten in Frankreich, England, in der Schweiz und in den USA geht auf dieses Konstitutionsprinzip zurück. Bei der Frage der Zugehörigkeit zur Nation ist in Frankreich der Boden entscheidend. Wer auf französischem Boden geboren ist, ist Franzose (jus soli).

b) Kulturnationales Konstitutionsprinzip (objektiver Nationbegriff)

Die Entstehung des Nationalbewusstseins kann sich nicht auf einen bereits vorhandenen Staat stützen, sondern greift auf die vorstaatlichen Kriterien zurück, wie gemeinsame Abstammung, Sprache, Kultur, um eine Gemeinschaftsbildung als Grundlage für den Nationalstaat zu verwirklichen. Der Nationbegriff richtet sich dabei nach scheinbar objektiven ethnisch-kulturellen Kriterien. Für die Entstehung von Nationalstaaten in Mittel- und Osteuropa (in Deutschland und den slawischen Ländern) ist das kulturnationale Konstitutionsprinzip entscheidend. „Die Italiener und die Deutschen, die Tschechen und die Slowaken, die West- und Südslawen, die Balten und die Finnen waren nach ethnisch-kulturellen Vorstellungen schon Nationen, bevor sie die Möglichkeit erhielten, eigene Nationalstaaten zu bilden." (Urs Altermatt, 1996, 15). Bei der Frage nach der Staatsangehörigkeit ist in Deutschland nicht der Geburtsort, sondern die Abstammung entscheidend (jus sanguinis). Nach dem völkisch-kulturellen Nationbegriff gehört auch derjenige zum Volk, der außerhalb der staatlichen Grenzen lebt, der aber die gleiche Abstammung aufweist.

Die romantisch-konservative Anschauung von Herder, den Staat und die Verfassung hinter Kultur und Sprache zurückzustellen, wurde von den slawischen Ländern in Osteuropa, die ständig mit Spaltungsproblemen zwischen Staaten und Völkern konfrontiert waren, mit besonderer Aufmerksamkeit und positiver Resonanz aufgenommen. Sie zeigte ihnen einen ideologischen Weg, sich über ihre Rückständigkeit gegenüber den Nationalstaaten in Westeuropa hinweg zu setzen und ihr kulturelles Selbstbewusstsein zu stärken (vgl. Hagen Schulze, 1995, 171).

Die politischen Ordnungsmodelle der Staats- und Kulturnation sowie des dadurch ins Leben gerufenen Nationalstaates in West- und Mitteleuropa sind

Konstruktionen für die Regelung des menschlichen Zusammenlebens, deren Existenz und Anziehungskraft prinzipiell auch durch andere ordnungspolitische Konstruktionen hätten ersetzt werden können. Ihre Ablösung ist jedoch bisher nicht eingetreten. Vielmehr fanden sie in ihrer knapp 200jährigen Geschichte weltweite Nachahmung, fast immer von inner- und zwischenstaatlichen kriegerischen Auseinandersetzungen begleitet. Die Geschichte der Bildung von Nationalstaaten ist somit überwiegend eine Geschichte der Kriege, die Flucht und Vertreibung von unzähligen Menschen zur Folge hatte. Die historisch-politischen Umstände, die die Schub- und Sprengkräfte dieses bisherigen Prozesses ausmachten und die dabei mehr oder minder willkürlich festgelegten territorialen Grenzziehungen von Nationalstaaten, geben bei näherer Betrachtung Anlass zur begründeten Sorge, dass die Zeit von Nationalstaaten mit ihren erschreckenden Folgen, trotz mancher positiver Aspekte, noch lange nicht zu Ende ist.

Zum zusammenfassenden und analytisch-illustrativen Zweck sind vier einschneidende historisch-politische Umwälzungsprozesse zu unterscheiden, in denen der bisherige Prozess der Nationalstaatsbildung nicht nur seine entscheidenden Schubkräfte, sondern auch seine grundlegenden Entwicklungstendenzen entfaltet hat. Der Zerfall des Osmanischen Reiches und der Zusammenbruch der Donaumonarchie sind einer dieser politischen Umwälzungsprozesse, aus denen neue Nationalstaaten (z.B. Syrien, Jordanien, Irak, Israel, Jemen, Ägypten, Tunesien, Algerien, Rumänien, Albanien, Ungarn, Bulgarien, Jugoslawien, Griechenland) in Folge der sog. territorialen und politischen Neuordnung konflikthaft hervorgegangen sind. Viele von ihnen mussten einen langen Weg zurücklegen, weil sie vor ihrer endgültigen staatlichen Unabhängigkeit unter das Mandat westeuropäischer Kolonialmächte (z.B. Großbritannien, Frankreich) gestellt wurden. Einige ethnische Gruppen kämpfen immer noch für einen eigenen Nationalstaat, wie z.B. die Kurden. Die Tatsache, dass die so entstandenen Staaten überwiegend Nationalitätenstaaten (Vielvölkerstaaten) sind, die sich aus ethnisch und religiös heterogenen Bevölkerungsgruppen zusammensetzen (z.B. Israel, Libanon, Zypern, Irak, Türkei), weist auf das Potential ethnonationaler Spannungen hin (vgl. Peter J. Opitz, 1988, 18-24).

Ein weiterer politischer Umwälzungsprozess bestand in der Auflösung der europäischen Kolonialreiche. Zur Verwaltung der großen überseeischen Besitzungen wurden nicht nur Militär, sondern auch einfache Verwaltungsbeamte eingesetzt. Mit diesen aus dem Kleinbürgertum des Mutterlandes rekrutierten Arbeitskräften wurden Schlüsselpositionen in der Kolonialverwaltung besetzt und ihnen zur Kolonialisierung der asiatischen und afrikanischen Länder erlaubt, „auf Randschauplätzen die Rolle des Aristokraten zu spielen", in dem ihnen ein Leben mit Dienern, Stallburschen, Gärtnern, Köchen, Ammen, Waschfrauen usw. ermöglicht wurde. Durch ihren Einsatz wurden die Einheimischen zudem von allen Führungspositionen fern gehalten. So haben die sog. Kolonialherren in ihrem Überlegenheitsgefühl den Kolonialrassimus praktiziert und dadurch ungewollt in den Einheimischen deren Nationalbewusstsein geweckt und den Nationalismus gegen die Kolonialmacht gefördert (vgl. Benedict Anderson, 1993, 150-154). Es war daher nicht verwunderlich, dass sich die kolonial unterdrückten Länder mit der Berufung auf das Selbstbestimmungsrecht gegen die Kolonialherren auflehnten und für einen unabhängigen Staat Unabhängigkeitskriege führten (vgl. Werner Brecht, 1994, 40). Von 1922 bis 1958 wurden 27 Staaten und von 1960 bis 1970 wurden weitere 48 Staaten unabhängig. Von 1922 bis 1984 sind insgesamt 101 unabhängige Nationalstaaten entstanden (vgl. Christian J. Jäggi, 1993, 31-33).

Ein dritter politischer Umwälzungsprozess, der für die Entstehung von Nationalstaaten ursächlich ist, besteht in den innerstaatlichen sezessionistischen Auseinandersetzungen der postkolonialen Zeit. Nach dem Abzug der Kolonialherren brachen die bestehenden Rivalitäten zwischen den verschiedenen Völkern, Stämmen und Volksgruppen offen aus, die sich im neuen Staat in ihrem Selbstbestimmungsrecht beeinträchtigt fühlten. Die neuen Nationalitätenstaaten verfügten oft über territoriale Grenzen, die identisch waren mit den Grenzen der kolonialen Administration, im macht- und wirtschaftspolitischen Interesse der Kolonialländer willkürlich gezogen. Dabei fanden die nationalen, ethnischen, historischen und religiösen Besonderheiten einzelner ethnischer Minderheiten keine Berücksichtigung. Die innerstaatlichen Kriege in Liberia, Somalia, im Tschad und Sudan, in Burundi sowie in Ruanda zwischen Tutsi-Minderheit und Hutu-Mehrheit sind Beispiele dafür. Massenhafte Flüchtlingsströme wurden ausgelöst und Millionen Menschen entwurzelt. Allein der Krieg der Rebellenorganisation SPLA mit den Regierungsarmeen im Sudan hat mehr als 5 Mio. Menschen innerhalb ihres Landes entwurzelt und 263.000 Flüchtlinge hervorgebracht (vgl. Werner Brecht, 1994, 41-43).

Eine weitere und neue Schubkraft der Nationalstaatsbildung in der Gegenwart geht von den ethnonationalistischen Konflikten aus, die nach Ende des Ost-West-Konfliktes insbesondere im Gebiet der ehemaligen Sowjetunion und in den osteuropäischen Ländern eintreten. Während die Bildung von 15 GUS-Staaten und den drei baltischen Staaten aus der ehemaligen Sowjetunion relativ friedlich vollzogen wurde, erfolgte die staatliche Unabhängigkeit der Teilrepubliken des ehemaligen Jugoslawien, bis auf die beiden Republiken Montenegro und Makedonien, durch einen erbarmungslosen und grausamen Bürgerkrieg. Die Völkervielfalt auf dem Balkan und in der Sowjetunion, die bisher durch imperiale Gewalt egalisiert und in ihrer Entfaltung gehindert wurde, besinnt sich zunehmend auf ihre ethnische Herkunft und entwickelt einen besonders konfliktträchtigen ethnischen Nationalismus. Die Gefahr der weiteren Eskalation in der gegenseitigen ethnozentrischen Ausgrenzung (z.B. „ethnische Säuberung") zeichnet sich ab. Ethnisch bedingte Flucht und Vertreibung bestimmen bereits heute das Bild dieser Region. Viele der 25 Mio. Russen, die außerhalb der Russischen Föderation leben, wandern aus Angst vor ethnischer Diskriminierung nach Russland zurück. Armenier fliehen aus Aserbaidschan und Nagorny-Karabach nach Armenien, während umgekehrt fast die gesamten moslemischen Aseri aus Armenien nach Aserbaidschan fliehen. Flüchtlinge aus den Bürgerkriegsgebieten in Georgien, Tadschikistan, Usbekistan, Moldawien usw. suchen Zuflucht in Russland. Allein im Bereich der ehemaligen Sowjetunion werden schätzungsweise 70 Spannungsgebiete gezählt, in denen es schnell zu gewaltsamen Auseinandersetzungen kommen kann. Das große Potential ethnischer Konflikte in dieser Region ist offenkundig (vgl. Werner Brecht, 1994, 44-45).

Die oben vorgenommene Darstellung einzelner politischer Umwälzungen als Quelle epochaler Schubkräfte zur Bildung von Nationalstaaten gilt nur zu analytischen Zwecken. In der Realität ist es kaum möglich, die aus den politischen Umwälzungen resultierenden Impulse voneinander zu trennen. Für den Prozess der Nationalstaatsbildung ist vielmehr das gleichzeitige Zusammenwirken unterschiedlicher Auslöser und Nachwirkungen imperialer, kolonialer und postkolonialer Auflösungsprozesse verantwortlich. Die Bildung von Nationalstaaten in den Entwicklungsländern, insbesondere in den afrikanischen, zeigt deutlich, dass nicht nur die Nachwirkungen kolonialer Vergangenheit erkennbar sind, sondern auch ähnliche Probleme auftreten, die einst die Nationalstaaten Europas zu bewältigen hatten. Nach außen muss die nationale Souveränität bewahrt bleiben, während nach innen die nationale Integration der Minderheiten unterschiedlicher geschichtlicher, ethnischer, religiöser und kultureller Herkunft hergestellt werden muss. Zwischenstaatliche Grenzkonflikte, innerstaatliche Homogenisierungs- und Assimilationspolitik, Sezessionskriege und Autonomiebestrebungen diskriminierter und unterdrückter Minderheiten waren oft die Folgen. Statistische Zahlen belegen, welche Nachwirkungen diese Vorgänge haben. Seit Ende des Zweiten Weltkrieges fanden allein in den Entwicklungsländern über 150 Kriege mit ca. 20 Mio. Todesopfern statt, zwischen 60 beteiligten Staaten (vgl. Manfred Wöhlcke, 1992, 64). Der Prozess der Bildung von Nationalstaaten und die daraus resultierenden politischen Konflikte halten weltweit an. Sie machen eine der wesentlichen strukturellen Bedingungen für Flucht und Vertreibung aus.

2.2 Dynamisches Bevölkerungswachstum in der Dritten Welt und seine Auswirkungen auf Nahrungsmittelproduktion und Umwelt

Mitte 2008 betrug die Weltbevölkerung 6,705 Mrd. Menschen. Ihr Wachstum verlangsamte sich im Zeitraum von 1995 bis 2000 bei einer Wachstumsrate von 1,2 % auf 77 Mio. Menschen pro Jahr, verglichen mit jährlich 81 Mio. im Zeitraum von 1990 bis 1995. Damit ist schneller als erwartet ein Rückgang der Fertilität eingetreten. Sie liegt derzeit durchschnittlich bei 2,6 Kindern pro Frau (vgl. DWS-Datenreport 2008, 6). Hinter diesen Zahlen verbergen sich jedoch regional sehr ungleiche demographische Entwicklungen (Wachstum, Schrumpfung, Bestandserhaltung). Erst eine differenzierte Betrachtung im historischen und regionalen Kontext macht die vielschichtigen und komplexen Probleme deutlich, die die demographischen und ökologischen Strukturbedingungen der zunehmenden Migrationsbewegungen unserer Zeit ausmachen.

Die Weltbevölkerung brauchte eine Million Jahre, um bis zum Jahr 1805 auf die erste Milliarde zu wachsen. Sie brauchte dann 120 Jahre, um auf die zweite Milliarde zu wachsen. Die dritte Milliarde erreichte sie in 35 Jahren und danach in nur 15 Jahren die vierte (vgl. Allen C. Kelley, 1988, 1685). Sie benötigte für die fünfte Milliarde 13 Jahre und für die sechste hat sie 12 Jahre benötigt. Voraussichtlich werden 2012 sieben Milliarden Menschen auf der Erde leben (vgl. DSW- Datenreport, 2008, 3). Das Tempo des Bevölkerungswachstums nimmt somit besorgniserregend zu. Die Frage, ob und wieweit die Weltbevölkerung weiterhin in diesem rasanten Tempo wachsen kann, hängt unter anderem entscheidend von der Höhe der Fertilität (durchschnittliche Geburtenzahl pro Frau) ab. Die Bevölkerungsprojektionen von UN und Weltbank gehen von drei Varianten der Fertilität aus. Die mittlere Variante legt eine Fertilität von 2,1 Kindern je Frau zugrunde, die für die konstante Bestandserhaltung der Bevölkerung erforderlich ist. Bei dieser Variante ist die Nettoreproduktionsrate (Zahl der lebend geborenen Mädchen pro Frau) gleich 1,00, d.h. pro Frau wird ein Mädchen geboren. Nach der statistischen Wahrscheinlichkeit entfällt auf jedes Mädchen ein Junge, so dass sich die Bevölkerung ohne zu wachsen bzw. zu schrumpfen reproduziert. Die Fertilität der unteren optimistischen Variante liegt unterhalb des Bestanderhaltungsniveaus (weniger als 2,1 Kinder pro Frau), so dass die Bevölkerung schrumpft. Die Fertilität der oberen pessimistischen Variante liegt über dem Bestanderhaltungsniveau (mehr als 2,1 Kinder pro Frau), so dass die Bevölkerung insgesamt wächst (vgl. Herwig Birg, 1996, 82, 97-98).

Zieht man die Bevölkerungsprojektion der mittleren Variante heran, so geht sie von der Annahme aus, dass die gesamte Fertilität der Welt, die in den Jahren von 1995 bis 2000 bei dem Niveau von 2,82 lebend geborenen Kindern pro Frau lag, bis zum Jahr 2050 fast auf das Bestanderhaltungsniveau von 2,15 lebend geborenen Kindern pro Frau abnehmen wird (vgl. United Nations Population Division, 2001, 1). Die Weltbevölkerung wird dennoch, bedingt durch die junge Altersstruktur, bis Mitte des 22. Jahrhunderts weiter wachsen.

Tabelle 8:   Weltbevölkerung Mitte 2008 und Bevölkerungsprojektionen in Mio.

	2008	2025	2050	Gesamte Fertilität
Welt	6.705	8.000	9.352	2.6
Industrieländer	1.227	1.269	1.294	1.6
Entwicklungsländer	5.479	6.731	8.058	2.8
nach Kontinenten				
Afrika	967	1.358	1.932	4.9
Asien	4.052	4.793	5.427	2.4
Lateinamerika	577	687	778	2.5
Nordamerika	338	393	480	2.1
Europa	736	726	685	1.5
Ozeanien	35	42	49	2.4

Quelle: DSW-Datenreport 2008. Soziale und demographische Daten zur Weltbevölkerung. Hannover: DSW, 6-16

Aus den Zahlen der obigen Tabelle geht hervor, dass die Bevölkerungszahl der Entwicklungsländer vom Jahr 2008 bis zum Jahr 2050 um fast 67 % zunimmt, während die der Industrieländer einen Zuwachs von lediglich 25 Mio. zu verzeichnen hat. In den Entwicklungsländern werden demnach fast 86 % der gesamten Weltbevölkerung leben, d.h. die sechsfache Zahl der Menschen der Industrieländer. Besonders auffallend ist das enorme Wachstum in Afrika, wo die Bevölkerung in den nächsten 42 Jahren von 967 Mio. fast auf 2 Mrd. wachsen und damit mehr als verdoppeln wird. Allein in Asien werden 58 % (5,42 Mrd., gut 80 % der gesamten Weltbevölkerung heute) und in Afrika etwa 21 % (1,932 Mrd.) der Weltbevölkerung leben, während die Bevölkerung in Europa um 51 Mio. abnehmen und nur einen Anteil von etwa 7,3 % an der Weltbevölkerung ausmachen wird. Damit entfällt fast der gesamte Zuwachs der Weltbevölkerung auf die Entwicklungsländer. Der Bevölkerungszuwachs im gegenwärtigen Dezennium beträgt nahezu 1 Mrd. Menschen. Der Anteil der Dritten Welt an diesem globalen Wachstum erhöhte sich von 77 % im Jahre 1950 auf 93 % im Jahre 1990. Gegenwärtig „wächst die Weltbevölkerung jährlich um etwa 80 Mio. Menschen. 99 Prozent dieses Wachstums findet in den Entwicklungsländern statt" (vgl DWS-Datenreport 2008, 4). Von 1990 bis 2006 wurde in Afrika südlich der Sahara ein jährliches Bevölkerungswachstum von 2,6 % ermittelt. Von 2006 bis 2015 wird es geringfügig sinken und 2,3 % betragen (vgl. The World Bank, 2008, 42). Mitte 2008 lag die Fertilität in Afrika südlich der Sahara bei 5,4 %. Mitte 2008 betrug die natürliche Wachstumsrate der Bevölkerung 3,3 % in Mali, 3,2 % in Malawi, 3,1 % in Guinea-Bissau, Liberia und Uganda, 3 % in Benin, Burkina Faso, Senegal, Burundi sowie in Eritrea und 2,8 % in Kenia, Komoren sowie in Madagaskar. Afrika südlich der Sahara stellt die Weltregion mit dem prozentual stärksten Bevölkerungswachstum dar (vgl. DSW-Datenreport 2008, 6). Es können kaum allgemeingültige Aussagen darüber gemacht werden, welche unmittelbaren Auswirkungen dieses enorme Bevölkerungswachstum auf die zukünftige Situation der Entwicklungsländer haben wird. Eine regional und länderspezifisch differenzierte Betrachtungsweise scheint hier angebracht zu sein, um eine objektive und sachgemäße Bewertung zu erreichen.

Die hohen Wachstumsraten der Bevölkerung in den ärmsten Ländern und Regionen der Dritten Welt sind unmittelbar verbunden mit dramatisch anwachsenden Problemen bei der Versorgung mit Nahrungsmitteln, Wasser, Wohnraum, medizinischer Grundsorgung und zeitlich versetzt Bildung, Beschäftigung usw. Dabei ist die Tatsache zu berücksichtigen, dass die Wirtschaftsstruktur der Länder der Dritten Welt weitgehend durch die Landwirtschaft geprägt ist (agricultural-based countries) und ihr Anteil am Bruttoinlandsprodukt (Gesamtheit aller im Laufe eines Jahres im Inland produzierten Güter und Dienstleistungen) durchschnittlich 32 % beträgt. Zu diesen Ländern zählen die Länder in Afrika südlich der Sahara, in denen 417 Mio. Menschen in ländlichen Regionen leben und davon 82 % in der Landwirtschaft beschäftigt sind (vgl. The World Bank, 2007, 4). Die Weltbank geht allgemein davon aus, dass in den armen Ländern der Dritten Welt die Landwirtschaft durchschnittlich 34 % zum Bruttoinlandsprodukt (GDP) beiträgt und die dort arbeitenden Menschen 64 % der Gesamtzahl der Beschäftigten ausmachen. In den Ländern mit unterem Einkommen trägt die Landwirtschaft 22 % zum GDP bei und macht 43 % der Beschäftigten aus. Dagegen sinkt der Beitrag der Landwirtschaft zum GDP in den Ländern mit mittlerem Einkommen auf 8 %, während die Landwirtschaft 22 % der Beschäftigung ausmacht (vgl. The World Bank, 2007, 27).

Tabelle 9:   Characteristics of Three Country Types, 2005

	Agriculture-based Countries (a)	Transforming Countries (b)	Urbanized Countries (c)
Rural population (millions), 2005	417	2,220	255
Share of population rural (%), 2005	68	63	26
GDP per capita (2000 US $) 2005	379	1.068	3.489
Share of agriculture in GDP (%), 2005	29	13	6
Annual agricultural GDP growth, 1993-2005 (%)	4,0	2,9	2,2
Annual nonagricultural GDP growth, 1993-2005 (%)	3,5	7,0	2,7
Number of rural poor (millions), 2002	170	583	32
Rural poverty rate, 2002 (%)	51	28	13

Source: The World Bank, 2007, 4-5

(a) Länder, in denen die Landwirtschaft die Hauptquelle des Wirtschaftswachstums ist. Ihr Anteil am GDP beträgt durchschnittlich 32 %. 70 % der armen Bevölkerung leben in den ländlichen Regionen. Zu dieser Gruppe zählen hauptsächlich die Länder in Afrika südlich der Sahara mit einer Bevölkerung von 417 Millionen Menschen. 82 % der Bevölkerung in dieser Region leben in den agrarisch ausgerichteten Ländern.
(b) Länder, in denen der Anteil der Landwirtschaft am GDP nur 7 % beträgt. 82 % der armen Bevölkerung leben in den ländlichen Regionen. China, Indien, Indonesien, Marokko and Rumänien gehören zu diesen Ländern. In dieser Gruppe leben 2,2 Milliarden Menschen als Landbevölkerung. 98 % der Landbevölkerung in Südasien, 96 % in Ostasien und im pazifischen Raum sowie 92 % im Mittleren Osten und in Nordafrika zählen dazu.
(c) Länder, in denen die Landwirtschaft durchschnittlich 5 % zum GDP beiträgt. Ob-

wohl 45 % der ländlichen Bevölkerung arm sind, konzentriert sich die Armut in den urbanen Regionen. Die Nahrungsmittelindustrie und der Dienstleistungssektor haben einen Anteil von 33 % am GDP. 255 Millionen Menschen (88%) in Lateinamerika und in der Karibik sowie in Europa und Zentralasien leben in diesen Ländern.

Nach der Einteilung der Weltbank sind Länder mit unterem Einkommen solche, deren Bruttonationaleinkommen (GNI) pro Kopf im Jahr 2006 905 US-Dollar oder weniger betrug, während Länder mit mittlerem Einkommen unterer Kategorie (lower middle income) solche sind, deren das GNI pro Kopf im Jahr 2006 von 906 bis 3.595 US-Dollar betrug, während Länder mit mittlerem Einkommen oberer Kategorie (upper middle income) solche sind, deren GNI pro Kopf im Jahr 2006 von 3.596 bis 11.115 US-Dollar erreichte. Länder mit höherem Einkommen (high income) sind solche, deren GNI pro Kopf im Jahre 2006 11.116 US-Dollar und mehr erreichte (vgl. The World Bank, 2008, Innenseite des Deckblattes).

Innerhalb der weitgehend agrarisch geprägten Wirtschaftsstruktur der Dritten Welt führt das anhaltende hohe Bevölkerungswachstum zur unmittelbaren Verschlechterung der Arbeitsproduktivität (Produktionsertrag pro Arbeitseinsatz) in der Landwirtschaft, da die Produktionsfaktoren Kapital und Boden nicht entsprechend dem Bevölkerungswachstum vermehrt werden können. Dies bedeutet, dass wesentlich mehr Arbeitskräfte als nötig an landwirtschaftlichen Produktionsverfahren beteiligt sind, ohne dabei den Produktionsertrag zu erhöhen. Die unmittelbaren Folgen hiervon sind Unterbeschäftigung und versteckte Arbeitslosigkeit im Bereich der Landwirtschaft. Der Grenzertrag nimmt damit ab und folglich sinkt der Lebensstandard. Die Zahl der Menschen wächst, die den gleichbleibenden bzw. sogar abnehmenden Ertrag miteinander teilen müssen. Sollte der Lebensstandard bei gleichbleibender Bodenmenge erhalten bleiben, müsste durch wissenschaftliche und technologische Innovationen der landwirtschaftliche Ertrag gesteigert oder fehlende Nahrungsmittel eingeführt werden, wofür in den meisten Entwicklungsländern jedoch das erforderliche Kapital fehlt.

Vor diesem Hintergrund ist zu sehen, dass in der Zeit von 2003 bis 2005 weltweit 848 Millionen Menschen unterernährt (undernourished) waren, obwohl die Welt genügend Nahrungsmittel produzierte, um alle Menschen hinreichend ernähren zu können. 2007 war ein Jahr, das unter anderem durch die steigenden Rohölpreise, den Rückgang der Getreideernte durch häufige Überschwemmungen und durch die steigende Nachfrage nach ölhaltigen Getreidesorten aufgrund der subventionierten Bioölproduktion gekennzeichnet war.

Die dadurch steigenden Nahrungsmittelpreise haben die Zahl der chronisch unterernährten Menschen um weitere 75 Mio. erhöht, so dass 2007 923 Mio. Menschen weltweit chronisch unterernährt waren. In Afrika südlich der Sahara war die Rate der Unterernährung am höchsten, wo jeder Dritte unter chronischem Hunger litt. Zwischen den frühen 1990er Jahren und von 2003 bis 2005 hat die Bevölkerung in dieser Region um 200 Mio. zugenommen, während die Zahl der Untererernährten in der selben Zeit um 43 Mio. von 169 auf 212 Mio. gestiegen war. Dagegen ist die Zahl der Unterernährten in Asien und im pazifischen Raum von 582 Mio. auf 542 Mio. leicht zurückgegangen. Dennoch lebt heute zwei Drittel der Unterernährten der Welt in dieser Region (vgl. FAO, 2008, 6, 10-17).

Als Mitte der 1970er Jahre wegen der steigenden Preise eine globale Nahrungsmittelkrise eintrat, wurde in der fachlichen Diskussion die Konzeption der „food security" (Ernährungssicherheit) eingeführt. Nach einer allgemein akzeptierten Definition besteht die „food security" dann, wenn alle Menschen jederzeit einen physischen, sozialen und ökonomischen Zugang zu ausreichenden, sicheren und nahrhaften Nahrungsmitteln haben, um ihren Nahrungsbedarf (dietary needs) zu decken, ihren Ernährungspräferenzen (food preferences) zu entsprechen und damit ein aktives und gesundes Leben führen zu können (vgl. The World Bank, 2007, 94). Im Welternährungsgipfel (The World Food Summit) von 1996 wurde das Ziel gesetzt, bis zum Jahr 2015 die Zahl der Unterernährten weltweit zu halbieren und auf etwa 410 Millionen zu reduzieren (vgl. FAO, 2002, 2). Im September 2000 haben die Mitglieder der Vereinten Nationen einstimmig die „Millenium Declaration" verabschiedet. Darin wurden konkrete und ehrgeizige Teilziele (The Millennium Development Goals) formuliert, die sowohl zur weltweiten Halbierung der Zahl der Unterernährten bis zum Jahr 2015 als auch zur Verbesserung der Wohlfahrt (welfare) aller Menschen notwendig sind (vgl. The World Bank, 2003/2, 14). Die Fortschritte, die seit dieser Zeit bei der Erreichung der gesetzten Ziele in einigen Weltregionen erreicht werden konnten, hatten jedoch durch die steigenden Nahrungsmittelpreise in den Jahren 2007 und 2008 einen herben Rückschlag erfahren. Die Erreichung des gesetzten Ziels ist damit in weite Ferne gerückt (vgl. FAO, 2008, 6, 22).

Die Verlangsamung des Wachstums der Weltbevölkerung und die graduelle Sättigung des Nahrungsmittelkonsums in Teilen der Welt tragen dazu bei, dass die Nachfrage nach Nahrungsmittel, auch deren Produktion, langsamer steigt als in den vergangenen drei Jahrzehnten. Dennoch wird die Weltbevölkerung bis 2030 jährlich um etwa 67 Millionen Menschen wachsen, wobei die Entwicklungsländer den Hauptanteil daran haben. Man geht davon aus, dass die Wachstumsrate der Bevölkerung in Afrika südlich der Sahara in den Jahren 2025 bis 2030 2,1 % betragen wird. Dies bedeutet, dass die derzeitige Getreideproduktion der Welt von 1,9 Mrd. Tonnen auf 2,9 Mrd. Tonnen, d.h. um 1 Mrd. Tonnen zunehmen muss, um den Bedarf abdecken zu können (vgl. Jelle Bruinsma, 2003, 4).

Dabei wird die Nachfrage nach unterschiedlichen Nahrungsmitteln auf der Basis des Pro-Kopf-Nahrungsmittelkonsums (kcal/person/day) berechnet. Um die grundlegenden Körperfunktionen, wie Atmung und Zirkulation des Blutes, ohne zusätzliche körperliche Aktivitäten aufrechterhalten zu können, benötigt ein Erwachsener in den Entwicklungsländern, unabhängig von der individuell-physischen Konstitution (Alter, Geschlecht, Größe und Gewicht usw.), 1300 bis 1700 kcal pro Tag. Kommt leichte körperliche Aktivität hinzu, so benötigt er etwa 1720 bis 1960 kcal pro Tag. Es wird angenommen, dass diese von der Nahrungsaufnahme resultierende Energiemenge bis 2030 auf 1760 bis 1980 kcal pro Kopf/Tag ansteigen wird. Die Bevölkerungsgruppen, bei denen die durchschnittliche individuelle Nahrungsaufnahme nicht ausreicht, um diese Kalorienmenge pro Tag zu erzeugen, sind unterernährt (undernourished), weil die Nahrungsaufnahme für die Aufrechterhaltung der Gesundheit und leichten körperlichen Aktivität nicht ausreicht (vgl. Jelle Bruinsma, 2003, 5, 34).

Die Prognosen gehen generell von einem signifikanten Anstieg des Pro-Kopf-Nahrungsmittelkonsums aus. 2015 wird er im Weltdurchschnitt bei 3000 kcal pro Person/Tag und ab 2030 bei über 3000 kcal pro Person/Tag liegen. In dieser Steigerung spiegelt sich der steigende Pro-Kopf-Nahrungsmittelkonsum in den Entwicklungsländern wider, der von 2680 kcal pro Person/Tag in den Jahren 1997/1999 auf 2850 kcal pro Person/Tag im Jahr 2015 ansteigen wird. Derzeit leben 61 % der Weltbevölkerung in den Ländern, in denen der Pro-Kopf-Nahrungsmittelkonsum den Wert von 2700 kcal pro Person/Tag übersteigt. Dieser Bevölkerungsanteil wird bis 2015 auf 81 % ansteigen. 2015 werden sogar 48 % der Weltbevölkerung in den Ländern leben, in denen der Pro-Kopf-Nahrungsmittelkonsum den Wert von 3000 kcal pro Person/Tag übersteigen wird. Dieser Anteil der Weltbevölkerung wird bis 2030 sogar auf 58 % anwachsen (vgl. Jelle Bruinsma, 2003, 5, 39-40).

Tabelle 10:   Per Capita Food Consumption (kcal/person/day)

	1984/86	1997/99	2015	2030
World	2.655	2.803	2.940	3.050
Developing Countries	2.450	2.681	2.850	2.980
Sub-Saharan Africa	2.057	2.195	2.360	2.540
Near East/North Africa	2.953	3.006	3.090	3.170
Latin America and the Caribbean	2.689	2.824	2.980	3.140
South Asia	2.205	2.403	2.700	2.900
East Asia	2.559	2.921	3.060	3.190
Industrial Countries	3.206	3.380	3.440	3.500
Transition Countries *	3.379	2.906	3.060	3.180

Source: Jelle Bruinsma, 2003, 30
* Easteuropean Countries and Russian Federation

Damit wird deutlich, dass die Welt im Pro-Kopf-Nahrungsmittelkonsum einen signifikanten Fortschritt gemacht hat. Der Verbrauch ist von einem Durchschnittswert von 2360 kcal pro Person/Tag in der Mitte der 1960er Jahre auf den derzeitigen Durchschnittswert von 2800 kcal pro Person/Tag gestiegen. Der Pro-Kopf-Nahrungsmittelkonsum pro Tag in China, Indonesien und Brasilien hat bereits das Niveau von 2900 bis 3000 kcal erreicht. Seit 1980 haben auch Indien, Pakistan und Nigeria einen enormen Fortschritt bei dem Pro-Kopf-Nahrungsmittelkonsum gemacht, so dass sie sich heute im Weltdurchschnitt auf mittlerem Niveau befinden. Dabei ist bedenken, dass in den 1960er Jahren 57 % der Weltbevölkerung, China und Indien eingeschlossen, unterhalb des Niveaus von 2200 kcal pro Person/Tag gelebt haben (vgl. Jelle Bruinsma, 2003, 29-32). Afrika südlich der Sahara ist die einzige Weltregion, in der die höchste Fertilität (siehe Tabelle 8) ein rasantes Bevölkerungswachstum auslöst, das bei der begrenzten Nahrungsmittelproduktion den niedrigsten Pro-Kopf-Nahrungsmittelkonsum (siehe Tabelle 10) zur Folge hat.

Tabelle 11:   Cereal Balances, World and Major Country Groups

	Demand				Production	Net trade	SSR*
	Per capita (kg)		Total (Mio. Tonnes)		(Mio. Tonnes)		%
	Food	All Uses	Food	All Uses			
					World		
1997/99	171	317	1.003	1.864	1.889	9	101
2015	171	332	1.227	2.380	2.387	8	100
2030	171	344	1.406	2.830	2.838	8	100
					Developing Countries		
1997/99	173	247	790	1.129	1.026	-103	91
2015	173	265	1.007	1.544	1.354	-190	88
2030	172	279	1.185	1.917	1.652	-265	86
					Industrial Countries		
1997/99	159	588	142	525	652	111	124
2015	158	630	150	600	785	187	131
2030	159	667	155	652	900	247	138
					Transition Countries		
1997/99	173	510	72	211	210	1	100
2015	176	596	70	237	247	10	104
2030	173	685	66	263	287	25	110

Source: Jelle Bruinsma, 2003, 65

Hier: Selektive Zusammenstellung der Daten aus Tabelle 3.3

* Self-sufficient Rate = Selbstversorgungsrate, d.h. der Grad, in dem die Produktion die Nachfrage deckt

Einige Entwicklungsländer, darunter auch China, haben bereits einen Pro-Kopf-Nahrungsmittelkonsum pro Tag von 3030 kcal erreicht. Dieser Wert wird bis 2030 auf 3275 kcal pro Person/Tag ansteigen, so dass dies fast dem Wert der Industrieländer entspricht. Dagegen wird prognostiziert, dass die Bevölkerung der genannten Länder mit 0,9 % pro Jahr langsamer wächst, im Gegensatz zu 1,8 % pro Jahr in den letzten drei Dekaden. Das langsame Bevölkerungswachstum und der herannahende Sättigungsgrad haben zur Folge, dass die aggregierte Nachfrage nach Nahrungsmitteln im Weltdurchschnitt eine graduell abnehmende Wachstumsrate zeigen wird. Sie wird von dem jährlichen Wert von 4,2 % in den Jahren von 1969 bis 1999 zu einem jährlichen Wert von 1,9 % bis 2015 und dann zu dem Wert von 1,5 % pro Jahr in den darauf folgenden 15 Jahren bis zum Jahr 2030 abnehmen (vgl. Jelle Bruinsma, 2003, 60-61).

Derzeit ist in den Entwicklungsländern ein Strukturwandel im Ernährungsverhalten der Bevölkerung zu beobachten. Er besteht darin, dass der Konsum tierischer Produkte (z.B. Fleisch, Milch, Eier), von Pflanzenöl und Zucker als Kalorienspender zunimmt. Nach den Prognosen wird deren derzeitiger Anteil am gesamten Nahrungsmittelverbrauch von 28 % auf 32 % bis 2015 und auf 35 % bis 2030 ansteigen. Vor diesem Hintergrund steigt der Konsum von Getreide (cereals), wie Weizen, Reis, Mais, als Hauptnahrungsmittel bzw. Hauptkalorienspender mit einer allmählich sinkenden Wachstumsrate. Der Pro-Kopf-Getreidekonsum der Welt betrug zwischen 1997 bis 1999 317 kg. Es wird prognostiziert, dass dieser Konsum bis 2015 auf 332 kg und bis 2030 auf 344 kg ansteigen wird (siehe Tabelle 11), so dass die Getreidenachfrage von derzeitig 1,86 Mrd. Tonnen um eine weitere Milliarde Tonne wachsen wird. Der durchschnittliche Pro-Kopf-Getreidekonsum beträgt in den Entwicklungsländern derzeit 173 kg, was 56 % der gesamten Kalorienmenge ausmacht, die ein Erwachsener benötigt. Es wird erwartet, dass der Verbrauch an Getreide (food use) sich auf diesem Niveau stabilisieren wird, obwohl der Getreidekonsum in absoluten Zahlen weltweit steigt. Getreide wird zunehmend als Futtermittel für die Viehzucht (all uses) benötigt (vgl. Jelle Bruinsma, 2003, 50, 74).

Wie der Tabelle 11 zu entnehmen ist, wächst bei dem Getreidekonsum der Entwicklungsländer die Nachfrage schneller als die Produktion, so dass der Fehlbedarf durch steigenden Import ausgeglichen werden muss. Die traditionellen Exportländer von Getreide (Nordamerika, Australien, Argentinien, Uruguay, Thailand, EU und Vietnam) exportieren jährlich 176 Mio. Tonnen, während die Entwicklungsländer, hier ohne die Getreide-Exportländer unter den Entwicklungsländern wie Argentinien, Thailand und Vietnam, jährlich 135 Mio. Tonnen importieren. Japan, Israel und die osteuropäischen Länder, die nicht der EU angehören, importieren jährlich 33 Mio. Tonnen Getreide. Nach Prognosen wird der Getreideimport der Entwicklungsländer und Industrieländer zusammen auf 275 Mio. Tonnen bis 2015 und auf 368 Mio. Tonnen bis 2030 anwachsen. Die Handelsdefizite der Entwicklungsländer (siehe Tabelle 11) werden sich bis 2030 vervierfachen und ca. 61 Mrd. US-Dollar erreichen (vgl. Jelle Bruinsma, 2003, 50, 72, 81, 239).

Um diesen wachsenden Bedarf an Getreide abzudecken, wäre die Erschließung neuer und zusätzlicher landwirtschaftlicher Anbauflächen notwendig. Dies scheint jedoch nicht ohne weiteres möglich zu sein. In Südostasien, wo die Anbaufläche relativ knapp ist, konnten kaum neue Anbauflächen gewonnen werden. Dort kamen eher landsparende (z.B. Terrassenbau), aber arbeitsintensive Technologien zum Einsatz. In Afrika und Lateinamerika war die Erschließung neuer landwirtschaftlicher Anbauflächen wegen der zu hohen Kosten und Risiken (z.b. diverse Krankheitserreger) bisher kaum rentabel, obwohl dort noch Land zur Kultivierung vorhanden ist (vgl. Allen C. Kelley, 1988, 1710-1712). Auch die klimatischen (z.B. ungleiche Verteilung der Niederschläge übers Jahr) und naturräumlichen Gegebenheiten (z.b. überwiegend semi- bzw. vollaride Gebiete, wo die Verdunstung durchschnittlich stärker ist als der Niederschlag, so dass der Regenfeldbau nicht möglich ist) machen die landwirtschaftliche Flächenausdehnung nicht ohne weiteres möglich.

Um den Nahrungsmittelbedarf der schnell wachsenden Bevölkerung ohne gleichzeitige Ausdehnung der Anbauflächen zu decken, wird seit den 1960er und 1970er Jahren die intensivierte Nutzung der vorhandenen Anbauflächen und die landwirtschaftliche Ertragssteigerung durch Einführung neuer resistenter und ertragreicher Hybriden angestrebt (Grüne Revolution), unter regional und produktionstechnisch unterschiedlichen Voraussetzungen und Anbaumethoden (vgl. Jürg A. Hauser, 1991, 381-392). Diese weltweiten Bemühungen und deren unbeabsichtigten negativen ökologischen Folgen sollen als strukturelle Bedingungen der Migration an drei Beispielen verdeutlicht werden.

Zunächst ist die Übernutzung des Bodens zu nennen. Die traditionelle landschonende Anbaumethode bestand in der Beachtung der biologischen Regenerationsfähigkeit des Bodens, indem durch die geschickte Wahl der Fruchtfolgen und Kulturen eine rotierende und abwechslungsreiche Mischkultur praktiziert wurde. Dadurch konnte die sog. Brachperiode (fallow periods) des Bodens beachtet werden, in der der Boden sich so regenerierte, dass seine Nährstoffe und sein Feuchtigkeitsgehalt wiederhergestellt wurden. Der demographisch bedingte Mehrbedarf an Nahrungsmitteln führte zwangsläufig zur kontinuierlichen Bestellung der Anbauflächen unter Missachtung der Brachperiode (vgl. FAO, 2002, 5). Dies führte dazu, dass die biologische Regeneration des Bodens immer weniger möglich war und bewirkte die sukzessiv sinkende Bodenproduktivität aufgrund der Erschöpfung des Bodens. Der Ertragsrückgang führt dann zur intensiven chemischen Düngung (Stickstoffdünger, Phosphatdünger, Pottasche, Pestizide usw.), um die rückläufige Produktivität des Bodens zu kompensieren. Diese Degradierung (degradation) des Bodens verseucht und verändert in ihrer Konsequenz die Bodenstruktur mit ihrer natürlichen Vielfalt an biologisch-organischen Elementen (biotic diversity) dahingehend, dass sie letztlich für immer nicht regenerierbar wird. Somit wird der Boden als Anbaufläche von einer erneuerbaren in eine nicht-erneuerbare Ressource umgewandelt. Den natürlichen Umweltkatastrophen (z.B. Vulkanausbrüche, Erdbeben, Wirbelstürme, Orkane, lange Dürreperioden, Erdrutsche, Lawinen, Überschwemmungen, großflächige Waldbrände) werden damit anthropogene Umweltzerstörungen hinzugefügt, die letztendlich zur Erosion des Bodens führen. Dies bedeutet, dass Menschen in den Entwicklungsländern mit überwiegender Agrarstruktur zum Verlassen ihres Lebensraumes (Landflucht bzw. Land-Stadt-Migration) gezwungen werden (vgl. Allen C. Kelley, 1988, 1718; Jürg A. Hauser, 1990, 152-155, 168-170; Manfred Wöhlcke, 1992, 13; Paul R. Ehrlich et al.,1993, 9-12; Hartwig de Haen, Nikos Alexandratos, Jelle Bruinsma, 1998, 38-39).

Die Bewässerungslandwirtschaft ist ein weiteres Beispiel für die Bemühungen zur Steigerung der landwirtschaftlichen Erträge. In ariden bzw. semiariden Gebieten und in Gebieten mit ungleichen Niederschlägen stellt die Bewässerung (irrigation) die am meisten eingesetzte Methode zur Gewinnung zusätzlicher Anbauflächen dar. Derzeit (2003) werden 20 % der gesamten Getreideanbauflächen der Welt (668 Mio. Hecktar Land) bewässert. Der dadurch erzielte Ernteertrag macht 40 % der weltweiten Getreideproduktion aus. 2030 wird dieser Ertrag auf 47 % ansteigen (vgl. Jelle Bruinsma, 2003, 15). Falsche Bewässerungssysteme verfehlen nicht nur die angestrebte Ertragssteigerung, sondern bewirken zusätzlich die dauerhafte Zerstörung der natürlichen Bodenstruktur. Wenn das bewässerte Land nicht rechtzeitig entwässert wird, versumpft es zunächst und bildet dann eine Salzschicht, so dass eine Versalzung (salinization) des Bodens eintritt. Wird die Bewässerung mit Grundwasser betrieben, sinkt auf Dauer der Grundwasserspiegel, so dass immer tiefere Bohrungen notwendig werden, um Wasser zu gewinnen. Grundwasser enthält oft mehr Salze und Mineralien als Oberflächenwasser, so dass die exzessive Bewässerung mit Grundwasser die Versalzung des Bodens verstärkt. Die Versalzung des Bodens und der dadurch steigende Alkaligehalt führen letztlich zur bewässerungsbedingten Desertifikation (Verwüstung), die wiederum Menschen zum Abwandern aus ihrer Herkunftsregion zwingt (vgl. Paul R. Ehrlich et. al., 1993, 12-13; Hartwig de Haen, Nikos Alexandratos, Jelle Bruinsma, 1998, 39).

Rodung und Abholzung (deforestation) sind weitere Bemühungen zur landwirtschaftlichen Ertragssteigerung. Bevölkerungswachstum und steigender Bedarf an Nahrungsmitteln haben unter anderem die kapitalstarken Investoren zum Betreiben von Plantagen in der Dritten Welt veranlasst, zwecks agrarischer

Exporte. Diese Kommerzialisierung der Landwirtschaft, die ungleich verteilten Landbesitzungen und die Bebauung mit Wohnungen auf Kosten der landwirtschaftlichen Flächen in der Dritten Welt reduzieren in größerem Ausmaß das den Subsistenzfarmern zur Verfügung stehende Land. Der armen Bauernbevölkerung bleibt nur die Rodung des Urwaldes, um neue landwirtschaftliche Anbauflächen zu gewinnen. Die Fruchtbarkeit der so gewonnenen Anbauflächen wird durch die kontinuierliche Bewirtschaftung innerhalb weniger Jahre schnell erschöpft, weil aus dem Boden zuviel genommen und zu wenig an ihn zurückgeben wird. Weitere Rodungen der Waldbestände sind somit die Folge. Die Brandrodung als traditionelle Anbaumethode kommt hinzu, die zusammen mit der Waldrodung zur zunehmenden Reduzierung der Waldbestände führen. In der Dritten Welt stellt neben der Rodung von unberührten Wäldern auch die Abholzung zur Gewinnung von Brennholz und Wärmeenergie eine traditionell selbstverständliche Praxis dar. 90 % aller Menschen in den Entwicklungsländern heizen und über zwei Drittel von ihnen kochen direkt mit Holz. Nach den Angaben der UN hatten bereits Mitte der 1980er Jahre 125 Millionen Menschen in 23 Entwicklungsländern ihren Brennholzbedarf nicht abdecken können. 2005 waren weltweit insgesamt 4 Mrd. ha Landfläche bewaldet. Davon verschwinden jährlich 13 Mio. ha Waldbestände (größer als die Fläche der BRD), insbesondere in Afrika südlich der Sahara. Die Wiederaufforstung reduziert den gesamten jährlichen Verlust der Waldbestände auf 7,3 Mio. ha (vgl. The World Bank, 2008, 125). Die unmittelbaren Folgen der Rodung und Abholzung, Abholzung zur Gewinnung von Industrieholz miteinberechnet, sind die Abnahme der Bodenfeuchtigkeit und damit die steigende Gefahr der Erosion, was wiederum Menschen zum Verlassen ihrer Lebensräume zwingt. Langfristige Folgen hiervon sind der Verlust der ökologischen Funktion des Waldes, die Ressourcen Wasser und Boden zu stabilisieren und das Klima zu regulieren (vgl. Paul R. Ehrlich et. al., 1993, 24).

Das Fazit der weltweiten Bemühungen zur intensivierten Nutzung und Ertragssteigerung der landwirtschaftlichen Anbauflächen ist die zunehmende Bodenerosion (Abbau der Humusschicht), die in Ausmaß und Geschwindigkeit die natürliche Neubildung von Humus bei weitem übersteigt. Ein Zentimeter natürliche Bodenbildung erfordert die Dauer eines Millenniums, während heute pro Dezennium 1 cm Boden abgebaut wird. Dadurch gehen jährlich insgesamt 24 Mrd. Tonnen Erde (soil) verloren. Schätzungen weisen weltweit auf eine jährliche durchschnittliche Verlustrate der Humusschicht von 7 % hin (vgl. Paul R. Ehrlich et. al., 1993, 8). Nach und nach kommt der untere sandige und steinreiche Boden als nacktes Skelett zum Vorschein. Die anthropogen herbeigeführten Ursachen (z.B. Über- und Fehlnutzung des Bodens mit intensiver chemischer Düngung, Überweidung, unkontrollierte Rodung und Abholzung) bewirken somit unauffällig aber kontinuierlich den ökologischen Zerfall des Bodens, insbesondere in den überwiegend agrarisch strukturierten Ländern der Dritten Welt.

Die unmittelbaren Folgen sind die abnehmende Bodenproduktivität bzw. Bodenfruchtbarkeit und der damit einhergehende steigende Bearbeitungsaufwand des Bodens, der wiederum die Produktionskosten in die Höhe treibt. Der Verlust der Humusschicht von 2,5 cm bewirkte in den USA beim Maisanbau 6 % Ertragsverlust, während der Humusverlust von 10 cm in Westafrika bei Mais einen Ertragsverlust von 52 % bewirkte. Zudem ist die Bearbeitung des humusarmen Bodens ohne Maschineneinsatz oft kaum möglich, was wiederum die Produktionskosten (z.B. zusätzliche Energiekosten) nach oben treibt. Damit führt die anhaltende Bodenerosion über die Degradierung des Bodens zur endgültigen Desertifikation (Verwüstung), die in letzter Konsequenz Menschen zur Aufgabe ihrer bisherigen Lebensgrundlage zwingt (vgl. Jürg A. Hauser, 1990, 48, 148, 169). Vor diesem Hintergrund werden Begriffe wie „environmental pressure" und „environmental migration" gebraucht (vgl. Hugo Graeme, 1996, 125). Dennoch soll hier nicht der Eindruck erweckt werden, als ob die Umweltzerstörungen allein durch die Dritte Welt verursacht würden. Der Löwenanteil geht auf das Konto der Industrieländer. Beispielsweise emitieren allein die Länder mit höherem Einkommen (15 % der Weltbevölkerung) mehr als die Hälfte des Kohlendioxids sowie aller anderen Treibhausgase. 2004 war die Pro-Kopf-Emission an Kohlendioxid in den Industrieländern dreizehnmal größer als die der Länder mit unterem Einkommen und dreimal größer als die der Länder mit mittlerem Einkommen (vgl. The World Bank, 2008, 124).

Tabelle 12: World's Urban Agglomerations with Population of 10 Million or more Inhabitants in 2005 and 2015

	2005	Mio.		2015	Mio.
1.	Tokyo	35,197	1.	Tokyo	35,494
2.	Mexiko City	19,411	2.	Bombay	21,869
3.	New York	18,718	3.	Mexiko City	21,568
4.	Sao Paulo	18,333	4.	Sao Paulo	20,535
5.	Bombay	18,196	5.	New York	19,876
6.	Delhi	15,048	6.	Delhi	18,604
7.	Schanghai	14,503	7.	Schanghai	17,225
8.	Kalkutta	14,277	8.	Kalkutta	16,980
9.	Jakarta	13,215	9.	Dacca	16,842
10.	Buenos Aires	12,550	10.	Jakarta	16,822
11.	Dacca	12,430	11.	Lagos	16,141
12.	Los Angeles	12,298	12.	Karatschi	15,156
13.	Karatschi	11,608	13.	Buenos Aires	13,396
14.	Rio de Janeiro	11,469	14.	Kairo	13,138
15.	Osaka-Kobe	11,268	15.	Los Angeles	13,095
16.	Kairo	11,128	16.	Manila	12,917
17.	Lagos	10,886	17.	Beijing	12,850
18.	Beijing	10,717	18.	Rio de Janeiro	12,770
19.	Manila	10,686	19.	Osaka-Kobe	11,309
20.	Moskau	10,654	20.	Istanbul	11,211

Source: United Nations Department of Economic and Social Affairs. Population Division, 2007

Die zunehmende Landflucht und die Entstehung von Megastädten in den Ländern der Dritten Welt (siehe Tabelle 12) sind unter anderem vor dem skizzierten Hintergrund zu sehen. Die ökologische Zerstörung des wichtigsten Produktionsfaktors „Boden" in der Dritten Welt, die durch das Bevölkerungswachstum und durch den steigenden Mehrbedarf an Nahrungsmitteln anthropogen eingeleitet wird, ist sicherlich eine zentrale Ursache (vgl. Hugo Graeme, 1996, 113-120). Die dadurch ausgelöste Urbanisierung führt nicht nur zu einer großen Umschichtung der Bevölkerung, sondern auch zu der Entwicklung, dass die größten Megastädte fast ausschließlich in den Entwicklungsländern entstehen. Während 1950 weltweit 775 Mio. Menschen in den urbanen Regionen gelebt haben, lebten 2005 bereits 3,2 Mrd. Menschen in den urbanen Regionen, deren Zahl bis 2018 auf 4 Mrd. ansteigen wird. Es wird angenommen, dass bis zum Jahr 2030 60 % der Weltbevölkerung in den städtischen Regionen leben werden. Bedenkt man, dass 1950 nur zwei Städte mehr als 10 Mio. Einwohner hatten und es bis zum Jahr 2015 22 solcher Megastädte geben wird, davon 17 in den Entwicklungsländern, dann wird deutlich, in welchem Umfang sich der Prozess der Urbanisierung in den Entwicklungsländern vollzieht. Die gesamte Zahl der städtischen Bevölkerung der Welt erreichte 1961 die erste Milliarde, danach in 17 Jahren die zweite Milliarde und 2003 die dritte Milliarde. Schätzungen weisen darauf hin, dass sie 2030 die vierte Milliarde erreichen wird. Im Jahr 2015 werden weltweit 310 Mio. Menschen, 9 % der Weltbevölkerung, allein in diesen Megastädten leben (vgl. United Nations, 2007).

Die Migration ist eine der drei Faktoren der Bevölkerungsentwicklung (Fertilität, Mortalität, Migration). Das rasante Bevölkerungswachstum in der Dritten Welt, die damit zusammenhängenden Versorgungsprobleme, die anthropogenen Umweltzerstörungen und schließlich die verfehlte Politik, die bisher die erforderlichen Investitionen für den Ausbau der Infrastruktur der ländlichen Regionen zugunsten der Städte vernachlässigt hat, haben zusammen die Emigration der Landbevölkerung in die urbanen Zentren verstärkt. Damit werden die Versorgungsprobleme keineswegs gelöst. Sie werden lediglich von den ländlichen in die städtischen Regionen verlagert, obwohl dort keine Lösung zu erwarten ist. An den Peripherien der neu entstehenden Groß- und Megastädte bilden sich provisorische und notdürftig errichtete Barackensiedlungen ohne jegliche Versorgungsinfrastruktur (z.B. Wasser- und Stromversorgung, Müllbeseitigung). Die offizielle Politik zögert mit dem Aufbau einer Infrastruktur in den Slumregionen, weil sie Menschen vor den Zuzug in die städtischen Regionen abschrecken will. Dennoch bieten die Großstädte den Auswanderern grundsätzlich mehr Möglichkeiten zum Überleben als die ländlichen Regionen, z.B. durch Bettelei, Straßenverkauf, Autowaschen, Abfallsammlung, Schuhputzen, Prostitution, Gelegenheitsarbeit, Drogenhandel. Vieles spricht dafür, dass die Emigration der Landbevölkerung in die städtischen Ballungsgebiete der Dritten Welt auch in Zukunft anhalten wird. Die hohe Bevölkerungsrate und die anthropogenen Umweltzerstörungen schaffen in ihrer Gesamtheit letztlich entscheidende demographische und ökologische Strukturbedingungen für die zunehmenden Migrationsbewegungen im neuen Jahrhundert.

2.3 Ungleiche wirtschaftliche Entwicklung der Industrie- und Entwicklungsländer und Armutsprobleme

Eine der Bedingungen für die zunehmenden Migrationsbewegungen im vorigen und neuen Jahrhundert war und ist die wachsende strukturelle Ungleichheit im wirtschaftlichen Bereich zwischen den Ländern der Dritten Welt im Süden, den Ländern in Osteuropa und den Industrieländern im Norden (Nord-Süd-Gefälle, Ost-West-Gefälle). Eine analytische Skizzierung der problematischen wirtschaftlichen Entwicklungen in der Dritten Welt und der osteuropäischen Länder mit deren sozialen Folgen vor dem Hintergrund des bereits thematisierten Bevölkerungswachstums soll den Zusammenhang der wirtschaftsstrukturellen Bedingungen für den wachsenden Migrationsdruck aufzeigen.

Das anhaltende Bevölkerungswachstum in der Dritten Welt hat unmittelbar zur Folge, dass die sich dramatisch verschlechternde Grundversorgung von Menschen mit Nahrungsmitteln, Wasser, Energie, Unterkunft usw. bewältigt werden muss. Ein weiteres unmittelbar daran anschließendes Problem ist das der Beschäftigung der Menschen, die im arbeitsfähigen Alter von 15 bis 64 Jahren sind und auf der Suche nach bezahlter Arbeit (wage employment) auf den Arbeitsmarkt drängen. 2006 betrug die Zahl der Arbeitskräfte weltweit 3.081 Mrd. Menschen (siehe folgende Tabelle 13). Davon waren 34 % (20 % Männer und 14 % Frauen) in den Ländern mit mittlerem Einkommen oberer Kategorie (upper middle income) und 7 % (4 % Männer und 3 % Frauen) in den Ländern mit höherem Einkommen (high income) im Bereich der Landwirtschaft beschäftigt. Dagegen waren 48 % (31 % Männer und 17 % Frauen) sowie 49 % der Männer und 68 % der Frauen in Ländern mit mittlerem Einkommen oberer Kategorie im Bereich der Industrie und Dienstleistung beschäftigt. In den Ländern mit höherem Einkommen waren 47 % (34 % Männer und 13 % Frauen) sowie 62 % der Männer und 85 % der Frauen im Bereich von Industrie und Dienstleistung beschäftigt (vgl. The World Bank, 2008, 50).

Die Tatsache, dass 34 % der Arbeitskräfte in Ländern mit mittlerem Einkommen oberer Kategorie (Angaben zu den Ländern mit unterem Einkommen fehlen in der Statistik der Weltbank von 2008) und dagegen nur 7 % der Arbeitskräfte in den Ländern mit höherem Einkommen im Bereich der Landwirtschaft beschäftigt waren, hängt einerseits mit der unterschiedlichen Höhe der Arbeitsproduktivität zusammen. Dies bedeutet, dass der landwirtschaftliche Ertrag, der von nur 7 % der Arbeitskräfte in den Industrieländern erzielt wurde, voll ausreichte, um über die Befriedigung der Nachfrage nach Nahrungsmitteln hinaus einen Überschuss zu exportieren (siehe Tabelle 11, S. 144). Der Beitragsumfang und -wert pro Arbeitseinheit zum Output (Produktionsertrag) in den Ländern mit höherem Einkommen waren damit bedeutend größer als in den Ländern mit mittlerem Einkommen oberer Kategorie. Andererseits bedeutet die wesentlich niedrigere Zahl der Beschäftigten im Bereich der Landwirtschaft in den Ländern mit höherem Einkommen, dass die Arbeitsproduktivität im Bereich von Industrie und Dienstleistung wesentlich größer war als die im Bereich der Landwirtschaft. Der daraus resultierende Mehrwert war mehr als ausreichend, die Kosten des evtl. Nahrungsmittelimports aus dem Ausland zu kompensieren. Die Abwanderung der Arbeitskräfte aus der Landwirtschaft in die Bereiche von Industrie und Dienstleistung ist damit ein wirtschaftslogisch erklärbarer und verständlicher Vorgang.

Die höhere Arbeitsproduktivität und der daraus resultierende Mehrwert an Gütern und Dienstleistungen in den Industrieländern führen zur Steigerung ihres Bruttosozialproduktes und zur höheren Entlohnung der Arbeiter. Dies wiederum führt zum steigenden Lebensstandard der Bevölkerung. Der höhere Lebensstandard erlaubt den Menschen über die Befriedigung der Grundbedürfnisse hinaus finanzielle Aufwendungen für Bildung, Gesundheit, Freizeit, Erholung usw. zu tätigen. Folglich wird der Dienstleistungssektor zunehmend ausgebaut. Er substituiert den primären Sektor der Landwirtschaft soweit, dass dort die Zahl der Beschäftigten auf ein Minimum schrumpft. Die kulturkritischen Zeitdiagnosen von Soziologen (vgl. David Riesman, 1968; Daniel Bell, 1975; Ulrich Beck, 1986; Ronald Inglehart, 1989; Gerhard Schulze, 1992) vor dem Hintergrund des Überganges von der vorindustriellen Agrargesellschaft (Armutsgesellschaft) über die Industriegesellschaft (Risikogesellschaft und Gesellschaft der Massenproduktion und des Massenkonsums) zur Dienstleistungsgesellschaft (Überfluss- und Erlebnisgesellschaft) thematisieren gerade diese skizzierte Entwicklung, die in den Ländern mit höherem Einkommen zu beobachten ist.

Tabelle 13:   Labor Force Structure of the World

Region	Population Age 15-64 Millions	Labor Force Total millions		Average annual Growth rate %	Female % of Labor force
	1990	2006	2010*	1990-2006	2006
World	2.386,6	3.081,8	3.376,7	1,6	39,9
Low income (1)	694,0	995,4	1.367,5	2,3	35,0
Middle income	1.258,0	1.582,6	1.526,5	1,4	41,9
Lower middle income	954,4	1.208,6	1.271,1	1,5	42,0
Upper middle income	303,7	374,0	255,4	1,3	41,5
Low & middle income	1.952,1	2.578,0	2.894,0	1,7	39,2
East Asia & Pacific	858,7	1.074,1	1.140,5	1,4	43,5
Europe & Central Asia	216,4	214,6	248,1	- 0,5	44,7
Latin America & Carib.	171,1	257,4	269,2	2,6	40,8
Middle East & N. Africa	64,9	111,8	134,1	3,4	28,0
South Asia	430,6	597,1	738,9	2,0	29,3
Sub-Saharian Africa	210,3	323,0	363,2	2,7	42,2
High income	434,5	503,8	482,7	0,9	43,4

Source: The World Bank, 2008, 46

* Source: The World Bank, 2003, 44

(1) Für die Einteilung der Länder nach dem GNI siehe S. 140

Die Steigerung der Arbeitsproduktivität setzt jedoch wirtschaftliche und soziokulturelle Bedingungen voraus, die in den Ländern mit unterem und mittlerem Einkommen (Entwicklungsländer) kaum vorhanden sind. Die Gründe dafür sollen im Folgeden analysiert werden.

Das jährliche Wachstum an Arbeitskräften hat sich von 1990 bis 2006 regional unterschiedlich entwickelt. Während es in den Ländern mit höherem Einkommen 0,9 % betrug, betrug es in Ostasien und im pazifischen Raum 1,4 %, in Südasien 2,0 %, in Nahost und Nordafrika sogar 3,4 % (vgl. The World Bank, 2008, 46). Das mit 3.081 Mrd. Menschen bezifferte Arbeitskräftepotential der Welt (2006) wird nach der Projektion der Weltbank bis zum Jahr 2010 um weitere 295 Mio. zunehmen. Dabei wird der Anteil der Entwicklungsländer an diesem Wachstum etwa 85 % ausmachen (siehe Tabelle 13).

Es ist darauf hinzuweisen, dass nicht jeder im arbeitsfähigen Alter tatsächlich an der volkswirtschaftlich relevanten Erwerbsarbeit beteiligt ist (economically active). Dadurch ist die Zahl der Erwerbsfähigen in der Regel größer als die der Erwerbstätigen. Die Größe und das Profil der verfügbaren Arbeitskräfte hängen dabei nicht nur von dem natürlichen und wanderungsbedingten Bevölkerungswachstum und seiner Altersstruktur ab. Diese werden zusätzlich von den unterschiedlichen individuellen Reaktionen der Menschen im arbeitsfähigen Alter gegenüber den politischen, sozialen und wirtschaftlichen Bedingungen bestimmt. In den Industrieländern ist zu beobachten, dass junge Menschen zunehmend längere Zeit in der Ausbildung verbleiben, um den wachsenden Anforderungen des Arbeitsmarktes nach höheren und sich verändernden Qualifikationen besser begegnen zu können, und dass die Lebensarbeitszeit der erwerbstätigen Menschen durch das gesetzlich bestimmte Ruhestandsalter variiert.

Es ist weiterhin zu sehen, dass die Erwerbsbeteiligung der Frauen durch die unterschiedlichen soziokulturellen Bedingungen regional und länderspezifisch unterschiedlich beeinflusst wird. Beispielsweise wurden 1990 in Mexiko nur 22 % der Frauen im Alter über 15 Jahre als Arbeitskräfte in der offiziellen Statistik gezählt, während in Kanada 58 % der Frauen im Alter über 15 Jahre als Arbeitskräfte statistisch erfasst wurden (vgl. David E. Bloom et al., 1993, 6-7). Hier wird deutlich, dass von Frauen verrichtete Arbeiten (z.B. die Erzeugung landwirtschaftlicher Produkte in Afrika) bei der statistischen Erfassung der volkswirtschaftlich produktiven Arbeit nicht immer Berücksichtigung finden. Die hier exemplarisch genannten Gründe sind unter anderem dafür verantwortlich, dass die Rate der Erwerbsbeteiligung der Menschen im arbeitsfähigen Alter regional und länderspezifisch unterschiedlich ausfällt (siehe Tabelle 14).

Tabelle 14:   Labour Participation Rate and Unemployment Rate by Sex in Selected OECD Countries

	Participation rate		Unemployment rate	
	Men	Women	Men	Women
	2006 (%)		2003-2005 (%)	
Austria	70	56	4,9	5,5
Australia	70	56	4,9	5,3
Belgium	60	44	7,4	9,0
Canada	72	61	7,0	6,5
Czech Republic	67	52	6,5	9,8
Denmark	69	59	4,1	5,6
Finland	66	57	8,2	8,7
France	61	48	9,0	10,8
Germany	65	51	11,3	10,9
Greece	65	44	5,8	15,2
Hungary (2001)	58	42	7,0	7,5
Ireland	70	36	4,6	3,8
Italy	66	36	6,2	10,1
Netherlands	73	57	4,9	5,6
Norway	73	64	4,8	4,4
Portugal	70	56	6,7	8,7
Slovak Republic	68	52	15,2	17,2
Spain	67	45	7,0	12,2
Sweden	67	59	7,8	7,6
Switzerland	75	61	3,9	5,1
United Kingdom	69	55	5,0	4,1
United States	73	60	5,1	5,1

Source: The World Bank, 2008, 44-46, 56-58

Wie den Angaben der Tabelle 15 zu entnehmen ist, fällt die Wachstumsrate der Arbeitkräfte sowohl auf Weltniveau als auch in den Industrie- und Entwicklungsländern gering aus. In den Industrieländern ist sogar eine leicht sinkende Entwicklung der Arbeitskräfte zu erkennen. Einer der Gründe dafür liegt in dem rückläufigen Bevölkerungswachstum der Industrieländer. Darüber hinaus ist zu berücksichtigen, dass das Eintrittsalter ins Berufsleben in den Industrieländern durch die längeren Ausbildungszeiten hinausgeschoben wird. Zusätzlich haben ältere Arbeitnehmer in den Industrieländern die Möglichkeit früher in den Ruhestand zu gehen, um unter anderem auch für die nachfolgende Generation Platz zu schaffen.

Tabelle 15: Economically Active Population Estimates and Projections (EAPEP)

	2008	2010	2015	2020
World				
Both Sexes (Total)	65,1	65,0	64,8	64,2
Men	77,5	77,4	76,8	76,0
Women	52,6	52,7	52,8	52,5
More developed countries				
Both Sexes (Total)	60,5	60,5	60,0	59,0
Men	68,3	68,0	66,9	65,5
Women	53,3	53,5	53,6	53,0
Less developed countries				
Both Sexes (Total)	66,3	66,2	65,9	65,4
Men	79,9	79,6	79,1	78,2
Women	52,4	52,5	52,6	52,4

Source: www.ilo.org / siehe Rubrik: Statistics and Databases (2009)
Hier: Selektive Zusammenstellung der Daten

2006 bestand die Gesamtzahl der Arbeitskräfte der Welt aus knapp der Hälfte der Weltbevölkerung (siehe Tabelle 13). Die Erwerbsquote dieser Arbeitskräfte betrug 2008 in den Industrieländern 68,3 % bei den Männern und 53,3 % bei den Frauen (siehe Tabelle 15). Dies bedeutet, dass die Zahl der Erwerbstätigen weltweit noch kleiner ausfällt als die statistisch erfasste Zahl der Arbeitskräfte. Folglich mussten die Erwerbstätigen durch ihre Erwerbsarbeit all diejenigen miternähren, die entweder jünger als 15 oder älter als 64 Jahre oder aus anderen Gründen nicht an der Erwerbsarbeit beteiligt waren. Diese Lastenquote (dependency ratio) der Erwerbstätigen, d.h. die Anzahl der abhängigen Menschen, die auf je 100 Erwerbspersonen entfällt, wird in den Industrieländern durch die sinkende Geburtenrate und Überalterung der Bevölkerung zunehmend größer werden, während sie in den Entwicklungsländern umgekehrt durch die deutlich jüngere Altersstruktur und niedrigere Lebenserwartung kleiner werden wird.

Tabelle 16: Weltbevölkerung 2008 nach Alter und in %

Region	< 15 J.	> 65 J.	Wirtschaftl. abhängige Bevölkerung
Welt	28	7	35
Industrieländer	17	16	33
Entwicklungsländer	30	6	36
Ohne China	34	5	39
Nordamerika	20	13	33
Lateinamerika + Karibik	30	6	36
Europa	16	16	32
Asien	27	7	34
Afrika	41	3	44
Ozeanien	25	10	35

Quelle: Zusammenstellung nach dem DSW-Datenreport 2008, 6-16

Die Angaben der folgenden Tabelle 17 vermitteln den Eindruck, als ob die Länder mit niedrigstem Bruttoinlandsprodukt (GNI) nur auf dem afrikanischen Kontinent zu finden wären, während sich die Länder mit dem höchsten GNI überwiegend in Europa befinden. Armut kommt jedoch keineswegs nur in Afrika vor. Sie ist heute ein weltweites Problem. Dennoch ist generell feststellbar, dass das Einkommensgefälle zwischen den ärmsten und reichsten Ländern kontinuierlich wächst. Das GNI in Norwegen ist z.B. 191 mal größer als das in Tansania, das GNI in Deutschland ist 169 mal größer als das in Eritrea und das GNI in Japan ist 188 mal größer als das in Guinea-Bissau. Solche Vergleiche sind zwar relativ, sie machen dennoch deutlich, wie groß und unüberbrückbar das Wohlstandsgefälle zwischen dem Norden und dem Süden geworden ist. Die Zahl der armen Menschen in der Welt, die pro Tag höchstens über 1,25 US-Dollar verfügten, ist seit den 1980er Jahren zum ersten Mal in der Geschichte leicht gefallen. Sie ist von 1,9 Mrd. im Jahr 1981 auf 1,8 Mrd. im Jahr 1990 und auf etwa 1,4 Mrd. im Jahr 2005 gesunken. Der größte Rückgang der Armutsrate ist in Ostasien und im pazifischen Raum eingetreten, weil dort die Armutsrate im bevölkerungsreichsten Land China von 78 % im Jahr 1981 auf 17 % im Jahr 2005 gesunken ist. Im gleichen Zeitraum ist die Armutsrate in Afrika südlich der Sahara von 54 % auf 51 % nur leicht gesunken (vgl. The World Bank, 2009, 18-19). Die Angaben des GNI in der Tabelle 17 dokumentieren jedoch, dass das Einkommen der reichsten Länder in der letzten Dekade überproportional gewachsen ist, während es sich in den ärmsten Ländern der Welt kaum verändert hat. Das Wohlstandsgefälle zwischen den reichsten und ärmsten Ländern der Welt wächst kontinuierlich und unüberbrückbar weiter.

Arme Menschen gibt es überall, sogar in den reichsten Ländern (relative Armut). Es ist schwierig zu definieren, wo die Armutsgrenze (poverty line) liegt. Ungeachtet der fachlichen Diskussion besteht jedoch kaum Zweifel darüber, dass Menschen, die pro Tag mehr oder minder von 1 US-Dollar leben müssen, in absoluter Armut leben. Absolute Armut bedeutet, dass die Betroffenen nicht in der Lage sind, die zur Sicherung ihres Existenzminimums erforderlichen Grundbedürfnisse zu befriedigen. Dabei sind zwei Dimensionen zu unterscheiden. Ist der Lebensstandard so niedrig, dass die bloße physische Existenz nicht gewährleistet werden kann, spricht man von primärer Armut. Sind die Defizite dagegen überwiegend im kulturellen und sozialpsychologischen Bereich, wird der dadurch bedingte Zustand als sekundäre Armut bezeichnet (vgl. Hans-Rimbert Hemmer, 1988, 5, 28). Die zur Sicherung des Existenzminimums erforderlichen Grundbedürfnisse umfassen ausreichende Ernährung mit ca. 1.960 kcal pro Tag (vgl. Jelle Bruinsma, 2003, 34), Gesundheitsdienste zur Bekämpfung der am meisten verbreiteten Krankheiten, Unterkunft, die einen dauerhaften Schutz vor klimatischen Einflüssen gewährt, und schließlich die Grunderziehung für Kinder und Erwachsene (vgl. The World Bank, 2003, 6).

Tabelle 17:   20 Länder mit höchstem und 20 Länder mit niedrigstem Bruttonationaleinkommen (GNI) pro Kopf im Jahre 2007

	Länder	GNI pro Kopf in US $		Länder	GNI pro Kopf in US $
1.	Norwegen	76.450	1.	Guinea	400
2.	Luxemburg	75.880	2.	Tansania	400
3.	Schweiz	59.880	3.	Zentral Afrika. Rep.	380
4.	Dänemark	54.910	4.	Togo	360
5.	Island	54.100	5.	Zimbabwe	340
6.	Irland	48.140	6.	Nepal	340
7.	Schweden	46.060	7.	Uganda	340
8.	USA	46.040	8.	Gambia	320
9.	Niederlande	45.820	9.	Madagaska	320
10.	Finnland	44.400	10.	Mosambik	320
11.	Großbritannien	42.740	11.	Ruanda	320
12.	Österreich	42.700	12.	Niger	280
13.	Belgien	40.710	13.	Sierra Leone	256
14.	Kanada	39.420	14.	Malawi	250
15.	Deutschland	38.860	15.	Eritrea	230
16.	Frankreich	38.500	16.	Äthiopien	220
17.	Japan	37.670	17.	Guinea-Bissau	200
18.	Australien	35.960	18.	Liberia	150
19.	Italien	33.540	19.	Dem. Rep. Kongo	140
20.	Singapur	32.470	20.	Burundi	110

Quelle: The World Bank, 2009, 128-129

Die absolute Armut in der Dritten Welt stellt die schwierigste Herausforderung für die Politik, insbesondere für die Wirtschaftspolitik, dar, weil sie sich
generell negativ auf die Arbeitsproduktivität auswirkt, ohne deren Anhebung
die Steigerung des Arbeitseinkommens nicht möglich ist. Ein für die Sicherung
des Existenzminimums nicht ausreichendes Arbeitseinkommen hat unmittelbar
zur Folge, dass die Ausgaben für Grundnahrungsmittel, die für die Erhaltung
und Regenerierung der Arbeitskraft absolut erforderlich sind, eingeschränkt
werden. Mangelhafte, einseitige und unzureichende Ernährung schränkt nicht
nur die physische, sondern auch die geistige Leistungsfähigkeit der Erwerbstätigen ein. Das nicht ausreichende Arbeitseinkommen führt zudem dazu, dass die

Aneignung von notwendigen bzw. zusätzlichen Qualifikationen durch Bildungsinvestitionen nicht möglich wird. Die ausbleibende Bildungsinvestition in die Humankapitalbildung in einer Zeit der rasanten technischen Entwicklungen führt zwangsläufig zum akkumulierenden Qualifikationsdefizit der Arbeitskräfte. Damit sinkt die Arbeitsproduktivität kontinuierlich, auch im Bereich der Landwirtschaft. Folglich sinkt auch das reale Arbeitseinkommen. So tritt ein circulus viciosus ein, indem das minimale Arbeitseinkommen zur Armut führt, die Armut wiederum Armut verstärkt und zu zunehmender Verelendung führt. Unter dieser Voraussetzung wird die Überwindung des sog. Nord-Süd-Gefälles immer unwahrscheinlicher.

Parallel zu dem aufgezeigten Wohlstandsgefälle zwischen Nord und Süd ist nach dem Ende des Kalten Krieges die Wohlstandskluft zwischen den westlichen Industrieländern und den osteuropäischen Ländern (transition countries) offensichtlich geworden. Nach dem Zusammenbruch des Sozialismus in den ehemaligen Ostblockstaaten wurde die Struktur der zentralgelenkten Planwirtschaft auf die soziale Marktwirtschaft westlicher Prägung umgestellt. Diese Umstellung bestand darin, dass sich die osteuropäischen Staaten aus ihrer bisherigen bestimmenden Rolle im Bereich der Wirtschaft zurückzogen und sie dem Gesetz des freien Marktes überließen. Die Konsequenzen waren eindeutig. Die Wirtschaftsbetriebe, die dem freien Wettbewerb des Marktes nicht standhalten konnten, überlebten nicht. Es gab keine staatlichen Subventionen mehr, die in der Krise aushalfen. Angebot und Nachfrage bestimmten nun die Marktpreise, garantierte Preise gab es nicht mehr. Arbeitsproduktivität und Qualität der Produkte wurden nun entscheidend für die Nachfrage und damit für das Überleben der Betriebe. Unmittelbare Folgen waren die Schließung unzähliger strukturell und technisch überholter Betriebe, Massenentlassungen von Arbeitskräften, Preissteigerungen, sinkendes Bruttosozialprodukt und das drastisch reduzierte Realeinkommen der privaten Haushalte.

Die erste Dekade nach dem Zusammenbruch des Sozialismus in den ehemaligen Ostblockstaaten war eine Zeit des Übergangs (transition), die wesentlich durch eine grundlegende wirtschaftliche und institutionelle Umorientierung dieser Länder nach Westeuropa gekennzeichnet war. Die zweite Dekade ist dagegen durch die intensiven Bemühungen dieser Länder geprägt, die politischen und wirtschaftlichen Voraussetzungen (z.B. stabile Demokratie, Herstellung der Rechtsordnung, Achtung der Menschenrechte, Schutz der Minderheiten sowie Umstellung der Wirtschaft auf soziale Marktwirtschaft und Wettbewerbsfähigkeit) zum EU-Beitritt zu schaffen. Mitte 1997 hat die Europäische Kommission in ihrer Luxemburger Vereinbarung (Luxemburg Agreement) die

Empfehlung ausgesprochen, mit 6 beitrittswilligen Ländern (Tschechische Republik, Estland, Ungarn, Polen, Slowenien und Zypern) Beitrittsverhandlungen aufzunehmen. Der Europäische Rat hat Dezember 1997 diese Empfehlung angenommen. Seit März 1998 wurden konkrete Verhandlungen mit diesen Ländern geführt. Im Jahr 2000 hat die EU auch mit weiteren fünf beitrittswilligen Ländern, der „2000 Grupppe" (Bulgarien, Lettland, Litauen, Rumänien und Slowakische Republik), die in ihren politischen und wirtschaftlichen Aufnahmevoraussetzungen noch nicht so weit waren, wie die „1998 Gruppe", Beitrittsverhandlungen begonnen (vgl. IMF, 2000, 138, 141, 144).

Nach der Zustimmung der Iren für die Osterweiterung der EU wurden die Erweiterungsverhandlungen mit den Kandidatenländern auf dem EU-Gipfel am 12./13. Dezember 2002 in Kopenhagen abgeschlossen. Am 16. April 2003 wurden die Beitrittsverträge für die zehn neuen Mitgliedländer der EU, Polen, Tschechien, Slowakei, Slowenien, Ungarn, Litauen, Estland, Lettland, Malta und Zypern, von den Regierungschefs der 25 Länder in Athen feierlich unterzeichnet. Die neuen Länder sind am 1. Mai 2004 der EU beigetreten. Für jede nationale Währung der neuen EU-Länder wurde ein Wechselkurs gegenüber dem Euro festgelegt. Danach dürfen die Währungen höchstens um 15 Prozent von diesem Referenzkurs abweichen. Anderenfalls müssen nationale Notenbank und Europäische Zentralbank (EZB) intervenieren. Der Ecofin (Rat der europäischen Finanzminister) prüft, ob die zehn neuen EU-Länder die Maastricht-Kriterien erfüllt haben. Als der frühestmögliche Zeitpunkt für die Einführung des Euro als Recheneinheit für die neuen EU-Länder wurde das Jahr 2007 vorgesehen. Die Beitrittsverträge mit Bulgarien und Rumänien wurden am 25. April 2005 unterzeichnet. Die Aufnahme der beiden Länder erfolgte unter strikten Auflagen am 1. Januar 2007. Damit besteht die EU aus 27 Staaten. Am 1.1.2007 und 1.1.2009 wurden Slowenien und die Slowakei in die Euro-Währungsunion aufgenommen.

Die Osterweiterung um die 12 genannten zentral- und osteuropäischen Länder bedeutet für die EU, dass ihre Bevölkerung um ein Viertel größer wird, ihre Kaufkraftparität um 11 % steigt und ihr Bruttosozialprodukt umgekehrt um 13 % sinkt (vgl. IMF, 2000, 138). Kosten, Nutzen und Risiken der Osterweiterung sind daher zu ernstzunehmenden politischen Entscheidungsfragen der EU geworden.

Die Osterweiterung der EU wird oft mit der Angst vor Masseneinwanderung von billigen Arbeitskräften aus den zentral- und osteuropäischen Ländern assoziiert, weil der reale Arbeitslohn in der EU bedeutend höher liegt. Die Arbeitsmigranten aus den zentral- und osteuropäischen Ländern, die in den unmittelbar folgenden Jahren nach der Osterweiterung in die EU zuwandern könnten, wurden pro Jahr auf 335.000 geschätzt. Dabei wurde angenommen, dass Deutschland und Österreich wegen ihrer geographischen Lage die Hauptzielländer dieser Arbeitsmigration sein werden. Ob diese Einschätzung tatsächlich eintritt, wird von vielen kulturellen, politischen, sozialen und wirtschaftlichen Faktoren abhängen. Es wird eine dringende Aufgabe der EU-Wirtschaftspolitik sein, Maßnahmen zur Einkommenskonvergenz zu ergreifen, wenn die EU-Länder den mit der Osterweiterung der EU assoziierten Migrationsdruck vorbeugen wollen (vgl. IMF, 2000, 170-171). Die Beitrittsverträge sehen eine Übergangzeit von 7 Jahren für die neuen Mitgliedländer vor, so dass die Arbeitskräfte aus diesen Ländern erst nach dieser Zeit den freien Zugang zum Arbeitsmarkt der alten EU-Länder erhalten. Großbritannien, Irland und Schweden haben dennoch ihren Arbeitsmarkt von Anfang an für die Arbeitskräfte der neuen Mitgliedländer geöffnet, während Deutschland, Österreich, Belgien und Dänemark bis heute an der Übergangsregelung festhalten (vgl. OECD, 2009, 101). Das IFO Institut schätzt die Zahl der Arbeitsmigranten aus Polen, Rumänien, der Slowakischen Republik, der Tschechischen Republik und Ungarn, die über eine Zeitperiode von 15 Jahren nach der Übergangszeit nach Deutschland zuwanderen werden, auf etwa 3,2 bis 4 Millionen. Sie werden, so die Annahme, einen verschärften Verdrängungswettbewerb im Niedriglohnbereich auslösen (vgl. OECD, 2003, 85).

Die neuen Mitgliedländer der EU haben bereits enorme politische und wirtschaftliche Anstrengungen zur Erfüllung der Konvergenzkriterien unternommen und dabei beachtliche wirtschaftliche Fortschritte zur Steigerung des Bruttosozialprodukts erzielt. Dennoch beträgt das durchschnittliche Pro-Kopf-Nationaleinkommen (GNI per capita) der meisten neuen Mitgliedländer nur etwa ein Drittel (12.715 US-Dollar) des durchschnittlichen GNI per capita der alten EU-Länder (42.000 US-Dollar) im Jahr 2007. Nur das GNI per capita von 2007 in Zypern und Slowenien konnte etwa die Hälfte des durchschnittlichen GNI per capita der alten EU-Länder erreichen. Dagegen macht das GNI per capita in Rumänien und Bulgarien etwa ein Siebtel bzw. ein Zehntel des durchschnittlichen GNI per capita der alten EU-Länder aus (vgl. The World Bank, 2009, 122-129).

Tabelle 18:   New Memberstates of European Union: Population, GNI per Capita, Consumer Prices and Current Account Balance

	Population in Millions	GNI per Capita in US $	Consumer Prices	Current Account Balance
	2007 (1)	2007 (1)	2009 (2)	2009 (2)
Baltics				
Estonia	1,34	13.200	0,8	- 6,5
Latvia	2,28	9.930	3,3	- 6,7
Lithuania	3,38	9.920	5,1	- 4,0
Central Europe				
Czech Rep.	10,33	14.450	1,0	- 2,7
Hungary	10,06	11.730	3.8	- 3,9
Poland	38,06	9.840	2,1	- 4,5
Slovak Rep.	5,40	11.730	3,6	- 5,7
Slovenia	2,02	20.960	1,7	4,0
Southern and Southeastern Europe				
Bulgaria	7,64	4.590		- 12,3
Cyprus	0,79	24.940		- 10,3
Malta	0,41	15.310	3,7	- 5,1
Romania	21,55	6.150	5,9	- 7,5

Source (1): The World Bank, 2009, 122-129
Gross national income (GNI): Gross domestic product (GDP) plus net receipts of primary income (compensation of employees and property income) from abroad
Source (2): International Monetary Fund (IMF), 2009, 74, 78
The consumer prices and current account balance are indicated as annual averages (annual percent change).

Die wirtschaftliche Entwicklung der neuen Mitgliedländer der EU tritt ab der zweiten Hälfte 2007 in die stärkste Rezession seit der Großen Depression ein. Eine Ursache, die allmählich zu dieser Rezession führte, war der sprunghaft gestiegene Ölpreis in 2007, der die Zahlungsbilanzdefizite und Inflationsraten in allen Ländern nach oben schnellen ließ und einen globalen Kontraktionsprozess des Wirtschaftswachstums auslöste. Eine noch entscheidendere Ursache dafür war die in der zweiten Hälfte 2007 beginnende und im Verlauf des Jahres 2008 sich zugespitzte Immobilienkrise in den USA, die die Vernichtung unvorstellbar großer Vermögenswerte zur Folge hatte. Die international agierenden Großbanken gerieten in Liquiditätsprobleme. Die Investmentbank „Lehman Brothers" in den USA war die erste Bank, die insolvent wurde. Da in einer globalisierten Wirtschaft die internationalen Finanzinstitute hochgradig miteinander verflochten und vernetzt sind, folgte der Immobilienkrise die Bankenkrise. Die Banken gewährten trotz der allgemeinen Liquiditätsprobleme untereinander keine Kredite mehr, weil sie der Bonität der anderen Banken nicht mehr trauten. Andererseits konnten sie sich selbst auch nicht mit Liquidität vom internationalen Finanzmarkt versorgen, weil der Insolvenz der Investmentbank „Lehman Brothers" die Insolvenz eines der größten Versicherungskonzerne AIG (American International Group) folgte und sich damit die Bankenkrise weiter dramatisch verschärfte. Das Vertrauen der wirtschaftlichen Akteure ging gänzlich verloren. Der Immobilien- und Bankenkrise folgte damit die Finanzmarktkrise, so dass die US-Regierung mit fast 800 Mrd. US-Dollar Steuergeldern Rettungspakete schnüren musste, um den totalen Kollaps der Wirtschaft zu verhindern (vgl. IMF, 2009, 63, 75-76).

Durch die Banken- und Finanzmarktkrise in den USA wurde dort schätzungsweise ein Kredit im Wert von 2,7 Trillion US-Dollar vernichtet. Weitere Schätzungen gehen davon aus, dass in den nächsten zwei Jahren ein Kreditwert von 4 Trillion US-Dollar weltweit abgeschrieben werden wird. Aufgrund der Schockeffekte der genannten Krisen schrumpfte die aggregierte Gesamtnachfrage der Weltwirtschaft trotz des deutlich gesunkenen Ölpreises. Dies führte unmittelbar dazu, dass das reale Bruttoinlandsprodukt (real GDP) im Euro-Wirtschaftsraum und in Großbritannien seit Mitte 2008 mit einer Jahresdurchschnittsrate von 6 % sank (vgl. IMF, 2009/1, XII, 63, 65, 76). Nach Prognosen der IWF wird das reale Bruttoinlandsprodukt in den USA um 2,6 % und im Euro-Wirtschaftsraum um 4,8 % im Jahr 2009 zurückgehen, während es in Deutschland sogar um 6,2 % schrumpfen wird. Dies hat zur Folge, dass in den USA seit Dezember 2007 7 Millionen Jobs verloren gegangen sind. Die Arbeitslosenquote in den entwickelten Volkswirtschaften (advanced economies) kletterte im Laufe des Jahres 2009 auf 10 % und wird bis 2011 weiter ansteigen. Die Notenbank der USA „Federal Reserve" senkte die Leitzinsen auf 0 %, während die EZB diese auf 1 % senkte, um der Wirtschaft einen geldmarktpolitischen Impuls zu geben (vgl. IMF, 2009/2, 2).

Die reale Wirtschaft der neuen Mitgliedländer der EU ist stark von den wirtschaftlichen Entwicklungen der Industrieländer abhängig, so dass sie ab dem vierten Quartal 2008 von den Folgen der skizzierten Banken- und Finanzmarktkrise voll getroffen wurde. Export, Wirtschaftswachstum und Staatseinnahmen dieser Länder schrumpften aufgrund des drastischen Rückgangs der weltweiten wirtschaftlichen Nachfrage. Die Industrieländer zogen ihr kurzfristiges Kreditkapital (short-term capital) zur eigenen Risikovorsorge zurück und ihre Auslandsdirektinvestitionen blieben weitgehend aus. Dies führte zu massiven Liquiditätsproblemen. Die baltische Länder, Ungarn, Polen und Rumänien wurden fast insolvent, so dass sie ihren laufenden Zahlungsverpflichtungen kaum nachkommen konnten. Sie mussten bei dem IWF Uberbrückungskredite beantragen, um ihre Zahlungsbilanzdefinzite auszugleichen. Aufgrund des sinkenden Ölpreises ging die Inflationsrate merklich zurück, dennoch hatten diese Länder die Last der wachsenden Zahlungsbilanzdfizite zu tragen (siehe Tabelle 18). Die Aufnahme von Krediten auf dem internationalen Finanzmarkt war kaum möglich bzw. sehr teuer. (vgl. IMF, 2009/1, 75-78).

Nach der Prognose vom März 2009 wird die Arbeitslosenquote im OECD-Raum bis 2010 von 6 auf 10 % ansteigen. Dies bedeutet, dass die Zahl der Arbeitslosen von 34 Mio. im Jahr 2008 auf 56 Mio. im Jahr 2010 weiter ansteigen wird. Die Folgen dieser stärksten Rezession seit der Großen Depression werden die Lebensbedingungen in den osteuropäischen Ländern weiterhin verschlechtern und einen zusätzlichen Push-Faktor zur Migration ausmachen (vgl. OECD, 2009, 16).

Die aufgezeigten wirtschaftsstrukturellen Bedingungen, die absolute Armut in der Dritten Welt, die wirtschaftlichen Umstellungsprobleme sowie die Folgen der Banken- und Finanzmarktkrise bewirken aus mehreren Gründen einen entscheidenden „Push-Effekt" für Migrationsbewegungen aus den osteuropäischen Ländern. Zunächst ist davon auszugehen, dass die Menschen bestrebt sind, ihre Lebensbedingungen nach Möglichkeit zu verbessern. Diese Bestrebungen werden in dem Ausmaß konkrete Formen annehmen, in dem durch die moderne Nachrichtenübermittlung über den Wohlstand anderer Länder informiert wird und die eigenen trostlosen Lebensbedingungen im Vergleich dazu bewusster werden. Ob dabei die Migration als Problemlösung in Frage kommt, wird von vielen Faktoren abhängen. Ausschlaggebend wird sein, welche wirtschaftlichen Perspektiven im Herkunftsland zu erwarten sind. Die Projektion der Weltbank hat bereits vorgerechnet, dass das Arbeitskräftepotential der Welt bis zum Jahr 2010 um weitere 0,294 Mrd. von 3.081 Mrd. auf 3,376 Mrd. zunehmen wird und die Entwicklungsländer daran einen Anteil von 85 % haben werden (siehe Tabelle 13). Ob es der Politik gelingt, dieses Arbeitskräftepotential zu beschäftigen, bleibt offen.

Dazu, wieviele Menschen im arbeitsfähigen Alter weltweit beschäftigungslos bleiben, insbesondere in den Ländern mit unterem Einkommen, sind keine Daten vorhanden. Nach der Definition der ILO (International Labour Organization) gelten diejenigen als arbeitslos, die zwar arbeiten wollen, aber vergeblich nach Erwerbsarbeit suchen und weiterhin für den Arbeitsmarkt verfügbar bleiben (vgl. The World Bank, 2008, 59). Der Zuwachs der Arbeitskräfte der Welt um 295 Mio. von 2006 bis 2010 bedeutet, dass die Zahl der Arbeitskräfte pro Jahr um etwa 73 Mio. wächst. Davon werden jährlich etwa 40 Mio. auf den Arbeitsmarkt kommen, um Beschäftigung zu finden. In einer Zeit der Globalisierung der Wirtschaft, in der wegen internationaler Firmenfusionen und technologischer Entwicklungen die Produktion von Gütern und Dienstleistungen ständig rationalisiert und damit Arbeitskräfte freigesetzt werden, bedeutet die genannte Zahl eine enorme Herausforderung für die Politik.

Theoretisch ist denkbar, dass die politischen Anstrengungen auf nationaler und internationaler Ebene die Humankapitalbildung durch gezielte Bildungsinvestitionen vorantreiben und dadurch die Arbeitsproduktivität kontinuierlich steigern. Es ist auch denkbar, dass die Entwicklungsländer, wie die Schwellenländer in Asien seit den 1960er Jahren gezeigt haben, durch eine exportorientierte Wirtschaftspolitik nicht nur ihre bisherige Substitutionspolitik überwinden, sondern darüber hinaus den notwendigen Anschluss an die sich globalisierende Wirtschaft schaffen. Diese idealtypischen Szenarien benötigen, auch wenn sie heute umgesetzt würden, eine lange Anlaufzeit, um die erhoffte Wirkung zu erzielen. Ob die Betroffenen soviel Zeit haben und bereit sind, geduldig auf die Verbesserung ihrer Lebensbedingungen zu warten, ist fraglich.

Viele Beispiele zeigen eine andere Entwicklung. Der anhaltende Prozess des „Brain Drain" ist ein Beispiel dafür, dass jährlich unzählige Fachkräfte und Wissenschaftler auf der Suche nach besseren Lebensbedingungen unterentwickelte Länder verlassen. Millionen von geringqualifizierten Frauen aus Süd- und Ostasien und aus osteuropäischen Ländern, die in europäischen Industrieländern und in den GCC-Ländern eine Anstellung als „domestic workers" suchen, ist ein anderes Beispiel. Wachsende illegale Migration von Lateinamerika und Afrika nach Europa ist ein weiteres Beispiel. Die ungleichen wirtschaftlichen Entwicklungen in den Industrieländern, osteuropäischen Ländern sowie Ländern der Dritten Welt und die dadurch induzierten strukturellen Ungleichheiten der Welt stellen eine der entscheidenden globalen Bedingungen für die weltweiten Migrationsbewegungen dar. Der Wunsch der Menschen, an dem Wohlstand der Welt teilhaben zu wollen, macht keinen Halt vor der Abschottung der Industrieländer.

2.4 Restriktive politische und legislative Reaktionen der Industrieländer gegenüber dem wachsenden Migrationsdruck

Die weltweit zunehmenden Migrationsbewegungen bedeuten nicht, dass sie in ihrer Fließrichtung frei sind. Sie werden vielmehr durch die restriktiven politischen, legislativen und administrativen Regulierungsmaßnahmen der Aufnahmeländer maßgeblich gesteuert und kontrolliert. Die Aufnahmeländer lassen sich dabei von ihren nationalen Interessen leiten und verfolgen die Zielsetzung, den größtmöglichen Nutzen zu erzielen und die Kosten so gering wie möglich zu halten, eine Politik nach dem Prinzip der Nutzenmaximierung und Kostenminimierung. Sie gehen dabei von der Vorstellung aus, dass der Migrationsvorgang eine Selektion der notwendigen „manpower-resource" darstellt, in dem solche Migranten ausgewählt und aufgenommen werden, die sie bei der Verfolgung ihrer nationalen und wirtschaftlichen Interessen für nützlich halten. Sie legen daher die Rahmenbedingungen für die Migration fest, indem durch politische Entscheidungen und legislative Regelungen die jährlich zulässige Quote, die Qualitätsanforderungen sowie die Verweildauer (temporär oder permanent) der aufzunehmenden Migranten bestimmt werden. Die Unterscheidung zwischen legaler und illegaler Migration ist somit eine Frage der Einhaltung bzw. Missachtung solcher gesetzlichen Vorgaben.

Grundlage dieser Regulierung sind die unterschiedlichen kulturellen, politischen und wirtschaftlichen Interessen der jeweiligen Länder. Die traditionellen Einwanderungsländer verfolgen in ihrer Einwanderungspolitik primär wirtschaftliche und demographische Interessen. Sie verstehen sich nicht nur als Nation von Einwanderern, die der Not und Verfolgung entflohen sind, sondern sind in ihrer Volksbildung weiterhin auf die kontinuierliche Einwanderung von jungen, arbeitsfähigen und qualifizierten Menschen angewiesen. Ihr natürliches Bevölkerungswachstum kann langfristig das notwendige Arbeitskräftepotential, das zur weiteren wirtschaftlichen Erschließung und Entwicklung ihrer Länder unverzichtbar ist, nicht sicherstellen. Liberale Einwanderungspolitik war und ist somit eine überlebensnotwendige Bevölkerungs- und Wirtschaftspolitik. Die Tatsache, dass sie in ihren einwanderungspolitischen Leitideen und Legitimationen nicht frei von rassistischen und nationalistischen Ideologien waren und Einwanderer unterschiedlicher ethnischer, religiöser und nationaler Herkunft diskriminierten, widerspricht nicht ihrer interessenorientierten Einwanderungspolitik. Diese Politik wurde auch von den ehemaligen Kolonialländern betrieben, indem eine Politik der begrenzten Zuwanderung praktiziert wurde. Migrationspolitik kann auch durch arbeitsmarktpolitische Interessen bestimmt werden. Die Migration von Sklaven, Vertragsarbeitern (indentured workers), Saisonarbeitern und Gastarbeitern sind Beispiele, die durch diese Arbeitsmarktpolitik induziert wurden. Auch ethnische Interessen und humanitäre Wertvorstellungen können die Migrationspolitik leiten, wie die Aufnahme von Angehörigen ethnischer Minderheiten durch das ethnische Mutterland (z.B. Aussiedler) oder die Aufnahme von Flüchtlingen und deren Angehörigen im Rahmen der Familienzusammenführung zeigen.

Unabhängig von den unterschiedlichen länderspezifischen Interessen und Begründungen der Migrationspolitik ist seit den 1970er Jahren sowohl in den traditionellen Einwanderungsländern als auch in den europäischen Industrieländern eine generelle politische Entwicklung zu beobachten, in der die politische und legislative Regulierung der Migrationsbewegungen kontinuierlich verschärft werden. Die wirtschaftlichen Krisen und die Massenarbeitslosigkeit, die im Zuge der rasanten technologischen Innovationen und der zunehmenden Globalisierung der Wirtschaft in fast allen Industrieländern eingetreten sind, sind maßgeblich für diese Entwicklung. Die Industrieländer mit ihren wirtschaftlichen und innenpolitischen Problemen wollen von zusätzlichen Belastungen, die durch die Einwanderung von problembeladenen Menschen entstehen, weitgehend verschont bleiben. Sie sind daher zu einer Politik der rigorosen Restriktion bzw. Abschottung übergegangen. Diese Abwehr- und Abschottungspolitik wird in dem Ausmaß verschärft, in dem der Migrationsdruck aus der Dritten Welt durch das rasante Bevölkerungswachstum und das Ungleichgewicht der wirtschaftlichen Entwicklung wächst. Der Druck wird auch in dem Ausmaß wachsen, in dem die Zahl der abgelehnten Migranten die der angenommenen überproportional übersteigt.

Die Tatsache, dass immer mehr Länder, die bisher Herkunftsländer von Migranten waren, nun zu Aufnahmeländern werden, ist auch Beleg dafür. Die Wahrscheinlichkeit wird größer, dass dieser Druck in der Illegalität sein Ventil sucht. So gesehen stellen die restriktiven politischen und legislativen Abwehrreaktionen der Industrieländer eine der grundlegenden strukturellen Bedingungen der heutigen Migrationsbewegungen dar. Eine zusammenfassende Darstellung dieser Reaktionen der traditionellen Einwanderungsländer und europäischen Industrieländer ist somit erforderlich.

2.4.1 Einwanderungspolitik der traditionellen Einwanderungsländer

Die traditionellen Einwanderungsländer USA, Kanada und Australien sind die einzigen noch verbliebenen Länder, deren Grenzen für eine legale Einwanderung von Menschen aus aller Welt offiziell offen sind. Ihre Einwanderungspolitik in der zweiten Hälfte des vorigen Jahrhunderts ist im Hinblick auf Herkunft und quantitative Zuteilung der Einwanderer in Regionen liberaler und offener geworden, im Gegensatz zur früheren Praxis. Parallel dazu lässt sich jedoch bezüglich der Kontrolle und Steuerung der illegalen Einwanderer und Asylsuchenden ein grundlegender Wandel erkennen, der zunehmend restriktiven Charakter trägt.

a) Die Vereinigten Staaten von Amerika

Die Einwanderungspolitik der USA war bis 1965 durch das Quotensystem (the national quota system) geprägt, das 1921 zur Bevorzugung der Einwanderer aus Nord- und Westeuropa eingeführt wurde. Danach wurden jährlich 150.000 Einwanderungsvisa, bevorzugt an Einwanderer aus Europa, erteilt. Diese rassendiskriminierende Einwanderungspolitik wurde durch „The Immigration and Nationality Act" (INA) von 1965 offiziell aufgegeben. Nun wurde die Zahl der jährlich zu erteilenden Einwanderungsvisa auf insgesamt 270.000 angehoben, wobei die jährlich zulässige Zahl der Einwanderer aus einem Land auf 20.000 begrenzt wurde. Ab 1991 wurde diese jährliche Begrenzung auf 25.620 angehoben. Den Schwerpunkt der neuen liberalen Einwanderungspolitik bildet ab 1965 die Familienzusammenführung (family reunion). 2005 machten die Familienmigranten 69,7 % aller Einwanderer aus (vgl. IOM, 2008, 157). Damit wird nicht nur die hohe Wertschätzung der Institution Familie politisch umgesetzt, sondern gleichzeitig die Zielsetzung verfolgt, die soziale, wirtschaftliche und politische Integration der Einwanderer in die amerikanische Gesellschaft möglichst reibungslos zu gestalten (vgl. Demetrios G. Papademetriou, 1993, 315). Die Zahl der jährlichen Einwanderer steigt kontinuierlich. Sie stieg von 450.000 in den 1970er Jahren auf 600.000 in den 1980er Jahren und dann auf mehr als 900.000 in den 1990er Jahren (vgl. OECD, 1998, 179). Für das Jahr 2006 erreichte diese bereits 1,266 Millionen. Diese seit 1991 höchste Zahl war wesentlich auf die Zunahme der Migranten, die aus humanitären Gründen aufgenommen wurden und auf die Zunahme der Familienzusammenführung zurückzuführen (vgl. OECD, 2008, 288).

Auf der anderen Seite verzeichnen die USA jährlich über 450.000 illegale Einwanderer allein aus dem Nachbarland Mexiko. Vor diesem Hintergrund hat der Kongress „The Secure Fence Act of 2006" verabschiedet, das im Dezember 2006 rechtskräftig wurde. Dieses Gesetz ermächtigt zum Bau einer 700-Meilen langen Mauer entlang der US-mexikanischen Grenze. Gleichzeitig hat der Kongress für das Haushaltsjahr 2007 „The Homeland Security Appropriations Bill" verabschiedet, nach dem die finanziellen Mittel zur Sicherung der Grenzen drastisch erhöht wurden. Allein für den Bau der Mauer entlang der US-mexikanischen Grenze wurden 1,2 Mrd. US-Dollar vorgesehen. Die Gesamtzahl der illegalen Migranten wird auf 11 bis 12 Mio. geschätzt (vgl. IOM, 2008, 212; OECD, 2007, 292).

Seit 1982 werden an der langen Grenze zwischen Mexiko und den USA (über 3.000 km) jahresdurchschnittlich fast 1 Mio. illegale Einwanderer aufgegriffen und zurückgeschickt. Um diese illegale Einwanderung effektiver zu bekämpfen, wurde 1986 „The Immigration Reform and Control Act" (IRCA) erlassen, mit zwei administrativen Maßnahmen. Die erste Maßnahme bestand darin, den US-Unternehmern die Beschäftigung illegaler Einwanderer strikt zu untersagen und solches Vergehen mit empfindlichen Geldstrafen sowie mit zivil- und strafrechtlicher Verfolgung zu ahnden. Die andere bestand in der Legalisierung der illegalen Einwanderer, die sich bereits seit Jahren in den USA aufhalten und illegal, z.B. im Bereich der arbeitsintensiven Landwirtschaft, beschäftigt sind. Im Rahmen dieser Amnestie konnten 2,3 Mio. Mexikaner legalisiert werden. 2,1 Mio. von ihnen haben ein dauerhaftes Residenzrecht erhalten. Damit haben sie die rechtliche Möglichkeit, ihre Familienangehörigen im Rahmen der Familienzusammenführung legal einwandern zu lassen. Vor diesem Hintergrund wird diskutiert, ob nicht die Legalisierung einen zusätzlichen Anreiz zur illegalen Einwanderung darstellt, weil diese für die Migranten zu einem kalkulierbaren Risiko (calculated risk) wird (vgl. IOM, 2008, 225). Die jüngste Novellierung des Einwanderungsgesetzes „The Illegal Immigration Reform and Immigrant Responsibility Act" (IIRIRA) von 1996 gibt den einzelnen Bundesstaaten die Möglichkeit, wohlfahrtstaatliche Hilfen (z.B. Erziehung der Kinder) für illegale Einwanderer zu kürzen bzw. gänzlich zu verweigern, um restriktiver gegen illegale Einwanderung vorgehen zu können (vgl. OECD, 1997, 177).

Das nordamerikanische Freihandelsabkommen (The North American Free Trade Agreement/NAFTA), das zwischen Mexiko, den USA und Kanada vereinbart wurde, ist bei näherer Betrachtung eine politische Reaktion auf die zunehmende illegale Einwanderung, weil es langfristig die Zielsetzung verfolgt, durch Förderung wirtschaftlicher Entwicklungen das Einkommensgefälle zwischen den Vertragsländern zu verringern. Langfristig sollen dadurch die „Push-Pull-Wirkungen" reduziert werden. Die Beobachter gehen jedoch davon aus, dass die illegale Einwanderung von Mexiko in die USA zunächst noch solange anhalten wird, bis die erhoffte Wirkung des Vertrages eintritt.

Die Abschaffung des Quotensystems im Jahr 1965 hat dazu geführt, dass die Einwanderung aus Asien und Lateinamerika im Gegensatz zu der aus Europa überproportional zugenommen hat. Einige Zahlenbeispiele machen das Ausmaß dieser Entwicklung deutlich. Von 1970 bis 2000 ist die Zahl der US-Bürger mit ausländischer Herkunft (foreign-born population) von 9,6 Mio auf 28,4 Mio. angestiegen (10 % der Bevölkerung der USA). Im gleichen Zeitraum ist der Anteil der europäischen Einwanderer an der US-Bevölkerung mit ausländischer Herkunft von 60 auf 15 % zurückgegangen. Parallel dazu ist der Anteil der Einwanderer aus Lateinamerika und Asien an der US-Bevölkerung mit ausländischer Herkunft umgekehrt auf 51 % bzw. 26 % gestiegen (vgl. OECD, 2003, 280). Damit haben sich die Relationen der ethnischen Komposition der US-Bevölkerung mit ausländischer Herkunft grundlegend verändert. Die neue Diskussion bezüglich der „diversity provision", d.h. des Vorteils, den die ethnisch plurale Einwanderung für die amerikanische Gesellschaft mit sich bringt, ist im Zusammenhang mit diesen ethnographischen Veränderungen zu sehen. Gleichzeitig wurde festgestellt, dass das Qualitätsprofil der Einwanderer in die USA allgemein schlechter geworden ist als das der Einwanderer nach Kanada. Um hier eine Korrektur vorzunehmen, wurde die Novellierung des Einwanderungsgesetzes mit „The Immigration Act von 1990" vorgenommen. Sie verdoppelt die Zahl der qualifizierten Fachkräfte, die auf der Basis der „skills-based category" in die USA einwandern und vergrößert die Zahl der Einwanderungen auf der Basis der Familienzusammenführung um weitere 20 %. Dadurch sollte auch die Anhebung der Einwandererzahl aus Europa erreicht werden. Die Globalisierung der Wirtschaft und der steigende Bedarf an hochqualifizierten Arbeitskräften in den Industrieländern führen zur Diskussion, dass die familienorientierte Einwanderungspolitik zum sinkenden Qualitätsniveau der Einwanderer in den USA führt, im Vergleich mit dem der Einwanderer in Kanada, die nach dem „point system" selektiert werden (vgl. Petrus Han, 2006, 195-206).

Die liberale Einwanderungspolitik der USA erfährt nach den Terroranschlägen auf das „World Trade Center" und das Pentagon am 11. September 2001 einen dramatischen Kurswechsel. Mit der Schaffung eines Superministeriums „The Department for Homeland Security" spielt nun die nationale

Sicherheit die zentrale Rolle in der Einwanderungspolitik. Die Vergabe von Einreisevisa wird reduziert und die Kontrollmaßnahmen (z.B. Umzugsmeldepflicht, Aufnahme von biometrischen Daten) bei ausländischen Staatsbürgern werden wesentlich verschärft. Die bisherige Einwanderungsbehörde INS (The Immigration and Naturalization Service) wurde in zwei Behörden aufgeteilt. 1.) Das „Bureau of Immigration Enforcement", zuständig für den Grenzschutz und die Grenzkontrolle, 2.) Das „Bureau of immigration Services and Adjudications", zuständig für Einreisevisa, Einbürgerung und Asylanträge. Seit dem 1. März 2003 sind die beiden Behörden dem Ministerium für nationale Sicherheit (The Department of Homeland Security/DHS) unterstellt (vgl. MuB, 5/2002).

Die Wirtschaftkrise 2007/2008 hat in den USA unter anderem dazu geführt, dass sich die Arbeitslosenquote der Einwanderer verdoppelte (10,5 %) und die Zahl der erteilten H-IB-Visa für die temporäre Arbeitsmigration um 16 %, d.h. von 154.000 auf 129.000, reduziert wurde. Seit 2007 ist auch die Zahl der illegalen Migranten von jährlich 800.000 auf ca. 500.000 zurückgegangen (vgl. O-ECD, 2009, 17, 31).

b) Kanada

Ähnlich wie die USA hat Kanada in den 1960er Jahren seine auf Quoten basierende Einwanderungspolitik aufgegeben und ist durch die Reformen von 1961 und 1967 zu einer Politik übergegangen, in deren Mittelpunkt die konsequente Verfolgung wirtschaftlicher Interessen steht. Die Selektion der Migranten, die die in Kanada fehlenden Qualifikationen kompensieren können, macht dies deutlich. Den Ausgangspunkt dieser Politik bilden die allgemein rückläufigen demographischen Entwicklungen. Das natürliche Bevölkerungswachstum betrug in der Zeit von 1995 bis 2005 nur 0,7 % (vgl. OECD, 2008, 235). Die kanadische Regierung hat bereits 1990 einen ersten Fünf-Jahres-Plan zur Einwanderungspolitik verkündet und eine jährliche Zielmarke von 250.000 Einwanderern angepeilt (vgl. Gary P. Freeman, 1992, 1152). Diese Zielmarke konnte jedoch in den folgenden Jahren nicht erreicht werden (z.B. 174.200 in 1998, 189.900 in 1999 und 227.200 in 2000). Die kanadische Regierung ist inzwischen dazu übergegangen, anstatt für jedes Jahr eine konkrete Zahl der erhofften Einwanderer anzupeilen, nur einen kosteneffektiven Einwanderungsrahmen vorzugeben (vgl. OECD, 2003, 153-154). Dieser liegt pro Jahr zwischen 220.000 und 245.000 Einwanderern (vgl. OECD, 2007, 238).

Die Wachstumsrate des Pro-Kopf-Bruttoinlandsproduktes, die von 1995 bis 2000 jahresdurchschnittlich 3,2 % betrug, sank in der Zeit von 2001 bis 2005 jahresdurchschnittlich auf 1,7 %. Dagegen ging die Arbeitslosenquote in der gleichen Zeit von 8,5 auf 7,1 % leicht zurück. Parallel zu der rückläufigen wirtschaftlichen Entwicklung sank die Zahl der Einwanderer 2006 um 4 % auf 251.600. Nur die Familienmigration verzeichnete eine Zunahme und erreichte das höchste Niveau seit 10 Jahren. Dabei waren China und Indien jeweils mit einem Anteil von 13 und 12 % an der Gesamtzahl der permanenten Immigranten die zwei Hauptherkunftsländer. Die Zahl der Immigratnen, die durch die Nominierung von Provinzregierungen eingewandert sind, erreichte 13.300 und lag um 5 % höher als die des Vorjahres. Dies war darauf zurückzuführen, dass die kanadische Regierung den Forderungen der Provinz- und Territorialregierungen nachgekommen ist und mehr Fachkräfte zur regionalen wirtschaftlichen Entwicklung zugelassen hat (OECD, 2008, 234-235).

Kanada unterscheidet insgesamt fünf Zulassungsklassen bei den Einwanderern: Unmittelbare Familienangehörige (the family class) der in Kanada Ansässigen, ihre weiteren Familienangehörigen wie erwachsene Kinder oder Geschwister (the assisted relative class), unabhängige Einwanderer (independent immigrants), die keine Verwandten in Kanada haben, Geschäftsleute (economic classes), die sich verpflichten, in Kanada Kapitalinvestitionen in einem gesetzlich festgelegten Umfang zu tätigen (business immigrants) und Flüchtlinge. Die Selektion der Einwanderer erfolgt nach einem Punktsystem (point system), in dem die Aspiranten nach Alter, Ausbildung, beruflicher Erfahrung, Sprachkenntnissen usw. Punktwerte erhalten. Die Tatsache, dass die Einwanderer in Kanada im Vergleich zu den USA höhere Qualifikationen aufweisen, wird generell als Folge dieses Punktsystems gewertet (vgl. George J. Borjas, 1999, 9-10, 58-61; Petrus Han, 2006, 199). Die kanadische Einwanderungspolitik ist mehr als die der USA an wirtschaftlichen Interessen orientiert. Dies wird an zwei Beispielen deutlich. Zuerst ist die „business immigration" zu nennen. Die Klasse der sog. „business immigrants" in Kanada, die in ihrer Größenordnung bereits 1984 hinter der „family class" und „refugees" an dritter Stelle rangierte, bestand bisher aus zwei Subgruppen: „Self-employed", gemeint sind Einwanderer, die in der Lage sind, den eigenen Lebensunterhalt durch selbständige Arbeit zu verdienen, und „Entrepreneurs", die durch ihre unternehmerischen Aktivitäten über die eigene Versorgung hinaus zusätzliche Arbeitsplätze schaffen. 1986 wurde eine dritte Subgruppe der „investor immigrants" eingeführt, die aus Einwanderern besteht, die Kapital in Höhe von mindestens 500.000 US-Dollar mit der Verpflichtung einbringen, es in den ersten 5 Jahren in die Wirtschaft Kanadas zu investieren. Zwischen 1986 und 1989 erreichte der Kapitalzufluss in Kanada allein durch die „investor immigrants" jährlich über 1 Mrd. US-Dollar. Dies entsprach 12,5 % der gesamten ausländischen Direktinvestitionen in Kanada. Zwischen 1986 und 1990 hat die „business immigration" in Kanada insgesamt 80.000 neue Arbeitsplätze geschaffen und 2,6 Mrd. US-Dollar zum Bruttoinlandsprodukt beigetragen (vgl. Lloyd L. Wong, 1993, 173-174, 176-177). Weiterhin ist darauf hinzuweisen, dass die Einwanderer in Kanada die Verpflichtung eingehen müssen, für die gesetzlich vorgesehene Zeit in dem Bereich zu arbeiten und zu wohnen (Residenz- und Arbeitspflicht), für den sie wegen ihrer Qualifikation ausgewählt wurden (.vgl. Gary P. Freeman, 1992, 1153-1154). Für das Jahr 2001 waren 61 % der Einwanderer „economic immigrants" (vgl. OECD, 2003, 153).

Die kanadische Einwanderungspolitik steuert wie die der USA auf Expansionskurs. Sie erfolgt in Abstimmung mit den gesellschaftlichen Interessengruppen und im Interesse der wirtschaftlichen Entwicklung des Landes. Sie geht einerseits rigoros gegen illegale Einwanderung vor und lässt eine zunehmende Restriktion bei der Asylgewährung erkennen, obwohl andererseits die Anerkennungsquote vergleichsweise hochliegt.

Die Terroranschläge am 11. September 2001 in den USA haben dazugeführt, dass die kanadische Regierung in ihrer Sicherheitspolitik eng mit den USA zusammenarbeitet. Künftig dürfen Asylbewerber nicht gleichzeitig in Kanada und in den USA Asylanträge stellen, sondern nur in jenem Land Asyl beantragen, in dem sie zuerst nordamerikanischen Boden betreten (vgl. MuB, 1/2002). Die Regierung hat im November 2001 „The Public Safety Act" eingeführt, um weitere Maßnahmen zur Sicherheit des Landes zu ergreifen (vgl. OECD, 2003, 156).

Das neue Gesetz „The Immigration and Refugee Protection Act", das am 28. Juni 2002 verkündet wurde, lässt weitere Schritte der wirtschaftlich orientierten Einwanderungspolitik erkennen. So werden diejenigen, die zwischen 21 und 49 Jahre alt sind (age factor), gute englische und französische Sprachkenntnisse besitzen und einen Handelsschulabschluss (trade certificate) nachweisen können, bei der Einwanderung bevorzugt (vgl. OECD, 2003, 156). Um qualifizierte Fachkräfte für die Wirtschaft zu gewinnen, erleichtert die kanadische Regierung den Statuswechsel der in Kanada studierten Hochschulabsolventen. 2006 haben 11.000 ausländische Studierende den dauerhaften Residenzstatus in Kanada erhalten. 2007 wurde eine neue Einrichtung „Foreign Credential Referral Office" geschaffen, um in- und ausländischen Fachkräften mit Informationen zu helfen und ihnen den Zugang zum Arbeitsmarkt Kanadas zu erleichtern. In einem Memorandum vereinbarte die Bundesregierung mit den Bezirksregierungen von Ontario und Toronto bei der Rekrutierung von Fachkräften zu kooperieren (vgl. OECD, 2008, 95, 234).

Die weltweite wirtschaftliche Rezession 2008/2009, die ihren Ausgang in den USA nimmt, bleibt nicht ohne Folgen für die Wirtschaft Kanadas. Von Oktober 2008 bis Februar 2009 erlitt die Bauwirtschaft einen Einbruch von 6,4 %. Allein im Februar 2009 sind 43.000 Jobs in diesem Bereich verlorengegangen. Die gesamte Beschäftigung schrumpfte um ein Drittel (vgl. OECD, 2009, 16). Vor diesem Hintergrund hat Kanada am 1. Januar 2009 die Liste der in Kanada gesuchten Berufe (shortage list) abgeschafft, die als Informationsblatt zum Zwecke der Rekrutierung temporärer Arbeitsmigranten eingeführt war. Auch die Zahl der permanenten ökonomischen Migranten (permanent economic migrants) reduzierte sich geringfügig von 158.000 im Jahr 2007 auf 154.000 in den Jahren 2008/2009 (vgl. OECD, 2009, 36-37).

c) Australien

Die Einwanderungspolitik von Australien verfolgt seit 1966 einen in rassischer Hinsicht liberalen Kurs. Sie hat 1966 aus primär wirtschaftlichen Gründen ihre „Politik des Weißen Australiens" (White Australia Policy) aufgegeben, die 1901 durch „The Immigration Restrict Act" eingeführt wurde. Damit ist die rassische, ethnische und religiöse Diskriminierung und Ausgrenzung der Einwanderer aus dem asiatisch-pazifischen Raum entfallen (vgl. Stephen Castles, 1990, 45-55). Die Einwanderungspolitik unterscheidet die Einwanderung mit permanentem Residenzstatus von der temporären Einwanderung. Die erste Art erfolgt nach dem „Australian Migration Program" (AMP) und umfasst vier Kategorien der Einwanderer: Einwanderung der Familienangehörigen von australischen Staatsbürgern (Preferential family), Einwanderung von nahen Verwandten, „Independents", die keine Familienangehörigen in Australien haben und Arbeitsmigranten mit fachlicher Qualifikation. 1999 wurde die „Family Concessional Category" in „Skilled Australia-Sponsored" umbenannt, damit die Familienmigranten wie die qualifizierten unabhängigen Migranten nach dem „point system" selektiert werden (vgl. OECD, 1998, 76,79; IOM, 2008, 164).

Das natürliche Bevölkerungswachstum der Einheimischen, das zwischen 1995 und 2000 jahresdurchschnittlich 1,2 % betrug, sank zwischen 2001 und 2006 auf 0,9 %, während das der Immigranten im gleichen Zeitraum von 1,2 auf 2,0 % stieg. Die Wachstumsrate des Pro-Kopf-Bruttoinlandsproduktes, die von 1995 bis 2000 jahresdurchschnittlich 2,7 % betrug, sank in der Zeit von 2001 bis 2006 jahresdurchschnittlich auf 1,8 %, mit einer durchschnittlichen Arbeitslosenquote von 5,7 % (vgl. OECD, 2008, 227). 2005 lebten in Australien 4,097 Mio. Migranten, die 20,3 % der gesamten Bevölkerung ausmachten (vgl. IOM, 2008, 481).

Vor dem Hintergrund der genannten Fakten legt die Einwanderungspolitik Australiens ihren Schwerpunkt auf die Förderung der permanenten Einwanderung von qualifizierten Arbeitskräften zur Volksbildung (population building) und wirtschaftlichen Entwicklung des Landes. Bis Mitte der 1990er Jahre hatte die „family-linked migration" den größten Anteil an der permanenten Einwanderung. Nun räumt Australien der wirtschaftlichen Entwicklung des Landes Priorität ein und hat einen Wechsel von der familien- zur fachkräfteorientierten Einwanderungspolitik vollzogen. 56 % aller Einwanderer, die zwischen 1996 und 2004 nach Australien gekommen sind, waren die sog. „highly skilled", die nach dem australischen „point system" nach ihrer Qualifikation bewertet und selektiert wurden. Damit löst die „skilled migration" die „family-linked migration" ab. Nach dieser Politik soll die permanente Einwanderung auf Familienbasis einen Anteil von etwa 30 % an der Gesamtzahl der Einwanderer nicht überschreiten (vgl. IOM, 2008, 164).

Am 1. Januar 2006 ist das neue Einwanderungsgesetz in Kraft getreten. Danach wurden die Anforderungen für die Familienzusammenführung dahingehend verschärft, dass die Migranten, die ihre Familienangehörigen nachholen wollen, ausreichende finanzielle Mittel zu deren Unterstützung nachweisen müssen. Dadurch soll die Familienzusammenführung der Migranten aus Drittländern unterbunden werden, die in Australien wohlfahrtsstaatliche Leistungen in Anspruch nehmen konnten. Die direkten und abhängigen Kinder der Migranten wurden aus dieser Regelung herausgenommen. Andererseits erleichtert das neue Gesetz den Zugang zum Arbeitsmarkt. Es regelt auch die Bedingungen der Einreise und Bleibe für die Bürger aus dem europäischen Wirtschaftsraum (European Economic Area/ EEA). Diese unterliegen der Meldepflicht, wenn sie länger als 90 Tage bleiben (vgl. OECD, 2007, 232).

Ende September 2001 hat der australische Senat Gesetze zur Verschärfung des Asylrechts verabschiedet. Der Anlass dazu waren die Kontroversen um die Aufnahme von Bootsflüchtlingen, die in der Nähe der australischen Insel Tampa gerettet wurden. Die neuen gesetzlichen Bestimmungen engen den Flüchtlingsbegriff so ein, dass der Personenkreis derjenigen, die erfolgreich in Australien einen Asylantrag stellen können, erheblich eingeschränkt wird. Darüber hinaus gilt nun die australische Asylgesetzgebung nicht für die Flüchtlinge, die die im indischen Ozean gelegenen australischen Inselterritorien erreichen, so dass sie im Falle einer Ablehnung ihres Asylantrages keinen Widerspruch bei einem australischen Gericht einlegen können (vgl. MuB, 7/2001). Australien versucht andererseits verstärkt qualifizierte ICT-Fachkräfte (information and computer technology) als Immigranten zu gewinnen. In diesem Kontext gewährt Australien den ausländischen Studierenden ein dauerhaftes Residenzrecht, wenn ihre fachlichen Qualifikationen den Bedarfskriterien des Arbeitsmarktes entsprechen. Sie erhalten, ohne vorübergehend das Land verlassen zu müssen, das Residenzrecht, so dass sie freien Zugang zum Arbeitsmarkt haben (vgl. OECD, 2003, 133).

Eine Allparteienkoalition zu Grundsatzfragen der Einwanderungspolitik ist nun nicht mehr vorhanden. In der Öffentlichkeit macht sich eine skeptische Stimmung gegenüber der bisherigen liberalen Einwanderungspolitik bemerkbar, so dass sich eine restriktive Trendwende abzeichnet. Dies wird nicht nur in dem verschärften Kontrollverfahren bei der Asylgewährung, sondern auch in der kontinuierlichen Reduzierung der angepeilten jährlichen Einwandererzahl deutlich. Die offizielle Zielmarke wurde kontinuierlich reduziert. Zwischen 2006 und 2007 haben 97.920 Einwanderer im Rahmen „the skills programm" das permanente Residenzrecht erhalten (vgl. IOM, 2008, 482).

2007 nahm Australien 160.000 Migranten auf. Diese Zahl sollte 2008 auf 190.000 angehoben werden, weil Australien, im Gegensatz zu den anderen Aufnahmeländern, langfristige Ziele in seiner Migrationspolitik verfolgt, unabhängig von der aktuellen wirtschaftlichen Entwicklung. Dabei wurden qualifizierte Fachkräfte nach besonders gesuchten Berufen (Migration Occupation in Demand List/MODL) aufgenommen, was die Konzentration der Fachkräfte in wenigen Bereichen zur Folge hatte. Am 1. Januar 2009 wurde die Liste der gesuchten Berufe durch eine „Critical Skills List" (CSL) ergänzt, um besonders Fachkräfte im Bereich von Gesundheit und Ingenieurwissenschaften zu gewinnen (vgl. OECD, 2009, 36-37).

Die permanente Einwanderung von qualifizierten Fachkräften hat bisher gezeigt, dass diese sich überwiegend in den größten Städten niedergelassen haben, obwohl in kleineren Städten und Randregionen weiterhin Fachkräftemangel herrscht. Als Reaktion dazu fördert Australien nun die Einwanderung von Fachkräften, die durch Initiativen der regionalen Wirtschaft (region-based employer-initiated migration) veranlasst und primär für die regionale Entwicklung eingesetzt werden (vgl. OECD, 2009, 104).

2.4.2 Migrations- und Asylpolitik ausgewählter europäischer Aufnahmeländer

Für die traditionellen Einwanderungsländer war und ist der Migrationsvorgang ein integraler Bestandteil ihrer Nationbildung und ihrer nationalen Identität. Sie haben daher ein positives Verhältnis zur Migration und können auf einen reichhaltigen Fundus von geschichtlichen Erfahrungen zurückgreifen. Die europäischen Industrieländer haben dagegen, abgesehen von Ländern mit kolonialgeschichtlichen Erfahrungen, relativ geringe Vorerfahrungen. Sie haben eine eher problematische und konflikthafte Beziehung zur Migration, weil sie, abgesehen von Asylsuchenden, weitgehend nur von den Erfahrungen mit Arbeitsmigranten („Gastarbeitern") ausgehen können, die nach dem Zweiten Weltkrieg angeworben wurden. Diese Erfahrungen sind, insbesondere für Deutschland, durch eine Reihe von Problemen geprägt. Die Arbeitsmigranten wurden für eine befristete Zeitdauer angeworben und mit ihrer dauerhaften Niederlassung bzw. De-facto-Einwanderung hatte niemand gerechnet. Hier wurde deutlich, dass aus einer temporären Migration eine permanente resultieren kann. Aus dieser Erkenntnis hat sich eine allgemeine Skepsis gegenüber der Migration entwickelt. Die Anwerbung von Arbeitskräften aus anderen Kulturkreisen hat sich als Entscheidung erwiesen, deren Folgen und vielschichtige Probleme weit über den vorgesehenen arbeitsmarktpolitischen Rahmen hinausgehen. Im Rückblick ist festzustellen, dass die im Rahmen der Arbeitsmarktpolitik vorgenommene Anwerbung von Arbeitsmigranten eine administrative Maßnahme darstellte, die ohne hinreichende öffentliche Diskussion und Unterstützung ausschließlich durch wirtschaftliche Interessen angeregt war. Die sozialpolitischen Verpflichtungen gegenüber diesen Menschen wurden völlig außer Acht gelassen. Dies ist auch teilweise der Grund für die europaweit so kontrovers und konflikthaft gestaltete Integration der Arbeitsmigranten. Vor diesem Hintergrund sind auch die Aktionen rechtsradikaler Gruppierungen zu sehen, die die angespannte Stimmungslage der Bevölkerung durch fremdenfeindliche Parolen und Gewalttaten zum eigenen Vorteil zu nutzen versuchten (vgl. Gary P. Freeman, 1995, 889-893).

Die durch die Energiekrise 1973 ausgelöste wirtschaftliche Rezession hat in allen europäischen Ländern nicht nur die restriktive Wende der Arbeitsmarktpolitik (Anwerbestopp), sondern auch eine rigorose Abschirmung gegenüber dem wachsenden Migrationsdruck herbeigeführt. Diese Entwicklung ist sowohl auf nationaler als auch gesamteuropäischer Ebene zu beobachten.

a) Frankreich

Die Masseneinwanderung nach Frankreich begann mit der freien und unkontrollierten Einwanderung von Weißrussen nach der Oktoberrevolution von 1917. In den 1920er Jahren wanderten viele Polen ein, die vornehmlich in Bergwerken und in der Landwirtschaft eingesetzt wurden. Die Einwanderungsrate in Frankreich war in den 1920er Jahren höher als die der USA. In den

1950er Jahren fand eine Masseneinwanderung von Portugiesen, Algeriern und Spaniern statt. Die liberale Ausländerpolitik von Francois Mitterrand in den 1980er Jahren (Familienzusammenführung, Abschaffung des Rückkehrzwanges, Regularisierung von illegal Eingewanderten usw.) löste innenpolitische Spannungen aus, zumal die rechtsextreme „Nationale Front" von Jean-Marie Le Pen eine ausländerfeindliche und nationalistische Politik propagierte und dabei Wahlerfolge erzielte (vgl. Wolfgang Kowalsky, 1991, 3).

2006 waren 8,6 % bzw. 5,078 Mio. der Bevölkerung Frankreichs Zugewanderte. Dabei bildeten die Zuwanderer aus Algerien, Marokko, Portugal, Italien und der Türkei jeweils in der Reihenfolge der Nennung die größten Zuwanderergruppen (vgl. OECD, 2008, 324, 328). Die Arbeitslosenquote der Zugewanderten betrug bei den Männern 15,4 und bei den Frauen 17,1 %, während diese bei den einheimischen Männern bei 8,5 und den Frauen bei 9,6 % lag. Die Arbeitslosigkeit der Zugewanderten war somit doppelt so hoch wie die der Einheimischen (vgl. OECD, 20008, 243). Damit wird offenkundig, dass die Arbeitsmarktintegration der Zugewanderten nach wie vor als ungelöstes Problem bleibt. Einen bitteren Vorgschmack, welche Folgen sich daraus ergeben können, hat Frankreich im November 2005 erlebt, als der Tod von zwei Jugendlichen mit Migrationshintergrund im Pariser Vorort Clichy-sous-Bois zu schweren Ausschreitungen führte. Gewaltakte und Brandstiftungen griffen auch auf andere französische Städte, Lyon, Toulouse, Straßburg, über. Die französische Regierung verhängte den Ausnahmezustand und das Parlament verlängerte ihn sogar um drei Monate. Wissenschaftler sahen die wesentlichen Ursachen der Ausschreitungen in dem Versagen des Bildungssystems und in der überaus hohen Jugendarbeitslosigkeit (30 %), insbesondere in den Vororten/Banlieues der großen Städte (vgl. MuB, 10/2005).

Frankreich hat 2006 135.000 Einwanderer aufgenommen, eine Zahl, die nach kontinuierlicher Steigerungsrate in den letzten 10 Jahren zum ersten Mal auf dem Vorjahresniveau geblieben ist. Die seit 2004 sinkende Zahl der Einwanderer hängt mit der sinkenden Zahl der Asylsuchenden zusammen (vgl. OECD, 2008, 242). Vier Kategorien der Einwanderung werden dabei unterschieden: Familienmigration, Arbeitsmigration, Flüchtlinge und Besucher. Nach wie vor machen diejenigen, die zur Familienzusammenführung einwandern, den größten Teil der Einwanderer aus. 2005 wurden 95.000 Familienmigranten und 14.000 Flüchtlinge aufgenommen. Nur ein geringer Teil der Einwanderer (10. 000) bestand aus Arbeitsmigranten (vgl. OECD, 2007, 246; OECD, 2008, 242).

Am 20. November 2007 ist das neue Einwanderungs-, Integrations- und Asylgesetz in Kraft getreten. Danach müssen alle Ausländer im Alter zwischen 16 und 64 Jahren, um nach Frankreich einwandern zu können, bereits in ihrem Herkunftsland einen Test durchlaufen, in dem sie Kenntnisse der französischen Sprache und zu Grundwerten der französischen Republik nachweisen müssen. Bei der Familienzusammenführung wird der Nachweis ausreichender finanzieller Mittel für die Versorgung der Angehörigen vorausgesetzt. Die Arbeitsmigranten, die nach der Liste der in Frankreich gesuchten Berufe rekrutiert werden, sind von dem Arbeitsmarkttest befreit (vgl. OECD, 2008, 242).

Die Politik Frankreichs ist traditionell universalistisch ausgerichtet. Partikularismus, Regionalismus und kultureller Pluralismus werden als Abweichungen von der Gesamtkultur generell abgelehnt. Unter den europäischen Ländern steht somit Frankreich in der Eingliederungspolitk der Zuwanderer dem Assimilationsmodell am nahesten. Die Zuwanderer haben sich an die französische Kultur anzupassen. Abweichungen von ihr im öffentlichen Bereich lösen daher allgemeines Ärgernis aus (vgl. Philip L. Martin, 1994, 165). Die jüngsten politischen Debatten zum Burka-Verbot sind vor diesem Hintergrund zu sehen (vgl. MuB, 6/2009). Bereits 2004 ist ein Gesetz in Kraft getreten, nach dem das Tragen auffälliger religiöser Zeichen (Shado/islamisches Kopftuch, jüdische Kippa, Turban der Sikhs, große christliche Kreuze) in öffentlichen Schulen verboten wird (vgl. MuB 7/2004).

b) Großbritannien

Großbritannien verfügt über vielfältige geschichtliche Erfahrungen zur Einwanderung. Nach der Einwanderung afrikanischer Sklaven im 18. und 19. Jahrhundert kamen Iren, die um 1850 vor Hungersnöten flohen, französische Hugenotten und europäische Juden als Einwanderer nach Großbritannien. Bis 1962 konnten sich alle Bewohner des Commonwealth ohne Einschränkung in Großbritannien niederlassen. Die eigentlichen Einwanderungswellen setzten erst um 1950 ein, als britische Firmen ihren fehlenden Arbeitskräftebedarf durch Arbeitskräfte aus der Karibik auszugleichen versuchten. Danach kamen Inder, Pakistanis, Bangladeschis und Afrikaner. Rassenunruhen und Gewaltausbrüche in London und Nottingham waren die Folge, so dass die Regierung 1962 ihre Politik der „offenen Tür" per Gesetz beendete. Die sukzessive Unabhängigkeit der Commonwealth-Länder hat dazu geführt, dass britische Staatsbürger und ihre Angehörigen, die bisher in Kolonialländern Afrikas und Asiens ansässig waren, ins Mutterland zurückwanderten. Für diese Rückkehrer hat die britische Regierung 1971 „The Immigration and Nationality Act" erlassen, das nach dem sog. Grundsatz der „Patrialität" nur denen, die britischer Abstammung sind, die Einreise und den freien Zugang zum Arbeitsmarkt in Großbritannien erlaubt. Alle anderen müssen sich den restriktiven Einwanderungsgesetzen unterwerfen. 1981 wurden die Einwanderungsgesetze so verschärft, dass nun den in Großbritannien geborenen Kindern von Einwanderern das automatische Recht auf die Staatsbürgerschaft entzogen wurde (vgl. Doris Kraus, 1992, 14; Philip L. Martin, 1994, 166).

Angesichts der restriktiven Handhabung der Einwanderung ist heute der Asylantrag eine der wenigen Möglichkeiten zur Einwanderung. Das britische Gesetz erkennt als Flüchtling an, wenn im Heimatland Verfolgung aus politischen, religiösen oder rassischen Gründen zu befürchten ist. Die britische Regierung hat jedoch am 8. Januar 2003 neue restriktive Bestimmungen zum Asylrecht erlassen, die mit der umfassenden Reform des Staatsangehörigkeits-, Einwanderungs- und Asylrechts (The Nationality, Immigration and Asylum Act/NIA Act) in Zusammenhang stehen. Danach erhalten die Asylbewerber keine Hilfeleistungen mehr, wenn sie die im Gesetz genannten Bedingungen nicht erfüllen. Daneben wurde auch in Großbritannien das Konzept der sicheren Herkunftsstaaten eingeführt. Neben den neuen EU-Beitrittsländern wurden fünf weitere Staaten (Albanien, Jamaika, Mazedonien, Moldawien, und Serbien/Montenegro) als verfolgungsfrei erklärt. Neu ist auch die Einführung der „Application Registration Card", die die biometrischen Daten der Antragsteller enthalten. Die Reformgesetze basieren weitgehend auf dem Weißbuch „Secure Borders, Safe Haven: Integration with Diversity", das im Februar 2002 veröffentlicht wurde (vgl. MuB, 2/2003). 2005 wurden ca. 30.000 Asylanträge gestellt, ein Rückgang von 25 % im Vergleich zum Vorjahr (vgl. OECD, 2007, 290).

Nach der EU-Osterweiterung im Mai 2004 hat Großbritannien im Gegensatz zu Deutschland, Österreich, Belgien und Dänemark den Arbeitsmarkt für Arbeitskräfte der neuen Mitgliedländer geöffnet, so dass von Juni 2006 bis Juni 2007 218.000 Arbeitsmigranten aus diesen Ländern registriert wurden. Dagegen blieb der Arbeitsmarkt für Bulgarien und Rumänien geschlossen, die am 1. Januar 2007 der EU beigetreten sind. Zwei Drittel der Arbeitsmigranten kamen aus Polen. 2007 lebten insgesamt 406. 000 Polen in Großbritannien und bildeten die größte Gruppe aus den neuen EU-Mitgliedländern. 2006 sind insgesamt 141.000 Arbeitserlaubnisse für Drittländer erteilt worden (vgl. OECD, 2008, 286). Eine neue einwanderungspolitische Maßnahme besteht darin, die verschiedenen legalen Einreiserouten nach Großbritannien in einem 5-Kategoriensystem (the new five-tier system) zusammenzufassen. Dabei wurde ein neues Punktsystem (points-based system/PBS) eingeführt, das die Arbeitsmigration steuert. Die britische Regierung versucht die Zuwanderung von qualifizierten Arbeitskräften zu erleichtern, indem sie deren Antragstellung nicht vom Jobangebot eines Arbeitgebers abhängig macht, wenn die Antragsteller ihren Lebens-unterhalt selbst finanzieren können. Ausländische Studenten erhalten die Mög-lichkeit, nach ihrem Studienabschluss in Großbritannien zu arbeiten (vgl O-ECD 2007, 290; 2008, 103).

Eine strukturelle Änderung in der Migrationspolitik besteht darin, dass inner-halb des „Home Office" eine neue Behörde „Border and Immigration Agency (BIA)" errichtet wurde, die zwei Beratungsgremien „Migration Advisory Com-mittee (MA)" sowie „Migration Impacts Forum (MIF)" unterhält. MAC wurde beauftragt, von 2008 an für jeweils zwei Jahre eine Mangelliste der in Großbri-tannien gesuchten Berufe auszuarbeiten, während MIF die Folgen der Einwan-derung zu bewerten hat (vgl. OECD, 2008, 94, 286).

Die von der Banken- und Finanzmarktkrise in den USA ausgelöste welt-weite Rezession hat sich besonders negativ auf den Finanz- und Handels-dienstleistungssektor (finance and business service indstry) ausgewirkt. Allein im 4. Quartal 2008 war ein Rückgang der Arbeiterregistrierung von 53.000 auf 29.000 (45 %) zu verzeichnen. Als Reaktion hierzu führte die brititsche Regie-rung den Arbeitsmarkttest (labour market test) für qualifizierte Migranten ein. Dies macht zugleich deutlich, dass die britische Wirtschaft auf qualifizierte Fachkräfte nicht verzichten kann (vgl. OECD, 2009, 31, 37-38, 137).

c) Deutschland

Deutschland ist nach offizieller Politik kein Einwanderungsland. Die Tat-sache, dass 2007 7,25 Mio. Ausländer (8,8 % der Bevölkerung) in Deutschland lebten und die Zuwanderung in bescheidenem Umfang weiterhin anhält (vgl. OECD, 2007, 343), hat keinen Einfluss auf diesen politischen Grundsatz aus-geübt. Es gibt daher keine Einwanderungspolitik. Bei dem Zuwanderungsgesetz handelt es sich um die Steuerung der Zuwanderung von qualifizierten Arbeits-kräften, die die deutsche Wirtschaft braucht. Die Ausländer- und Asylpolitik verfolgt dagegen die Zielsetzung, die hier lebenden Ausländer erträglich zu integrieren und die Zuwanderung der Asylsuchenden so effektiv wie möglich zu steuern. So wurde in den letzten Jahren, wie in den europäischen Nachbar-ländern, ein zunehmend restriktiver Kurs gefahren. Die hierfür relevanten zeit-geschichtlichen Bedingungen sollen im Folgenden skizziert werden.

Der generelle Anwerbestopp von „Gastarbeitern" vom 23. November 1973 hatte nicht zum erhofften Rückgang der Ausländerzahl geführt. Wegen der wirtschaftlichen Rezession und der wachsenden Arbeitslosigkeit sind zwar viele angeworbene Arbeitsmigranten in ihre Heimat zurückgekehrt, ihre Zahl ist jedoch durch die Familienzusammenführung der hier Verbliebenen mehr als substituiert worden. Der Versuch der Bundesregierung von 1983, durch Prämienzahlungen (10.500-Mark-Gesetz) die Arbeitsmigranten zur Rückkehr in ihre Heimat zu bewegen, hat nicht zum Erfolg geführt (Rückkehrhilfegesetz vom 10. November 1983). Stattdessen ist die Zahl der Ausländer in Deutschland seit den 1980er Jahren stetig gestiegen. Von 1971 bis 1982 hat sich allein die Zahl der Türken von 653.000 auf 1,58 Millionen (Stand September 1982) erhöht. Ausgehend von dieser Entwicklung haben die ausländer- und asylrechtlichen Debatten zu Beginn der 1990er Jahre eine dramatische Wende genommen, als von 1989 bis 1990 die Zahl der Zuwanderer die Rekordhöhe von 2 Millionen erreichte. Die Kommunen und Wohlfahrtsverbände, die bei der Unterbringung und Versorgung bis an den Rand ihrer Leistungskapazität belastet wurden, stellten über Parteigrenzen hinweg die Forderung, über sofortige finanzielle Hilfen hinaus eine dauerhafte politische Lösung durch Änderung des Verfassungsrechts auf Asyl im Art. 16 des Grundgesetzes herbeizuführen. Die „Republikaner" instrumentalisierten diese Situation zu ihrem politischen Machtinteresse und verbuchten durch fremdenfeindliche Parolen und Veranstaltungen Wahlerfolge. Gewalttätige Übergriffe auf Wohnheime von Asylsuchenden und Ausländern (Hoyerswerda, Rostock-Lichtenhagen, Hünxe, Solingen, Mölln) nahmen zu. In dieser angespannten Situation unmittelbar nach der deutschen Wiedervereinigung, in der die Angst vor Fremden sowie die Angst vor einer Masseneinwanderung aus den osteuropäischen Ländern eine bedrückende Krisenstimmung erzeugte, wurde nun die Forderung laut, das Verfassungsrecht auf Asyl im Art. 16 Absatz 2 des Grundgesetzes zu ändern und das Asylverfahren zu beschleunigen, um die Massenzuwanderung politisch und administrativ in den Griff zu bekommen.

Bei näherer Betrachtung war jedoch festzustellen, dass der dramatische Zuwachs der Zuwanderer in den Jahren 1989 und 1990 wesentlich durch die große Zahl an Aus- und Übersiedlern begründet war. Der Anteil der Asylsuchenden an den 2 Mio. Zuwanderern betrug knapp 20 % bzw. 314.400. Vor diesem Hintergrund war der Eindruck nicht zu vermeiden, dass die zunehmende Zahl der Asylsuchenden ein willkommener Anlass für die restriktive Änderung des Grundgesetzes war. Es ist objektiv richtig, dass die Zahl der Asylsuchenden in den folgenden drei Jahren 1991 (256.100), 1992 (438.200) und 1993 (322.600) eine beispiellose Höhe erreicht hatte und Deutschland mit einem Anteil von 53 % aller in Europa gestellten Asylanträge dem größten Zuwanderungsdruck ausgesetzt war. Das Meinungsbild in der Öffentlichkeit war hinsichtlich der Frage kontrovers, ob das höhere Gut des im Grundgesetz verankerten und einklagbaren individuellen Verfassungsrechts auf Asyl in seiner Substanz geändert werden sollte. Die Entstehung dieses in der Welt einzigartigen

Gesetzes geht auf die historische Tatsache zurück, dass 800.000 Flüchtlinge aus Deutschland während der Naziverfolgung nur überleben konnten, weil ihnen von Nachbarländern Asyl gewährt wurde (vgl. Jurgen Fijalkowski, 1993, 852).

Obwohl die politischen Parteien bis 1992 bei der Frage der Änderung des Art. 16 Absatz 2 des Grundgesetzes uneinig waren, bestand seit 1978 ein All-Parteien-Konsens bezüglich der Notwendigkeit der Beschleunigung des Asyl-verfahrens, so dass dem ersten Gesetz zur Beschleunigung des Verfahrens von 1978 mehrere Gesetzesnovellen, zuletzt 1992, folgten. Ihre Zielsetzung war, die Dauer des Verfahrens, das bei Ausschöpfung aller Rechtsmittel in allen Instan-zen (Zirndorfer Bundesamt für die Anerkennung ausländischer Flüchtlinge als erste Instanz, als weitere Instanzen das Verwaltungsgericht Ansbach, der baye-rische Verwaltungsgerichtshof und schließlich das Bundesverwaltungsgericht) sechs bis acht Jahre dauerte, soweit wie möglich zu verkürzen. Die dadurch erzielte Entlastung der Verwaltung bedeutete jedoch keine Lösung des Asyl-problems. Die politischen Parteien gerieten unter massiven Handlungsdruck, als 1992 die Zahl der Asylsuchenden eine neue Rekordhöhe von 438.200 er-reichte. Unter dem Druck der überlasteten Kommunen und der zunehmend eskalierenden xenophobischen Stimmungslage in der Öffentlichkeit brachte die Bundestagsfraktion der CDU/CSU im Februar 1992 einen Gesetzesentwurf zur Änderung des Art. 16 Absatz 2 des Grundgesetzes ein. Angesichts der anste-henden Bundestagswahl 1994 kam die SPD als Oppositionspartei, die bis dahin gegen die Änderung des Grundgesetzes war, unter Zugzwang. Sie vollzog in der Klausurtagung am 21./22.8.1992 auf dem Petersberg (Petersberger Beschlüsse) einen asylpolitischen Kurswechsel. Anfang Dezember 1992 wurde zwischen den Regierungsparteien (CDU/CSU und FDP) und der SPD ein „Asylkom-promiss" erzielt, während die Grünen und die PDS nicht daran beteiligt waren. Begleitet von Protesten und nach kontroversen Debatten hat der Bundestag am 26.5.1993 die Ergänzung zum Art. 16 des Grundgesetzes verabschiedet, die am 1. Juli 1993 rechtskräftig wurde.

Die neue Asyl-Regelung des Art. 16a des GG im Wortlaut:

„Gesetz zur Änderung des Grundgesetzes (Artikel 16) vom 28. Juni 1993

1. Artikel 16 Abs. 2 Satz 2 wird aufgehoben.

2. Nach Artikel 16 wird folgender Artikel 16a eingefügt:

Artikel 16 a

(1) Politisch Verfolgte genießen Asylrecht.

(2) Auf Absatz 1 kann sich nicht berufen, wer aus einem Mitgliedstaat der Europäischen Gemeinschaften oder aus einem anderen Drittstaat einreist, in dem die Anwendung des Abkommens über die Rechtsstellung der Flüchtlinge und der Konvention zum Schutze der Menschenrechte und Grundfreiheiten sichergestellt ist. Die Staaten außerhalb der Europäischen Gemeinschaften, auf die die Voraussetzungen des Satzes 1 zutreffen, werden durch Gesetz, das der Zustimmung des Bundesrates bedarf, bestimmt. In den Fällen des Satzes 1 können aufenthaltsbeendende Maßnahmen unabhängig von einem hiergegen eingelegten Rechtsbehelf vollzogen werden.

(3) Durch Gesetz, das der Zustimmung des Bundesrates bedarf, können Staaten bestimmt werden, bei denen auf Grund der Rechtslage, der Rechtsanwendung und der allgemeinen politischen Verhältnisse gewährleistet erscheint, dass dort weder politische Verfolgung noch unmenschliche oder erniedrigende Bestrafung oder Behandlung stattfindet. Es wird vermutet, dass ein Ausländer aus einem solchen Staat nicht verfolgt wird, solange er nicht Tatsachen vorträgt, die die Annahme begründen, dass er entgegen dieser Vermutung politisch verfolgt wird.

(4) Die Vollziehung aufenthaltsbeendender Maßnahmen wird in den Fällen des Absatzes 3 und in anderen Fällen, die offensichtlich unbegründet sind oder als offensichtlich unbegründet gelten, durch das Gericht nur ausgesetzt, wenn ernstliche Zweifel an der Rechtmäßigkeit der Maßnahme bestehen; der Prüfungsumfang kann eingeschränkt werden und verspätetes Vorbringen unberücksichtigt bleiben. Das Nähere ist durch Gesetz zu bestimmen.

(5) Die Absätze 1 bis 4 stehen völkerrechtlichen Verträgen von Mitgliedstaaten der Europäischen Gemeinschaften untereinander und mit dritten Staaten nicht entgegen, die unter Beachtung der Verpflichtungen aus dem Abkommen über die Rechtsstellung der Flüchtlinge und der Konvention zum Schutze der Menschenrechte und Grundfreiheiten, deren Anwendung in den Vertragsstaaten sichergestellt sein muss, Zuständigkeitsregelungen für die Prüfung von Asylbegehren einschließlich der gegenseitigen Anerkennung von Asylentscheidungen treffen".

(Quelle: BGBl Teil 1, Nr. 31, 1993, 1002).

Das neue Asylrecht besteht aus drei zentralen Regelungen:

a)   Die Drittstaaten-Regelung

Wer aus einem Mitgliedstaat der Europäischen Union oder aus einem Land, das der Gesetzgeber für „sicher" erklärt hat, einreist, hat keinen Anspruch auf Asyl, weil der Flüchtling auch dort Schutz vor politischer Verfolgung finden kann. Als sicher gelten solche Staaten, in denen die Genfer Flüchtlingskonvention und die Europäische Menschenrechtskonvention angewendet werden. Alle Nachbarn der Bundesrepublik und die gesamte Europäische Union gelten in diesem Sinne als sicher. Finnland, Norwegen, Österreich, Polen, Schweden, die Schweiz und die Tschechische Republik sind nach Anlage 1 zu § 26a des Asylverfahrensgesetzes sichere Drittstaaten. Dies bedeutet, dass kein Asylbewerber, der auf dem Landweg über einen sicheren Drittstaat in die Bundesrepublik einreist, einen Asylanspruch geltend machen kann.

b) Sichere Herkunftsstaaten

Mit Zustimmung des Bundestages und Bundesrates werden solche Länder gesetzlich bestimmt, in denen keine politische Verfolgung herrscht. Asylanträge derer, die aus diesen Ländern stammen, gelten als „offensichtlich unbegründet". Das Asylverfahrensgesetz erklärt Bulgarien, Gambia, Ghana, Polen, Rumänien, Senegal, die Slowakische Republik, die Tschechische Republik und Ungarn zu den „sicheren Herkunftsländern".

c) Die Flughafenregelung

Diese dem Asylkompromiss in letzter Minute angefügte Regelung erklärt das Verfahren bei Einreisen auf dem Luftwege aus „sicheren Herkunftsländern". Der Flugreisende wird auf dem „ex-territorialen" Flughafengelände untergebracht und durchläuft dort vor seiner Einreise ein kurzes Asylverfahren. Wird der Antrag als „offensichtlich unbegründet" abgelehnt, so wird die Einreise verweigert. Der Asylantrag gilt als „offensichtlich unbegründet", wenn z.B. die Reisedokumente falsch oder unvollständig sind oder die Reiseroute unklar ist. Die daraus resultierende Abschiebung darf vom Verwaltungsgericht nur bei ernsthaften und begründeten Zweifeln an der Rechtmäßigkeit des Verwaltungsaktes ausgesetzt werden. Der § 74 des Ausländergesetzes von 1990 sieht für Fluggesellschaften, die Ausländer ohne gültige Einreisepapiere auf dem Luftweg in die Bundesrepublik befördern, Sanktionen vor (vgl. Franz Nuscheler, 1995, 161; Martin Klingst, 1996, 12).

Das neue Asylrecht Art. 16a des Grundgesetzes war nicht nur in seiner Entstehung kontrovers, sondern hat auch in seiner Umsetzung verfassungsrechtliche Fragen und Kritiken ausgelöst, von denen insbesondere folgende hervorzuheben sind:

- In der amtlichen Begründung von Art. 16a heißt es, Ziel einer Neuregelung des Asylrechts müsse es sein, „den wirklich politisch Verfolgten weiterhin

Schutz und Zuflucht zu gewähren, aber eine unberechtigte Berufung auf das Asylrecht zu verhindern und diejenigen Ausländer von einem langwierigen Asylverfahren auszuschließen, die des Schutzes deswegen nicht bedürfen, weil sie offensichtlich nicht oder nicht mehr aktuell politisch verfolgt sind. Außerdem ist das Asylverfahren einschließlich des gerichtlichen Verfahrens weiter zu beschleunigen." (vgl. BTDrucks 12/4152, 3; Mitglieder des Bundesverfassungsgerichts, 1997, 53). Das neue Asylrecht Art. 16a Absatz 1 übernimmt daher unverändert den Wortlaut des bisherigen Art. 16 Abs. 2 Satz 2 GG: „Politisch Verfolgte genießen Asylrecht." In den weiteren 4 Absätzen des Art. 16a folgt jedoch ein ganzes Regelwerk, das faktisch die Berufung auf dieses Grundrecht verhindert (vgl. Ralf Rothkegel, 1993, 12).

- Die Drittstaaten-Regelung beinhaltet, dass bereits der Fluchtweg entscheidend ist, ob überhaupt ein Asylantrag gestellt werden kann. Damit findet der eigentliche Fluchtgrund, d.h., die Frage, ob aufgrund politischer Verfolgung im Sinne des Art. 16a Asyl ersucht wird, keine Berücksichtigung (vgl. Bericht des Rates der EKD, Frankfurter Rundschau, Nr. 268, 18.11.1994, 12). Der Umgang mit Flüchtlingen im gegenwärtigen Verfahren ist somit in erster Linie auf Abschreckung und Abweisung ausgerichtet. Die Befassung mit den Fluchtmotiven und Begründungen für das Asylverlangen wird in den Hintergrund gedrängt (vgl. Erik-Michael Bader, 1994, 4).

- Die Bundesrepublik Deutschland hat mit einer Reihe von Nachbarländern (z.B. Schweiz, Polen, Rumänien) Rücknahmeabkommen geschlossen, die ihrerseits ähnliche Vereinbarungen getroffen haben. Rücknahmeabkommen werden von allen Ländern angestrebt, so dass eine Kette entsteht, die bis in die Herkunftsländer der Asylsuchenden reicht. Die Abschiebung eines Asylsuchenden kann somit eine Kettenabschiebung bis zu seinem Herkunftsland auslösen. Die Drittstaaten-Regelung verstößt somit gegen das Gebot der „non-refoulement" des Art. 33 der GFK, weil danach niemand dorthin zurückgeschickt werden darf, wo ihm politische Verfolgung droht (vgl. Bericht des Rates der EKD, Frankfurter Rundschau, Nr. 268, 18.11.1994, 12).

- Die starke Beschleunigung des Asylverfahrens nach dem neuen Asylrecht führt nicht nur zum Zeitdruck der Beteiligten, sondern oft auch zu Verfahrensfehlern, die für die Flüchtlinge zum nicht-revidierbaren Rechtsnachteil werden. Es gab immer wieder Fehler bei der Zustellung von Ladungen und Bescheiden an eine frühere Anschrift, obwohl der Empfänger auf Behördenanordnung verlegt worden ist. Rechtlich gilt jedoch der Versand an überholte Anschriften als Zustellung, unabhängig davon, ob diese den Empfänger erreicht hat oder nicht. Der Bewerber versäumt damit unverschuldet entscheidende Einspruchsfristen. Die Folge ist, dass er unerwartet und plötzlich mit einer Ausreiseaufforderung unter Androhung von Abschiebung konfrontiert wird (vgl. Erik-Michael Bader, 1994, 4).

- Nach dem Bericht des deutschen Caritasverbandes sind nicht nur die Lebensbedingungen für die Flüchtlinge in den Aufnahmeeinrichtungen, sondern auch die in der Abschiebehaft bedenklich. Oft werden acht oder zehn Personen unterschiedlicher Nationalität in einem Raum untergebracht. Die fehlende Privatsphäre und unzureichenden Sanitärräume sind besonders für Familien problematisch. Noch alarmierender sind die Bedingungen in der Abschiebehaft als aufenthaltsbeendende Maßnahme. Die abgelehnten Asylbewerber werden oft „in Nacht- und Nebelaktionen" abgeholt, auch ohne Rücksicht auf die Trennung der Eltern von ihren Kindern. In der Regel sollte die Abschiebehaft sechs Wochen nicht überschreiten. Immer häufiger werden jedoch abgelehnte Asylbewerber zwischen sechs bis fünfzehn oder achtzehn Monaten in der Abschiebehaft festgehalten (vgl. Süddeutsche Zeitung Nr. 215, 17./18. September 1994, 11).

Gegen den Art. 16a wurden mehrere Verfassungsbeschwerden eingereicht. Der Zweite Senat des Bundesverfassungsgerichtes hat jedoch in seinem Urteil am 14. Mai 1996 diese zurückgewiesen und die neuen Regelungen des Art. 16a GG als verfassungskonform bestätigt (vgl. Mitglieder des Bundesverfassungsgerichtes, 1997, 49-52, 115-116, 166-168).

Nach der Veränderung des Grundgesetzes hielt die Asyldebatte in Deutschland weiter an. Bündnis 90/Die Grünen waren bestrebt, den Artikel 16a des Grundgesetzes zu seiner ursprünglichen Fassung rückgängig zu machen, während die CDU/CSU den Asylbewerbern in Deutschland jede politische Betätigung verbieten wollten, die nachträglich zum Asylgrund geführt hätte (vgl. MuB, 2/2001). Parallel dazu haben seit langer Zeit kontroverse Debatten zwischen den politischen Parteien über die geregelte Zuwanderung stattgefunden. Da Deutschland offiziell kein Einwanderungsland ist, sprachen alle Parteien in ihren eigenen Konzepten nur von der geregelten Zuwanderung, über die jedoch kein Konsens herrschte. Der von Bundesinnenminister Otto Schily (SPD) Anfang November 2001 vorgelegte Entwurf zum Zuwanderungs- und Integrationsgesetz wurde am 7. November 2001 vom Bundeskabinett verabschiedet. Nachdem der Deutsche Bundestag das Zuwanderungsgesetz der Bundesregierung am 1. März 2002 verabschiedet hat, fand die Abstimmung darüber im

Bundesrat am 22. März 2002 statt. Diese war jedoch umstritten, weil der Bundesratspräsident Klaus Wowereit (SPD) die uneinheitliche Stimmabgabe Brandenburgs als Ja zum Gesetzesentwurf bewertet hat. Da der Bundespräsident Johannes Rau (SPD) Ende Juni 2002 das Zuwanderungsgesetz trotz formaler Bedenken unterschrieb, reichten die von CDU/CSU regierten Bundesländer Mitte Juli 2002 Klage vor dem Bundesverfassungsgericht in Karlsruhe ein. Das Bundesverfassungsgericht gab am 18. Dezember 2002 der Klage gegen das Zustandekommen des Zuwanderungsgesetzes statt und erklärte es für ungültig, so dass es nicht wie vorgesehen am 1. Januar 2003 in Kraft treten konnte (vgl. MuB, 6/2002; 2/2003).

Nach dem Beschluss des Bundeskabinetts vom 15. Januar 2003 wurde das Zuwanderungsgesetz unverändert und erneut in das Gesetzgebungsverfahren eingebracht, der Bundesrat lehnte es jedoch am 14. Februar 2003 erneut ab. Der Bundestag befasste sich am 13. März 2003 wiederum mit dem Zuwanderungsgesetz, eine Annäherung zwischen den Parteien konnte jedoch nicht erreicht werden. Erst ein Spitzengespräch des Bundeskanzlers mit den Vorsitzenden von CDU/CSU am 25. Mai 2004 brachte eine Einigung im Zuwanderungsstreit. Der Bundesinnenminister Otto Schily, der Innenminister Bayerns Günther Beckstein und der Ministerpräsident des Saarlandes Peter Müller wurden daraufhin mit dem Gesetzesentwurf beauftragt. Diese einigten sich am 17. Juni 2004 auf eine Gesetzesvorlage. Das Zuwanderungsgesetz wurde daraufhin am 1. Juli 2004 im Bundestag und am 9. Juli 2004 im Bundesrat verabschiedet. Es wurde am 30. Juli 2004 vom Bundespräsident ausgefertigt und am 5. August 2004 im Bundesgesetzesblatt verkündet. Es trat am 1. Januar 2005 in Kraft (vgl. www. bmi.bund.de).

Das Gesetz zur Steuerung und Begrenzung der Zuwanderung und zur Regelung des Aufenthalts und der Integration von Unionsbürgern und Ausländern (Zuwanderungsgesetz) enthält u.a. folgende neue Regelungen (Quelle: BGBl, Jg. 2004, Teil 1, Nr. 41, 1950-2011):

- Die bisherigen fünf Aufenthaltstitel für Ausländer werden auf zwei Aufenthaltstitel (Aufenthalts- und Niederlassungserlaubnis) reduziert (§§ 7-9). Die Aufenthaltserlaubnis für Unionsbürger wird abgeschafft. Die Unionsbürger unterliegen wie die Einheimischen der Meldepflicht bei den Meldebehörden (FreizügG/EU, § 2 Abs. 3, Nr. 4).

- Das Bundesamt für die Anerkennung ausländischer Flüchtlinge wird in das Bundesamt für Migration und Flüchtlinge umbenannt. Seine Aufgaben bestehen in der Entwicklung und Durchführung von Integrationskursen, Förderung wissenschaftlicher Forschung zu Migrationsfragen, Führung des Ausländerzentralregisters und Koordinierung der Information über Arbeitsmigration zwischen den Ausländerbehörden, der Bundesagentur für Arbeit und den deutschen Auslandsvertretungen (§ 75).

- Im wirtschaftlichen und arbeitsmarktpolitischen Interesse der Bundesrepublik Deutschland (§ 1) kann die Niederlassungserlaubnis für Hochqualifizierte (§ 19) und Aufenthaltserlaubnis für Selbständige (§ 21) erteilt werden. Dabei wird die Arbeitsgenehmigung in einem Akt mit der Aufenthaltserlaubnis von den Ausländerbehörden erteilt, sofern die Arbeitsverwaltung intern zugestimmt hat (§ 39, Abs. 1). Nach erfolgreichem Studienabschluss können die ausländischen Studienabsolventen eine Aufenthalterlaubnis bis zu einem Jahr zwecks Arbeitsplatzsuche erhalten (§ 16, Abs. 4).

- Rechtsnormen für die Anerkennung des Flüchtlingsstatus im Sinne der Genfer Flüchtlingskonvention finden auch bei nichtstaatlicher und geschlechtsspezifischer Verfolgung Anwendung (§ 60, Abs. 1).

- Für die minderjährigen ledigen Kinder der Ausländer mit Aufenthaltserlaubnis besteht Nachzugsanspruch bis zum 18. Lebensjahr (§ 32).

- Neuzuwanderer mit Aufenthalts- oder Niederlassungserlaubnis haben Anspruch und Verpflichtung, an einem Integrationskurs (§§ 43-44a) teilzunehmen. Der Bund übernimmt die Kosten. Wer seiner Teilnahmepflicht nicht nachkommt, riskiert die Kürzung der staatlichen Leistungen oder den Aufenthaltsstatus (§ 44a, Abs. 3).

- Im Sicherheitsinteresse der Bundesrepublik Deutschland kann die oberste Landesbehörde gegen einen Ausländer aufgrund einer „tatsachengestützten Gefahrenprognose" oder einer „terroristischen Gefahr" eine Abschiebeanordnung erlassen (§ 58a). Wer einer Vereinigung angehört oder angehört hat, die den Terrorismus unterstützt, oder wer eine solche unterstützt oder unterstützt hat, setzt sich der Regelausweisung aus (§ 54, Nr. 5). „Geistige Brandstifter", die die öffentliche Sicherheit und Ordnung stören, zum Hass gegen Teile der Bevölkerung aufstacheln oder zu Gewalt- oder Willkürmaßnahmen gegen sie auffordern oder die Menschenwürde anderer dadurch angreifen, setzen sich der Ermessensausweisung aus (§ 55, Abs. 2, Nr. 8b).

Die Umsetzung der EU-Richtlinien hat zur ersten umfassenden Novellierung des Zuwanderungsgesetzes geführt. Am 28. März 2007 hat das Bundeskabinett den Gesetzesentwurf zur Umsetzung aufenthalts- und asylrechtlicher Richtlinien der EU gebilligt, der unter Federführung von Bundesinnenminister Wolfgang Schäuble erarbeitet wurde. Der Gesetzesentwurf wurde am 14. Juni im Bundestag und am 6. Juni im Bundesrat verabschiedet. Es wurde am 19. August 2007 vom Bundespräsident ausgefertigt und trat am 28. August 2007 in Kraft (vgl. www.bmi.bund.de, siehe Rechtsgrundlagen und Zeitstrahl unter der Rubrik Zuwanderung).

Die Gesetzesnovellierung umfasst neben der Umsetzung aufenthalts- und asylrechtlicher Richtlinien der EU auch Änderungen hinsichtlich des Bleiberechts langjährig geduldeter Flüchtlinge, der Integration, der Einbürgerung und des Nachzugs von Ehegatten der Zuwanderer.

2.4.3 Harmonisierung der Einwanderungs- und Asylpolitik in der Europäischen Gemeinschaft / Europäischen Union

Am 25. März 1957 wurden in Rom die Verträge zur Gründung der Europäischen Wirtschaftsgemeinschaft (EWG) und der Europäischen Atomgemeinschaft (EAG) von den sechs Gründerstaaten (Belgien, Deutschland, Frankreich, Italien, Luxemburg und Niederlande) geschlossen. Diese Römischen Verträge traten am 1. Januar 1958 in Kraft. Dadurch erfuhr der europäische Einigungsprozess, der sich bis dahin auf den Kohle- und Stahlbereich (Montanunion) beschränkt hatte, eine Ausweitung auf die gesamte Wirtschaft Westeuropas. Aus den drei Verträgen, die organisatorisch die Europäische Gemeinschaft (EG) bildeten, war der Vertrag zur Gründung der Europäischen Wirtschaftsgemeinschaft (EWG-Vertrag) der praktisch wichtigste und umfassendste. Er wirkte in den letzten 50 Jahren als Magna Charta des europäischen Einigungswerks. In der Folgezeit wurde er durch die Einheitliche Europäische Akte (EEA) vom 28. Februar 1986 mit der Zielsetzung geändert und inhaltlich erweitert, die Gemeinschaft auf die Vollendung des Binnenmarktes bis zum 31. Dezember 1992 auszurichten. Entsprechend dieser erweiterten Zielsetzung wurde der Vertrag zur Gründung der Europäischen Wirtschaftsgemeinschaft im Hinblick auf die Gründung einer Europäischen Gemeinschaft (Vertrag zur Gründung der Europäischen Gemeinschaft/EG-Vertrag) geändert (vgl. Art. G des Vertrages über die Europäische Union). Die jüngste und bisher umfassendste Änderung und Ergänzung der Römischen Verträge erfolgte durch den Vertrag über die Europäische Union in Maastricht (EU-Vertrag in Maastricht) vom 7. Februar 1992, der auf die stufenweise Vollendung der Europäischen Union und Integration in allen Bereichen (Wirtschafts- und Währungsunion, politische Union) abzielt (vgl. Thomas Läufer, 1992, 7-15).

Die aufgezeigte Entwicklung der Europäischen Wirtschaftsgemeinschaft

(EWG) über die Gründung der Europäischen Gemeinschaft (EG) hin zur Europäischen Union (EU) findet auch in migrationspolitischen Ansätzen ihren Niederschlag. Die Römischen Verträge hatten in ihren Artikeln 48 und 49 die Freizügigkeit der Arbeitnehmer innerhalb der Gemeinschaft (binnengemeinschaftliche Migration) festgeschrieben und festgelegt, so dass der Rat alle erforderlichen Maßnahmen dazu unternimmt. Die Freizügigkeit war in diesem Sinne primär auf die Arbeitsmigranten bezogen und wirtschaftlich ausgerichtet (vgl. Johannes Velling, 1993/1, 3). Sogar die Abschaffung der Niederlassungsbeschränkungen für die Angehörigen der Mitgliedstaaten im Hoheitsgebiet anderer Mitgliedstaaten im Artikel 52 ff. bezog sich auf die wirtschaftlichen Unternehmungen. Erst die Einheitliche Europäische Akte (EEA) vom 28. Februar 1986 sieht in ihrem Artikel 8a als Ziel des europäischen Binnenmarktes die Schaffung eines Raumes ohne Binnengrenzen für den freien Verkehr von Waren, Personen, Dienstleistungen und Kapital vor (vgl. Giuseppe Callovi, 1992, 358). Diese über die ökonomische Ausrichtung weit hinausgehende Zielsetzung der Freizügigkeit mit ihrem unveränderten Wortlaut „Schaffung eines Raumes ohne Binnengrenzen" findet ihren vollen Niederschlag in dem Artikel B des Vertrages über die Europäische Union in Maastricht vom 7. Februar 1992. Der Vertrag in Maastricht führt auch die Unionsbürgerschaft ein. Die Unionsbürger sind diejenigen, die die Staatsangehörigkeit eines Mitgliedstaates besitzen. Sie sollen das Recht haben, sich im Hoheitsgebiet der Mitgliedstaaten frei zu bewegen und aufzuhalten (vgl. Art. 8 und 8a des EG-Vertrages in der Fassung vom 7. Februar 1992; Andrew Convey, Marek Kupiszewski, 1995, 939).

Die Gewährleistung der Freizügigkeit innerhalb der Europäischen Union durch die Schaffung eines Raumes ohne Binnengrenzen soll jedoch umgekehrt von einer strengeren Überwachung und Kontrolle der Außengrenzen der Mitgliedstaaten, in gegenseitiger Abstimmung, abgesichert werden. Sie schreiben daher in Art. K1 des EU-Vertrages die Fragen der Asylpolitik, der Kontrolle der Außengrenzen und der Einwanderungspolitik gegenüber den Staatsangehörigen dritter Länder (z.B. Einreise, Aufenthalt, Familienzusammenführung, Beschäftigung, Strafverfolgung, Zollwesen) als „Angelegenheiten von gemeinsamem Interesse" fest. Die Mitgliedländer regeln diese Fragen unter Beachtung der Europäischen Menschenrechtskonvention und der Genfer Flüchtlingskonvention einheitlich. In Art. 100 C des EU-Vertrages in der Fassung vom 7. Februar 1992 ist auch festgeschrieben, die einheitliche Visa-Gestaltung vorzunehmen, in dem die Drittländer einstimmig bestimmt werden, deren Staatsangehörige beim Überschreiten der Außengrenze der Mitgliedstaaten im Besitz eines Visums sein müssen.

Eine Maßnahme, die die Idee eines Raumes ohne Binnengrenzen in die Praxis umsetzt, ist das Schengener Abkommen. Am 14. Juni 1985 wurde zwischen den Regierungen der Staaten der Benelux-Wirtschaftsunion, der Bundesrepublik Deutschland und der Französischen Republik ein Übereinkommen über den schrittweisen Abbau der Kontrollen an ihren gemeinsamen Grenzen im luxemburgischen Schengen erzielt (Schengener Abkommen I). Ein Übereinkommen zu seiner Durchführung wurde am 19. Juni 1990 zwischen den Schengener Initiativstaaten erreicht (Schengener Durchführungsübereinkommen/SDÜ bzw. Schengener Abkommen II). In der Folgezeit sind Spanien, Portugal, Griechenland, Österreich, Dänemark, Finnland und Schweden dem Übereinkommen beigetreten. Am 26. März 1995 wurde das SDÜ für Deutschland, Niederlande, Belgien, Luxemburg, Frankreich, Spanien und Portugal, für Italien am 26. Oktober, für Österreich und Griechenland am 1. Dezember 1997 in Kraft gesetzt. Das Schengener Abkommen wurde mit Inkrafttreten des Amsterdamer Vertrages am 1. Mai 1999 zum rechtlichen Teil des Unionsvertrages übergeführt. Am 25. März 2001 sind fünf nördliche Länder (Norwegen, Dänemark, Schweden, Finnland und Island) dem Schengener Abkommen beigetreten. Am 21. Dezember 2007 traten die neuen Mitgliedländer der EU: Estland, Lettland, Litauen, Malta, Polen, Slowakei, Slowenien, Tschechien und Ungarn dem Schengener Abkommen bei, so dass es nun in 22 Mitgliedländern der EU und in zwei Nicht-EU-Ländern (Norwegen und Island) in Europa angewendet wird. Von den EU-Ländern nehmen das Vereinigte Königreich und Irland nur eingeschränkt am Schengener Abkommen teil. Bulgarien, Rumänien und Zypern werden das Abkommen erst nach der Erfüllung technischer und rechtlicher Voraussetzungen zu einem späteren Zeitpunkt anwenden (vgl. www.bmi. bund. de, Suchbegriff: Schengen).

Die wesentlichen Inhalte des SDÜ sind:

- Abschaffung der Personenkontrollen an den Binnengrenzen (gemeinsame Landgrenzen der Vertragsparteien sowie an Flug- und Seehäfen)

- Drittausländer, die rechtmäßig in das Hoheitsgebiet einer der Vertragsparteien eingereist sind, sind berechtigt, während der Gültigkeitsdauer des Sichtvermerks, jedoch höchstens bis zu drei Monaten vom Datum der ersten Einreise an, durch das Hoheitsgebiet der anderen Vertragsparteien zu reisen. Sie unterliegen jedoch der Meldepflicht.

- Der Beförderungsunternehmer, der Drittausländer ohne erforderliche Reisedokumente auf dem Luft-, See- oder Landweg bis an die Außengrenzen der

Mitgliedstaaten befördert, ist verpflichtet, sie unverzüglich zurückzunehmen. Er hat außerdem mit Sanktionen zu rechnen.

- Jedes Asylbegehren wird nur von einer zuständigen Vertragspartei behandelt. Die Ablehnung gilt für alle Vertragsparteien.

- Die Vertragsparteien errichten und unterhalten ein gemeinsames automatisiertes Schengener Informations- und Fahndungssystem (SIS), um die Durchsetzung der Vertragsbestimmungen zu erleichtern.

Das Schengener Übereinkommen ist ein völkerrechtliches Abkommen außerhalb des EU-Rechts, das auch den Staaten außerhalb der EU den Beitritt ermöglichen sollte. Die Schengener-Staaten verstehen den Wegfall der Personenkontrollen an den gemeinsamen Binnengrenzen als unabdingbaren Bestandteil der europäischen Einigung.

Eine Maßnahme zur Harmonisierung der Asylpolitik der Mitgliedstaaten der Europäischen Gemeinschaft ist das „Übereinkommen über die Bestimmung des zuständigen Staates für die Prüfung eines in einem Mitgliedstaat der Europäischen Gemeinschaft gestellten Asylantrages" vom 15. Juni 1990 in Dublin (Dubliner Übereinkommen). Sein Ziel ist die Vermeidung von Problemen, die im Zusammenhang mit der Freizügigkeit des Personenverkehrs innerhalb der Europäischen Gemeinschaft eintreten können. Diese sind nach der Denkschrift zum Übereinkommen:

- Die Wahrscheinlichkeit der Zunahme des Reiseverkehrs von asylbegehrenden Ausländern aus Drittstaaten zwischen den Mitgliedstaaten der Europäischen Gemeinschaft.

- Die Sorge, dass Asylsuchende innerhalb des Gemeinschaftsgebietes zu „refugees in orbit" werden, für deren Asylantrag sich aus formalen Gründen letztlich kein Mitgliedstaat verantwortlich fühlt.

- Die Sorge, dass ein Asylsuchender gleichzeitig oder nacheinander Asylanträge in mehreren Mitgliedstaaten stellen könnte.

Vor diesem Hintergrund ist das weitere Ziel des Dubliner Übereinkommens die Schaffung von klaren Zuständigkeitsregelungen für die Durchführung von Asylverfahren. Die wesentlichen Inhalte des Dubliner Übereinkommens sind:

- Die Mitgliedstaaten verpflichten sich, jeden Asylantrag zu prüfen, den ein Ausländer an der Grenze oder auf dem Hoheitsgebiet eines Mitgliedstaates stellt.

- Dieser Antrag wird von einem einzigen Mitgliedstaat gemäß seinen innerstaatlichen Rechtsvorschriften geprüft.

- Für die Prüfung des Asylantrages ist der Mitgliedstaat zuständig, der dem Asylbewerber eine gültige Aufenthaltserlaubnis oder ein gültiges Einreisevisum erteilt hat bzw. über dessen Grenzen er nachweislich eingereist ist.

- Der Mitgliedstaat, der für die Prüfung eines Asylantrages zuständig ist, ist verpflichtet, den Asylbewerber, der einen Antrag in einem anderen Mitgliedstaat gestellt hat, aufzunehmen.

- Die Mitgliedstaaten tauschen untereinander Informationen aus.

Das Dubliner und das Schengener Übereinkommen unterscheiden sich in Zielsetzungen sowie Bestimmungen kaum voneinander. Sie sind wesentlich inhaltsgleich. Die einzige Abweichung besteht darin, dass das Erstere von allen Mitgliedstaaten der Europäischen Gemeinschaft unterzeichnet wurde. Somit dehnt es die Bestimmungen des Letzteren auf alle Mitgliedsstaaten aus. Die Schengener-Staaten beabsichtigen daher, nach Inkrafttreten des Dubliner Übereinkommens ihre bisherigen asylrechtlichen Bestimmungen nicht mehr anzuwenden.

Die bisherigen Ausführungen haben gezeigt, dass die einzelnen europäischen Länder auf nationalstaatlicher Ebene zunehmend restriktiver auf den wachsenden Migrationsdruck reagieren. Ihre Migrations- und Asylpolitik ist defensiv und abschreckend, so dass für Migranten kaum eine Chance besteht, in einem europäischen Land Aufnahme zu finden, wenn sie nicht nachweislich politisch verfolgt werden.

Auf der Ebene der Europäischen Gemeinschaft zeigt sich eine zweigleisige Entwicklung. Zwischen den Mitgliedstaaten der Europäischen Gemeinschaft wird die Freizügigkeit des Personenverkehrs spürbar ausgebaut, so dass innerhalb der Gemeinschaft stufenweise ein Raum ohne Binnengrenzen entsteht. Damit werden die innergemeinschaftlichen Binnenmigrationen zunehmen. Um diese Freizügigkeit im Binnenraum sicherstellen zu können, werden gleichzeitig zunehmend strengere und koordinierte Maßnahmen zur lückenlosen Überwachung und Abdichtung der Außengrenzen der Europäischen Gemeinschaft unternommen. Sie entwickelt sich somit zu der häufig zitierten Festung (fortress Europe) mit restriktiv hohen politischen und legislativen „Mauern" (vgl. Philip L. Martin, 1994, 168). Darin kommt unübersehbar eine „policy of closed doors" gegenüber den Menschen aus dritten Ländern zum Ausdruck (vgl. Andrew Convey, Marek Kupiszewski, 1995, 945). Die Harmonisierung der Asyl- und Migrationspolitik der Mitgliedstaaten der Europäischen Gemeinschaft erzeugt somit, wie die jeweilige nationale Asyl- und Migrationspolitik der Mitgliedstaaten, restriktive strukturelle Bedingungen, die zum weltweit wachsenden Migrationsdruck führen. Die Tatsache, dass diese Entwicklung zu einer Zeit der Globalisierung und Liberalisierung der Wirtschaft aufgrund verbesserter Informations-, Kommunikations- und Transporttechnologien eintritt, gibt Anlass zur Vermutung, dass der zunehmende Migrationsdruck nach Schwachstellen zu seiner Ventilierung suchen wird. Vieles spricht dafür, dass so die illegale Migration zunimmt.

Am 15. und 16. Oktober 2008 haben die Staats- und Regierungschefs der 27 Mitgliedstaaten der EU in ihrem Gipfeltreffen in Paris den „Europäischen Pakt zu Einwanderung und Asyl" angenommen. Darin verpflichten sie sich zu einer engeren Abstimmung in Einwanderungsfragen, unabhängig davon, dass die einzelnen Mitgliedstaaten nach wie vor für die Einwanderungsfragen in ihrem nationalstaatlichen Bereich zuständig sind. Im Dezember 2008 folgten dann die Vorschläge der Europäischen Kommission zur Überarbeitung des Asylsystems mit dem Ziel, Asylsuchende „humaner und fairer" zu behandeln (vgl. MuB, 01/2009).

3. Psychosoziale Folgen der Migration für die Migranten

Die bisherigen Ausführungen zu multikausalen Determinanten der Migration, zur Selektion der Migranten durch die Bedarfskriterien der Aufnahmeländer, zur Diversifizierung der Migrationsformen, zu soziologischen Migrationstheorien und strukturellen Bedingungen der Migrationsbewegungen waren von den Bemühungen geleitet, den komplexen Migrationsvorgang in seiner makrostrukturellen Verursachung und Einbettung verständlich zu machen. Diese übergreifende Sichtweise ist unabdingbare Voraussetzung für eine objektiv-ganzheitliche Einschätzung des Phänomens. Diese Sichtweise darf jedoch nicht den Blick für mikrostrukturelle Teilbereiche versperren. Das Ziel dieses Kapitels ist es, den Migrationsprozess aus der Sicht der Migranten zu betrachten. Dabei wird angestrebt, belastende psychosoziale Folgen heraus zu arbeiten, mit denen die Mehrheit der Migranten konfrontiert wird. Dadurch sollen migrationsbedingte innerpsychische Stress- und Konfliktsituationen aufgezeigt werden, deren Einschätzung nicht nur für die praktische soziale Arbeit mit Migranten, sondern auch für die Politik und die aufnehmende Gesellschaft von Bedeutung sein kann.

3.1 Individuelle Migrationsentscheidung als Prozess

Sieht man von den Migrationsformen ab, die durch gewaltsame Ereignisse und Einwirkungen von außen (z.B. Naturkatastrophen, Kriege, politische und religiöse Verfolgung) abrupt veranlasst werden, ist allgemein davon auszugehen, dass der „normale" Schritt in die permanente und grenzüberschreitende Migration nicht auf eine spontane Ad-hoc-Entscheidung, sondern auf wohlüberlegte und langandauernde Entscheidungsprozesse zurückgeht. Die Ungewissheit und die nicht abschätzbaren Risiken, die mit dem endgültigen Schritt zur Migration eingeleitet werden, sprechen für diese Annahme. Die durch Migration eintretenden Veränderungen und Umstellungen sind im Regelfall so total und radikal, dass sie metaphorisch der Entwurzelung gleichgesetzt werden. Eine Pflanze, deren Wurzel aus dem Erdboden herausgerissen wird, kann nur weiter leben, wenn sie in einem anderen vergleichbaren Boden mit ähnlichen klimatischen

Bedingungen nochmals so eingepflanzt wird, dass sie wieder Wurzeln schlagen kann. In diesem Sinne hat auch Shmuel N. Eisenstadt die Migration mit einem Vorgang verglichen, in dem der Migrant aus einem relativ stabilen sozialen System herausgenommen und in ein anderes transplantiert wird:

„The process of immigration is a process of physical transition from one society to another. Through it the immigrant is taken out of a more or less stable social system and transplanted into another." (Shmuel N. Eisenstadt, 1952(1), 225)

Die Bewusstheit über die Radikalität und Totalität der durch die Migration eintretenden Entwurzelung und der damit verbundenen unkalkulierbaren Folgen veranlassen im Normalfall potentielle Migranten, ihre Entscheidung langfristig und sorgfältig vorzubereiten. Die individuelle Migrationsentscheidung ist somit als ein sich allmählich verdichtender psychischer Dispositionsprozess zu verstehen, in dem die anfänglichen und diffusen Vorstellungen der potentiellen Migranten nach und nach konkrete Gestalt annehmen und sich zu einer festen und entschlossenen Motivation entwickeln. Unter der Prämisse, dass die individuelle Migrationsentscheidung prozesshaft vorbereitet wird, sollen im Folgenden idealtypische Überlegungen zu einzelnen Phasen angestellt werden, die die potentiellen Migranten in ihrer Entscheidungsvorbereitung theoretisch durchlaufen. Idealtypisch soll bedeuten, dass der faktische Verlauf der Entscheidungsvorbereitung in der Praxis nicht mit dem der theoretisch konstruierten Phasen identisch sein muss. Dennoch ist ein Phasenmodell ein hilfreiches Instrument zur Systematisierung der Vielfalt möglicher Formen der individuellen Entscheidungsvorbereitung. Solche theoretischen Strukturierungen auf einer generalisierten Abstraktionsebene öffnen den Blick für eine umfassende Sicht, die sich von der individuellen Variabilität abhebt und den Entscheidungsprozess vereinfachend verständlich macht. In diesem idealtypischen Sinn sind fünf Phasen des individuellen Entscheidungsprozesses zu nennen (soziale Umstände, Motivbildung, Informationssuche, Risikobereitschaft und Entscheidung), die im Folgenden in der Reihenfolge der Nennung thematisiert werden sollen (vgl. Gordon F. De Jong, Robert W. Gardner, 1981, 5-6).

Die erste Phase besteht in der subjektiven Wahrnehmung belastender gesellschaftlicher Umstände (z.B. politischer, wirtschaftlicher, religiös-kultureller, sozial-interaktiver) durch die potentiellen Migranten. Dies beinhaltet die makrostrukturellen Umstände, die sich negativ auf die Lebenssituation auswirken und die individuell nicht zu beeinflussen sind. Die Unzufriedenheit mit der eigenen Lebenssituation ist oft der Anlass, über Alternativen nachzudenken. Die allgemeine und noch nicht differenzierte Vorstellung potentieller Migranten, die eigene unbefriedigende Lebenssituation verbessern zu wollen, markiert den entscheidungstheoretischen Anfang eines individuell unterschiedlich langandauernden Problemlösungsverhaltens. Die gesellschaftlichen „Push-Faktoren" erzeugen eine Drucksituation und lösen subjektive Gefühle von Unsicherheit und Unzufriedenheit (feelings of insecurity and inadequacy) aus, die sie zu beseitigen versuchen (vgl. Shmuel N. Eisenstadt, 1954, 1-4).

Die zweite Phase des individuellen Entscheidungsprozesses besteht aus der prozesshaften Motivbildung zur Migration. In dieser Phase beginnt nach und nach die gedankliche Auseinandersetzung, die Migration für sich als realistische und sinnvolle Problemlösung zur Verbesserung der unbefriedigenden Lebenssituation zu betrachten. Diese Motivbildung setzt voraus, dass prozesshaft zumindest vier Fragen geklärt werden (vgl. Sarah F. Harbison, 1981, 227):

a) ob die persönlich angestrebte Veränderung bzw. Verbesserung tatsächlich auch subjektiv für möglich gehalten wird (availability),

b) ob die persönliche Zielvorstellung, nach der die einzelnen Entscheidungen gerichtet werden müssen, so stabil ist, dass man sich darauf stützen kann (personal strength of the goal),

c) ob die Erreichung der gesetzten Ziele subjektiv auch als realistisch und möglich eingeschätzt wird (expectancy),

d) ob von einer Reihe verfügbarer Handlungsmöglichkeiten ausgegangen werden kann, die auf die Zielverwirklichung positiv einwirken können (incentives).

Der Grad der individuellen Motivbildung zur Migration wird von der prozesshaften Klärung der genannten Fragen abhängen, weil niemand die Migration für sich anstrebt, wenn sie nicht als erfolgversprechend eingestuft wird. Die Intensität der Motivbildung zur Migration ist somit wiederum nur prozesshaft vorstellbar. In diesem Zusammenhang ist es von Bedeutung, Theoriemodelle der Migration, die in der ökonomischen Migrationstheorie entwickelt wurden, kennen zu lernen, da wirtschaftliche Motive bei der individuellen Migrationsentscheidung eine ausschlaggebende Rolle spielen. Die ökonomischen Theoriemodelle stimmen weitgehend in der Annahme überein, dass das Hauptmotiv zur Migration in dem generellen Wunsch besteht, die ökonomischen Lebensbedingungen verbessern zu wollen. Dabei unterscheiden sich einzelne Theoriemodelle nach der Wahl der zentralen Variablen (z.B. berufliche Qualifikation, Arbeit, Einkommen) voneinander, von deren positiver Veränderung die Verbesserung der ökonomischen Lebensbedingungen abhängig gemacht wird. Danach sind zumindest zwei Theoriemodelle zu unterscheiden:

(a) The labor-force adjustment model

In diesem Modell wird die Migration als eine individuelle Antwort bzw. Reaktion auf die Differenzen von Lohnniveau und Beschäftigungschance zwischen den Regionen erklärt. Diese Differenzen resultieren als Folge des voneinander differierenden Angebots- und Nachfragesystems von Arbeitskräften, das zwischen den wirtschaftlich unterschiedlich entwickelten Regionen eintritt. Die dadurch ausgelöste Migration von Arbeitskräften hat die Funktion, das Lohn- und Beschäftigungsgefälle zwischen den Regionen auszugleichen und anzupassen (an equilibrating mechanism). Nach diesem Modell migrieren Arbeitskräfte aus der Region A in die Region B, wenn die Löhne und Beschäftigungschancen in der Region B höher und besser sind als die der Region A (vgl. Lawrence A. Brown, Rickie L. Sanders, 1981, 158). Eine gegenseitige Angleichung des Lohnniveaus kann theoretisch dadurch eintreten, dass das steigende Angebot von Arbeitskräften in der Region B durch die Zuwanderung von Arbeitskräften das Lohnniveau auf Dauer nach unten drücken, während das Lohnniveau in der Region A umgekehrt durch die auswanderungsbedingte Knappheit von Arbeitskräften irgendwann ansteigen wird.

Ein angemessener Vergleich der Löhne und Beschäftigungschancen ist in der Realität mit großen Schwierigkeiten verbunden und kann von den potentiellen Migranten kaum realistisch vorgenommen werden. Die faktischen Lebenshaltungskosten, die Arbeits- und Sozialversicherungsbestimmungen sowie die Wechselkursrelationen der Währungen, hier auf die grenzüberschreitende Migration bezogen, müssen in die Betrachtung einbezogen werden. Aufgrund fehlender bzw. mangelnder Informationen ist bei den Migranten nicht sichergestellt, ob diese Aspekte beim Lohnvergleich tatsächlich berücksichtigt werden können. Bei der Frage nach dem Realeinkommens- bzw. Lohngefälle ist es somit sinnvoll, nicht von dem tatsächlichen Gefälle, sondern eher von der Vorstellung auszugehen, die die potentiellen Migranten diesbezüglich haben. Die theoretische Annahme, dass die Arbeitsmigration eine ausgleichende Funktion (an equilibrating function) zwischen den regional unterschiedlichen Nachfragen nach Arbeitskräften haben soll, wird nicht von allen ökonomischen Migrationsmodellen geteilt. Das Zentrum-Peripherie-Modell der Migration nimmt umgekehrt an, dass die Arbeitsmigration zwischen politisch und ökonomisch ungleich entwickelten Regionen die vorhandenen regionalen Disparitäten eher vergrößert und verschlechtert, weil die Abwanderung von Arbeitskräften die wirtschaftliche Entwicklung und Perspektive der ohnehin rückständigen Regionen zusätzlich negativ beeinflusst (vgl. Bimal Ghosh, 1996, 83).

(b) The human capital model

Dieses Modell geht von der Annahme aus, dass sich die potentiellen Migranten bei ihrer Migrationsentscheidung von dem erhofften ökonomischen Nutzen leiten lassen, der auf eine lange Zeitperiode verteilt entsteht. Nach diesem Modell werden Migranten sich dann für ein Land entscheiden, wenn die Summe des geschätzten Realeinkommens insgesamt größer ausfällt als die des tatsächlichen Realeinkommens am Ausgangsort. Das Modell unterstellt, dass Migration selbst dann stattfinden wird, wenn das erwartete Realeinkommen am Zielort in der Anfangszeit niedriger liegen sollte als das des Ausgangsortes, weil die Migration als langzeitige Investition für die höhere Produktivität der Arbeitskraft verstanden wird. Nach diesem Modell ist für die Migrationsentscheidung bestimmend, dass die Summe des erwarteten Realeinkommens am Zielort langfristig höher ausfällt als am Herkunftsort. Migration ist in diesem Sinne eine Langzeitinvestition in das eigene Humankapital. Damit erklärt das Modell auch, warum die Migrationsrate mit steigendem Alter abnimmt (vgl. Julie DaVanzo, 1981, 92, 103).

Die dritte Phase des individuellen Entscheidungsprozesses besteht in dem Einholen und Auswerten von Informationen, die die potentiellen Migranten für die Auswahlentscheidung ihres Zielortes benötigen. Nachdem die Motivation zur Migration abgeklärt ist, muss der endgültige Zielort entschieden werden. Dabei wird theoretisch unterstellt, dass jeder Migrationswillige eine „mental or cognitive map" besitzt, d.h. dass er bestimmte gedankliche Bilder und Vorstellungen über mögliche Zielorte hat. Diese Bilder stimmen oft mit der Realität nicht überein, so dass sie später im Aufnahmeland zur Ursache persönlicher Enttäuschungen und Probleme werden können. Sie sind dennoch maßgeblich für die individuelle Informationssuche (vgl. Lawrence A. Brown; Rickie L. Sanders, 1981, 152).

Bei der Informationssuche geht es primär darum, die eigenen Wünsche und Erwartungen mit den aktuellen Möglichkeiten und Opportunitäten des in Frage kommenden Zielortes zu vergleichen und zu überprüfen. Theoretisch betrachtet wäre eine weitgehende Kongruenz zwischen den individuellen Vorstellungen der potentiellen Migranten und den Angeboten des Zielortes die Entscheidungsgrundlage für diesen Zielort, während eine große Disparität gegen den Zielort sprechen würde. In der Realität ist jedoch eine solche rationale Vorgehensweise nicht die Regel. Oft spielen Familienangehörige oder Bekannte als Informationsquelle eine zentrale Rolle. Ihre Informationen und Argumente sind häufig bedeutsamer als rationale und logische Begründungen. Nur bei höherem Bildungsniveau ist zu erwarten, dass sich die Auswanderungswilligen über die unmittelbaren Informationen ihres Bezugsfeldes hinaus zusätzlich auf öffentliche Informationen (z.B. Zeitungen, Berichte, amtliche Mitteilungen) stützen (vgl. John L. Goodman, 1981, 137).

Die vierte Phase des individuellen Entscheidungsprozesses zur Migration besteht in der inneren und mentalen Bereitschaft, alle Risiken, die mit der Migration verbunden sind, auf sich zu nehmen und den Schritt in die Fremde zu wagen. Diese innere Bereitschaft kann nicht ad hoc entstehen, sondern nur als Folge einer allmählich wachsenden persönlichen Einsicht prozesshaft gewonnen werden. Es ist davon auszugehen, dass diese Phase aus unterschiedlichen Gründen nicht bei allen Migranten vorzufinden ist. Die Beispiele vieler junger Aussiedler aus der ehemaligen Sowjetunion zeigen, dass sie aufgrund elterlicher Entscheidung nur passiv in die Bundesrepublik ausgesiedelt sind, ohne die Aussiedlung selbst gewollt zu haben. Dadurch haben sie mit besonders schwierigen Eingewöhnungs- und Eingliederungsproblemen zu kämpfen. Die Frage nach der inneren Bereitschaft zur Migration ist die Frage danach, ob die Migration persönlich gewollt und bejaht wird oder nicht. So gesehen ist sie natürlicher Bestandteil einer rationalen Migrationsentscheidung. Sie bestimmt maßgeblich den späteren Verlauf der Integration in die Aufnahmegesellschaft.

Das Treffen einer eindeutigen und endgültigen Entscheidung zur tatsächlichen Migration bildet die letzte Phase des individuellen Entscheidungsprozesses. Diese für die Migranten folgenreiche Entscheidung wird in der Regel nicht von diesen allein, sondern in ihrem familialen Kontext in gemeinsamer Überlegung getroffen. In dieser Phase wird die bisher vorgestellte und gedanklich vorbereitete Migration zu einer in die Tat umzusetzenden Wirklichkeit. Damit wird die Vorbereitungsphase der Migration (vgl. Kapitel 1.4.2) abgeschlossen und der eigentliche Vorgang der Migration kann beginnen, indem die Migranten tatsächlich ihren Herkunftsort in Richtung des gewählten Zielortes (place of destination) verlassen. Diese Übergangsphase wird von Shmuel N. Eisenstadt metaphorisch als „physical transition" bezeichnet.

Die Familie stellt in diesem Zusammenhang einen strukturellen und funktionalen Kontext für die Migranten dar, in dem nicht nur ihre Motivationen und Wertvorstellungen geformt, sondern auch die gesammelten Informationen gemeinsam aufbereitet, interpretiert und für eine angemessene Entscheidung ausgewertet werden. Die Familie als die wichtigste und grundlegendste intermediäre Instanz zwischen Individuum und Gesellschaft vermittelt auch bei der individuellen Migrationsentscheidung zwischen den einzelnen Migranten und ihrem möglichen Zielort (vgl. Sarah F. Harbison, 1981, 226, 229). Dabei ermutigt sie diese in ihrem Vorhaben und gewährt ihnen die nötige psychisch-emotionale und materielle Unterstützung. Die Migranten werden in ihrer Entscheidung verstärkt, so dass sie tatsächlich die risikoreichen Schritte in eine unbekannte Zukunft wagen. Vor diesem Hintergrund stehen sie gegenüber ihren Familien in der moralischen Verpflichtung, alle Anstrengungen zu unternehmen, um die in sie gesetzten Erwartungen nicht zu enttäuschen. Hier sei darauf hingewiesen, dass die soziale und gesellschaftliche Bedeutung von Ehe und Familie in den Ländern der Dritten Welt nach wie vor unumstritten ist. Im Gegensatz dazu sind in den Wohlstandsgesellschaften der westlichen Industrieländer, in denen sich gesellschaftliche Individualisierungstendenzen immer mehr durchsetzen, unverkennbare Auflösungstendenzen der Institutionen Ehe und Familie (z.B. steigende Scheidungsrate, sinkende Heiratsneigung, neue alternative Formen von Partnerschaft, Elternschaft und Familie) zu beobachten (vgl. Ulrich Beck, 1986, 161-219).

Die aufgezeigten Phasen des individuellen Entscheidungsprozesses zur Migration sind, wie bereits erwähnt, von theoretischer und idealtypischer Natur. In der Praxis können die tatsächlichen Entscheidungsschritte einzelner Migranten von diesem Modell in unterschiedlichem Grad abweichen, weil anzunehmen ist, dass nicht alle Migranten ihre Vorbereitungsschritte so zweckrational und stringent nach einem Zweck-Mittel-Schema unternehmen werden. Das Modell macht dennoch deutlich, dass die individuelle Migrationsentscheidung im Normalfall einen prozesshaften Verlauf nimmt, der mehr oder minder die aufgezeigten Phasen einschließt. Die theoretische Bedeutung eines solchen Prozessmodells besteht darin, dass es Abweichungen von ihm erkennbar, analysierbar und erklärbar macht. Dies bedeutet, dass theoretisch gesehen die möglichen Folgen, auch die migrationsbedingten psychosozialen Probleme, die auf eine unzureichende, fehlerhafte oder mangelhafte Entscheidungsvorbereitung zurückzuführen sind, aufgezeigt und verständlicher gemacht werden können. Dadurch kann nicht nur den Betroffenen, sondern auch den Mitarbeitern in den Migrationsdiensten Hilfen gegeben werden, Probleme zu erkennen, aufzuarbeiten und konzeptionell zu berücksichtigen.

Die bereits oben angedeutete Situation junger Aussiedler, die ihre Aussiedlung nicht selbst gewollt haben, sich aber der elterlichen Entscheidung beugen mussten, kann mit Hilfe des oben genannten Prozessmodells analysiert und aufgearbeitet werden. Geht man von der Annahme aus, dass für sie wenig Anlass zur Auswanderung bestand, sie weder eine persönliche Migrationsmotivation gebildet noch notwendige Informationen über den Zielort der Eltern eingeholt haben, sie sich über den mühsamen Neubeginn in der Aufnahmegesellschaft kaum Gedanken gemacht und schließlich keine eigene Entscheidung zur Aussiedlung getroffen haben, dann ist erklärlich, warum eine Reihe unkalkulierter Probleme erst nach der Aussiedlung in die Bundesrepublik auftreten. Enttäuschungen, Vorwürfe, Aggressionen, Rückzugstendenzen, abweichende Verhaltensweisen, von denen die Mitarbeiter in den Migrationsdiensten berichten, sind so ursächlich erklärbar und verständlich. Die individuellen Probleme bei der bereichsbezogenen Integration in die Gesellschaft der Bundesrepublik Deutschland (z.B. sprachliche, schulische, berufliche) setzen vor diesem analytischen Hintergrund nicht nur gezieltere Hilfen, sondern auch einfühlsames Verständnis und individuelle Beratung voraus.

3.2 Existentielle Unsicherheit und Orientierungsstörung als Folgen migrationsbedingter Entwurzelung und Desozialisierung

Die grenzüberschreitende Migration ist immer mit einem totalen Wechsel des sozialen und gesellschaftlichen Bezugssystems der Migranten verbunden. Sie verlassen ihr angestammtes und zugehöriges Bezugssystem und wandern in ein anderes Land mit fremdem Bezugssystem, um dort Aufnahme und Zugehörigkeit zu finden. Individuelle Gründe, gesellschaftliche Bedingungen und deren sich wechselseitig bedingendes und verstärkendes Zusammenwirken verursachen letztlich diesen Wechsel. Dieser Prozess ist kein einfacher, zeitlich begrenzter und überschaubarer Vorgang, der mit dem physischen Übergang (physical transition) von einem System in das andere seinen schnellen Abschluss findet. Er ist in der Realität ein überaus komplizierter, langdauernder und schwieriger Prozess, mit dessen Folgen sich die Migranten ihr Leben lang auseinander setzen müssen.

Um die gesamte Tragweite dieses Wechsels adäquat erfassen und analysieren zu können, ist es sinnvoll, ihn unter zwei Aspekten näher zu betrachten. Zum einen soll aufgezeigt werden, was das Verlassen eines angestammten und zugehörigen Bezugssystems für die Migranten soziologisch bedeutet. Zu diesem Zweck ist aufschlussreich, wie oft in der Literatur zu lesen, die Bezeichnung der Migranten als Entwurzelte (the uprooted) zu untersuchen. Sie bringt die durch die Emigration ausgelöste existentielle Instabilität und Gefährdung bildhaft zum Ausdruck und zeigt deutlich den Bruch mit der Herkunft (vgl. Oscar Handlin, 1953; Charles Zwingmann and Maria Pfister-Ammende 1973; Richard C. Nann, 1982). Zum anderen soll aufgezeigt werden, was die Einwanderung in ein fremdes System für die Immigranten im soziologischen Sinne bedeutet. Zu diesem Zweck soll der Prozess der Desozialisierung (desozialization) der Migranten näher erörtert werden, der unmittelbar nach der Einwanderung im neuen Aufnahmeland generell eintritt. In diesem Prozess verlieren die mitgebrachten Wertvorstellungen, Verhaltensnormen und Rollenmuster weitgehend ihre gesellschaftliche und soziokulturelle Gültigkeit. Dadurch werden die Immigranten gerade in der Anfangsphase ihres Einlebens weitgehend orientierungslos bzw. in ihrer Orientierung grundlegend gestört (vgl. Shmuel N. Eisenstadt, 1953). Diese beiden Aspekte machen die thematisch angekündigte existentielle Unsicherheit der Migranten in ihrer Anfangsphase aus. Die neue Lebens- und Biographieplanung der Migranten hängen somit entscheidend davon ab, wie schnell bzw. ob überhaupt diese existentielle Verunsicherung beseitigt werden kann. Vor diesem Hintergrund soll versucht werden, die beiden Aspekte theoretisch näher zu explizieren und zu präzisieren.

Die Beschreibung der Migration als eines Vorganges der Entwurzelung stellt einen metaphorischen Hinweis auf die existentielle Instabilität dar, die durch die Aufgabe des bisherigen Bezugssystems für die Migranten eintritt. Die Radikalität und Totalität dieses Vorganges wird hier mit dem Herausreißen einer Pflanze verglichen, der die Lebensgrundlage entzogen wird. Diese metaphorisch angedeutete existentielle Instabiltät (vgl. Shmuel N. Eisenstadt, 1952(1), 225), die durch die Migration unmittelbar eintritt, unabhängig davon, ob sie gewollt oder erzwungen war, ist grundsätzlich unter zwei Aspekten zu betrachten. Unter dem Aspekt des Entfremdungsprozesses (alienation), der durch den Bruch mit der bisherigen Lebensumwelt eintritt (vgl. Oscar Handlin, 1953, 4-6), und unter dem des Zustandes der fehlenden gesellschaftlichen und sozialen Integration innerhalb des neuen Bezugssystems.

Dies bedeutet, um bei dem metaphorischen Bild der Entwurzelung zu bleiben, dass sich die Migranten in einem Zustand befinden, in dem ihre Wurzeln aus dem alten Milieu herausgerissen wurden, sie aber noch keinen geeigneten Boden zur regenerativen Verwurzelung gefunden haben (rootlessness). Somit fehlt noch die Lebensgrundlage, die wachsende Sicherheit und Möglichkeit zur lebendigen Entfaltung gibt. (vgl. Maria Pfister-Ammende, 1973, 10-14). Auf diesem Hintergrund befassen sich soziologische und psychotherapeutische Forschungen verstärkt mit den Folgen der Migration für die Migranten und mit ihrer Eingliederung und weniger mit dem Vorgang der Trennung von dem Herkunftsmilieu. Im Folgenden wird auf die Frage eingegangen, was die Emigration aus dem Herkunftssystem für die Emigranten konkret bedeutet. Zur Beantwortung der Frage wird der unmittelbare Akt der Emigration sowohl unter dem Aspekt des Verlustes sozialer Rollen und der Ich-Identität thematisiert, worauf die migrationssoziologischen Analysen in Anlehnung an die Theorie von Shmuel N. Eisenstadt hinweisen (vgl. Rivka Weiss Bar-Yosef, 1968, 27), als auch unter dem zusätzlichen Aspekt des Verlustes sozialer Sinnzusammenhänge und der Sprache der Emigranten.

a) Verlassen des umfassenden Sinnzusammenhanges sozialer Handlungen
    durch die Emigration

Zur Verdeutlichung der unmittelbaren Folgen der migrationsbedingten Aufgabe des Bezugssystems bietet die soziologische Systemtheorie einen sinnvollen analytischen Rahmen an. In der funktional-strukturellen Systemtheorie von Niklas Luhmann wird ein soziales System in Relation zur unendlichen Welt gedacht, die für die Systeme den Außenbereich darstellt. Dabei wird davon ausgegangen, dass sich diese Welt durch die Komplexität (Überfülle des Möglichen) auszeichnet, die die begrenzte Erfassungs- und Bearbeitungskapazität des Systems gänzlich übersteigt. Soziale Systeme haben die Funktion, durch Sinnentwurf diese Weltkomplexität auf einem berechenbaren und bearbeitbaren Ausschnitt zu reduzieren und sie zu erfassen. Durch den Sinnentwurf wird die umgreifende Ungewissheit und Unerfassbarkeit der Welt weitgehend ausgeklammert, so dass nur ein Ausschnitt ihrer Komplexität zur Erfassung selektiert wird. Sinn dient der Erfassung und Reduktion von Weltkomplexität. Das Konstitutionsprinzip sozialer Systeme ist dabei die Stabilisierung der Differenz von Innen (System) und Außen (Umwelt und Welt) durch den Sinnentwurf. Die Grenzen sozialer Systeme zur Welt sind Sinngrenzen. Ihr Verhältnis zur Welt ist die Selektion (vgl. Niklas Luhmann, 1974, 115-117).

Der einzelne Mensch kann jedoch für sich allein weder Sinn konstituieren noch die damit angezeigte Komplexität reduzieren. Die Sinnkonstruktion ist nur interaktiv denkbar. Der Einzelne muss sich im eigenen Erleben und Handeln auf Selektionsleistungen Anderer stützen, die intersubjektiv so übertragbar gemacht wurden, dass jeder darauf zurückgreifen kann, ohne die Reduktion selbst vollziehen zu müssen (vgl. Niklas Luhmann, 1974, 126). Die Gesellschaft ist ein soziales System, das als „ein Sinnzusammenhang von sozialen Handlungen verstanden wird, die aufeinander verweisen und sich von einer Umwelt nicht dazugehöriger Handlungen abgrenzen lassen." (vgl. Niklas Luhmann, 1974, 115). Sie definiert das Mögliche und Erwartbare und richtet eine letzte grundlegende Reduktion ein. Sie erst macht Menschen zu Subjekten, die in der gesellschaftlichen Umwelt ihre Selektion organisieren und sich dadurch als eigenständige Subjekte erleben, die anders erleben und handeln können. In ihrer Erlebnisverarbeitung und Interaktion sind sie auf systeminterne Generalisierungen angewiesen, die ihre Orientierung vereinfachen. Diese Generalisierungen ermöglichen generelle Indifferenzen gegenüber Unterschieden. Solche Indifferenzen müssen jedoch gelernt werden. Diese durch Lernprozess anzueignenden Indifferenzen schließen Enttäuschungsrisiken nicht aus. Die hochentwickelten Gesellschaften müssen für solche Risiken brauchbare Lösungsmöglichkeiten erarbeiten und anbieten (vgl. Niklas Luhmann, 1974, 144-145).

Geht man von der aufgezeigten funktional-strukturellen Systemtheorie aus, verlassen die Migranten den umfassenden Sinnzusammenhang ihrer sozialen Handlungen im Herkunftskontext, der ihnen bisher bei ihrer Selektion, Interaktion und Erlebnisverarbeitung Orientierung gegeben hat. Sie lassen damit die gesamten Sinnbezüge hinter sich. Ihre Interaktionen, die durch die Emigration auf ein Minimum reduziert werden, verlieren die grundlegenden Verweisungsmöglichkeiten und können nicht auf die der Anderen gestützt werden. Die Verhaltenssicherheit und -stabilität der Emigranten werden somit solange grundlegend erschüttert, bis sie sich in einem anderen sozialen System einen neuen umfassenden Sinnentwurf zu eigen gemacht haben und dadurch in die Lage kommen, die angezeigte Weltkomplexität für sich wieder sinnhaft zu erleben.

b) Verlassen der zugehörigen Sprachgemeinschaft durch die Emigration

Die Sprachbefähigung der Menschen als eine angeborene Arteigenschaft erfährt durch die alltägliche sprachliche Kommunikation in sozialen Gruppen ihre primäre Förderung. Die Anfangsphase der sprachlichen Sozialisation besteht darin, dass Kinder damit beginnen, in Familie und Spielgruppe das Gesprochene und Gehörte phonetisch nachzuahmen und zu wiederholen. Lautbildung wird so gelernt und beherrscht. Dann folgt eine Entwicklungsphase, in der sie lernen, die gesprochenen Worte nach und nach mit bestimmten Inhalten zu assoziieren und eine Beziehung zwischen ihnen und ihren sozialen Bedeutungen herzustellen (vgl. Johannes Siegrist, 1970, 26-27). In diesem Lernprozess übernehmen sie gleichzeitig auch die Vorstellungen und Denkweisen, die die jeweilige Gruppe in ihrer Sprache zum Ausdruck bringt. Diese gruppenbezogene primäre Prägung der Sprache erhält unter dem Einfluss der institutionellen Sprachförderung in Schulen und Berufsorganisationen nach und nach die gesellschaftliche Standardisierung. Der einzelne Mensch wird somit sukzessiv über eine Vielzahl von kleinen sozialen Gruppen (z.B. Familie, Spielgruppe, Nachbarschaft, Freundesgruppe, Gemeinde, Berufsorganisation) letztendlich in eine große nationale Sprachgemeinschaft, in der im Normalfall die gleiche Sprache gesprochen wird, integriert (vgl. Rudolf Grosse, 1994, 5-14).

Diese durch eine lange sprachliche Sozialisation erfolgende Einbindung der

Einzelnen in eine große Sprachgemeinschaft bedeutet, dass sie nicht nur ihre sprachlichen Eigenarten übernehmen, sondern auch offizielle Sprachregeln lernen, die in der Semiotik (Lehre der sprachlichen Zeichen) thematisiert werden. Indem sie die semantischen Grundlagen (Beziehungen zwischen sprachlichen Zeichen und außersprachlichen Gegenständen), die syntaktischen Regeln (Beziehungen der Zeichen untereinander) und die Pragmatik (Beziehungen zwischen den Zeichen und Personen, die sie benutzen) sowohl in der Alltagssprache als auch in der Schriftsprache weitgehend und selbstverständlich beherrschen und anwenden (vgl. Reginald Földy, Eugen Semrau, 1984, 181; Roland Burkard, 1995, 71-72), können sie sich innerhalb ihrer Sprachgemeinschaft verständigen und kommunizieren. Dabei entwickeln sie zusätzlich persönlichkeitsbezogene individuelle Artikulationsweisen und Ausdrucksformen, die zu den festen und unverwechselbaren Merkmalen ihres Persönlichkeitsbildes werden.

Die Sprache ist das wichtigste Kommunikationsmittel. In der sprachlichen Kommunikation tauschen Menschen gegenseitig ihre Erfahrungen, Erlebnisse, Erkenntnisse und Wissensbestände, d.h. ihre Bewusstseinsinhalte, aus, die aus ihren mehr oder minder gemeinsamen gesellschaftlichen Lebensbedingungen und sozialen Erfahrungen resultieren. Sie fühlen sich dabei als Repräsentanten einer gemeinsamen Sprache und entwickeln ein gemeinsames Zugehörigkeitsgefühl, das sie nicht nur miteinander verbindet, sondern ihnen auch soziale Sicherheit gibt. Vor diesem Hintergrund stellt die Migration in den meisten Fällen einen Vorgang dar, in dem die Migranten faktisch aus ihrer Sprachgemeinschaft heraustreten. Dies schließt natürlich Ausnahmen nicht aus, in denen die Sprache der Migranten unverändert bleibt (z.B. die englische Sprache der anglophonen Migranten bei ihrer Einwanderung in die traditionellen Einwanderungsländer), obwohl auch hier die lokale Entwicklung der Sprache zu berücksichtigen ist. Mit dem Verlassen der Sprachgemeinschaft geben die Migranten nicht nur ihre bisherige kommunikative Sicherheit auf, die sie durch die sprachliche Sozialisation erworben haben, sondern sie verlieren zudem ihre unmittelbare Teilhabe an der historisch gewachsenen und sich weiter dynamisch entwickelnden Wissens- und Erfahrungsgemeinschaft, an der sie bisher Anteil hatten. Der alltägliche kommunikative Austauschprozess im Herkunftskontext wird somit unterbrochen. Der dadurch entstandene Bruch bedeutet eine kommunikative Isolation, die zunehmend vom Herkunftskontext entfremdet. Die generelle psychosoziale Instabilität, die in der Anfangsphase der Migration eintritt, ist so gesehen eine zwangsläufige Folge, die unter anderem durch das Verlassen der zugehörigen Sprachgemeinschaft mitbedingt wird.

c) Verlassen des identitätsbildenden Interaktionsrahmens durch die Emigration

Der Mensch ist ein soziales Wesen, ein „zoon politikon" bzw. ein „animal sociale" wie Aristoteles und die Römer bereits in der Antike zutreffend beschrieben haben. Sein Leben und seine Zivilisierung sind grundsätzlich auf die Gesellschaft bezogen und spielen sich immer im Rahmen einer sozialen Gruppe bzw. Gesellschaft ab, die unterschiedliche strukturelle Gestaltungsformen (z.B. totalitäre, demokratische, sozialistische) annehmen kann. Das Schicksal des Menschen ist die Gruppe, weil er außerhalb der Gruppe, unabhängig von ihrer Qualität, nicht leben und überleben kann. Dies bedeutet, dass er von Geburt an in die zwischenmenschlichen Beziehungen der Gesellschaft eingebunden ist. Diese interaktionelle Einbindung in kleine und große Gruppen (Familie, Spielgruppe, Verwandtschaft, Nachbarschaft, Schule, Berufsgruppe), die er in seiner persönlichen und gesellschaftlichen Entwicklung sukzessiv erlebt, bestimmt letztendlich und maßgeblich seine Persönlichkeits- und Identitätsbildung, wie die Theorien der Sozialwissenschaften, insbesondere die des symbolischen Interaktionismus, einmütig explizieren.

Geht man exemplarisch von der Theorie von George Herbert Mead (1863-1931), einem exponenten Wegbereiter des symbolischen Interaktionismus, aus, sind Bewusstseins- und Identitätsbildung der Menschen prinzipiell auf die gesellschaftlichen Erfahrungen zurückzuführen, die sie in unterschiedlichen interaktionellen Handlungskontexten machen. Das Bewusstsein, Selbstbewusstsein und die Ich-Identität der Menschen existieren nicht seit Geburt. Sie sind immer Ergebnisse der Beziehungen der Einzelnen zu ihrer Gesellschaft und zu den Menschen in ihr. Die Einzelnen erfahren sich selbst nicht direkt, sondern nur reflexiv aus der Sicht anderer Menschen. Indem sie zuerst Kenntnisse darüber erhalten, welche Haltungen andere Menschen ihnen gegenüber einnehmen, d.h. wie Andere sie einschätzen, können sie sich selbst objektiver einschätzen. Ihre objektive Selbsteinschätzung hängt davon ab, ob sie sich selbst vom Standpunkt Anderer aus betrachten können. Die Entstehung des Selbstbewusstseins setzt somit eine objektive und unpersönliche Haltung sich selbst gegenüber voraus, indem sie selbst zum Objekt werden (vgl. George Herbert Mead, 1991, 180).

Die Entwicklung einer vollständigen Ich-Identität der Menschen aus einer Vielzahl von verschiedenen elementaren Identitäten findet dabei, so meint George H. Mead, in zwei Prozessen statt. Zum einen in dem Prozess, in dem der Einzelne die unterschiedlichen Haltungen und Einschätzungen, die Andere ihm gegenüber haben, übernimmt, für sich organisiert und strukturiert. Er wird dadurch fähig, in seinen sozialen Interaktionen antizipatorisch auf Erwartungen Anderer bezogen vorzugehen, weil er in der Lage ist, die Reaktionsweisen Anderer im Voraus einzuschätzen und gedanklich vorweg zu nehmen. Er versetzt sich dabei selbst in die Rolle des Anderen, um aus dessen Sicht heraus sich selbst betrachten zu können (taking the role of the other). Zum anderen findet die Entwicklung der Ich-Identität in dem Prozess statt, in dem der Einzelne die übergreifenden Gruppenhaltungen seiner Gesellschaft als die Haltungen der verallgemeinerten Anderen (taking thc role of generalized other) übernimmt und für sich strukturiert (vgl. George Herbert Mead, 1991, 200-207).

George H. Mead führt in diesem Zusammenhang zwei englische Worte „me" und „I" als Bezeichnungen für die zwei Bestandteile des „self" (Selbst/Ich-Identität) ein. Indem der Einzelne alle Haltungen Anderer (taking the role of the other, taking the role of generalized other) in ihrer organisierten Form übernimmt und sich zu eigen macht, bildet er in seinem „self" ein „me", einen Teil seines Selbst, der durch die Wertvorstellungen und Erwartungen der Gesellschaft geprägt und bestimmt wird. Dieses „me" macht ihn zum Mitglied der Gesellschaft. Ohne „me" kann er nicht Mitglied seiner Gesellschaft sein. Der andere Teil des „self", der durch „me" nicht besetzt wird, bildet das „I". Es reagiert und antwortet auf „me" spontan, frei und unberechenbar. Es verkörpert die individuelle Freiheit und die Initiativen im Gegensatz zu dem gesellschaftlich bestimmten „me" (vgl. George Herbert Mead, 1991, 217-258). „Die Identität ist unter diesen Voraussetzungen die Handlung des „I" in Übereinstimmung mit der Übernahme der Rolle Anderer im „me". Die Identität besteht sowohl aus dem „I" wie aus dem „me" (George Herbert Mead, 1991, 324).

Die interaktionistische Identitätstheorie von George H. Mead wurde in Deutschland von Lothar Krappmann in seiner soziologischen Identitätstheorie aufgenommen und fortentwickelt. Er geht von der Prämisse aus, wie bereits George H. Mead durch seinen Hinweis auf die Spannungsverhältnisse zwischen dem „me" und „I" angedeutet hat, dass der einzelne Mensch ohne Beteiligung am sozialen Interaktionsprozess seine Bedürfnisse nicht befriedigen kann. Diese zur Bedürfnisbefriedigung unverzichtbare und notwendige Interaktionsbeteiligung bedeutet jedoch, dass er die schwierige Aufgabe bewältigen muss, sowohl die Erwartungen Anderer zu berücksichtigen als auch seine eigenen Erwartungen und Bedürfnisse so in die Interaktion einzubringen und so mitzuteilen, dass er von den Interaktionspartnern akzeptiert wird. Nur wenn dies gelingt, entsteht eine gemeinsame kommunikative Basis. Die Bewältigung dieser Aufgabe stellt einen schwierigen Balanceakt dar, weil im komplizierten und sich verändernden Interaktionskontext immer von divergierenden und widersprüchlichen Erwartungen Anderer auszugehen ist (vgl. Lothar Krappmann., 1993, 7-15, 207). Bei der Mitteilung der eigenen Bedürfnisse und Erwartungen muss versucht werden, dem Außenbild eigener persönlicher und sozialer Identitäten, das die Anderen konstruieren und ihm zuschreiben, zu entsprechen, um akzeptiert zu werden. Im anderen Fall muss der Mensch damit rechnen, diskreditiert und stigmatisiert zu werden (vgl. Erving Goffman, 1975, 30, 133).

Soziale und persönliche Identitäten sind, wie Erving Goffman beschreibt, Bestandteile der Interessen und Definitionen, die Andere für das Individuum konstruieren, um ihrerseits die Interaktionssituation kontrollieren zu können. Soziale Identität bezieht sich auf die Erwartungen, die Andere im Interaktionsprozess an ein Individuum richten, während die persönliche Identität die umfassende Einzigartigkeit der Lebenslinie eines Individuums bedeutet, die aus seinen besonderen Kennzeichen sowie der einzigartigen Kombination seiner biographischen Fakten besteht (vgl. Erving Goffman, 1975, 72-81, 132-133; Lothar Krappmann, 1993, 73-76). Der Einzelne hat somit in sich den Druck auszuhalten, der aus den Anforderungen der zugeschriebenen sozialen und persönlichen Identitäten resultiert. Er hat sich den allgemeinen Erwartungen unterzuordnen (soziale Identität), aber sich auch von Anderen zu unterscheiden (persönliche Identität). Er „wird also zugleich gefordert, so zu sein wie alle und so zu sein wie niemand." (Lothar Krappmann, 1993, 78). Er muss daher balancierend versuchen, die Forderungen soweit wie möglich zu erfüllen und äußerlich so zu tun, als ob er alle Forderungen erfüllt hätte (phantom normalcy), um seine Interaktionsbeteiligung zu sichern.

Identität stellt die Besonderheit des Individuums dar. Diese besteht in der Vorgehensweise, in der das Individuum die Balance zwischen widersprüchlichen Erwartungen und Anforderungen der Anderen sowie eigenen Bedürfnissen einerseits und der erwarteten Präsentation seiner Einzigartigkeit und ihrer Anerkennung durch Andere in seinem aktuellen Interaktionskontext andererseits findet und aufrechterhält. Identität bringt diese vom Individuum in seinem Balanceakt zu erbringende Leistung zum Ausdruck. Sie ist Voraussetzung und Resultat der Interaktionsbeteiligung. Ohne Interaktionsbeteiligung und ohne die Herausforderung durch die Widersprüchlichkeit der Erwartungen in den Interaktionen ist die Identitätsbildung nicht denkbar. Uniforme Anpassung in der repressiven Gesellschaft lässt keinen Raum zur individuellen Identitätsbildung.

Die gemeinsame kommunikative Basis im Interaktionskontext setzt jedoch ein gemeinsames Symbolsystem (z.B. die Sprache) zur gegenseitigen Mitteilung von Erwartungen, ein gemeinsames Interpretationsschema von Symbolen, ein vorgezeichnetes Bezugsfeld sozial akzeptierter Problemlösungsstrategien und Kenntnisse sozialer Strukturen voraus (vgl. Lothar Krappmann, 1993, 8-9, 64-69, 121, 131). Die individuelle Fähigkeit, zwischen den widersprüchlichen Erwartungen zu vermitteln und sie auszubalancieren, wird in der Sozialisation erlernt. Die Vermittlung erfolgt jedoch immer bezogen auf ein Bezugssystem bzw. ein symbolisches Universum. Migration bedeutet, dass die Migranten dieses Bezugssystem mit dem dazugehörigen Symbolsystem, mit den Deutungs-mustern und dem Interaktionsrahmen verlassen und sich neuen und unbekannten aussetzen muss. Dadurch werden Bedüfnisbefriedigung und Selbstverwirk-lichung in Frage gestellt. Die daraus resultierende psychosoziale Instabilität ist somit eine unvermeidbare, aber vor dem aufgezeigten Theoriehintergrund er-klärbare und logisch verständliche Folge.

d) Aufgabe der Berufsrolle durch die Emigration

Wie aufgezeigt, ist die Interaktionsbeteiligung des Individuums, die für seine Bedürfnisbefriedigung und Identitätsbildung unabdingbare Voraussetzung ist, nur möglich, wenn es bereit und fähig ist, sich in die Rolle Anderer hinein zu versetzen (taking the role of the other) und sich zwischen den widersprüchli-chen Rollenerwartungen auszubalancieren. Indem auf diese Weise die Rollen-erwartungen Anderer in der Handlungsentscheidung antizipatorisch berück-sichtigt werden, kann es als Interaktionspartner akzeptiert werden. Die Interak-tionsbeteiligung setzt somit die antizipatorische Berücksichtigung der Rollener-wartungen Anderer, d.h. die rollenkonforme Vorgehensweise in den sozialen Beziehungen voraus. So gesehen sind soziale Beziehungen wesentlich Rollen-beziehungen. Die Rollen sind dabei als Bündel von relativ konsistenten und teilweise interpretationsbedürftigen Verhaltenserwartungen zu verstehen, die an den Rollenspieler als Interaktionsteilnehmer gestellt werden (vgl. Günter Wis-wede, 1977, 18). Die Rollenspieler dürfen diese Erwartungen nicht enttäuschen, wenn sie ihre Teilnahme am Interaktionsprozess im eigenen Interesse und zum eigenen Vorteil aufrechterhalten und sichern wollen.

Der Prozess der interaktionellen Einbindung der Menschen in die Gesell-schaft ist somit ein Prozess der sukzessiven Übernahme von sozialen Rollen. Diese Rollenübernahme bedeutet, dass sie in einem kontinuierlichen Lernpro-zess die Rollennormen mit ihren jeweiligen sozial erwünschten Deutungs- und Interpretationsmustern erlernen müssen, um auf dem sozialen Interaktionsfeld als Interaktionspartner akzeptiert und anerkannt zu werden (vgl. Erving Goff-man, 1975, 11, 18). Die Konstruktion und Zuschreibung sozialer Identität, die Erving Goffman im Zusammenhang mit der Stigmatisierung des Individuums

(Zuschreibung eines diskreditierenden Attributes) in sozialen Interaktionen thematisiert, finden in dem eben beschriebenen Kontext der reziproken Rollenerwartungen statt, wobei das strategisch nicht gelungene Management der sozialen Identität zum Stigma bzw. zur geschädigten Identität führt (vgl. Erving Goffman, 1975, 30).

Es gibt eine Vielzahl von sozialen Rollen und Rollenbeziehungen, die ein Individuum im Laufe seiner persönlichen und sozialen Entwicklung zu seiner Bedüfnisbefriedigung, Identitätsbildung und sozialen Anerkennung sukzessiv übernommen und aufgebaut hat. Eine dieser sozialen Rollen und Rollenbeziehungen, die besonders in der modernen Gesellschaft eine für das Leben des Individuums zentrale Bedeutung erhält, ist die Berufsrolle und die damit verbundenen sozialen Rollenbeziehungen. In der sich zunehmend arbeitsteilig differenzierenden Gesellschaft versteht man den Beruf im Sinne von Max Weber als „jene Spezifizierung, Spezialisierung und Kombination von Leistungen einer Person, welche für diese die Grundlage für eine kontinuierliche Versorgungs- oder Erwerbschance ist." (Max Weber, 1956, 104). Unter Arbeit versteht man die bewusste, planvolle und zielgerichtete Tätigkeit, die zum Zwecke der Existenzsicherung und -verbesserung ausgeübt wird. Arbeit und Beruf bestimmen heute maßgeblich Einkommenschancen, Lebensstandard, Lebensstil, Selbstverständnis und gesellschaftlichen Status von Menschen. Sie sind die wichtigste Quelle sozialer Geltung und des Selbstwertgefühls. Ein Verlust der Berufsrolle führt daher zu einer empfindlichen Rollenschrumpfung und sozialen Desintegration, weil der Kontaktverlust im Arbeitsbereich oft den Kontaktverlust im Freundes- und Bekanntenkreis nach sich zieht und Identitätskrisen auslösen kann (vgl. Thomas Kutsch, Günter Wiswede, 1986, 17-18, 31).

Die grenzüberschreitende Migration führt zwangsläufig zur Aufgabe der Berufsrolle und der damit verbundenen sozialen Rollenbeziehungen im Herkunftskontext, unabhängig davon, welcher Beruf ausgeübt wurde. Dadurch treten die Migranten weitgehend aus ihrer bisherigen sozialen Integration heraus und geben ihre wichtigsten sozialen Bindungen auf, die bisher die Grundlage ihres Selbstwertgefühls bildeten. Die wichtigsten Stützen ihrer sozialen Identität fehlen damit. Die psychosoziale Instabilität ist vor diesem Hintergrund logische Folge. Diese Überlegungen gelten für diejenigen, die an ihrem Herkunftsort bereits eine Berufsrolle innehatten. Dabei wird unterstellt, dass die Migranten, die in ihrem Herkunftsort noch keine Berufsrolle wahrgenommen haben, diesen Verlusten und Krisen nicht so, wie beschrieben, ausgesetzt werden.

Die ausgeführten Erklärungen machen deutlich, warum der Wechsel des Bezugssystems durch die grenzüberschreitende Migration als Vorgang der Entwurzelung zu bezeichnen ist. Die daraus resultierende psychosoziale Unsicherheit und Instabilität werden in der Anfangsphase der Einwanderung durch die allgemeine Fremdheit und den alle Bereiche des Alltagslebens umfassenden Prozess der Desozialisierung (desocialization) zusätzlich verstärkt, so dass die Migranten existentielle Orientierungsstörungen erleiden.

Die Fließbewegung der grenzüberschreitenden Migration geht in der Regel von den wenig entwickelten zu den höherentwickelten Ländern. Höhere Entwicklung bedeutet, dass die Leistungsfähigkeit der Gesellschaft aufgrund ihrer höheren funktionalen und strukturellen Ausdifferenzierungen größer ist. In der Sprache der funktional-strukturellen Systemtheorie bedeutet dies, dass die höher entwickelten sozialen Systeme aufgrund ihrer höheren Eigenkomplexität, die durch die systemische Binnendifferenzierung erreicht wird, höhere Selektionsleistungen haben und dadurch mehr Komplexität der Welt selektieren und erfassen können (vgl. Niklas Luhmann, 1974, 116-117). Die Migration von einem einfachen zu einem differenzierten sozialen System auf höherer Ordnung bedeutet also, dass die Fremdheit des Aufnahmesystems für die Migranten entsprechend größer wird. Seine differenzierten Sinnentwürfe, die die Grundlage für die Orientierung und Erlebnisverarbeitung bilden, sind nicht im erforderlichen Ausmaß bekannt. Sie werden solange mit der existentiellen Unsicherheit und Orientierungsstörung zu kämpfen haben, wie die Umstellungs-, Anpassungs- und Lernanforderungen des Aufnahmesystems zumindest in weiten Teilen bewältigt sind.

Dabei ist zu erinnern, dass der Anlass zur Migration darin bestand, die subjektiven Gefühle der Unsicherheit und Unzulänglichkeit, die die potentiellen Migranten bezüglich der gesamten Lebensbedingungen in ihrem Herkunftsland empfunden haben (the migrant's feeling of some kind of insecurity and inadequacy in his original social setting), durch die Migration grundsätzlich und positiv zu verändern (vgl. Shmuel N. Eisenstadt, 1954, 2-3). Hier wird deutlich, dass Migration eine der letzten Problemlösungsstrategien darstellt, in der durch eine vorweggenommene gedankliche Verbesserung der Lebensbedingungen im Aufnahmeland versucht wird, diese Gefühle von Unsicherheit und Unzulänglichkeit zu bewältigen. In der Anfangsphase der Zuwanderung und Einwanderung werden jedoch diese Gefühle durch die generelle Desozialisierung und die dadurch eintretenden zusätzlichen Unsicherheiten vergrößert und intensiviert, so dass die Migranten mit einer „doppelten existentiellen Unsicherheit und Orientierungsstörung" (the double social and psychological insecurity) konfrontiert werden (vgl. Shmuel N. Eisenstadt, 1952(1), 226).

Mit dem Begriff der Desozialisierung wird dabei der Vorgang gemeint, in dem die Lerninhalte, die im Herkunftskontext angeeignet und internalisiert wurden, ihre allgemeine soziale und gesellschaftliche Gültigkeit verlieren. Dieser Vorgang macht sich besonders im Bereich der sozialen Rollen bemerkbar (vgl. Rivka Weiss Bar-Yosef, 1968, 28). Die Migranten müssen sich nicht nur von einer Vielzahl alter Rollen trennen, sondern auch die Rollen, die sie weiter spielen, neu definieren, weil sie mit anderen sozialen Erwartungen verknüpft sind. Unterschiedliche kulturelle und gesellschaftliche Wertvorstellungen und Verhaltensnormen, die in den sozialen Rollen ihren Niederschlag finden, machen Re-Definitionen von Rollen unumgänglich. Es kommt eine Reihe völlig unbekannter Rollen hinzu, die zu lernen sind, um in der neuen Lebensumwelt zurechtzukommen (z.B. eine erwerbstätige türkische Frau erlernt ihre Rolle als Kundin einer Bank). Dabei werden die mitgebrachten Rollenvorstellungen weitgehend außer Kraft gesetzt. Dies ist auch Grund dafür, dass Migranten in doppelter Hinsicht eine Rollenschrumpfung erfahren. Sie müssen sich einerseits von ihren alten Rollen trennen und andererseits bleiben ihre Rollen wegen der Unkenntnis neuer Rollenkonstellationen im Aufnahmeland auf ein Minimum beschränkt. Ihre sozialen Interaktionen bleiben somit weitgehend auf die sozialen Beziehungen innerhalb der primären Gruppen von Familie und Verwandtschaft begrenzt (vgl. Shmuel N. Eisenstadt, 1953, 169; 1954, 6-7).

Übersicht 6   Existentielle Unsicherheit und   Orientierungsstörung als Folgen migra-
              tionsbedingter Entwurzelung und Desozialisierung

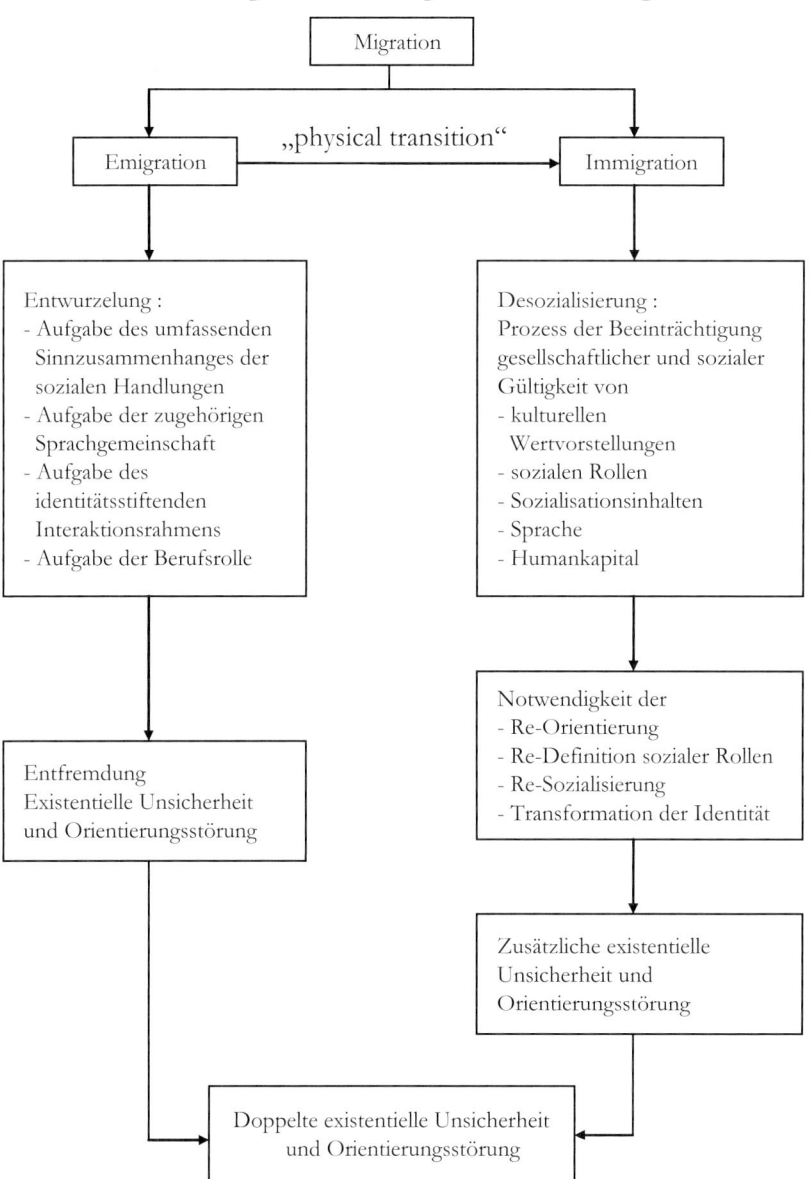

Eine der zentralen Rollen, die von der migrationsbedingten Desozialisierung erfasst wird, ist die Berufsrolle. Es ist selten, dass die im Herkunftsland erworbenen beruflichen Qualifikationen im Einwanderungsland eine äquivalente institutionelle Anerkennung finden. Selbst wenn sie anerkannt werden, ist es für die Migranten überaus schwierig, eine Tätigkeit zu finden, die den mitgebrachten Qualifikationen und Fähigkeiten entspricht. In den meisten Fällen bleiben Berufe übrig, die die Einheimischen aus verschiedenen Gründen (z.B. niedrige Entlohnung, gesundheitliche Gefährdung, körperliche Anstrengung, geringe gesellschaftliche Anerkennung) ablehnen. Migranten üben daher überwiegend solche Berufe aus, die sowohl von ihren Anforderungen als auch von ihrem gesellschaftlichen Ansehen in der untersten Skala der Aufnahmegesellschaft angesiedelt sind. Sie bilden somit die unterste soziale Schicht der Aufnahmegesellschaft. Der Begriff der Unterschichtung bringt diesen durch die Einwanderung eintretenden gesellschaftlichen Prozess der neuen Schichtenbildung am untersten Ende der gesellschaftlichen Hierarchie zum Ausdruck.

Die Desozialisierung greift über den thematisierten Rollenbereich hinaus in alle Lebensbereiche der Migranten hinein. Dadurch werden emigrationsbedingte Unsicherheiten und Orientierungsstörungen zusätzlich intensiviert (doppelte existentielle Unsicherheit und existentielle Orientierungsstörung). Die Sprachprobleme und die damit zwangsläufig verbundene kommunikative Einschränkung und Isolation verstärken zusätzlich Gefühle der Unsicherheit. Häufige Folgewirkung aus dieser Situation ist die zunehmende Entfremdung (alienation) und selbstgewählte Segregation (self-segregation) der Migranten. Die Symptome dieser Entfremdung sind Passivität, Interessenlosigkeit, mangelndes Vertrauen in die Zukunft, Ablehnung von Hilfen und Mißtrauen gegenüber Menschen und Behörden (vgl. Rivka Weiss Bar-Yosef, 1968, 40). Ihr Leben in der Anfangsphase der Migration wird damit insgesamt struktur- und orientierungslos. Erforderlich ist eine generelle Re-Orientierung in der neuen Lebensumwelt, der völlige Neubeginn im Sinne der Re-Sozialisierung, die umfassende Re-Definition sozialer Rollen und die grundlegende und mit den Anforderungen der neuen soziokulturellen Situation der Residenzgesellschaft kompatibele Transformation ihrer Identität und Existenz (vgl. Shmuel N. Eisenstadt, 1954, 6). In dieser Phase ist die psychosoziale Unterstützung von außen besonders notwendig, um diese Überforderung mindern zu können. Den koethnischen Kolonien in der Residenzgesellschaft kommt in diesem Zusammenhang eine eminent wichtige Bedeutung zu. Sie können den ethnischen Neuankömmlingen am ehesten die notwendigen und angemessenen Start- und Orientierungshilfen geben. Trotzdem muss darauf hingewiesen werden, dass sich die ausschließliche und zu langandauernde ethnische Orientierung der Migranten nachteilig auf ihr assimilatives Lernen auswirken kann, das die Grundvoraussetzung für ihre soziale Integration und für ihren Aufstieg in der Residenzgesellschaft darstellt. Ihre anfängliche Motivation, alles zur Integration Erforderliche lernen zu wollten, kann dadurch verlorengehen.

3.3 Akkulturationsstress und psychosomatische Erkrankungen der Migranten

Wie bereits dargestellt, stellt die Migration in vielfacher Hinsicht einen natürlichen und gesteuerten Selektionsprozess dar, in dem die Aufnahmeländer bevorzugt solche Migranten auswählen und aufnehmen, die sie für die Entwicklung ihrer Länder am dringendsten benötigen. Sie selektieren Einwanderer nach dem Prinzip der Kompatibilität mit ihren politischen, wirtschaftlichen, wissenschaftlichen, soziokulturellen, ethnischen, demographischen, rassischen, religiösen und sonstigen Interessen. Dabei wird besonders der Gesundheitszustand der potentiellen Einwanderer streng kontrolliert. Die Gesundheitskontrolle der Einwanderer wird zum Schutz der heimischen Bevölkerung, zur Vorbeugung vor ansteckenden Krankheiten, zur Vermeidung unnötiger Kosten und sozialer Probleme als absolut notwendig bewertet. Ein historisches Beispiel ist die Errichtung des „Marine Hospital" auf Staten Island/USA im Jahr 1887, um ansteckende Krankheiten bei Immigranten (z.B. Gelbfieber, Cholera und Tuberkulose) vor deren Einwanderung zu entdecken (vgl. Jeffrey Evans, 1987, V). In der Einwanderungspolitik und Praxis der Aufnahmeländer wurden somit die qualifizierten Arbeitskräfte bevorzugt, die besonders jung und gesund sind. Trotz dieser sorgfältigen Selektionspolitik sind die Einwanderer keineswegs gegen Krankheiten gefeit. Sie leiden oft gerade in den ersten Jahren unter psychosomatischen Erkrankungen, wie empirische Forschungen seit den 1930er Jahren belegen.

Die klassischen empirischen Forschungsarbeiten im Bereich der migrationsbedingten psychischen Erkrankungen, in der englischen Literatur als mental disease, mental illness, mental disorder oder mental disturbance bezeichnet, stammen von dem norwegischen Psychiater und Statistiker Ornulv Odegaard und dem Amerikaner Benjamin Malzberg zu Beginn der 1930er bzw. der 1950er Jahre. Everett S. Lee und Benjamin Malzberg untersuchten an der Universität Pennsylvania 56.000 Patienten, die im Zeitraum von 1949 bis 1951 zum ersten Mal in psychiatrische Kliniken in New York State eingewiesen wurden.

Dabei wurden diese ersten Zugangspatienten in drei Gruppen eingeteilt: Die, die in New York State geboren (non-migrants), die, die von anderen Staaten der USA nach New York State eingewandert (native in-migrants) und die Einwanderer, die außerhalb der USA geboren sind (migrants from other countries). Durch einen Vergleich dieser drei Gruppen stellten sie fest, dass der Anteil der psychisch Kranken bei den Migranten generell höher lag als bei den Einheimischen, außer beim Krankheitsbild der Psychose. Sie konnten jedoch nicht eindeutig klären, ob dieser hohe Anteil der Migranten auf ihre natürliche Selektion, d.h. darauf, dass Einwanderer Menschen sind, die Krankheitsveranlagungen (disease prone) haben, oder auf ihre Anpassungsschwierigkeiten an die neuen Lebensverhältnisse zurückzuführen ist (vgl. Everett S. Lee, 1958, 141-152).

In einer ähnlichen Untersuchung hat Ornulv Odegaard 1932 bei einer repräsentativen Samplegröße von 1.100 Patienten des „State Hospital at Rochester, Minnesota"/USA und 2.000 Patienten des „Gaustad State Hospital" in Norwegen eine Dreiteilung der Patienten vorgenommen: Die, die aus Norwegen nach Minnesota/USA eingewandert sind, die, die in Minnesota geboren sind, und die norwegischen Patienten, die in die Gaustad-Klinik in Norwegen eingewiesen wurden. Durch einen Vergleich kommt Odegaard ebenfalls zu dem Ergebnis, dass der Anteil der Einwanderer bzw. Migranten an der Zahl der psychisch Kranken höher lag als bei den Einheimischen (vgl. Ornulv Odegaard, 1973, 155-160). Ornulv Odegaard vertritt, gestützt auf seine 30jährige epidemiologische Forschungsarbeit in Norwegen, zwei Hypothesen zur Erklärung der häufigen psychischen Erkrankungen von Migranten (vgl. Ornulv Odegaard, 1973, 166-169):

a) Hypothese der sozialen Belastungen (social stress):

Diese führt die Krankheitsursachen nicht auf die konstitutionellen Unterschiede im organischen Bereich zwischen den Migranten und Nicht-Migranten, sondern auf die psychischen und physischen Belastungen zurück, denen insbesondere die Migranten im mittleren und höheren Alter ausgesetzt sind. Hier werden die Ursachen der psychischen Erkrankungen auf stresserzeugende Umweltfaktoren (environmental influence) zurückgeführt.

b) Hypothese der sozialen Selektion (social selection)

Diese unterstellt, dass die Menschen, die ohnehin relativ schwache Bindungen zu Familie und Menschen im Herkunftsland haben, eher emigrieren, weil ihnen die Trennung relativ einfach möglich ist. Diese Annahme wird von dem zweimal höheren Anteil schizophrener Personen unter den psychisch Kranken in der Minnesota-Untersuchung abgeleitet, weil die Schizophrenie nicht durch Umwelteinflüsse erklärt werden kann. Hier wird angenommen, dass die schizoide und schizothyme Art des Denkens, Fühlens und der sozialen Beziehungen den natürlichen Hintergrund zur Migration bildet. Diese Hypothese soll jedoch nicht bedeuten, dass Menschen mit positiven Bindungen nicht emigrieren. Tatsache ist, dass gerade viele ehrgeizige Menschen mit überaus positiven sozialen Bindungen auswandern, weil sie oft zielstrebiger und aufstiegsorientierter sind. Andererseits soll diese Hypothese nicht der Tatsache widersprechen, dass historisch gesehen wirtschaftliche Probleme (z.B. Arbeitslosigkeit, materielle Armut) den entscheidenden Hintergrund zur Massenemigrationen bilden.

Ornulv Odegaard wollte mit seinen Hypothesen deutlich machen, dass die psychischen Erkrankungen der Migranten ohne Berücksichtigung ihrer Belastungssituationen und Selektionsaspekte nicht adäquat verstanden werden können. Die skizzierten empirischen Untersuchungen haben in der Folgezeit bis in die Gegenwart hinein viele weitere Forschungen in mehreren Ländern angeregt. Die dadurch gewonnenen Ergebnisse sind jedoch widersprüchlich und erlauben keineswegs generalisierbare, einheitliche und konkrete Aussagen bezüglich der möglichen Wechselbeziehungen zwischen psychischer Erkrankung und Migration. So stellt man z.B. in den USA eine korrelierende Beziehung zwischen Migration und wesentlich höherer Hospitalisationsrate in psychiatrischen Kliniken fest. In den Ländern, in denen die Einwanderer die Mehrheit bilden, wie z.B. in Israel und Singapur, wird dagegen im Vergleich zu der Zahl der einheimischen Erkrankten eine niedrigere Hospitalisationsrate der Migranten in psychiatrischen Kliniken festgestellt, (vgl. H. B. M. Murphy, 1973(1), 217). Auch in Kanada liegt die Hospitalisationsrate der Einwanderer in psychiatrischen Kliniken im Vergleich zu der der Einheimischen niedriger (vgl. H. B. M. Murphy, 1973(2), 221), während umgekehrt die Hospitalisationsrate der Einwanderer in Australien wiederum höher liegt als im Vergleich zu der der Einheimischen (vgl. A. Stoller; J. Krupinski, 1973, 260).

Die unterschiedlichen und widersprüchlichen Ergebnisse empirischer Untersuchungen könnten möglicherweise mit den unterschiedlichen Forschungsmethoden sowie mit den divergierenden länderspezifischen Bedingungen zusammen hängen. Bei der empirisch-soziologischen Erforschung psychosomatischer Erkrankungen der Migranten scheint sich der theoretischer Ansatz durchzusetzen, der die psychosomatischen Erkrankungen der Migranten im Zusammenhang mit ihrem Akkulturationsstress (acculturative stress) im Einwanderungsland sieht. Die Selektionsthese scheint dagegen nur eine untergeordnete Rolle zu spielen. Vor diesem Hintergrund ist es zweckmäßig, vorweg für eine begriffliche Klärung sowohl des Begriffes „Akkulturation" (acculturation) als auch derjenigen Begriffe zu sorgen, die in unmittelbarer Assoziation mit dem Begriff der Akkulturation verwendet werden, um die komplexen Aspekte des Akkulturationsprozesses inhaltlich differenziert aufzeigen zu können.

Akkulturation ist ein allmählicher Prozess der Einführung der Einwandererminderheiten in die Kultur der dominanten Mehrheit des Aufnahmelandes. In diesem Prozess werden die Angehörigen der Minderheiten von den Wertvorstellungen und Verhaltensnormen ihrer Herkunftskultur in die allgemeinen Wertvorstellungen und Symbolsysteme der Mehrheitskultur hinübergeleitet. Diese prozesshafte Überleitung vollzieht sich durch externe und interne Akkulturation. Externe Akkulturation (external acculturation) findet auf der äußeren Verhaltensebene in der Weise statt, dass die Migranten typische Verhaltensweisen und Umgangsformen der dominanten Kultur übernehmen, indem sie Alltagssprache und Alltagsrollen erlernen und sich schrittweise mit der materiellen Kultur (z.B. Kühlschrank, Telefon, Fernsehen, Auto) der Residenzgesellschaft vertraut machen. Beschränkt sich die Akkulturation nur auf diese externe Verhaltensebene, dann bleiben die ethnischen Orientierungen in ihrem privaten Lebensbereich weiterhin unverändert. Interne Akkulturation (internal acculturation) tritt dagegen dann ein, wenn die Wertvorstellungen der dominanten Kultur so übernommen werden, dass die daraus resultierenden und für die dominante Kultur typischen Haltungen und Verhaltensweisen fast selbstverständlich sind (vgl. Charles F. Marden, Gladys Meyer, 1968, 35-37; Petrus Han, 1989, 14).

Akkulturation findet sowohl auf Gruppenebene als auch auf individueller Ebene statt. Auf der Ebene der Minderheitengruppe bewirkt sie strukturelle Veränderungen (z.B. kulturelle, politische, ökonomische), während sie auf der individuellen Ebene Veränderungen sowohl in der psychischen Verfassung als auch bei den externen Verhaltensweisen herbeiführt. Die innerfamilialen und sozialen Konflikte sowie die psychischen Belastungen, die während des Akkulturationsprozesses auf der individuellen Ebene auftreten (psychological acculturation) und psychosomatische Probleme verursachen, bezeichnet man als Akkulturationsstress. Die individuellen Strategien, die während des Akkulturationsprozesses eingesetzt werden und zu individuell unterschiedlichen Ergebnissen führen (z.B. Assimilation, Integration, Segregation bzw. Separation, Marginalisierung), bezeichnet man als „Adaptation". Drei Teilstrategien der „Adaptation" werden unterschieden (vgl. J. W. Berry, 1992, 69-71):

a) „Adjustment"

Diese Strategie besteht darin, dass die Einzelnen versuchen, sich gegenüber den Anforderungen der Umwelt möglichst konform bzw. kongruent zu verhalten, um Konflikte mit ihr zu vermeiden Sie ist somit durch ein generelles Harmoniebestreben mit der Umwelt gekennzeichnet und stellt eine der vom Individuum in seiner Akkulturation am häufigsten angewandten Strategien dar.

b) „Reaction"

Diese Strategie besteht aus reaktiven Gegenmaßnahmen der Einzelnen gegenüber der Umwelt. Sie führt letztendlich dazu, dass die Kongruenz zwischen Umwelt und Einzelnen mit der Zeit zunimmt. Die eintretende Kongruenz geht jedoch nicht auf die individuelle und gruppenbezogene Harmoniebestrebung (adjustment), sondern eher auf ihre Abwehrreaktion zurück, die Ausdruck der Machtlosigkeit gegenüber dem Akkulturationsdruck (acculturative pressure) ist.

c) „Withdrawal"

Diese Strategie beinhaltet das Bemühen, den Umweltdruck dadurch zu reduzieren, indem sich die Einzelnen oder die Minderheitsgruppen freiwillig oder aufgrund erzwungener sozialer und rechtlicher Ausgrenzung aus dem Feld der Akkulturation zurückziehen. Typisch für diese Strategie ist die Tatsache, dass die Migranten aufgrund ihrer politischen Machtlosigkeit nicht einmal versuchen, den Akkulturationsdruck abzuwehren (to engange in retaliatory responses).

Wie aus der obigen Begriffsdifferenzierung hervorgeht, ist „adjustment" nur eine der drei strategischen Formen der Akkulturation. Dies bedeutet, dass die Assimilation nicht das einzige Resultat sein kann, das der Akkulturationsprozess hervorbringt. Vielmehr sind vier Akkulturationsergebnisse denkbar (vgl. J. W. Berry, 1992, 72-73):

a) Assimilation

Diese Option besteht darin, dass der Akkulturationsprozess der Einwanderer dazu führt, dass sie letztendlich ihre kulturelle Identität preisgeben und restlos in der dominanten Mehrheitsgesellschaft aufgehen. Sie werden in diesem Sinne kulturell von der Mehrheitsgesellschaft absorbiert.

b) Integration

Integration beinhaltet, dass der Akkulturationsprozess aufgrund der reaktiven und abwehrenden Strategien der Einwanderer dazu führt, dass sie einerseits ihre kulturelle Integrität aufrechterhalten und dennoch zu einem integralen Teil der Mehrheitsgesellschaft werden. Unter dieser Option entstehen innerhalb der Mehrheitsgesellschaft ethnische Gruppen, die miteinander kooperieren und koexistieren müssen. Die Pluralisierung der Gesellschaft ist dann die Folge.

c) Segregation und Separation

Diese Option besteht darin, dass aufgrund der Strategie des withdrawal keine substanziellen Beziehungen zwischen Einwandererminderheiten und Mehrheitsgesellschaft entstehen. Die Minderheiten bleiben in ihrer ethnischen Kultur und traditionellen Lebensform von der Mehrheitsgesellschaft getrennt und isoliert. Wenn diese Isolation der Minderheiten auf die durch die Macht der Mehrheitsgesellschaft bewusst herbeigeführte Ausgrenzung zurückgeht, liegt die Situation der Segregation vor. Dagegen liegt die Situation der Separation vor, wenn die Minderheiten durch bewusste Entscheidung ihre gesellschaftliche Isolation selbst gewählt haben.

d) Marginalisierung

Marginalisierung beinhaltet, dass die Minderheiten den kulturellen und psychologischen Kontakt sowohl zu ihren eigenen ethnischen Gruppen als auch zu der dominanten Mehrheitsgesellschaft verlieren. Sie existieren somit gänzlich isoliert am Rande (margin) der Gesellschaft. Ihr Leben wird durch das ohnmächtige Gefühl von Entfremdung und Identätsverlust (feelings of alienation, loss of identity) durchzogen.

Im Gegensatz zu der oben dargestellten theoretischen Differenzierung einzelner Strategien, die im Akkulturationsprozess angewandt werden können, sollte man jedoch nicht davon ausgehen, dass diese voneinander getrennt und in gegenseitiger Ausschließlichkeit Anwendung finden. In der Praxis ist vielmehr davon auszugehen, dass die Einzelstrategien situativ abwechselnd eingesetzt bzw. diese auch in Kombination angewandt werden. Dabei ist anzunehmen, dass die eintretenden psychischen Belastungen und Konfliktsituationen höher oder niedriger sein können. So scheinen die psychischen Belastungen und Konflikte bei den assimilativen und integrativen Strategien, wenn sie auf individuelle Initiative und nicht auf Assimilationszwang zurückgehen, geringer zu sein als bei der separativen Strategie oder in der marginalisierten Situation.

Bei den Ersteren sind innere Widerstände der Einzelnen gegenüber dem Akkulturationsdruck kaum zu erwarten, während diese bei den Letzteren wesentlich stärker sein werden. Vor diesem Hintergrund werden die Auswirkungen des Akkulturationsstresses und die damit zusammenhängenden psychosomatischen Erkrankungen erläutert.

Die theoretische Diskussion um die Bestimmung des Begriffes „Stress" hält noch an, weil die Frage, ob „Stress als Reiz" (z.B. neue, starke und plötzlich auftretende Ereignisse und Reize, die bestimmte Anpassungsleistungen erfordern) oder „Stress als Reaktion des Organismus" gegenüber Stressoren betrachtet werden soll, noch nicht abschließend geklärt wurde. Geht man jedoch von dem transaktionalen Stressmodell des bekannten psychologischen Stressforschers Richard S. Lazarus aus, so bedeutet Stress „ein spezifisches Verhältnis zwischen Person und Umgebung, das in der Wahrnehmung der Person ihre Ressourcen bis zu deren Grenze oder darüber hinaus fordert und ihr Wohlbefinden bedroht" (zitiert nach Norbert Semmer, 1988, 745). Dabei kommen den Begriffen „Bewältigung" (coping) und „kognitive Bewertung" zentrale Bedeutung zu. Die Frage, ob man sich in seinem Wohlbefinden bedroht fühlt oder nicht, hängt entscheidend davon ab, wie die individuelle Situation bewertet (z.B. als Bedrohung bzw. Herausforderung) und wie die eigenen Bewältigungsmöglichkeiten zur wahrgenommenen Bedrohung eingeschätzt werden. Dies bedeutet, dass das individuelle Stressempfinden von der subjektiven Bewertung der Situation und von der subjektiven Beurteilung der Bewältigungsstrategien abhängt. Es wird somit klar, dass Menschen, die ihre eigene Situation als bedrohlich bewerten, aber von der subjektiven Einschätzung ausgehen, dass sie nur über geringe Coping-Strategien zur bedrohlichen Situation verfügen, stärkerem Stress ausgesetzt sind. Als Stressfolgen treten kurzfristig Beeinträchtigungen im individuellen Leistungsbereich (z.B. Arbeitsunfall) und langfristig psychische und physische Gesundheitsprobleme (z.B. Herz-Kreislauf-Erkrankungen, Magen-Darm-Geschwüre, psychische Erkrankungen) auf (vgl. Norbert Semmer, 1988, 744-752).

Geht man von dem dargestellten Stressverständnis aus, so bringt der Akkulturationsstress das spezifische Verhältnis der Migranten zu ihrer neuen soziokulturellen Lebensumwelt zum Ausdruck, in der sie sich in ihren individuellen Ressourcen bei der Bewältigung der anfallenden Akkulturationsaufgaben überbeansprucht und in ihrem psychosozialen Wohlbefinden bedroht fühlen. Das Stressempfinden durch Überbeanspruchung ergibt sich aus den allgemeinen Trennungs-, Umstellungs-, Anpassungs- und Lernanforderungen im Akkulturationsprozess. Migranten sind besonders stressanfällig, weil sie erkennen müssen, dass ihre alten Coping-Strategeien zur Lösung neuer Probleme unbrauchbar geworden sind und ihnen noch nicht genügend neue Coping-Strategien zur Verfügung stehen. Die Folgen dieser Situation liegen oft in psychosomatischen Beschwerden und Erkrankungen, deren adäquates Verständnis jedoch eine nähere Betrachtung der angedeuteten vielschichtigen Anforderungen durch den Akkulturationsprozess voraussetzt.

Die erste Quelle des Akkulturationsstresses sind die Schwierigkeiten, die die Migranten aufgrund der geographischen und soziokulturellen Trennung von ihrem vertrauten Lebensmilieu haben, zu dem sie bisher persönliche und emotionale Beziehungen hatten. In diesen Beziehungen wurden besonders die emotionalen Bedürfnisse befriedigt (gratifying relation). Sie bildeten die Grundlage der emotionalen Sicherheit und des psychischen Wohlbefindens. Die soziale Isolation und die generelle Schwierigkeit der Migranten, in der neuen soziokulturellen Lebensumwelt des Aufnahmelandes solche bedürfnisbefriedigenden Beziehungen neu aufzubauen, machen im Rückblick die vollzogene Trennung von ihrem Herkunftsmilieu besonders schmerzlich erfahrbar. Auf der anderen Seite nutzen die Migranten aufgrund ihrer migrationsbedingten psychischen Verunsicherung und unzureichenden Orientierung selten die vorhandenen institutionellen Hilfen zur Verarbeitung von Trennung und Trauer. Das Heimweh bzw. die Heimwehkrankheit ist eine Reaktion. Sie werden hervorgerufen, nicht weil die Vergangenheit tatsächlich so schön gewesen wäre, wie im Nachhinein oft idealisierend vorgestellt wird, sondern umgekehrt rufen soziale Isolation, Frustration und Bedrohung der Gegenwart retrospektiv solche idealen Phantasien bzw. Illusionen wach. Illusionen deswegen, weil die Glorifizierung der Vergangenheit oft unabhängig von ihrer tatsächlichen Situation erfolgt. Die Vergangenheit kann in der Realität mit persönlichen Entbehrungen und Problemen verbunden gewesen sein. Im Extremfall könnten solche retrospektiven und nostalgischen Idealisierungen zu einer „nostalgischen Fixierung" führen, in der die Rückkehr zu alten Zuständen pathologisch herbeigesehnt wird. In diesem Fall leben die Heimwehkranken mehr in der idealisierten Vergangenheit und ziehen sich zunehmend von der realen Gegenwart zurück. Die nostalgische Fixierung und der dadurch ausgelöste psychische Stress sind, wie bei den „Fremdarbeitern" in der Schweiz beobachtet wurde, für die häufige Inzidenz von Magenkrebs ursächlich, so dass in diesem Zusammenhang vom sog. „Heimweh-Ulkus" gesprochen wird. Die nostalgische Fixierung wird oft von einer Reihe auffallender psychosomatischer Krankheitssymptome begleitet: Müdigkeit, Verlust der Vitalität, reduzierte Arbeitsfähigkeit, emotionale Instabilität, Schuldgefühle, Lustlosigkeit, Rückzugsverhalten, Angst und aggressives Verhalten (vgl. Charles Zwingmann, 1973, 19-23, 37-39, 147).

Übersicht 7   Strategien der Akkulturation und ihre Ergebnisse

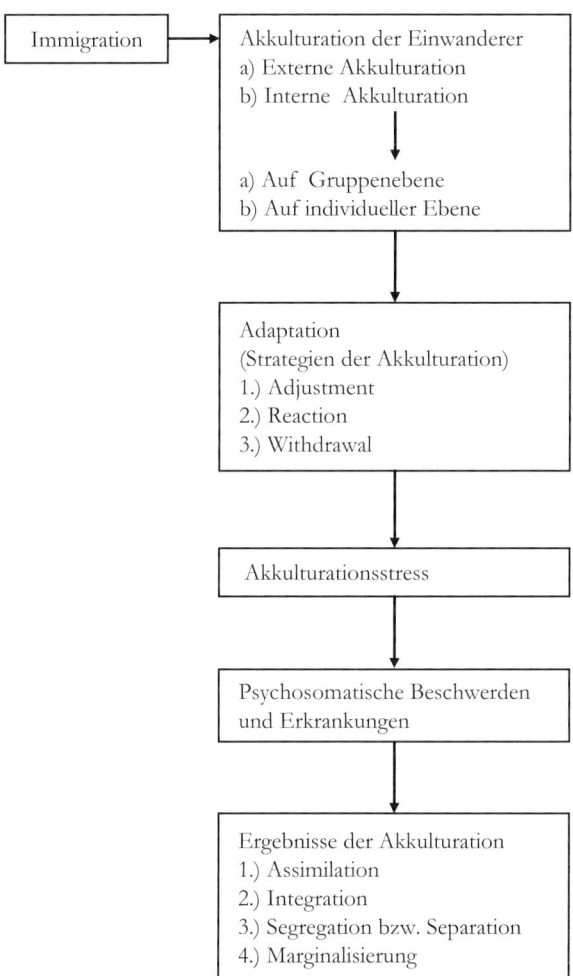

Der Akkulturationsstress ist auch eine Folge der schwierigen Umstellungssituation, in der sich die Migranten befinden. Allein die körperliche Umstellung auf die klimatischen Verhältnisse des Aufnahmelandes ist oft mit enormen Schwierigkeiten verbunden. Es ist allgemein bekannt, dass die Stimmungslage der Menschen unter anderem auch durch das Wetter beeinflusst wird. Der Wechsel vom sonnigen Süden in den sonnenarmen, regnerischen und ungemütlich kalten Norden kann Menschen schwermütig machen. Dieser Wechsel ist oft auch mit einem topographischen Wechsel verbunden. Die optisch nicht verlockende Industrielandschaft unter grauem Himmel im Norden hält dem Vergleich mit der industriearmen Naturlandschaft unter blauem und sonnigem Himmel im Süden nicht stand. Die klimatischen und topographischen Verhältnisse bleiben nicht ohne Wirkung auf die Kommunikation und Lebensphilosophie der Menschen. Es ist bekannt, dass sich die Menschen im Norden überwiegend in ihren vier Wänden aufhalten und versuchen, sich dort in Gemütlichkeit einzurichten, während die Menschen im Süden ihre Zeit mehr außerhalb des Hauses auf der Straße, auf dem Markt- und Kirchplatz mit Nachbarn und Bekannten kommunikativ verbringen. Das Zeitbewusstsein, das Arbeitstempo, der Arbeitsrhythmus, die Gemütlichkeit und der „way of life" von Menschen im Norden und Süden differieren sehr voneinander. Die Migranten müssen somit in ihrem Akkulturationsprozess eine breite Palette von Umstellungsproblemen bewältigen, die als Stressauslöser anzusehen sind (vgl. Charles Zwingmann, 1973, 144-145).

Über die Bewältigung ihrer Trennungs- und Umstellungsprobleme hinaus haben die Migranten vielschichtige Anpassungs- und Lernanforderungen zu bewältigen. Ihre Lebensgewohnheiten sind weitgehend an die des Aufnahmelandes anzugleichen, um ohne große Probleme und Stigmatisierungen im Bereich der Berufsausübung, des Alltagslebens sowie der beruflichen Aus- und Weiterbildung zurechtzukommen. Die Rolleninhalte müssen neu definiert und den Rollenerwartungen des Aufnahmelandes angeglichen werden. Neue Rollen sind zu erlernen, die bisher nicht bekannt waren. Bei all diesen Anforderungen sind die Migranten psychischem Stress ausgesetzt. Besonders stresserzeugend sind das Erlernen der Sprache und ihre Anwendung (vgl. J. W. Berry, et. al., 1987, 506). Mit Stress verbunden sind auch das Aushalten enttäuschter Wünsche und Erwartungen (vgl. William A. Vega, et. al., 1987, 526) sowie das Verarbeiten persönlicher Erfahrungen mit sozialen, rechtlichen, ökonomischen und politischen Benachteiligungen und Diskriminierungen (vgl. William W. Eaton, 1992, 1397).

Vor dem Hintergrund der skizzierten akkulturativen Stresssituationen der Migranten sind die damit zusammenhängenden unterschiedlichen Krankheitsbilder und -symptome zu sehen, zu denen empirische Untersuchungen vorliegen. Eine Langzeituntersuchung in Kanada, die von 1969 bis 1985 die individuelle Akkulturation der Einwanderer untersucht hatte, kommt zu dem Ergebnis, dass der Akkulturationsstress nach Bildungsstand, Geschlecht, Alter, Familienstand individuell variiert und in seiner Intensität von der jeweiligen Politik beeinflusst wird. So wurde festgestellt, dass junge und verheiratete Menschen mit höherer Bildung weniger dem Akkulturatonsstress ausgesetzt waren. Frauen waren durch ihre Isolation in der Familie höherem Stress ausgesetzt als Männer. Es wurde auch darauf hingewiesen, dass der Akkulturationsstress der Einwanderer in einer Gesellschaft mit Assimilationspolitik größer ist als in einer Gesellschaft mit pluralistischer Politik (vgl. J. W. Berry; Uichol Kim, 1987, 491-511). Dagegen hebt eine empirische Untersuchung in den USA, die den Akkulturationsstress koreanischer Einwanderer in Chicago (N: 662) untersucht hatte, hervor, dass die Akkulturation phasenmäßig verläuft. Der Akkulturationsstress ist dabei in der ersten kritischen Phase (exigency stage), die etwa die ersten zwei Jahre nach der Einwanderung umfasst, am größten. Er nimmt dann mit zunehmender Aufenthaltsdauer ab und stagniert in der letzten Phase, in der sog. „marginality stage", die etwa 10 bis 15 Jahre nach der Einwanderung erreicht wird (vgl. Won Moo Hurh, Kwang Chung Kim, 1990, 456-479).

Die empirischen Untersuchungen in Deutschland, die sich mit den psychosomatischen Erkrankungen der Zuwanderer befassen, nehmen seit etwa 1970 in ihrem Umfang allmählich zu. Der überdurchschnittlich hohe Krankenstand der Arbeitsmigranten, die durch jahrelange schwere Arbeit nun körperlich verbraucht sind (vgl. Emanuela Leyer, 1987, 301) und die vielschichtigen Eingliederungsprobleme der Aus- und Übersiedler, deren Zahl Ende der 1980er und zu Beginn der 1990er Jahre sprunghaft gestiegen war, haben vielleicht dazu beigetragen, die migrationsbedingten psychosomatischen Beschwerden und Erkrankungen der genannten drei Zuwanderergruppen (Arbeitsmigranten, Aussiedler, Übersiedler) empirisch zu erforschen.

In einer schriftlichen Befragung in West Berlin von 1990, an der 512 Übersiedler, 283 aus Westdeutschland Zugezogene und 90 Aussiedler beteiligt waren, hatten etwa 80 % im ersten halben Jahr psychische bzw. psychosomatische Beschwerden. Am häufigsten wurden innere Unruhe, Reizbarkeit, allgemeine Nervosität, Traurigkeit, Schlaflosigkeit, Kopf- und Rückenschmerzen genannt (vgl. Stefan Gunkel, Stefan Priebe, 1992, 414-424). Ein Modellprojekt am Zentrum für psychosomatische Medizin der Universität Gießen von

1984 stellte fest, dass die migrationsbedingten psychosozialen Stresssituationen und die damit zusammenhängenden innerfamilialen Konflikte der Arbeitsmigranten oft Ursachen für ihre psychosomatischen Erkrankungen und funktionellen Störungen waren. Dabei wiesen die Männer aufgrund ihrer industriellen Schicht- und Akkordarbeit überwiegend somatische Krankheiten auf, während Frauen mehr unter psychosomatischen und funktionellen Störungen litten. Nach dem Projekt stellt die medikale Behandlung (Medikalisierung) der psychosomatischen Erkrankungen, die ihre Ursachen eigentlich in den migrationsbedingten Beziehungskonflikten und Stresssituationen haben, ein Problem dar, weil sie eher zur Chronifizierung führt als zur Heilung (vgl. Emanuela Leyer, 1987, 301-313).

Die neueren empirischen Untersuchungen im Klinikalltag in Berlin bestätigen auch, dass die Quote der Zuwanderer, die aufgrund von stressbedingten psychosomatischen Beschwerden stationär und ambulant behandelt werden, wesentlich höher liegt als die der Einheimischen. Die Befunde, die in der Klinik der Frauenheilkunde der Berliner Charité/Campus Virchow-Klinikum von April 1995 bis August 2006 erhoben wurden, belegen, dass der Anteil der Migrantinnen an den 576 schwangeren Frauen, die wegen schweren Schwangerschaftserbrechens (Hyperemesis gravidarum) stationär behandelt wurden, mit 71,3 % überproportional hoch lag. Dabei zeigte sich, dass mehr als die Hälfte der befragten Frauen zur Gruppe der wenig akkulturierten Migrantinnen bzw. zu der der sog. nachgezogenen Ehefrauen zählte, die noch nicht lange in Deutschland lebten. Als mögliche Ursache für diese Befunde wurde die hohe psychosoziale Belastung der wenig akkulturierten Migrantinnen während der Schwangerschaft angeführt. Der Klinikaufenthalt in der Frühschwangerschaft hatte zur Folge, dass die Migrantinnen nicht nur vorübergehend der belastenden häuslichen Umgebung (beengte Wohnverhältnisse, sozialer Druck der Schwiegerfamilie) entfliehen, sondern darüberhinaus mehr Aufmerksamkeit und Unterstützung durch Familie, Freunde und Klinikpersonal erfahren konnten (vgl. Matthias David, Frank C.K, Chen, Theda Borde, 2006, 95-103). Es ist anzunehmen, dass diese positiven Erfahrungen während des Klinikaufenthalts an die koethnischen Frauen weitergeben wurden. Eine weitere empirische Untersuchung zur psychischen Belastung der Patientinnen und Patienten, die die gynäkologisch-internistischen Notfallambulanzen von drei Berliner Innenstadt-Kliniken aufsuchten, zeigte, dass türkische Männer, relativ unabhängig von ihrem Bildungsstand, wesentlich höhere allgemeine psychische Belastungen im Alltag angaben (46 %), die sich in Kopf- und Gliederschmerzen, Stress und geringer Lebenszufriedenheit äußerten, als deutsche Männer (26 %), die mehr

Rückenschmerzen als Symptom nannten (vgl. Imke Schwartau, Theda Borde, Matthias David, 2006, 105-118).

Die Ergebnisse der empirischen Untersuchungen sowie die Erfahrungsberichte aus den psychiatrischen Kliniken, in denen Migranten behandelt werden, weisen übereinstimmend darauf hin, dass Krankheitserleben (z.B. Krankheit als Strafe für die Nichteinhaltung religiöser Vorschriften), Krankheitswahrnehmung (z.B. Vorstellung der magischen Verursachung der Krankheit), Krankheitsausdruck (z.B. Dramatisierung bzw. Verleugnung von Schmerzen) und Behandlungserwartungen (z.B. Verlangen nach einem sofort wirksamen Mittel gegen Schmerzen) ethnokulturell unterschiedlich sind (vgl. Doron Kiesel u.a., 1995, 28-29). Diagnose und Behandlung der psychosomatischen Erkrankungen bei Migranten setzen somit nicht nur die sprachliche Verständigung zwischen Arzt und Patient, sondern auch Kenntnis des behandelnden Arztes über die kulturspezifischen Symptombildungen und Ausdrucksformen von Leiden voraus (vgl. Rita Kielhorn, 1996, 15-27). Sollten diese Voraussetzungen nicht erfüllbar sein, ist die Wahrscheinlichkeit der Somatisierung (ausschließliche körperliche Attribuierung der Krankheit) und Fehldiagnose groß, was in letzten Konsequenz nur eine Patientenkarriere fördern wird (vgl. Jürgen Collatz, 1992,63-64). Die Entwicklung stressbedingter funktioneller Beschwerden (z.B. Unterleibsschmerzen, Kopfschmerzen) über pathologische Symptombildungen (z.B. Depression) bis hin zu einer Organschädigung (z.B. Gastritis, Ulcus-Verdacht) und damit zur Chronifizierung der Krankheit sind nicht auszuschließen (vgl. Doron Kiesel u. a., 1995, 21).

3.4 Psychosoziale Situation der Migranten als Fremde und „marginal man" in den soziologischen Analysen von Georg Simmel, Alfred Schütz, Robert E. Park und Everett V. Stonequist

Migranten sind Menschen, die aus unterschiedlichen individuellen und gesellschaftlichen Gründen ihren Herkunftsort bzw. ihr Herkunftsland verlassen, um anderenorts die Verbesserung ihrer Lebensbedingungen zu suchen. Sie haben die Zugehörigkeit zu ihrer eigenen Gruppe aufgegeben und suchen nach neuer Zugehörigkeit zu einer fremden Gruppe. Für die sie aufnehmende Gruppe sind sie Fremde anderer Herkunft, die von außen in ihre Gruppe hinein kommen. Sie werden dabei nicht nur von den Menschen, die sie aufnehmen, als Fremde betrachtet, sondern verstehen sich selbst auch so. Sie wissen, dass sie der neuen Gruppe nie so zugehörig sein können, wie sich die Einheimischen ihrer Gruppe zugehörig fühlen. Diese Situation ist oft mit konflikthaften psychosozialen Problemen verbunden, die von bekannten Soziologen, wie Georg Simmel, Alfred Schütz, Robert E. Park und Everett V. Stonequist, unter verschiedenen theoretischen Aspekten analysiert wurden. Eine nähere Betrachtung und kritische Würdigung ihrer Analysen sind für die Gewinnung eines sachlich differenzierten Einblicks in die belastenden psychosozialen Befindlichkeiten der Migranten von unverzichtbarer Bedeutung.

Eine bedeutsame Analyse des Fremden, die weitere soziologische Forschungen angeregt und entscheidende theoretische Impulse gegeben hat, stammt von Georg Simmel (1858-1918). Er hat im Rahmen seiner soziologischen Untersuchung über die Formen der Vergesellschaftung das Thema: „Der Raum und die räumliche Ordnung der Gesellschaft" analysiert (vgl. Georg Simmel, 1958, 460-526), um die raumbezogenen lebendigen Wechselbeziehungen der Menschen und die daraus resultierenden strukturellen Folgen für die Formen der Vergesellschaftung zu untersuchen. Dabei geht er auch auf die Frage der individuellen Mobilität der Menschen von Ort zu Ort sowie auf die Gruppenwanderungen (z.B. Nomaden- und Völkerwanderung) ein, um ihre strukturellen Folgen für die Formen der Vergesellschaftung herauszuarbeiten. In diesem Kontext bringt er einen „Exkurs über den Fremden" ein, in dem die begriffliche Abgrenzung des Fremden vorgenommen und seine belastenden psychosozialen Befindlichkeiten analysiert werden.

Für Georg Simmel ist mit dem Fremden nicht der Wandernde gemeint, „der heute kommt und morgen geht, sondern der, der heute kommt und morgen bleibt" (Georg Simmel, 1958, 509). Die Entscheidung des Gekommenen bleiben zu wollen, statt zu seinem Herkunftsort zurückzukehren, macht ihn erst als Fremden aus. Mit und nach der Bleibeentscheidung tritt für den Gekommenen eine Reihe psychosozialer Probleme und Spannungen auf, die generell für Fremde typisch sind. Sie bestehen wesentlich in der konflikthaften psychischen Situation des Fremden, dass sein Kommen (Wandern von einem gegebenen Raumpunkt) und der damit verbundene Wechsel seines Wohnortes für ihn keineswegs „die Gelöstheit" (Distanz bzw. Ferne) von seinem Herkunftsort bedeuten. Andererseits bedeutet sein Bleiben in der neuen Umgebung keineswegs „die Fixiertheit" (Nähe) in einem neuen räumlichen Umkreis. Hier tritt eine psychische Konstellation ein, in der Fixiertheit an einen neuen Raum noch keine endgültige Gelöstheit von der Herkunft und umgekehrt Gelöstheit von der Herkunft noch keine endgültige Fixiertheit in einem neuen räumlichen Umkreis impliziert. Die Frage nach Gelöstheit bzw. Fixiertheit ist nach Georg Simmels Überzeugung eine Frage des seelischen Zustandes, die nicht nur räumlich entschieden und beantwortet werden kann (vgl. Georg Simmel, 1958, 509).

Der Fremde ist nicht mehr der Wandernde, weil er in einem neuen räumlichen Umkreis bleiben will. Er ist aber der potentiell Wandernde, weil seine Position in dem neuen räumlichen Umkreis nicht durch diesen endgültig bestimmt werden kann. Er ist zwar nicht weitergezogen, er hat aber die Gelöstheit des Kommens und Gehens nicht ganz überwunden. Er gehört nicht so in den neuen räumlichen Umkreis wie die Einheimischen. Er trägt Qualitäten in diesen räumlichen Umkreis hinein, die eben nicht aus diesem stammen. So gesehen verkörpert der Fremde in sich selbst die Einheit von Gelöstheit (Wandern von einem gegebenen Raumpunkt) und Fixiertheit (Bleiben in einem neuen räumlichen Umkreis). Diese Einheit bzw. Synthese schafft jedoch eine Konstellation, die Georg Simmel wie folgt charakterisiert: „Die Distanz innerhalb des Verhältnisses bedeutet, daß der Nahe fern ist, das Fremdsein aber, daß der Ferne nah ist." (Gerog Simmel, 1958, 509). Dies bedeutet, dass der Fremde immer eine gewisse Distanz zu seinem neuen räumlichen Umkreis und zu den Menschen dort haben wird. Dabei ist das Verhältnis zum Raum zugleich als Bedingung und Symbol des Verhältnisses zu den Menschen zu verstehen. Vor diesem Hintergrund ist er zwar in seinem neuen räumlichen Umkreis physisch anwesend, er wird sich aber mit Menschen und Gegebenheiten nicht so vertraut und verbunden fühlen, wie dies bei den Einheimischen der Fall ist. Seine innere und äußere Distanz wird nie völlig ausgeräumt werden. Georg Simmel räumt daher dem Fremden die „Objektivität" ein (vgl. Georg Simmel, 1958, 510), die

die Einheimischen nicht haben, so dass der Nahe in dem neuen räumlichen Umkreis für ihn doch fern bleibt. Auf der anderen Seite hat er seine Gelöstheit von seinem Herkunftsraum (Fremdsein) nicht ganz überwunden, so dass für ihn der Ferne, unabhängig von der räumlichen Entfernung, gedanklich und innerlich doch immer greifbar nah und präsent bleibt. Er begegnet daher anderen Menschen relativ vorurteilsfrei und objektiv.

Der Fremde ist nach der Auffassung von Georg Simmel mit einem mobilen Händler vergleichbar, der zwar bereit ist, mit allen Kontakt aufzunehmen, um seine Ware, die er außerhalb des Ortes erworben hat, zu verkaufen, aber kaum bereit ist, sich selbst in irgendeiner Weise fest zu legen. Fixiertheit bedeutet für ihn, dass er seinen Beruf als mobiler Händler aufgeben müsste. Die Objektivität des Fremden bedeutet, wie Simmel sie beschreibt, dass er gegenüber Menschen und Gegebenheiten des neuen Umkreises einen gewissen Abstand behält. Er ist nicht so befangen wie die Einheimischen. Keineswegs bedeutet dies jedoch, dass sein Leben aus der Nichtteilnahme besteht, sondern vielmehr aus „einer positiv-besonderen Art der Teilnahme". Er behält dennoch seine Freiheit in dem Sinne, in dem er „durch keinerlei Festgelegtheiten gebunden" ist. Diese Freiheit ermöglicht ihm, im Gegensatz zu den Einheimischen, eine „Vogelperspektive" einzunehmen, so dass er allem mit objektiverem Abstand begegnet (vgl. Georg Simmel, 1958, 510).

Georg Simmel hat die dialektische Ambivalenz zwischen Gelöstheit und Fixiertheit bzw. Distanz und Nähe, der der Fremde durch sein Bleiben, d.h. durch den Wechsel seines Lebensraumes ausgesetzt wird, soziologisch analysiert. Dagegen beschränkt sich die soziologische Analyse des Fremden von Alfred Schütz, die im Folgenden vorgestellt wird, ausdrücklich auf die psychosoziale Situation des Fremden in seiner Annäherungsphase zur Gruppe, von der er aufgenommen werden möchte. Alfred Schütz wählt daher für seine Analyse einen sozialpsychologischen Theorieansatz und versteht unter der genannten Annäherungsphase die Phase, die der sozialen Anpassung des Fremden in der angenäherten Gruppe vorausgeht (vgl. Alfred Schütz, 1972, 54). Dabei soll der Begriff des Fremden „einen Erwachsenen unserer Zeit und Zivilisation bedeuten, der von der Gruppe, welcher er sich nähert, dauerhaft akzeptiert oder zumindest geduldet werden möchte." Ein hervorragendes Beispiel des Fremden im Sinne dieser Definition ist für Alfred Schütz der Immigrant (Alfred Schütz, 1972, 53).

Der Ausgangspunkt der soziologischen Analyse des Fremden bei Alfred Schütz ist die Feststellung, dass sich Menschen in ihrem alltäglichen Denken und Handeln vom Wissen leiten lassen, das an sich inhomogen, inkohärent

(Interessen verändern sich ständig und damit verändern sich auch die dadurch bestimmten Relevanzlinien), unklar (Selbstverständlichkeiten basieren weitgehend auf der ungenauen Information, die nur auf Wahrscheinlichkeiten und Risiken bezogen ist) und inkonsistent (Wissen ist so allgemein und oberflächlich, dass es sachlich und situativ kaum differenzierte Aussagen zulässt) ist. Sie betrachten dennoch ihr Wissen, das sie von ihrer eigenen Gruppe (in-group) übernehmen, als kulturell und zivilisatorisch standardisiertes Muster, das seine Evidenz in sich selbst trägt und daher als unbefragbar-selbstverständliche Anleitung für alle Situationen gilt. Indem sie sich im Alltagsleben daran halten, praktizieren sie ein „Denken-wie-üblich", das in Anlehnung an Max Scheler, so beschreibt Alfred Schütz es, als eine „relativ natürliche Weltanschauung" zu bezeichnen ist (vgl. Alfred Schütz, 1972, 56-58).

Der Fremde erlebt in der Gruppe, der er sich nähert, eine persönliche „Krisis", weil sein bisheriges „Denken-wie-üblich" dort unbrauchbar wird. Dadurch wird der Fluss seiner Gewohnheiten und seines Bewusstseins unterbrochen. Auf der anderen Seite stellt er alles in Frage, was Menschen der Gruppe, der er sich nähert, unfraglich und selbstverständlich ist. Das „Denken-wie-üblich" der neuen Gruppe stellt für ihn kein Rezept dar, das für alle Situationen des Alltagslebens selbstverständliche Anleitung geben kann, weil er an seiner Entstehungsgeschichte nicht teilgenommen hat. Aus gleichem Grund kann es auch nicht zum integralen Teil seiner Biographie werden, selbst wenn er sich in der neuen Gruppe daran hält. Der Fremde ist in diesem Sinne „ein Mensch ohne Geschichte", der an der lebendigen Entstehungsgeschichte der „relativ natürlichen Weltanschauung" der neuen Gruppe nicht teilgenommen hat. Er kann daher nur willens sein, die Gegenwart und die Zukunft der neuen Gruppe in lebendiger und unmittelbarer Erfahrung zu teilen. Von den Erfahrungen ihrer Vergangenheit bleibt er jedoch ausgeschlossen (vgl. Alfred Schütz, 1972, 59-60).

Der Fremde erlebt somit in der neuen Gruppe „die erste Erschütterung des Vertrauens", indem sich sein mitgebrachtes „Denken-wie-üblich" als Rezept für das alltägliche Leben als untauglich erweist. Als Außenseiter kann er in den sozialen Interaktionen nicht so selbstverständlich vorgehen wie die Einheimischen, weil ihm das fraglos selbstverständliche Wissen der „insider" fehlt. Seine Unsicherheit, sein Zögern, sein Misstrauen und sein Hin- und Herschwanken zwischen Reserve und Intimität sind auf diesen Verlust des Vertrauens zurückzuführen. Er muss somit seine Handlungsschritte innerhalb der neuen Gruppe soweit wie möglich in sein mitgebrachtes „Denken-wie-üblich" übertragen, übersetzen, von diesem Standpunkt aus ständig überprüfen und sich jedesmal von Neuem vergewissern. Er muss so die Kulturmuster der neuen Gruppe durch seine faktische Handlung zu beherrschen lernen, weil diese nicht selbstverständlicher Teil seines Denkens sind, sondern ein Segment der fremden Welt darstellen. So gesehen sind die Kulturmuster der neuen Gruppe kein Schutz für ihn, sondern „ein Feld des Abenteuers" (vgl. Alfred Schütz, 1972, 62, 63, 60, 67).

Aus dieser Situation resultieren zwei Grundzüge der Einstellungen des Fremden gegenüber der neuen Gruppe, von der er akzeptiert bzw. geduldet werden möchte (vgl. Alfred Schütz, 1972, 68-69):

a) Objektivität des Fremden

Diese Objektivität entspringt weniger der kritischen Einstellung des Fremden gegenüber dem Zivilisationsmuster der neuen Gruppe, sondern vielmehr seinem Bedürfnis, alles, was für die „in-group" selbstverständlich erscheint, genau untersuchen und wissen zu wollen. Für ihn ist dies die einzige Möglichkeit, sich auf dem neuen Interaktionsfeld des Abenteuers zurechtzufinden. Er wird durch die persönliche Erfahrung der Grenzen seines „Denkens-wie-üblich" zu dieser Objektivität veranlasst. Er hat die schmerzliche Erfahrung machen müssen, dass ein Mensch durch die persönliche „Krisis" seine Geschichte und den gesamten Grund seiner „relativ natürlichen Weltanschauung" verlieren kann.

b) Zweifelhafte Loyalität des Fremden

Es ist oft der Vorwurf der Mitglieder der „in-group" gegenüber dem Fremden, dass dieser undankbar sei, weil er die Annahme und Anerkennung der ihm angebotenen Kultur- und Zivilisationsmuster als Obdach und Schutz verweigere. Dabei übersehen sie die Tatsache, dass der Fremde in seiner Annäherungsphase diese Muster nicht als schützendes Obdach betrachten kann, sondern diese Muster eher als Labyrinth erlebt, in dem er seine Orientierung verloren hat. Auf der anderen Seite ist dieser Vorwurf in den Fällen mehr ein Vorurteil, in denen sich der Fremde als unwillig erweist, die Kulturmuster seiner Herkunftsgruppe nach und nach durch die der neuen Gruppe zu ersetzen.

Die Analysen des Fremden von Georg Simmel und Alfred Schütz gehen zwar von zwei verschiedenen theoretischen Ansätzen aus, sie ergänzen sich dennoch inhaltlich. Ihre unterschiedlichen Sichtweisen und Begründungen führen nicht zu Widersprüchen, sondern legen weitere Facetten der psychosozialen Befindlichkeiten des Fremden offen und machen diese verständlicher. Dies wird besonders bei der theoretischen Begründung der Objektivität des Fremden deutlich. Beide Analysen gehen von dem theoretischen Bezugsrahmen der Migration aus und vertreten die Position, dass die typischen psychosozialen Probleme des Fremden aus dem Wechsel der Bezugsgruppen resultieren, der eine zwangsläufige Folge der Migration ist. Eine theoretische Fortführung dieser Sichtweise stellt die Theorie des „marginal man" aus den USA dar. Ausgehend von der Analyse des Fremden von Georg Simmel publizierte Robert E. Park an der Universität Chicago 1928 den ersten theoretischen Ansatz des „marginal man" und regte weitere soziologische Forschungen zu Fremden und deren Einordnung in der modernen Gesellschaft der USA an (vgl. Robert E. Park, 1928, 888).

Robert E. Park geht in seinem Aufsatz „Human Migration and The Marginal Man" von 1928 von der Feststellung aus, dass sich die Formen der Migrationsbewegungen im Laufe der Zeit grundlegend verändert haben. Die Migrationen in der Vergangenheit waren kollektive Migrationen (z.B. Nomaden- und Völkerwanderungen). Die Menschen migrierten mit ihrer Sippe, mit ihrem Stamm oder mit ihrem Klan in einem geschlossenen Verband. Dies bedeutete, dass sie bei der Migration ihr soziales System und ihre soziale Ordnung mitnahmen. Damit blieb trotz des Ortswechsels alles beim Alten. Ihre sozialen Beziehungen und ihre sozialen Positionen innerhalb der Gruppe veränderten sich nicht. Ihre Anpassung bestand nur in der Umstellung auf die neue Umgebung. Dagegen sind die Migrationen in der modernen Gesellschaft individuelle Migrationen, die durch sehr verschiedene persönliche Motive ausgelöst und bestimmt werden (vgl. Robert E. Park, 1928, 886).

Die in der modernen Gesellschaft stattfindenden Migrationen in der Vereinzelung und im Verband der Kleinfamilie bringen eine Reihe von Folgeproblemen mit sich, die die kollektiven Migrationen in der Vergangenheit nicht kannten. Diese liegen vor allem in den vielschichtigen äußeren und inneren Anpassungsproblemen der einzelnen Menschen. Sie lassen alles zurück, was bis dahin ihr gesamtes Leben bestimmt hat. Familiale, nachbarschaftliche und soziale Beziehungen werden für lange Zeit oder für immer abgebrochen. Bezugsgruppen und soziale Positionen werden aufgegeben. Der Wohnsitzwechsel bringt hier nicht nur einen tiefgreifenden und in manchen Fällen sogar radikalen Bruch mit dem bisherigen Herkunftsort, sondern auch radikale Veränderungen des Lebens der Migranten selbst, die aufgrund der neuen soziokulturellen Lebensbedingungen zwangsläufig eintreten.

Andererseits können die Migrationen in der modernen Gesellschaft in der Vereinzelung und der dadurch eintretende Bruch mit dem Herkunftsort (the breaking of home ties), nach Überzeugung von Robert E. Park, auch mit positiven Effekten verbunden sein. Die Migranten werden von dem Druck und von der sozialen Kontrolle frei, die Tradition und Sitten ihres Herkunftsortes bisher ausgeübt haben. Dadurch werden sie emanzipierter, aufgeklärter und in gewissem Sinne sogar kosmopolitischer als vorher. Ihre gesamten Energien werden für neue Unternehmungen verfügbar. Sie sind nicht mehr in lokale Eigenheiten und Konventionen eingebunden. In diesem Sinne sind sie freie Menschen („He is the freer man."), gleichzeitig aber auch richtungslos, zumindest in der Übergangszeit. Sie begegnen anderen Menschen relativ vorurteilsfrei und objektiv. Im Sinne von Georg Simmel sind sie die potentiellen Wanderer, die Nähe suchen, dabei aber nicht fixiert werden wollen. Sie werden zu einem neuen Typ von Menschen, nämlich zu Fremden (vgl. Robert E. Park, 1928, 888).

Nach der Auffassung von Robert E. Park ist der Fremde (stranger) in der modernen Gesellschaft par excellence der emanzipierte Jude (The emancipated Jew). Er ist ein neuer Persönlichkeitstyp, ein kultureller Hybride (cultural hybrid), der weitgehend in der Kultur und Tradition zweier Völker lebt. Er bricht dabei weder ganz mit seiner Vergangenheit noch wird er von der Gesellschaft akzeptiert, in die er aufgenommen werden möchte. Er steht am Rande (margin) zweier Kulturen und Gesellschaften. Er ist ein „marginal man". Der deutsche Dichter Heinrich Heine, der Zeit seines Lebens versucht hat, gleichzeitig Deutscher und Jude zu sein, ist nach der Auffassung von Robert E. Park Beispiel für diesen Typus des „marginal man". Das Tragische an seinem Leben war, so meint Robert E. Park, dass er weder der einen noch der anderen Kultur angehörte. Seine inneren Konflikte, seine Instabilität und Unruhe waren auf seine dichotomische Moral zurückzuführen. Die Probleme des „marginal man" treten aber nicht nur bei Juden auf. Sie sind auch bei den Konvertierten und bei den europäisierten Afrikanern und Asiaten beobachtbar. Sie sind typisch für alle Einwanderer und treten zumindest in der Übergangsphase von der Herkunftskultur zur Kultur der Aufnahmegesellschaft auf (vgl. Robert E. Park, 1928, 892-893).

Der theoretische Ansatz von Robert E. Park wurde von Everett V. Stonequist übernommen und fortgeführt, indem er sowohl die soziale Situation, aus der der „marginal man" hervorgeht, als auch seine Lebenszyklen (life-cycle) untersuchte. Ausgehend von der These, dass die Angehörigen der sozialen Minderheiten sich entweder unter dem Druck oder freiwillig zum Zwecke des sozialen Aufstiegs zur Anpassung an die Kultur der dominanten Mehrheit entschließen, unterscheidet Everett V. Stonequist zwei soziale Situationen, die den „marginal man" hervorbringen.

Eine dieser Situationen zeichnet sich dadurch aus, dass zu den kulturellen

Differenzen zwischen den sozial unterlegenen Minderheiten und der sozial dominanten Mehrheit biologische Unterschiede hinzukommen. Beispiele hierfür sind die Nachkommen der rassischen Mischehen (racial intermarriage). Menschen, die von Eltern stammen, die biologisch und kulturell unterschiedlicher Herkunft sind (the individual of mixed blood), leben unter dem Einfluss von zwei verschiedenen Kulturen. Sie gehören aber weder der einen noch der anderen Kultur ihrer Eltern an. Sie stehen faktisch zwischen beiden Kulturen. Sie sind rassische Hybriden (racial hybrid). Sie haben durchweg Kulturkonflikte, weil sie sich selbst vom Standpunkt der jeweiligen ethnischen Gruppen ihrer Eltern aus betrachten (looking at himself from the standpoint of each group /looking at oneself through the eyes of other). Dadurch werden sie mit zwei verschiedenen Selbstbildern konfrontiert. Sie ziehen dennoch die Kultur des rassisch dominanteren Elternteils der Kultur des rassisch unterlegenen Elternteils vor. Sie erfahren die dabei eintretenden Konflikte der geteilten Loyalität und dualen Identifikation (a divided loyalty and a dual pattern of identification) als persönliche Probleme. Schwerwiegende Folgen dieser Konflikte sind ambivalente Haltungen zwischen Stolz und Beschämtheit, zwischen Liebe und Hass, zwischen Überempfindlichkeit und übertriebener Selbstaufmerksamkeit und zwischen Minderwertigkeitsgefühl und Unzufriedenheit. Diese Situation der „rassischen Hybriden" gilt ähnlich für die zweite Generation der Einwanderer (vgl. Everett V. Stonequist, 1935, 6-7).

Die zweite soziale Situation, die den „marginal man" hervorbringt, zeichnet sich durch die kulturellen Unterschiede zwischen den Angehörigen der dominanten Mehrheit und der unterlegenen Minderheit aus. Diese Situation kann auch für die Menschen eintreten, die nicht emigriert sind. Beispiele hierfür sind die Konvertierten, die europäisierten Afrikaner (Europeanized Africans) und die verwestlichten Menschen (Westernized individuals) in der Dritten Welt, die von der Lebensweise der Einheimischen abgerückt sind und dennoch von den Europäern nicht akzeptiert werden. Sie sind kulturelle Hybriden und „marginal man" im eigenen Land. Die Heranbildung des „marginal man" ist aber, so meint Everett V. Stonequist, als Prozess zu verstehen, so dass marginale Persönlichkeiten mit gleichen psychischen Charaktermerkmalen nicht vorkommen können. Die Anwendung des Begriffes „marginal man" als theoretischer Abstraktion soll daher nur für die Menschen erfolgen, die relativ dauerhafte Konflikte der dualen Identifikation und geteilten Loyalität haben (vgl. Everett V. Stonequist, 1935, 10).

Fasst man die bisher vorgestellten soziologischen Analysen zusammen, dann ergibt sich daraus die Feststellung, dass die soziale Genese des Fremden auf die

Migrationen zurückgeht. Bei der analytischen Darstellung psychosozialer Probleme des Fremden heben Georg Simmel und Alfred Schütz die räumlich bedingten, d.h. die durch die Migration ausgelösten innerseelischen Zustände bzw. den Verlust der „relativ natürlichen Weltanschauung" hervor, während Robert E. Park und Everett V. Stonequist die kulturell und rassisch bedingten psychosozialen Konflikte thematisieren. Damit sind unterschiedliche Aspekte der psychosozialen Probleme des Fremden theoretisch erfasst worden, die zu einem umfassenderen und differenzierteren Problemverständnis führen. In einer abschließenden Betrachtung werden die theoretischen Analysen unter der Berücksichtigung der veränderten Mobilitätsbedingungen heute bewertet und würdigt.

Die soziologische Analyse des Fremden, die Georg Simmel aufgrund seiner Beobachtung der Lebensweise der europäischen Juden, er selbst war Jude, und mobilen Händler vornimmt, zeigt die jeder menschlichen Beziehung inhärente Synthese bzw. Einheit von Nähe und Ferne, Gelöstheit und Fixiertheit auf. Nur beim Fremden treten die Spannungen dieser Synthese deutlicher und existentieller hervor, weil die dialektische Ambivalenz zwischen Gelöstheit und Fixiertheit in doppelter Hinsicht verstärkt wird. Zum einen durch die persönlichen Anpassungsprobleme des Fremden selbst, die er in der neuen Lebensumwelt zu bewältigen hat, und zum anderen durch die diskriminierende Ablehnung der Aufnahmegesellschaft. Die in diesen Spannungen zum Ausdruck kommende ungeklärte Zugehörigkeit des Fremden ist sicherlich konstitutiv für seine marginale Situation bzw. für seine Marginalität in der für ihn neuen Lebensumwelt. Diese Analyse des Fremden von Georg Simmel geht jedoch explizit von zwei Prämissen aus. Der Fremde ist sowohl derjenige, der seine Gelöstheit von einem „gegebenen Raumpunkt" nicht ganz überwunden hat (vgl. Georg Simmel, 1958, 509), als auch potentieller Wanderer, dessen Bleiben keine Fixiertheit bedeutet. Seine formale Bestimmung besteht in der Einheit der Gelöstheit und Fixiertheit.

Aus heutiger Sicht scheinen gerade bezüglich dieser Auffassung von Georg Simmel Fragen angebracht. Es bleibt durchaus diskussionswürdig, ob überhaupt in einer Zeit der global zunehmenden und fluktuierenden Mobilität von der Gelöstheit des Menschen von einem Raumkontext im hier genannten Sinn gesprochen werden kann, da dies eine unlösbar starke und emotional besetzte Bindung voraussetzt. Die traditionelle Vorstellung, die eine enge emotionale Bindung zu einem Raum (Fixiertheit) unterstellte, war weitgehend assoziiert mit dem Begriff der Heimat. Nach Auffassung von Kurt Stavenhagen und Dorothee Neff umfasst der Begriff „Heimat" die Dimensionen des Raumes (z.B.

Haus, Dorf, Landschaft), der Mitwelt (Gesamtheit der sozialen Verflechtungen), der Lebensform (Gemeinschaftsformen) und der Geschichtlichkeit im Sinne der Gesamtheit der gemeinsam unternommenen und bewältigten soziokulturellen Entwicklungen und Prozesse (vgl. Hiddo M. Jolles, 1965, 42). Diese Vorstellung von Heimat war in Europa verbreitet, weil hier viele unterschiedliche ethnische Gruppen nicht nur auf relativ engem territorialen Raum koexistieren mussten, sondern auch unzählige Kriege gegeneinander geführt haben, um das sog. Heimatland, wo ihre Vorfahren begraben liegen, mit allen Mitteln zu verteidigen. Dagegen spielt der Begriff der Heimat für Menschen der traditionellen Einwanderungsländer keine so große Rolle, weil sie ihren ursprünglichen Raumbezug aufgegeben haben. Die steigende Mobilität der Menschen scheint außerdem dazu zu führen, dass heute nicht jeder Mensch ein ausgeprägtes Heimatbewusstsein hat. Angehörige ethnischer Minderheiten, die politisch verfolgt, vertrieben und deportiert wurden, sagen, dass sie keine Heimat gehabt haben. Weiterhin bleibt auch die Frage diskussionswürdig, ob in einer Zeit der wachsenden Mobilität überhaupt von einer Fixiertheit gesprochen werden kann, die die thematisierten psychosozialen Folgen von Fremden mit sich bringt. In dem Ausmaß, in dem Menschen zunehmend durch die wachsenden Anforderungen der Ausbildung und des Arbeitsmarktes mobiler werden, könnten sich die Fragen von Gelöstheit bzw. Fixiertheit relativieren, weil das Leben weniger Raumbindung im territorialen und psychosozialen Sinn entstehen lässt.

Der von Robert E. Park in Anlehnung an die Analyse des Fremden von Georg Simmel entwickelte und durch Everett V. Stonequist populär gemachte Ansatz des „marginal man" hatte in der Folgezeit Aufmerksamkeit und Kritik ausgelöst. Die Hauptkritikpunkte waren, dass der Ansatz nicht der Realität der pluralistischen Gesellschaft Amerikas entspricht (vgl. David I. Golovensky, 1952, 335), die Juden ihre soziale Situation nicht generell als marginale Situation auffassen (vgl. Aaron Antonovsky, 1956, 62), und die Identifikationskonflikte von Kindern bikultureller Eltern übertrieben bzw. nur in bestimmten sozialen Schichten anzutreffen sind (vgl. Arnold W. Green, 1947, 171). Trotz der genannten Punkte scheinen die Kritiker der Meinung zu sein, dass der theoretische Ansatz des „marginal man" zwar nicht generell auf alle Minderheiten anzuwenden ist, doch in vielen Einzelsituationen volle Gültigkeit besitzt (vgl. David I. Golovensky, 1952, 339). Die individuelle Mobilität und der soziale Wandel in der modernen Gesellschaft produzieren tatsächlich überall Marginalität von Menschen (vgl. Everett C. Hughes, 1949, 65).

4. Marginalisierung der Migranten im Aufnahmeland

Im Mittelpunkt des vorangegangenen Kapitels standen Analysen der wesentlichen psychosozialen Folgen der Migration für die einzelnen Migranten. Sie waren von der Intention geleitet, die allgemeinen psychosozialen Befindlichkeiten der Migranten theoretisch aufzuzeigen, die als Folgen der Trennung vom Herkunftskontext und vielschichtiger Anpassungsprobleme in der neuen Lebensumwelt eintreten. Im Gegensatz dazu ist es Ziel dieses Kapitels, die wesentlichen soziokulturellen und wirtschaftlichen Probleme zu thematisieren, die im soziokulturellen und strukturellen Kontext des Aufnahmelandes für alle Migrantengruppen auftreten. Diese Betrachtungsweise ist von besonderer theoretischer Bedeutung, weil dadurch solche Probleme, die auf Gruppenebene für die Migranten auftreten, aufgezeigt werden können. Sie sind mehr als die reine Addition individueller Probleme. Andererseits können aufgrund dieser Betrachtungsweise auch die kausalen Zusammenhänge der diskriminierenden und ausgrenzenden politischen und sozialen Reaktionen der Residenzgesellschaft gegenüber der Migrantengruppe aufgezeigt werden. Solche Analysen sind notwendig, um sowohl die Eigendynamik und sozialen Auswirkungen der Gruppenprobleme der Migranten auf die Residenzgesellschaft als auch die Reaktionen dieser gegenüber den Ersteren adäquat aufzuzeigen und verständlich zu machen. Sie bedingen und verstärken sich wechselseitig, um letztendlich den strukturellen Kontext der sozioökonomischen Marginalisierung der Migranten zu bilden.

4.1 Residentiale Konzentration und Segregation der Migranten

Eine häufig zu beobachtende Folge der Migrationsbewegungen ist die räumliche Konzentration und Absonderung der Migranten in suburbanen städtischen Siedlungsgebieten, die in den sog. transitorischen Zonen der Großstädte entstehen. Wenn dieser Konzentrationsprozess mit der ethnischen Homogenisierung der Einwanderer, die in den Teilräumen der Städte residieren, einhergeht, entstehen oft ghettoartige, von anderen Bevölkerungsgruppen getrennte und räumlich isolierte Siedlungsgebiete der Migranten. Typische Beispiele hierfür sind die räumlich und ethnisch voneinander getrennten und abgegrenzten „Town"-bildungen in den USA. Robert E. Park, der in den 1920er Jahren zusammen mit Ernest W. Burgess die soziologische Migrations- und Stadtforschung angeregt hat, hat bereits 1925 auf den raumbezogenen sozialen Selektions- und Segregationsvorgang von städtischen Bevölkerungsgruppen nach kulturellen und ökonomisch-beruflichen Kriterien aufmerksam gemacht, der bei der Entstehung von sog. „the natural areas and natural groups" eintritt:

„The point is that change of occupation, personal success or failure - changes of economic and social status, in short - tend to be registered in changes of location. The physical or ecological organization of the community, in the long run, responds to and reflects the occupational and the cultural social selection and segregation, which create the natural groups, determine at the same time the natural areas of the city." (vgl. Robert E. Park, 1926, 9).

Da das Wachstum der Städte unter anderem einen positiven Nettozuzug, d.h. Migrationsbewegungen voraussetzt, haben auch ökologische Sequenzmodelle der Migrationssoziologie das Siedlungsverhalten der Migranten im städtischen Bereich zum Inhalt (siehe S. 40). Residentiale Konzentration ist jedoch keineswegs ein Vorgang, der nur bei Immigranten zu beobachten ist.

Wirft man einen Blick auf die Geschichte der Entstehung und Entwicklung der Städte, so ist festzustellen, dass ein zentraler Bestimmungsfaktor der Sozialstruktur aus der wirtschaftlich und ideologisch bedingten räumlichen Verteilung und Lokalisierung von Bevölkerungsgruppen bestand. Im Mittelalter sorgte die ständische Sozialordnung für eine räumliche Separierung der Bevölkerungsgruppen in Siedlungen, die räumlich voneinander getrennt existierten (z.B. Siedlungen der Kaufleute, Handwerker). Mit der Industrialisierung und der damit zusammenhängenden Verstädterung folgte dann die Trennung der Wohnung vom Arbeitsplatz, die eine grundlegende Veränderung des räumlichen Gefüges und der Sozialstruktur der Städte herbeiführte. In der Nähe der Fabrikanlagen entstanden großflächige Stadtbereiche, in denen nur gewohnt wurde. Dabei wohnte die städtische Bevölkerung weitgehend räumlich getrennt nach sozialen Schichten, wobei die Arbeiterquartiere sich durch ungünstige Lagequalitäten und mangelhafte Wohnbebauung auszeichneten. Die residentiale Segregation von Bevölkerungsgruppen ist heute auch weit verbreitet, obwohl die an Berufsgruppen fixierte Wohnviertelbildung (z.B. Arbeiterwohnquartiere) seltener geworden ist. Trotz der zunehmenden Vermischung der Berufsgruppen untersucht man heute z.B. den Anteil der Arbeiter oder Ausländer an der Wohnbevölkerung. In den Wohngebieten ist nach wie vor festzustellen, dass sich die vermögenden und privilegierten sozialen Gruppen in den topographisch bevorzugten Lagen der Städte konzentrieren. Die sozial und ökonomisch schwachen und benachteiligten Gruppen leben eher in den Ortslagen, die in vieler Hinsicht mindere Wohnqualität (z.B. Lärm, hohe Emission) aufweisen (vgl. Ulfert Herlyn, 1974, 91-95). Da sich die Verbesserung des sozioökonomischen Status im Regelfall unmittelbar in der Verbesserung des Wohnstandortes niederschlägt, führen die durch die Entwicklung des Arbeitsmarktes ausgelösten Binnen- und grenzüberschreitenden Wanderungen zur unterschiedlichen räumlichen Verteilung und Umschichtung von Bevölkerungsgruppen innerhalb eines Gebietes.

Die überwiegende Mehrheit der grenzüberschreitenden Migranten ist aufgrund ihrer schwachen ökonomischen Ausgangssituation in besonderem Ausmaß dem sozialen Mechanismus der räumlichen und sozialen Selektion und Segregation im Aufnahmeland ausgesetzt. Das allgemeine Bestreben der Migranten, ihre ethnische und kulturelle Eigenwertigkeit und Besonderheit durch kulturelle und soziale Organisationsbildungen in den ethnisch konzentrierten Teilräumen der Städte zu erhalten und zu pflegen, kann zusätzlich den ethnischen Segregationsprozess verstärken. Vor diesem Hintergrund sollen im Folgenden die Ursachen und sozialen Auswirkungen der residentialen Konzentration und Segregation der Immigranten thematisiert werden.

Die residentiale Konzentration der Immigranten in der Aufnahmegesellschaft ist wesentlich auf folgende Ursachen zurückzuführen:

a) Kettenmigration (chain migration)

Dies bedeutet, dass sich Immigranten vorzugsweise dort niederlassen, wo bereits Familienangehörige, Verwandte, Bekannte oder Landsleute leben. Sie erhoffen sich dadurch die familiale bzw. landsmannschaftliche Unterstützung bei der Eingliederung in die Aufnahmegesellschaft. Das Siedlungsverhalten der Immigranten in Australien zeigt jedoch, dass die residentiale Konzentration auf der Grundlage der Kettenmigration eher bei den Immigranten aus den südeuropäischen Ländern (z.B. Italiener und Griechen im Umland der Städte Sydney und Melbourne) zu beobachten ist, während sich die Immigranten aus nordeuropäischen Ländern (z.B. Briten und Deutsche) eher verstreut niederlassen. Bei der residentialen Konzentration durch die Kettenmigration scheinen somit die kulturellen Wertvorstellungen der Herkunftsländer der Immigranten bezüglich des gesellschaftlichen Stellenwertes der Familie bzw. des Verwandtschaftssystems eine wichtige Rolle zu spielen. Die Immigranten aus den südeuropäischen Ländern stammen, Australien betreffend, überwiegend aus ländlichen Regionen mit vorherrschender Großfamilienstruktur und engen sozialen und emotionalen Familienbindungen, so dass sie auch im Aufnahmeland dazu neigen, im Familienverband bzw. in koethnisch konzentrierten Gebieten leben zu wollen (vgl. Seamus Grimes, 1993, 109-113; Douglas S. Massey, Nancy A. Denton, 1987, 803).

b) Wirtschaftswachstum im Aufnahmegebiet

Das Wirtschaftswachstum einer Region führt zur erhöhten Nachfrage nach Arbeitskräften, die oft durch das lokale bzw. heimische Angebot an Arbeitskräften nicht befriedigt werden kann (vgl. Douglas S. Massey, Nancy A. Denton, 1987, 818). In solchem Fall wird versucht, den Fehlbedarf an Arbeitskräften durch Migranten zu decken. Die Folge ist die Öffnung des inländischen Arbeitsmarktes für ausländische Arbeitskräfte und die Zulassung der Immigration von Arbeitsmigranten durch die offizielle Arbeitsmarktpolitik. Die Arbeitsmigranten kommen, wenn sie nicht in ein traditionelles Einwanderungsland legal und permanent einwandern, auf begrenzte Zeit und als „sojourners" ohne Familienanhang. Ihr Ziel ist es häufig, vorübergehend für einige Jahre im Ausland ihr Glück zu versuchen (vgl. Enda Bonacich, 1972, 551). Da sie vertraglich an bestimmte Betriebe gebunden sind und ihr Aufenthalt zweckgebunden bleibt, haben sie nicht nur Residenzpflicht in der für sie bestimmten Region, sondern wohnen auch in den für sie errichteten Werkswohnungen. Hier beginnt bereits eine residentiale Konzentration der Arbeitsmigranten in kleinem Umfang. Diejenigen, die permanent in ein traditionelles Einwanderungsland einwandern, oder die Arbeitsmigranten, die ihre temporäre Migration in eine permanente umwandeln und ihre Familienangehörigen nachholen, wohnen auch überwiegend in ethnisch konzentrierten Wohngebieten. Die wesentlichen Gründe dafür werden im Folgenden dargestellt.

c) Diskriminierungen am Wohnungsmarkt

Die empirischen Untersuchungen in den USA über die residentiale Konzentration ethnischer Einwanderergruppen aus Asien und Lateinamerika, die seit der Novellierung der Einwanderungsgesetze im Jahre 1965 die überwiegende Mehrheit aller Einwanderer in den USA bilden, erfolgen weitgehend im Zusammenhang mit der geographischen Konzentration von Armut und Segregation der schwarzen einheimischen Bevölkerung. Von 1970 bis Mitte 1980 stellte man in den USA eine kontinuierliche Steigerung der Zahl der Armen, die in den sog. „high-poverty areas" leben und der Zahl der ghettoartigen urbanen Armutsgebiete fest. Diese zunehmende geographische Armutskonzentration der überwiegend schwarzen Bevölkerung bedeutet gleichzeitig die geographische Konzentration von Kriminalität, Gewalt und diversen sozialen Problemen, die über die materielle Unterversorgung hinaus zusätzliche soziale Brisanz erzeugt (vgl. Douglas S. Massey, Andrew B. Gross, Kumiko Shibuya, 1994, 425-426).

Diese Untersuchungsergebnisse in den USA gegen Ende der 1980er und zu Beginn der 1990er Jahre weisen darauf hin, dass die residentiale Mobilität und die räumliche Assimilation (spacial assimlation) der schwarzen Bevölkerungsgruppe in die amerikanische Gesellschaft durch die nach wie vor bestehende Rassensegregation und -diskriminierung am Wohnungsmarkt kaum möglich sind. Ihre residentiale Konzentration und die akkumulierenden Armutsprobleme werden wesentlich auf diese gesellschaftliche und residentiale Diskriminierung zurückgeführt. Dagegen scheinen die asiatischen und lateinamerikanischen Einwanderer im Vergleich weniger der Rassensegregation und -diskriminierung ausgesetzt zu sein, so dass sie ihre residentiale Mobilität und Integration weitgehend nach dem erreichten Stand ihres SES (socioeconomic status) richten können. Die wesentlichen empirischen Fakten, von denen dieses Ergebnis abgeleitet wird, können wie folgt zusammengefasst werden (vgl. Douglas S. Massey, Nancy A. Denton, 1987, 802-825; Douglas S. Massey, Andrew B. Gross, Kumiko Shibuya, 1994, 425-445):

- Die Untersuchungen auf der Datenbasis von 50 SMSAs (Standard Metropolitan Statistical Areas: Stadtbezirke) in den USA von 1970 und 1980 zeigen, dass die Rassensegregation der Schwarzen im metropolitanen Bereich, wo sie überwiegend konzentriert leben, trotz der Zunahme der Rassentoleranz seit den Bürgerrechtsbewegungen nach wie vor hoch geblieben ist. Dagegen erfahren die spanischsprechenden Einwanderer aus lateinamerikanischen Ländern eine nur moderate Rassensegregation. Die asiatischen Einwanderer, die zahlenmäßig kleinste der drei Gruppen, erleben im Vergleich am wenigsten die Rassensegregation.

- Die entscheidenden Impulse zur residentialen Mobilität und Integration resultieren aus zwei Faktoren: Aufsteigende vertikale soziale Mobilität mit Einkommensverbesserung, d. h. positive Veränderung des sozioökonomischen Status (SES) und Akkulturation der Immigranten (z.B. bessere englische Sprachkenntnisse, Bildung, Aufbau sozialer Netzwerke). Sie sind die zwei wichtigsten Variablen, die maßgeblich den Prozess der Suburbanisierung der Angehörigen der ethnischen Einwandererminderheiten bestimmten. Dabei stellt die Suburbanisierung die Vorstufe der residentialen Integration bzw. Assimilation der Einwanderer dar.

- Bezogen auf die residentiale Mobilität beinhaltet die Suburbanisierung einen Prozess, in dem die Angehörigen der ethnischen Minderheiten aufgrund ihres verbesserten SES in die Nachbarschaft der weißen Bevölkerung der suburbanen Wohngebiete eindringen und sich dort niederlassen. Die Angehörigen der Minderheiten werden dadurch nicht nur zu Bewohnern eines Wohngebietes mit höherem Prestige- und Wohnwert und besserer Infrastruktur, auch die Wahrscheinlichkeit des Kontaktes mit Weißen wird größer.

- Die Anglokontakte der Einwanderer aus Asien und Lateinamerika sind weitgehend auf ihren kontinuierlichen Suburbanisierungsprozess zurückzuführen, so dass für sie die Suburbanisierung ein Schlüsselfaktor für ihre residentiale Integration bzw. Desegregation darstellt. Dagegen bleibt der Prozess der Suburbanisierung den Schwarzen aufgrund der Rassensegregation weitgehend verwehrt, unabhängig von dem Grad ihres SES und der Akkulturation. Tendenziell erfahren Schwarze mit höherem SES eine stärkere residentiale Segregation.

- Die residentiale Segregation der Schwarzen hat zur Folge, dass eine „out-migration" aus dem Wohnghetto der Schwarzen in die Nachbarschaft der Weißen kaum stattfinden kann. Umgekehrt migrieren die Schwarzen, auch die nicht armen Mittelschichtsangehörigen, in der Regel in das Wohnghetto der Schwarzen. Durch diese einseitige „in-migration" wächst die Zahl der Wohnghettos der Schwarzen.

- Die residentiale Konzentration und Segregation der Schwarzen führen zu ihrer sozialen und ökonomischen Isolation, weil sie in ihrem Wohnghetto eine abwärts gerichtete sozialökonomische Mobilität erfahren. Das geringe Wohnprestige führt zu sinkenden Grundstückspreisen, die wiederum die Kreditaufnahme zur Sanierung der Gebäude erschweren. Infolgedessen tritt der Verfall der Gebäude ein, der wiederum die Mietpreise nach unten drückt. Die akkumulierende geographische Konzentration der Armut ist die Folge der residentialen Konzentration und Segregation, die durch die Diskriminierung der Schwarzen auf dem Wohnungsmarkt verursacht wird.

Bisher wurde angenommen, dass ein inverser Zusammenhang zwischen dem SES und der residentialen Konzentration und Segregation der Bevölkerung in Gebieten mit niedrigen Mieten besteht, d.h. dass mit zunehmendem SES der Bevölkerung ihre residentiale Konzentration und Segregation abnimmt, weil ihre residentiale Mobilität aufgrund des höheren Einkommens steigt und die Wahrscheinlichkeit der „out-migration" aus dem bisherigen Residenzgebiet wächst (vgl. Otis D. Duncan, Beverley Duncan, 1955, 493-503). Die oben aufgezeigte Tatsache jedoch, dass viele Mittelschicht-Schwarze trotz ihres Aufstiegs im SES in ihrer residentialen Mobilität eingeschränkt werden und weitgehend auf die konzentrierten Siedlungsgebiete der Schwarzen angewiesen bleiben, macht eine weitere theoretische Differenzierung erforderlich. Der Aufstieg im SES schafft zwar die ökonomische Voraussetzung der residentialen Verbesserung, die tatsächliche residentiale Mobilität ist jedoch von weiteren strukturellen Bedingungen abhängig. Viele Mittelschicht-Schwarze sind finanziell in der Lage und willens, ihren Wohnstandort zu verbessern, können aber ihr Vorhaben nicht umsetzen, weil ihnen der Zugang zum suburbanen Wohnungsmarkt zumeist verwehrt bleibt

Überraschend ist auch der Befund einer Untersuchung, nach dem seit 1980 eine Änderung in der residentialen Mobilität der Schwarzen zu beobachten ist. Die Schwarzen mit niedrigem SES zeigten größere residentiale Mobilität als die Mittelschicht-Schwarzen, weil die Letzteren häufig als Hausbesitzer an ein Wohnghetto gebunden sind. Dies bedeutet, dass die „out-migration" aus dem schwarzen Wohnghetto eher die Mobilität der ärmeren und besitzlosen Schwarzen darstellt: „In nonpoor black areas as well, poor black were more outwardly mobile than those who were not poor." (Douglas S. Massey, Andrew B. Gross, Kumiko Shibuya, 1994, 433). Dies ist insofern überraschend, als bisher angenommen wurde, dass die residentiale Mobilität zum besseren Wohnstandort bei den ökonomisch Stärkeren größer ist.

d) Staatliche Siedlungspolitik

Abgesehen von der nationalen Einwanderungs- und Arbeitsmarktpolitik, die erst eine permanente oder temporäre Einwanderung von Migranten zulässt, gibt es in einigen Einwanderungsländern eine staatliche Siedlungspolitik (settlement policy), die im engen Zusammenhang mit der Flüchtlingspolitik betrieben wird. Die Aufnahme der indochinesischen Flüchtlinge und ihre Unterbringung in öffentlich finanzierten Häusern in Australien erfolgt z.B. im Rahmen solcher Siedlungspolitik. Dadurch entsteht eine residentiale und territoriale Konzentration von Flüchtlingen (z.B. Konzentration der vietnamesischen Flüchtlinge in Fairchild/Sydney, Richmond/Melbourne und in Cabramatta). Sie löst oft bei den Einheimischen Proteste und rassistische Reaktionen aus (vgl. Seamus Grimes, 1993, 107, 113-116).

Die Untersuchungen über die residentiale Konzentration der Arbeitsmigranten in Deutschland lehnen sich in ihren theoretischen Erklärungen an das Sukzessionsmodell an und versuchen den allmählichen Austausch einer in einem Bezirk ansässigen Bevölkerung durch eine eindringende Bevölkerung (Sukzession) in einem mehrphasigen Verlauf (Penetration, Invasion und Evasion, Konsolidierung, Stapelung/piling up) zu erklären. Dabei wird zwischen „filtering down" (Bevölkerung eines Wohngebietes wird durch eine statusniedrigere Bevölkerung ausgetauscht) und „filtering up" (Bevölkerung eines Wohngebietes wird durch eine statushöhere Bevölkerung ausgetauscht) unterschieden (vgl. Jürgen Friedrichs, 1977, 150, 154).

Die Ursachen, die die residentiale Konzentration von Arbeitsmigranten in der Bundesrepublik Deutschland auf dem Wege der Sukzession bewirkt haben, sind identisch mit den oben aufgezeigten generellen Ursachen der residentialen Konzentration. Eine Studie von Jürgen H. P. Hoffmeyer-Zlotnik über die Konzentration der türkischen Arbeitsmigranten in Berlin-Kreuzberg aus dem Jahre 1976 stellte fest, dass das Eindringen (Penetration und Invasion) der türkischen Arbeitsmigranten in Berlin-Kreuzberg Mitte der 1960er Jahre begann, als sich die Zahl der Ausländer in Berlin zwischen 1964 und 1974 von rd. 34.000 auf 181.000 erhöhte und der Anteil der Türken daran 45,3 % betrug. Dieser hohe Zuwachs der Türken war auf ihre Kettenmigration zurückzuführen. 1963 wurde Berlin-Kreuzberg wegen der Überalterung und Dichte der Bebauung zum Sanierungsgebiet erklärt, so dass die statushöheren deutschen Bewohner auszogen (Evasion). Die leer stehenden Wohnungen wurden mit Zwischennutzungsverträgen, die den Hausbesitzern kurzfristige Kündigungen ermöglichten, an türkische Arbeitsmigranten vermietet. Wegen der höheren Belegung der Wohnungen durch Ausländer (Anhebung von durchschnittlich 1,8 auf 5,5 Personen pro Wohnung) konnten nicht nur höhere Renditen erzielt, sondern auch auf notwendige Investitionen zur Sanierung verzichtet werden (Quelle nach Jürgen Friedrichs, 1977, 157-161).

Das Beispiel Berlin-Kreuzberg zeigt, dass die Kettenmigration der türkischen Arbeitsmigranten zu einem enormen Anstieg der türkischen Bevölkerung in Berlin geführt hatte, die mit Wohnungen versorgt werden musste. Die Tatsache jedoch, dass sie sich in Altbauwohnungen mit überwiegend fehlenden sanitären Ausstattungen (78 % der Wohnungen verfügten nicht über Bad und WC) im Sanierungsgebiet niedergelassen haben, war eindeutig auf die Diskriminierungen am Wohnungsmarkt zurückzuführen. Für Wohnungsanbieter sind Arbeitsmigranten generell interessante Mieter, weil sie bereit sind, höhere Mieten zu zahlen. Sie haben dennoch Vorbehalte gegen sie, weil diese von den Einheimischen als Mitbewohner nicht akzeptiert werden. Wenn sie den evtl. Auszug deutscher Mieter aus ihren Objekten durch die Vermietung ihrer Wohnungen an die Arbeitsmigranten nicht provozieren wollen und dadurch am Erhalt ihres Objektwertes interessiert sind, sind die Entscheidungsspielräume, unabhängig von ihrer persönlichen Einstellung, nicht allzu groß. Die Ausgrenzung bzw. Diskriminierung der Arbeitsmigranten auf dem normalen Wohnungsmarkt ist die Folge. Dies war auch Grund dafür, warum seit den 1970er Jahren die residentiale Konzentration der Arbeitsmigranten hauptsächlich in den Sanierungsgebieten der transitorischen Zonen der Großstädte stattgefunden hat (vgl. Jürgen H. P. Hoffmeyer-Zlotnik, 1986, 38-42). Die Tatsache, dass in vielen Anzeigen deutscher Tageszeitungen Ausländer als Mieter von vornherein ausgeschlossen werden (z.B. „nur an deutsches Ehepaar", „nur solvente Deutsche", „nicht an Ausländer", „nur Deutsche"), ist ein eindeutiger Beleg dafür, dass Ausländer und Arbeitsmigranten diskriminiert werden.

Im Zuge der flächenmäßigen Ausdehnung der modernen Großstädte, die durch die veränderte Nutzungsstruktur der zentralen Stadtregionen verursacht wird, ist die transitorische Zone diejenige, die unmittelbar an die City angrenzt und in der alte Gebäude unter spekulativem Aspekt ihrer Nutzungsänderung ohne Investitionen leer stehen. Die City bildet den Konvergenzpunkt aller Verkehrsverbindungen. Sie ist der Ort der höchsten Erreichbarkeit und des höchsten Verkehrs. Dieser Standortvorteil führt zur Konkurrenz unterschiedlicher Nutzungen, die zwangsläufig den Anstieg der Bodenpreise mit sich bringt. Dadurch tritt ein Wettwerbsprozess um den begrenzten Boden im zentralen Bereich ein, in dem sich nur die Nutzungen, die die geforderten Mietpreise erbringen, durchsetzen. Weniger profitable Nutzungen müssen in die Peripherie ausweichen. Die Städte weiten sich somit flächenmaßig in ihr Umland aus. Die Konzentration der Nutzungen des tertiären Sektors (z.B. Banken, Versicherungen, Kaufhäuser, Verwaltungen, Restaurants) im Zentrum der Städte ist die unmittelbare Folge dieser Entwicklung (vgl. Robert E. Park, 1926, 10; Jürgen Friedrichs, 1977, 146). Es entstehen somit in Abhängigkeit von der räumlichen Entfernung zum Geschäftszentrum der Großstädte weitere Zonenbildungen, in denen abgestuft die weitere Konzentration bestimmter Nutzungen stattfindet. Ernest W. Burgess unterscheidet fünf Zonen: central business district, zone of transition, zone of working men's home, zone of better residences und commuter's zone (vgl. Ernest W. Burgess, 1925, 47-62). Die residentiale Konzentration der Arbeitsmigranten in den transitorischen Zonen der Großstädte bedeutet de facto, dass die Arbeitsmigranten dem Wettbewerb auf dem Wohnungsmarkt ausgewichen sind.

Die räumliche Konzentration von Immigranten, die ethnisch und nach ihrem SES mehr oder minder homogen zusammen gesetzt ist, hat ihre Ursachen, wie aufgezeigt, weitgehend in der sozialen Ungleichheit. Ihre Auswirkungen lassen den Migranten kaum eine Wahl, so dass die Entstehung von ethnisch konzentrierten Wohngebieten nicht nur auf die freiwillige Entscheidung der Migranten zurückzuführen ist. Residentiale Konzentration führt jedoch zur weiteren sozialen Ungleichheit durch räumliche Segregation. Dies bedeutet, dass die Einheimischen die ethnisch konzentrierten Wohngebiete der Migranten durch Vorurteilsbildung und soziale Distanz meiden. Die ethnische Konzentration in einem Teilraum erhöht automatisch die sog. „visibility" der ethnischen Gruppen, die sonst nicht so aufgefallen wäre. Dies bedeutet, dass ethnische Gruppen nicht nur in der Wahrnehmung der Öffentlichkeit und der Einheimischen quantitativ unübersehbar in Erscheinung treten, sondern dass sie durch ihre Konzentration diffuse Gefühle von Bedrohung auslösen.

Damit verbunden ist die Aktivierung kultureller Stereotypen, also kulturell tradierter Vorstellungen darüber, welche Qualitäten die Mitglieder einzelner ethnischer und religiöser Gruppen haben. Diese Bilder werden unverändert tradiert, obwohl ihre Ursprünge in der Vergangenheit liegen und nicht mehr nachvollziehbar sind. Die Einzelnen übernehmen diese Stereotypen im Laufe ihrer Sozialisation, möglicherweise ohne jemals direkt persönliche Berührungen und Erfahrungen mit den Angehörigen der jeweiligen ethnischen Gruppe gehabt zu haben. Kulturelle Stereotypen beinhalten daher Übertreibungen, Irrtümer, Halbwahrheiten und Unterlassungen, die mehr die Bedürfnisse der Vorurteilenden als die Eigenschaften der Vorverurteilten zum Ausdruck bringen. Sie werden schnell und unkritisch weitergegeben und übernommen, weil sie die Funktion haben, Umstände auf einfachste Weise zu erklären. Indem solche kulturellen Stereotypen auf die Gesamtheit der Bewohner eines Gebietes übertragen werden, wird der weiteren Vorurteilsbildung im Sinne der sich selbsterfüllenden Prophezeiung (self-fulfilling prophecy) Vorschub geleistet. Man sieht nur das, was man sehen will. Es gilt das Motto „I wouldn't have seen it if I hadn't believed it" (vgl. George Eaton Simpson, J. Milton Yinger, 1985, 100). Eines der verbreitetsten Vorurteile im Zusammenhang mit der residentialen Konzentration ist die Unterstellung der fehlenden Integrationsbereitschaft mit dem Vorwurf, dass sie sich selbst genug seien.

Soziale Distanz (social distance) ist oft eine Folge von Vorurteilen. Sie drückt den Grad der Intimität aus, den die Gruppennormen zwischen zwei Individuen erlauben. Sie ist von der persönlichen Distanz (personal distance) zu unterscheiden, die die individuelle Bereitschaft zum Ausdruck bringt, sich in bestimmter Form in Intergruppenverhalten zu engagieren. Diese wird nicht durch die Gruppennormen, sondern durch die individuellen Überlegungen der persönlichen Wohlfahrt und Zufriedenheit bestimmt (vgl. George Eaton Simpson, J. Milton Yinger, 1985, 95). Die soziale Distanz der Einheimischen gegenüber den Migranten in ethnisch konzentrierten Wohngebieten - auch die soziale Distanz zwischen den einheimischen Bevölkerungsgruppen - resultiert aus den Bestrebungen, den sozialen Status gegenüber den Statusniedrigeren abzugrenzen (vgl. Emory S. Bogardus, 1926, 54). Die Bestrebungen, den einmal erreichten sozialen Status gegen Statusniedrigere räumlich und sozial abzugrenzen, sind zu allen Zeiten und zwischen allen Gruppen zu beobachten. Sie sind selbst in unserer Zeit, in der die Grenzen der traditionell vorgegebenen sozialen Gruppen sowie die durch Herkunft bestimmten sozialen Rangunterschiede relativiert werden, in milieuspezifischen Zeichen- und Stilentwicklungen erhalten geblieben. Diese Entwicklungen haben nur den Zweck, die distinktive Zugehörigkeit symbolisch zu dokumentieren und dadurch zu demonstrieren, wer man nicht sein möchte (vgl. Gerhard Schulze, 1993, 277 ff). Ein anderer Grund der sozialen Distanz besteht möglicherweise auch in der Ablehnung wohlgemeinter nachbarschaftlicher und kommunaler Integrationshilfen, die von den in ihrer Kultur verharrenden Migranten abgelehnt werden, wie die Situation in der Stadt Utrecht zeigt (vgl. Frank Bovenkerk, 1986, 9).

Die durch Vorurteile begründete soziale Distanz zu bestimmten Bevölkerungsgruppen führt zwangsläufig auch zur räumlichen Distanz. Dabei wird generell angenommen, dass starke soziale Distanz zur größeren räumlichen Distanz führt. Die residentiale Konzentration scheint damit ab einem bestimmten Intensitätsgrad zur residentialen Segregation zu führen. Der Begriff der Segregation, der in der Stadtforschung die Zusammenhänge zwischen räumlicher und sozialer Ungleichheit zum Ausdruck bringt (vgl. Jürgen Friedrichs, 1977, 216), wird hier im Sinne der sozialen und territorialen Ausgrenzung von Minderheiten verstanden, die die Angehörigen der dominanten Mehrheit zum Zwecke der Verteidigung bzw. des Ausbaus ihrer Interessen und Privilegien formell (z.B. Zugangsverbote zu öffentlichen Einrichtungen) oder informell (z.B. Vermeidung direkter sozialer Interaktionen) vornehmen (vgl. Charles F. Marden, Gladys Meyer, 1968, 32).

Um die angeführten Überlegungen abzurunden, sind Hinweise zu den sozialen Folgen der residentialen Konzentration und Segregation notwendig. Die unmittelbare Konsequenz der residentialen Segregation ist darin zu sehen, dass die Außenkontakte der Siedlung durch die soziale Distanz der Umwelt zwangsläufig eingeschränkt werden. Diese eingeschränkten oder fehlenden Außenkontakte könnten theoretisch durch die Intensivierung der Binnenkontakte ausgeglichen werden. Selbst in diesem Fall ist anzunehmen, dass der mögliche Erfahrungs- und Kommunikationsraum der Bewohner beträchtlich eingeschränkt bleibt. Der allgemeine Lernprozess, der für die soziale und gesellschaftliche Integration unabdingbar notwendige Voraussetzung ist, wird damit zum Nachteil der Chancenstruktur der Migranten eingeengt. Darüber hinaus kann sich diese kommunikative Isolation auch negativ auf die Infrastruktur der segregierten Teilräume auswirken, wenn dadurch die berechtigten Interessen ihrer Bewohner im Hinblick auf Bildung, Gesundheitsfürsorge, Freizeit, Erholung und Verkehr kommunalpolitisch nicht durchgesetzt werden können. Die Folgen wären die Unterversorgung dieser Gebiete und damit ihre Abhängigkeit von der Versorgungsstruktur anderer städtischer Teilräume. Die verbreitete Auffassung, dass die Solidarität der Bewohner in ethnisch geschlossenen und homogenen Wohngebieten höher sein soll, ist in Gegenüberstellung zu dem beträchtlich hohen familialen Konflikt- und sozialen Abweichungspotential zu gewichten, das durch die räumliche Konzentration der Bewohner mit ähnlichen sozialen und ökonomischen Problemlagen entsteht (vgl. Ulfert Herlyn, 1974, 99). Insgesamt muss festgehalten werden, dass die sozialen Folgen der residentialen Konzentration und Segregation ethnischer Gruppen ihre vielfachen sozialen Benachteiligungen eher verstärken als mindern. Sie bringen bei der ohnehin bestehenden räumlichen Benachteiligung soziale Benachteiligung hinzu. In dieser doppelten Benachteiligung wird deutlich, dass die residentiale Konzentration und Segregation der Migranten gleichzeitig Folgen grundlegender und Ursachen weiterer sozialer Ungleichheiten sind.

4.2 Sektorale Konzentration der Migranten am Arbeitsmarkt

Für die Beschäftigungssituation der Migranten im Aufnahmeland ist charakteristisch, dass sie entweder in den Bereichen des Arbeitsmarktes eingesetzt werden, für die sie bereits in ihrem Herkunftsland angeworben und vertraglich verpflichtet sind, oder überwiegend solche Arbeiten verrichten, die Einheimische aus verschiedenen Gründen (z.B. geringe Entlohnung, gesellschaftliche Geringschätzung, besonders hohe körperliche und nervliche Belastung, gesundheitliche Risiken) ablehnen. Die Anwerbung der Arbeitsmigranten aus dem Ausland kann dabei auf den vorhandenen Arbeitskräftemangel oder auf die gewinnorientierten Bestrebungen der Arbeitgeber zurückgeführt werden, die die politische und wirtschaftliche Interessenvertretung der einheimischen Arbeitnehmer (z.B. höhere Lohnforderungen, Forderungen nach besseren Arbeitsbedingungen) zu unterlaufen versuchen.

Als Beispiel für den ersten Fall kann die Anwerbung der „Gastarbeiter" durch die Bundesrepublik Deutschland genannt werden. Die Anwerbung von über 2 Mio. „Gastarbeitern" seit Mitte der 1950er Jahre ging auf den Arbeitskräftemangel in der wachstumsorientierten Wirtschaft zurück, der durch die Schließung der DDR-Grenze im August 1961 und den damit bedingten jährlichen Wegfall von ca. 150.000 innerdeutschen Zuwanderern aus Mitteldeutschland verschärft wurde. Die Tatsache jedoch, dass die ersten Anwerbeverträge mit Italien 1955 bei einer Arbeitsmarktlage mit 1,07 Mio. Arbeitslosen erfolgten, ist Hinweis darauf, dass einheimische Arbeitslose trotz ihrer Beschäftigungslosigkeit offene Arbeitsstellen nicht angenommen haben. Nach Mitteilung der Bundesanstalt für Arbeit waren 1973 fast 75 % der „Gastarbeiter" im Bereich der Eisen- und Metallerzeugung, Metallverarbeitung und im Baugewerbe beschäftigt. Es bedarf keiner Erklärung, dass die Arbeit in diesen Bereichen einen besonders hohen körperlichen Einsatz erfordert. Es ist anzunehmen, dass die deutschen Arbeitslosen die körperlich anstrengenden und unfallträchtigen Arbeiten im Bereich der Eisenerzeugung und Metallverarbeitung (z.B. Arbeit in Gießereien mit Hitze, Staub und Lärm oder Lackierereien der Autoindustrie) gemieden haben (vgl. Friedrich Heckmann, 1981, 150, 156, 177). Ein Beispiel für die Anwerbung der Arbeitsmigranten bei ausreichendem inländischem Arbeitskräfteangebot stellen auch die chinesischen Arbeiter dar, die 1865 für den Bau der Eisenbahnstrecke entlang der westpazifischen Küste Kaliforniens angeworben wurden. Die chinesischen Arbeiter wurden beschäftigt, um sie als Streikbrecher in der Auseinandersetzung mit der weißen Arbeitergewerkschaft einzusetzen und langfristig die fluktuierenden irischen Eisenbahnarbeiter zu ersetzen (vgl. Terry E. Boswell, 1986, 361).

Wie die beiden Beispiele zeigen, kann die Anwerbung der Arbeitsmigranten unterschiedlich begründet sein. In beiden Fällen ist jedoch die sektorale Konzentration der Migranten am Arbeitsmarkt des Aufnahmelandes die Folge. Selbst die Migranten, die nicht durch offizielle Anwerbung rekrutiert wurden, können sich dem Sog der sektoralen Konzentration schwerlich entziehen. Sie konzentrieren sich somit überwiegend in den Bereichen des Arbeitsmarktes, die entweder arbeitsmarktpolitisch für sie vorgesehen sind, oder die die Einheimischen aus Prestigegründen freigelassen haben.

Die Bedeutung der Anwerbung von Arbeitsmigranten und der damit verbundenen sektoralen Konzentration können sicherlich unterschiedlich gesehen und bewertet werden. Ihre Auswirkung auf die gesamte Volkswirtschaft des Aufnahmelandes ist auf jeden Fall deswegen positiv, weil die Anwerbung nur dann stattfindet, wenn dadurch ein wirtschaftlicher Nutzen für das Aufnahmeland zu erwarten ist. Das Beispiel der Bundesrepublik bestätigt auch, dass die Arbeitsmigranten einen unverzichtbaren Beitrag zum wirtschaftlichen Aufschwung Deutschlands geleistet haben. Nach Mitteilung des Institutes der deutschen Wirtschaft in Köln betrug 1992 die Ausländerquote in Gießereien 24 %, im Hotel- und Gaststättengewerbe 20 %, in der Textilindustrie 17 % und im Bergbau sowie in der Eisen- und Stahlindustrie jeweils 14 %. Diese Konzentration der Migranten in den hochproduktiven Wirtschaftssektoren, in denen sie besonders hohe körperliche und psychische Belastungen und Risiken verkraften müssen, besagt, dass sie einen wichtigen Beitrag zum Bruttosozialprodukt geleistet haben. Ohne ihre produktive Arbeit wäre dies nicht erreicht worden. Die rund 6 Mio. Ausländer in Deutschland steuerten 1992 200 Mrd. Mark oder 9 % zum Bruttosozialprodukt bei, wie das Institut der deutschen Wirtschaft errechnete. Die Arbeitsmigranten können zudem nicht ohne weiteres durch einheimische Arbeitskräfte ersetzt werden, was oft kurzsichtig gefordert wird. Ein plötzlicher Abzug dieser Arbeitskräfte aus Deutschland würde bedeuten, dass rund 41 % der Betriebe in den oben genannten Wirtschaftszweigen geschlossen werden müssten (vgl. Christian Ramthun, 1992, 9).

Die Konzentration der Migranten in wenigen und körperlich hart fordernden Sektoren des Arbeitsmarktes ist eine durch den wirtschaftlichen Wettbewerb erzwungene Situation. Die interethnischen Beziehungen im Rahmen dieser wettbewerbsbedingten wirtschaftlichen und sozialen Zwänge am Arbeitsmarkt und die daraus sich entwickelten wirtschaftlichen Überlebenstrategien der ethnischen Migrantengruppen sollen im Folgenden in Anlehnung an die migrationssoziologischen Diskussionen zu den Themen des „split labor market" (Arbeitsmarkt der Lohnspaltung), der „enclave economy" (Enklavenwirtschaft) und "self-employment" (selbständiges Unternehmertum) thematisiert werden, um die ökonomische Situation der Migranten im Aufnahmeland in den Blick zu bekommen.

4.2.1 Theorie des „Split Labor Market"

Die von Enda Bonacich an der Universität von Kalifornien zu Beginn der 1970er Jahre vertretene Theorie des „split labor market" hat zum Ziel, die Entstehung des ethnischen Antagonismus am Beispiel des ökonomischen Wettbewerbs (economic competition) am Arbeitsmarkt zu erklären. Dabei fasst sie unter dem Begriff des ethnischen Antagonismus alle Aspekte des Gruppenkonfliktes zwischen der dominanten Mehrheit und den ethnischen Minderheiten zusammen, die unter anderem die Ideologien (z.B. Rassismus, Vorurteile), Verhaltensweisen (z.B. Diskriminierung, Aufstände) und Institutionen (z.B. Gesetze zur Segregation) mit einschließen, die die dominante Mehrheit im Wettbewerbskonflikt mit den ethnischen Minderheiten als Mittel zur Verteidigung ihrer Privilegien einsetzen (vgl. Enda Bonacich, 1972, 549).

Die Ausgangshypothese der Theorie besteht darin, dass der ethnische Antagonismus aus der Teilung des Arbeitsmarktes nach ethnischen Linien resultiert. Von einer Spaltung (split) des Arbeitsmarktes wird dann gesprochen, wenn zumindest zwei (ethnische) Gruppen am Arbeitsmarkt für die Verrichtung gleicher Arbeiten unterschiedlich bezahlt werden. Diese Preis- bzw. Lohndifferenzen resultieren aus zwei Faktoren (vgl. Enda Bonacich, 1972, 549-552):

a) Ressourcen der Migranten

Der ökonomische Lebensstandard der Migranten in ihrem Herkunftsland gehört zu den Ressourcen, weil der Preis, für den sie zu arbeiten bereit sind, von ihrem Lebensstandard abhängt. Dies bedeutet, dass je niedriger der Lebensstandard der Migranten in ihrem Heimatland war, sie um so eher bereit sind, niedrigere Löhne im Aufnahmeland zu akzeptieren. Umgekehrt gilt, je höher der Lebensstandard im Herkunftsland war, umso weniger bereit sind sie, für niedrige Löhne zu arbeiten. Der Informationsstand der Migranten über das Aufnahmeland gehört auch zu den Ressourcen, weil ihre Entscheidung davon abhängig ist, zu welchem Lohn sie zu arbeiten bereit sind. Je mehr sie die realen Verhältnisse des Aufnahmelandes kennen, desto geringer ist die Wahrscheinlichkeit, dass aus Unkenntnis heraus niedrige Löhne akzeptiert werden. Zu den weiteren Ressourcen gehört auch die organisierte politische Unterstützung und Interessenvertretung durch die Regierung ihres Heimatlandes. Solche politische Protektion kann die Gefahr für die Emigranten verringern, im Ausland ausgebeutet zu werden. Ein Beispiel hierfür stellt die japanische Regierung dar, die ihre ethnischen Emigranten im Ausland stets durch aufmerksame politische Protektion zu schützen versucht.

b) Motivation der Migranten

Migranten, die möglichst schnell zu Ersparnissen kommen wollen, um bald nach Hause zurückkehren zu können (temporäre Migration), sind eher motiviert, auch bei relativ geringer Entlohnung zu arbeiten bzw. Lohnkürzungen hinzunehmen. Sie haben weniger Interesse daran, sich durch die Mitgliedschaft in Organisationen (z.B. Gewerkschaft) langfristig zu binden, obwohl ihre Interessen dadurch besser vertreten würden. Migranten, die für immer emigrieren und keine Rückkehrabsichten haben, sind dagegen eher an langfristigen Perspektiven und dauerhaften Regelungen interessiert, so dass ihre Interessen über die Gegenwart hinausgehen.

Die unterschiedlichen Löhne für Arbeitskräfte bei Verrichtung gleicher Arbeit auf einem Arbeitsmarkt (split labor market) sind nicht generell von ethnischen Unterschieden der Arbeiter abzuleiten. Die oft am Arbeitsmarkt zu beobachtenden Lohndisparitäten zwischen den ethnischen Gruppen resultieren entweder aus dem Arbeitsabkommen, das bereits im Herkunftsland geschlossen wurde (z.B. Anwerbeverträge mit festvereinbarten Arbeitslöhnen) oder aus dem unterschiedlichen nationalen Arbeitslohnniveau. Tritt eine Situation des „split labor market" ein, gleichgültig durch welche Umstände, dann sind dynamische Wettbewerbskonflikte zwischen drei miteinander konkurrierenden Parteien zu erwarten, die jeweils für ihre Arbeitsmarktinteressen eintreten. Diese Parteien sind (vgl. Enda Bonacich, 1972, 553-554):

a) Unternehmer

Ihr Ziel ist es, möglichst große Gewinne zu erwirtschaften. Sie sind daher stets daran interessiert, möglichst billige, fügsame und leicht disponierbare Arbeitskräfte anzustellen, um den Produktionsprozess störungsfrei zu halten und durch niedrigere Lohnkosten und die dadurch eintretenden Wettbewerbsvorteile ihre wirtschaftlichen Ziele effektiver zu erreichen. Die Unternehmer, die keine großen Kapitalinvestitionen zur Rationalisierung ihrer Produktionsstätten vornehmen können, haben keine andere Wahl als billige Arbeitskräfte zu rekrutieren, weil sie nur dadurch die Lohnkosten senken und ihre Gewinnchancen vergrößern können.

b) Einheimische Arbeitskräfte (high paid labor)

Diese sind daran interessiert, angemessen am Gewinn der Unternehmer beteiligt zu werden. Sie erheben daher mit der Unterstützung von Gewerkschaften Anspruch auf Gewinnbeteiligung durch angemessene Lohnerhöhungen, die möglichst proportional zum Gewinnzuwachs der Unternehmer bemessen werden sollen. Diese Arbeitskräfte sind daher im Vergleich zu den „importierten" Arbeitskräften teuer. Die Unternehmer versuchen umgekehrt die Lohnforderungen der einheimischen Arbeitnehmer zu unterlaufen, um ihren Betriebsgewinn zu vergrößern. Für sie bedeuten billigere Arbeitskräfte Kostensenkungen, die den Unternehmensgewinn erhöhen. In dieser Wettbewerbssituation werden die einheimischen Arbeitnehmer (dominante Arbeiter) durch die Einwanderung von billigen Arbeitskräften an ihrem Arbeitsplatz bedroht, weil sie durch deren möglichen Einsatz Lohnsenkungen und Arbeitslosigkeit befürchten müssen. Wenn der Arbeitsmarkt auf diese Weise ethnisch geteilt wird (split labor market auf ethnischer Basis), weitet sich der Klassenantagonismus zwischen Unternehmer (Kapital) und Arbeitnehmer (Arbeit) auf den ethnischen Antagonismus zwischen den teuer bezahlten einheimischen Arbeitnehmern und billigeren Arbeitsmigranten aus.

c) Billigere Arbeitskräfte (cheaper labor)

Sie werden vom ausländischen Arbeitsmarkt rekrutiert und oft von Unternehmern als Druckmittel gegen bzw. als Ersatzarbeitskräfte für die teueren einheimischen Arbeitskräfte instrumentalisiert. Sie sind leichter manipulierbar, gerade wegen ihres relativ unsicheren Rechtsstatus. Wenn die Preise der Arbeitskräfte bei Verrichtung gleicher Arbeit in einer ethnischen Gruppe deutlich billiger sind als die der einheimischen Arbeitskräfte, dann tritt ein „split labor market" ein, in dem die einheimischen Arbeiter nicht nur den Verlust ihrer Arbeitsplätze, sondern auch mögliche Erosionen ihres erreichten Lohnniveaus befürchten müssen. Ethnischer Antagonismus ist die Folge solcher Konstellationen am Arbeitsmarkt.

Da die im Vergleich privilegierten einheimischen Arbeiter politisch besser organisiert sind als die Zuwanderer oder Minderheiten, kämpfen sie auch organisatorisch geschlossener und mit ausgefeilteren Strategien gegen die Gefahr, im Wettbewerb mit billigeren Arbeitskräften (Minderheitenarbeiter) vom Arbeitsmarkt verdrängt zu werden. Zwei dieser Strategien, die mit Erfolg angewandt werden, sind (vgl. Enda Bonacich, 1972, 554-557; 1975, 607):

a) Exklusion

Diese Strategie besteht in der Verhinderung der Zuwanderung von billigen Arbeitskräften aus dem Ausland auf politischem und gesetzlichem Weg. Migranten sollen nicht als Arbeitskräfte zugelassen werden bzw. auf dem heimischen Arbeitsmarkt als Konkurrenten physisch anwesend sein. Ein Beispiel aus der Einwanderungsgeschichte Australiens ist „The White Australia Policy", die die Einwanderung von Asiaten und Polynesiern nach Australien ausschloss. Diese Politik wurde unter dem massiven organisierten Druck der weißen australischen Arbeiter (Streiks, Boykotte, Petitionen usw.) durchgesetzt, die in der Zuwanderung von billigen Arbeitskräften aus Indien, China, Japan und den pazifischen Inseln Wettbewerbsnachteile für sich befürchteten. Ein anderes Beispiel aus der Einwanderungsgeschichte der USA ist das vom US-Kongress beschlossene „The Exclusion Act" von 1882, das für 10 Jahre die Einwanderung von chinesischen Arbeitern in die USA auf der Basis nationaler Gesetzgebung untersagte, um die Wettbewerbsinteressen der einheimischen Arbeiter zu schützen (vgl. Terry E. Boswell, 1986, 365).

b) Berufsspezifische Kastenbildung

Diese Strategie wird angewandt, wenn billigere Arbeitskräfte aus dem Ausland oder von Minderheitengruppen bereits auf dem inländischen Arbeitsmarkt physisch anwesend sind und nicht verdrängt werden können. In dieser Situation schließen sich die einheimischen Arbeitskräfte bereichsspezifisch zu einer Berufskaste (caste) zusammen und beanspruchen für sich die berufsspezifische Exklusivität, um den billigeren Arbeitskräften keine Zugangsmöglichkeiten zu ihrem Arbeitsbereich zu geben. Die unerwünschten Arbeitskräfte sollen ferngehalten werden, um sowohl Privilegien zu verteidigen als auch keine nachteilige Konkurrenzsituation entstehen zu lassen. Die Wettbewerbsvorteile der billigeren Arbeitskräfte werden somit wirkungslos. Eine Situation des „split labor market" wird verhindert, weil dadurch die Preiskonkurrenzen unterschiedlicher Gruppen innerhalb eines Arbeitsbereichs ausgeschlossen werden. Diese arbeitsaristokratische Exklusivität des Berufskastensystems wird in der Regel durch rigide Zugangskriterien und -vorschriften errichtet, kontrolliert und geschützt. Dazu dienen oft die Monopolisierung des Erwerbs berufsspezifischer Qualifikationen und die kontrollierte Zugangsbegrenzung zur Berufsausbildung. Die organisierten weißen Arbeiter in den Diamantenminen Südafrikas, die sich geschlossen und mit allen Mitteln gegen die Öffnung ihrer monopolisierten Arbeitsdomäne für schwarze Minenarbeiter gewehrt haben, sind ein Beispiel dafür.

Die privilegierten einheimischen Arbeiter ziehen in der Regel die Strategie der Exklusion der der Berufskastenbildung vor, weil die Erstere, wenn sie politisch durchsetzbar ist, viele Anstrengungen im Wettbewerb mit billigeren Arbeitskräften erspart, was jedoch die Konsequenz nach sich zieht, auch schmutzige und sozial weniger angesehene Arbeiten selbst verrichten zu müssen.

Die Theorie des „split labor market" macht ohne Zweifel die ökonomisch bedingten komplizierten interethnischen Beziehungen und Wettbewerbssituationen am Arbeitsmarkt besser verständlich. Die vor einiger Zeit diskutierte Arbeitsmarktsituation in der Baubranche in Deutschland stellt z.B. eine solche Situation des „split labor market" dar, weil hier eindeutige Preisdisparitäten zwischen den einheimischen und den von deutschen Subunternehmern beschäftigten Kontraktarbeitern bei der Verrichtung gleicher Arbeiten vorhanden waren. Die hohe Arbeitslosigkeit von deutschen Bauarbeitern, die gewerschaftliche Forderung nach Mindestlöhnen für fremde Arbeiter und die fast vom ethnischen Antagonismus begleiteten Proteste der Arbeitslosen gegen die Beschäftigung von Kontraktarbeitern und illegalen Arbeitern sind Aspekte, die in der Theorie des „split labor market" thematisiert werden. Dies bedeutet jedoch nicht, dass an ihr keine Kritik anzubringen wäre. Vielmehr werden der Theorie des „split labor market" folgende theoretische Schwächen vorgeworfen (vgl. Terry E. Boswell, 1986, 353-355):

a) Sie berücksichtigt die Dynamik des Arbeitsmarktes nicht, die zur Reproduktion des „split labor market" führt. Die Existenz eines „split labor market" bedeutet, dass die Arbeitslöhne für die dominanten einheimischen Arbeiter wesentlich höher liegen als die für die Minderheitenarbeiter. Dabei sind die schwächere Marktposition und die reduzierte Arbeitsmarktmobilität der Minderheitenarbeiter Hauptgründe für ihre niedrigeren Arbeitslöhne. Sie konzentrieren sich daher in bestimmten Branchen, weil der Zugang zu besser bezahlten Tätigkeiten durch Diskriminierung verwehrt wird. Diese Marktkonzentration (market crowding) bedeutet ein Überangebot an Arbeitskräften im unteren Lohnbereich, das gemäß der ökonomischen Logik der Preisbildung nach Angebot und Nachfrage früher oder später die Löhne nach unten drücken wird. Innerhalb des gesamten unteren Lohnbereichs tritt damit ein sukzessiver Verlagerungsprozess der Verbilligung der Arbeitslöhne von einem zum anderen Teilbereich ein, in dem nacheinander eine vorübergehende Massierung der Arbeiter dort eintritt, wo für relativ kurze Zeit vergleichsweise hohe Löhne gezahlt werden. Die Höhe wird jedoch durch den Überangebotseffekt (crowding effect) gesenkt. Damit wird ein Prozess in Gang gesetzt, in dem der „split labor market" sich sukzessiv reproduziert und wandert.

b) Sie geht nicht auf die ideologischen Auswirkungen der rassistischen Argumente bezüglich der Reproduktion des „split labor market" und der Vermittlerrolle des Staates bei ethnischem Antagonismus ein. Die anfänglichen Preisdifferenzen der Arbeit zwischen den ethnischen Gruppen (split labor market) werden durch ethnische Diskriminierungen und Rassenideologien erzeugt. Sie können unter normalen Wettbewerbsbedingungen des Marktes nicht fortbestehen, weil Unternehmer mehr auf die Kosten achten und weniger auf die ethnische Herkunft der Arbeitnehmer. Die Selbstidentifizierung der Minderheitenarbeiter mit den herrschenden Ideologien schafft erst die Bedingungen für das Fortbestehen der Preisdifferenzen am Arbeitsmarkt. Zwischen ethnischer Diskriminierung und Rassenideologie besteht so gesehen eine selbst perpetuierende Beziehung, die erst die Voraussetzung zur Reproduktion des „split labor market" schafft. Auf der anderen Seite beschränken sich die politischen Aktivitäten des Staates nicht nur auf die Unterstützung der dominanten einheimischen Arbeiter in ihrem Kampf gegen billigere Arbeitskräfte (z.B. Exklusion und Berufskastenbildung), wie die Theorie des „split labor market" skizziert. Der Staat ist stets daran interessiert, das kapitalistische Wirtschaftssystem als Ganzes zu erhalten, um seine Steuereinnahmen zu sichern. Die politischen Aktivitäten des Staates sind daher mehr auf die Interessen der gesamten Wirtschaft gerichtet, auch in Wettbewerbsfragen, und weniger durch den Einfluss der dominanten Arbeiter bestimmt.

c) Sie thematisiert die Konsequenzen der Reproduktion des „split labor market" nicht, die zur Segregation des Arbeitsmarktes führen (segregated labor market). Die Segregation entsteht, wenn die dominanten Arbeiter die Minderheitenarbeiter vom gleichberechtigten Wettbewerb auf dem Arbeitsmarkt ausgrenzen (Exklusion). Die Marktsegregation kann dabei entweder durch aktive Ausgrenzung (z.B. Ausschluss vom Lehrstellenmarkt und Erwerb beruflicher Qualifikationen) oder als Konsequenz der Reproduktion des „split labor market" eintreten. Die Minderheitenarbeiter werden im Zuge der Reproduktion des „split labor market" sukzessiv vom Arbeitsmarkt verdrängt, so dass ihre Konzentration (crowding) außerhalb der Lohnarbeit sie dazu zwingt, ihr einziges Kapital, das sie hoch liquid einsetzen können, nämlich ihre Arbeitskraft, in die Gründung von selbständigen Geschäften (self-employment) zu investieren. In diesem kleinen Unternehmertum haben sie Wettbewerbsvorteile gegenüber den dominanten Geschäftsleuten durch ihre Selbstausbeutung (self-exploitation) und durch ihren leichteren Zugang zu Arbeitskräften aus der eigenen ethnischen Gruppe. Dadurch entwickeln sich die sog. „minority capitalists", die wiederum bei den dominanten Unternehmern nicht nur Konkurrenzangst, sondern Gruppendiskriminierungen und geschlossene politische Gegenreaktionen hervorrufen.

Um inhaltliche Abgrenzungen vorzunehmen, werden einige in diesem Kapitel angewandte sowie verwandte Begriffe retrospektiv zusammengefaßt:

a)   „Split labor market"

Wenn zumindest zwei (ethnische) Gruppen auf dem Arbeitsmarkt für die Verrichtung gleicher Arbeiten unterschiedlich bezahlt werden (Arbeitsmarkt der Lohnspaltung).

b)   „Segregated labor market"

Wenn dominante Arbeiter die Minderheitenarbeiter aus dem gleichberechtigten Wettbewerb am Arbeitsmarkt ausgrenzen (Exklusion).

c)   „Segmented labor market"

Wenn im fortgeschrittenen Kapitalismus die Ungleichheit zwischen der dominierenden Wirtschaft mit Monopolmacht (center economy) und der Wirtschaft an der Peripherie mit geringeren Wettbewerbschancen (peripheral economy) zu einer Trennung zwischen dem primären und sekundären Arbeits-

markt führt. Der primäre Arbeitsmarkt (the primary labor market) ist gekennzeichnet durch relativ gute und stabile Arbeitsbedingungen, höhere Löhne,
weitgehende Spezialisierung beruflicher Qualifikationen und berufliche Aufstiegsmöglichkeiten, während der sekundäre Arbeitsmarkt (the secondary labor
market) umgekehrt durch schlechtere und instabilere Arbeitsbedingungen, niedrigere Löhne, Jobs auf der Basis geringer Qualifikationen und fehlende Aufstiegsmöglichkeiten gekennzeichnet ist. Die Theorie des „segmented labor
market" geht davon aus, dass die Einheimischen weitgehend auf dem primären
Arbeitsmarkt beschäftigt sind, während die Angehörigen der Minderheiten,
insbesondere die Immigranten, überwiegend auf dem sekundären Arbeitsmarkt
arbeiten. Der „segmented labor market" wird auch als „dual labor market" bezeichnet (vgl. Kenneth L. Wilson, Alejandro Portes, 1980, 297-300).

d) „Cultural division of labor"

Wenn unterschiedliche ethnische Gruppen am Arbeitsmarkt jeweils einem beruflich spezialisierten Segment zugewiesen werden und getrennt nebeneinander
existieren, so dass eine Teilung des Arbeitsmarktes nach kulturellen Linien eintritt. Wenn diese beruflichen Spezialisierungen keine sozialen Hierarchien zueinander bilden, spricht man von einem „segmented cultural division of labor",
während im umgekehrten Fall von einem „hierarchical cultural division of labor" gesprochen wird (vgl. Michael Hechter, 1973, 1154, 1981/82, 413; Juan
Diez Medrano, 1994, 875).

4.2.2 Ethnische Enklavenwirtschaft, „Middleman Minority", selbstständiges Unternehmertum, „Mixed Economy" und „Job Transition" von der geschlossenen Enklavenwirt- schaft zur offenen „Mainstream Economy"

Migration ist in den meisten Fällen mit einer radikalen Veränderung der Er-
werbsbiographie der Migranten verbunden. Das Humankapital (z.B. Ausbildung, berufliche Qualifikationen und Erfahrung, Wissen), das die Migranten
aus ihrem Herkunftsland mitbringen, findet am Arbeitsmarkt des Aufnahmelandes kaum bzw. nur geringe Verwertung (vgl. Jimy M. Sanders, Victor Nee,
1996, 246). Die Sprachprobleme und Unerfahrenheit der Migranten verschlechtern zusätzlich ihre ohnehin begrenzten Chancen. Angesichts der begrenzten
beruflichen Möglichkeiten sind sie oft gezwungen, jede sich bietende Chance
am Arbeitsmarkt zu ergreifen, auch dann, wenn die vorgesehene Bezahlung

unbefriedigend ist. Sie müssen oft von ihrer Vorstellung, den gelernten Beruf ausüben zu wollen, Abschied nehmen. Sie konzentrieren sich daher auf dem sog. sekundären Arbeitsmarkt des Aufnahmelandes, wie die Theorie des „segmented labor market" bzw. des „dual labor market" beschreibt. Diese sektorale Konzentration bedeutet de facto ein Überangebot an billigen Arbeitskräften in einem relativ begrenzten Sektor der Wirtschaft. Das löst einen sukzessiven Prozess der Reproduktion („split labor market") aus, in dem aus billigen Arbeitskräften noch billigere produziert werden. Die ethnische Enklavenwirtschaft (ethnic enclave economy) absorbiert gerade diese billigeren Arbeitskräfte, um einerseits in den arbeitsintensiven Produktionsbereichen der Wirtschaft (z.B. Bekleidungsindustrie) Fuß zu fassen und andererseits die besonderen ethnischen Bedürfnisse (z.B. Lebensmittelgeschäfte, Restaurants, Bestattungsinstitute) zu befriedigen, die die zunehmende Zahl der Immigranten und ihre residentiale Konzentration mit sich bringen.

Innerhalb der migrationssoziologischen Forschung wird die Bedeutung der ethnischen Enklavenwirtschaft kontrovers diskutiert, seitdem 1980 Kenneth L. Wilson und Alejandro Portes in ihrer umstrittenen Hypothese zur Enklavenwirtschaft (enclave-economy hypothesis) diese als dritten alternativen Arbeitsmarkt neben den bisherigen dualen Arbeitsmärkten (primärer und sekundärer Arbeitsmarkt) bezeichneten. Ihre Begründung basiert auf den Ergebnissen der empirischen Untersuchung, die sie zur Analyse der Arbeitsmarktsituation der Einwanderer in der kubanischen Enklave in Dade County/Miami und Hialeah/USA durchgeführt haben, wo die Bevölkerung mehrheitlich aus kubanischen Flüchtlingen besteht. 1976 betrug der Anteil der Flüchtlinge aus Kuba an der gesamten Bevölkerung in Miami 82 % und in Hialeah 33 %.

Ausgehend von der Tatsache, dass die Flüchtlinge aus Kuba weitgehend konzentriert in 8.000 kleinen von Kubanern gegründeten Firmen der Textil- und Möbelbranche, Zigarrenherstellung, auf Zuckerplantagen, in unterschiedlichen Servicebetrieben und im Finanz- und Bauwesen beschäftigt waren, vertraten sie in ihrer Hypothese die Auffassung, dass der Arbeitsmarkt der Migranten keineswegs auf den sekundären beschränkt bleibe, wie die Theorie des „dual labor market" behauptet. Die Migranten in ethnischen Enklaven verfügten über ansehnliche wirtschaftliche Renditen aus der in ihrer Heimat vorgenommenen Humankapital-Investition, die gleich hoch seien wie die derjenigen, die im primären Arbeitsmarkt beschäftigt sind (vgl. Kenneth L. Wilson, Alejandro Portes, 1980, 302, 310). Im Gegensatz zu der verbreiteten Auffassung, dass die wirtschaftlichen Erfolge z.B. der Japaner, Koreaner, Chinesen und Kubaner in ihrer Enklavenwirtschaft auf die Ausbeutung der billigen koethnischen Arbeitskräfte zurückzuführen seien, müsse man erkennen, dass die niedrigeren Löhne erst das Überleben und die Expansion der Enklavenwirtschaft ermöglichten. Diese eröffnet Migranten nicht nur einen privilegierten Zugang zum ethnischen Arbeitsmarkt, sondern darüber hinaus langfristig auch eine berufliche Mobilität (vgl. Kenneth L. Wilson, Alejandro Portes, 1980, 315). Vielmehr müsse man die Tatsache, dass Migranten in der ethnischen Enklavenwirtschaft, trotz ihrer Isolation von der „mainstream economy" und trotz der geringen bzw. fehlenden Assimilation, ansehnliche wirtschaftliche Erfolge erzielen, als Beweis ansehen, der eindeutig die Position der sog. Assimilationstheorie widerlege (vgl. Kenneth L. Wilson, Alejandro Portes, 1980, 296).

Die von Wilson und Portes vertretene Hypothese wurde in der Folgezeit durch weitere Untersuchungen in ihrer Aussage relativiert. Die wesentliche Kritik daran kann in folgenden Punkten zusammengefasst werden:

a) Sie stellt die ethnische Enklavenwirtschaft einseitig aus der Sicht des Unternehmers dar und betrachtet die unterschiedlichen wirtschaftlichen Situationen der selbständigen Unternehmer und lohnabhängigen Arbeitnehmer nicht differenziert. Die Selbständigen in der Enklavenwirtschaft stehen sich wirtschaftlich besser als die Migranten, die außerhalb der ethnischen Enklave auf dem sog. sekundären Arbeitsmarkt beschäftigt sind. Dagegen stehen sich die Unselbständigen innerhalb der ethnischen Enklavenwirtschaft wirtschaftlich wesentlich schlechter als die Selbständigen (vgl. Jimy M. Sanders, Victor Nee, 1987, 747-748, 772).

b) Die Hypothese stellt keinen Vergleich des wirtschaftlichen Ertrages der ethnischen Enklavenwirtschaft mit dem der offenen Wirtschaft an. Die wirtschaftliche Rendite für das Humankapital erscheint bei den dort arbeitenden Migranten deswegen günstiger, weil dieser Vergleich fehlt. Die ethnischen Enklaven können ohne Zweifel den Migranten, die sich nur langsam sprachliche und kulturelle Kompetenzen der Residenzgesellschaft aneignen können, die soziale Ersatzintegration in die ethnische Kolonie und deren soziale Unterstützung bieten. Je länger sie jedoch in der Enklave verbleiben, umso geringer werden ihre Chancen, besser bezahlte Arbeit außerhalb der Enklave zu erhalten. Die residentiale Segregation und territoriale Konzentration der Minderheiten haben in der Vergangenheit ihre Arbeitsmarktchancen verschlechtert (vgl. Jimy M. Sanders, Victor Nee, 1987, 747).

c) Eine vergleichende Untersuchung in der kubanischen Enklave von Miami und Hialeah und der chinesischen Enklave in San Francisco zeigt, dass die kubanischen und chinesischen Enklavenarbeiter, sowohl die Selbständigen als auch die Lohnabhängigen, durchschnittlich weniger verdienten als die Kubaner und Chinesen, die außerhalb der Enklave in entsprechenden Stellungen in der privaten Wirtschaft arbeiteten. Bei beiden ethnischen Gruppen waren die Enklavenbewohner wesentlich weniger assimiliert als die gleichethnischen Einwanderer, die außerhalb der ethnischen Enklave lebten und arbeiteten. Die Hypothese von Wilson und Portes trifft nur für die selbständigen Unternehmer in der Enklavenwirtschaft zu, die sich im Vergleich zu denen des sekundären Arbeitsmarktes besser stehen, während sie bei den abhängigen Arbeitnehmern keine Bestätigung findet (vgl. Jimy M. Sanders, Victor Nee, 1987, 755, 759).

d) Die Untersuchungsbefunde machen deutlich, dass die chinesischen und kubanischen Arbeitnehmer und selbständigen Unternehmer, die außerhalb ihrer ethnischen Enklaven arbeiten, einen höheren sozioökonomischen Status haben als die, die in ihren ethnischen Enklaven arbeiten. Die Ersteren verfügen über weitgehend ähnliche Bildungs- und Berufsmerkmale, wie sie die weißen Immigranten haben. Diese Befunde bestätigen im Gegensatz zu der Hypothese von Wilson und Portes eher die Theorie der Assimilation, weil das höhere Niveau der kulturellen Assimilation mit dem höheren Niveau des sozioökonomischen Status korreliert (vgl. Jimy M. Sanders, Victor Nee, 1987, 765).

e) Bezüglich der Frage, was unter dem Begriff der Enklave zu verstehen ist, entstand zudem eine Kontroverse, da Wilson und Portes darunter „the places of work , not places of residence" verstehen wollten (vgl. Alejandro Portes, Leif Jensen, 1987, 769), während Nee und Sanders besonders darauf hinweisen, dass gerade bei den Enklavenarbeitern Arbeit und Residenz eng miteinander verwoben sind (vgl. Victor Nee, Jimy Sanders, 1987, 772). Vor diesem Hintergrund schlägt eine Untersuchung über Chinatown in New York City vor, dass man unter dem Begriff der Enklave drei Aspekte zusammenfassen sollte: „place of residence", „place of work" und „place of industry". Begründet wird dieser Vorschlag mit dem Hinweis, dass die neu zugewanderten Chinesen meist Wohnung und Arbeit in der Enklave suchen, dass die meisten chinesischen Geschäfte, die Chinesen beschäftigen, in New York City's Chinatown sind, und dass die Industrien (z.B. Bekleidungsindustrie), die am meisten chinesische Migranten beschäftigen, ebenfalls in New York City's Chinatown konzentriert sind. Sie weist auch darauf hin, dass die chinesischen Frauen, die den Großteil der Arbeitskräfte ausmachen, wesentlich weniger verdienen als die männlichen chinesischen Arbeiter, völlig unabhängig von ihrem Humankapital, d. h. Frauen mit höherer Ausbildung verdienen genauso viel wie die mit niedriger Ausbildung. Auch das bestätigt die Einseitigkeit der Hypothese zur Enklavenwirtschaft von Wilson und Portes (vgl. Min Zhou, John R. Logan, 1989, 811-818).

Ausgehend von diesen fachlichen Kontroversen distanzieren sich neuere Forschungen von der bisherigen theoretischen Position, die den Arbeitsmarkt der Migranten von dem der Einheimischen getrennt hat, wie es die Theorien des „segmented labor market" bzw. „dual labor market" und des „split labor market" vertreten. Sie halten die starre Grenzziehung zwischen den beiden Arbeitsmärkten konzeptionell für problematisch, weil sie der realen Arbeitsmarktsituation der Migranten nicht voll entspricht. Statt von einem durch unterschiedliche Bezahlung geteilten Arbeitsmarkt auszugehen, wird heute von einer Konzeption des umfassenden Arbeitsmarktes gesprochen, in dem sowohl der geschlossene ethnische Arbeitsmarkt der Enklaven als auch der offene „mainstream labor market" unterschiedliche Teilbereiche darstellen, an denen Migranten nach ihren individuellen Marktvoraussetzungen unterschiedlich partizipieren können. Der umfassende Arbeitsmarkt wird dabei als durchgehendes Kontinuum vorgestellt, in dem für einzelne Migranten allmähliche „job transition" (berufliche Übergänge) vom ethnischen Arbeitsmarkt über das selbständige Unternehmertum und über die „mixed economy" (Mischwirtschaft) zum „mainstream labor market" prinzipiell möglich werden (vgl. Victor Nee, Jimy M. Sanders, 1994, 851-853). Im Folgenden sollen Teilbereiche des umfassenden Marktkontinuums skizziert werden, um die Möglichkeiten der beruflichen Übergänge aufzuzeigen und einen Einblick in die Zusammenhänge der Arbeitsmarktsitution der Migranten zu gewinnen.

1.) Ethnic Labor Market (ethnischer Arbeitsmarkt) und
    „Middleman Minority" (Minderheiten mit wirtschaftlicher Mittlerfunktion)

Migranten, die ohne konkrete Aussicht auf Arbeit emigrieren und sich einer ungewissen Zukunft aussetzen, haben im Zielland kaum bzw. sehr geringe berufliche Perspektiven, weil ihr mitgebrachtes Humankapital kaum Verwertung am Arbeitsmarkt findet und Sprachprobleme und Unerfahrenheit ihre beruflichen Chancen zusätzlich verschlechtern. Sie sind weitgehend auf ethnische Unterstützung angewiesen.

Durch ihre persönlichen Beziehungen zu Verwandten, Bekannten und Landsleuten versuchen sie eine Erwerbsarbeit zu finden. Der ethnische Arbeitsmarkt in Enklaven stellt in dieser Situation für sie den am ehesten denkbaren und zugänglichen Arbeitsmarkt dar, weil sie dort weder Sprachprobleme noch Probleme bei der Erfüllung von formalen Anforderungen zu befürchten haben. Dieser ethnische Vorteil verlangt jedoch seinen Preis. Die mehr informelle Arbeit in der ethnischen Enklavenwirtschaft ist im Gegensatz zu der offiziellen in der offenen Wirtschaft mit einer Reihe von negativen Merkmalen versehen: Schlechtere Arbeitsbedingungen, längere und ungeregelte Arbeitszeiten, niedrigere Löhne und fehlende Aufstiegsmöglichkeiten (vgl. Min Zhou, John R. Logan, 1989, 820; Victor Nee, Jimy M. Sanders, 1994, 857). Sie nehmen dennoch diese Beschäftigungen wahr, um überhaupt Einkommen erzielen zu können. Diese Bereitschaft, jegliche sich bietende Arbeit anzunehmen, ist oft eine Entscheidung, die aus der Alternativlosigkeit erwächst. Die hohe Jobfluktuation der Migranten innerhalb der Enklavenwirtschaft ist als Ausdruck ihrer beruflichen Unzufriedenheit zu deuten (vgl. Victor Nee, Jimy M. Sanders, 1994, 868-870).

Bezüglich des ethnischen Arbeitsmarktes nimmt die „middleman minority" (Minderheiten mit wirtschaftlicher Mittlerfunktion) eine interessante Sonderstellung ein. Mit dem Begriff der „middleman minority" bezeichnet man solche Minderheiten, die durch ihre besonderen wirtschaftlichen Aktivitäten eine intermediäre Rolle bzw. eine Mittlerfunktion zwischen Produzenten und Konsumenten, Arbeitgebern und Arbeitnehmern, Eliten und Massen, Eigentümern und Mietern spielen. Die Juden in Europa, die Chinesen in Südostasien, die Asiaten in Ostafrika sowie die Japaner und Chinesen in den USA sind Beispiele für diese Minderheiten. Typisch für sie ist die bleibende innere Verbundenheit mit ihrem Herkunftsland bzw. mit dem Land ihrer Vorfahren (z.B. bei Juden). Man charakterisiert sie daher als Immigranten, die nicht mit der Intenstion einwandern, sich dauerhaft niederlassen zu wollen. Sie kommen als „sojourners", die ohne feste Bleibeabsicht nur vorübergehend ihr Glück in der Fremde suchen und als Fremde bleiben. Sie haben Abneigung gegen feste Bindungen und kein Interesse daran, sich an Statuskonflikten der Residenzgesellschaft zu beteiligen. Sie halten sich lieber aus der Politik heraus. Sie sind nicht willig zur Assimilation in die Residenzgesellschaft. Ihr Ziel ist es, Geld zu verdienen und durch einen bescheidenen Lebensstil Vermögen anzuhäufen, um auf eine eventuelle Rückkehr in das ersehnte Heimatland auch materiell vorbereitet zu sein. Diese innere Einstellung führt dazu, dass sie auch in ihren wirtschaftlichen Aktivitäten weitgehend solche Tätigkeiten meiden, die sie dauerhaft binden können. Sie meiden auch langfristige Investitionen, die auf Dauer Kapital binden (z.B. Industrie, Landwirtschaft). Sie konzentrieren sich eher in Handel und Gewerbe, weil sich dort die Arbeit relativ schnell in Liquidität auszahlt. Sie zeichnen sich in ihren wirtschaftlichen Aktivitäten durch zwei auffällige Merkmale aus, nämlich durch die Konzentration in liquiden Berufen und die Marktdominanz in den Bereichen der von ihnen besetzten liquiden Berufe wie z.B. im Handel mit Diamanten bei den Juden (vgl. Enda Bonacich, 1973, 583-588).

Die immaterielle Folge der beschriebenen Eigenschaften der „middleman minority" ist eine starke ethnische Solidarität, die nicht nur den Zusammenhalt trotz widriger Umständen gewährleistet, sondern sich auch strukturell auf die

Praxis der Rekrutierung von Arbeitskräften für ihre Enklavenwirtschaft auswirkt. Das entscheidende Kriterium der Rekrutierung von Arbeitskräften ist die
koethnische Herkunft, so dass die Arbeitskräfte prinzipiell entweder im Kreis
der engeren und weiteren Familie oder in koethnischen Organisationen gesucht
werden. Umgekehrt sind die koethnischen Arbeitnehmer ihrem Arbeitgeber
gegenüber zur Loyalität verpflichtet. Sie nehmen niedrige Löhne und Über-
stunden in Kauf, um ihren Arbeitgeber beim wirtschaftlichen Wettbewerb zu
unterstützen. Im Gegenzug übernehmen die Arbeitgeber eine paternalistische
Fürsorgepflicht für ihre Mitarbeiter. Sie führen ihre Mitarbeiter stufenweise in
die Führungs- und Geschäftstechniken des Unternehmens ein und bereiten sie
durch ihr Beispiel langfristig darauf vor, sich möglicherweise auch selbständig
zu machen. Sie helfen auch bei der Neugründung von Unternehmen mit verbil-
ligten Krediten und durch die Übernahme von Patenschaften.

Die „middleman minority" ist stets bemüht, ihre Ressourcen effizienter zu
verteilen (z.B. Rekrutierung ethnischer Arbeitskräfte, rotierendes Kreditwesen,
verbilligte Darlehn, Partnerschaften), um ihre Wettbewerbsfähigkeit zu erhöhen. Eine effiziente Organisationsform, die z.B. in der Enklavenwirtschaft von
Juden, Japanern und Chinesen zur Steigerung ihrer Wettbewerbsfähigkeit eingesetzt wird, ist die sog. vertikale Organisationsstruktur. Die Unternehmer verkaufen ihre Produkte an koethnische Großhändler, während diese die abge-
nommenen Waren ihren koethnischen Einzelhändlern weiterverkaufen, so dass
innerhalb der ethnischen Enklavenwirtschaft eine vertikale Integration der
Handelsbeziehungen eintritt. Die „middleman minority" ist weiterhin bemüht,
durch die Einführung gildenähnlicher Kontrollstrukturen den internen Wettbewerb ethnischer Unternehmen untereinander erträglich zu regeln (vgl. Enda
Bonacich, 1973, 583-588).

2.) „Self-Employment" (selbständiges Unternehmertum) und Übergang zum
„Mixed Economy" (Mischwirtschaft)

Der zweite Teilbereich des umfassenden Arbeitsmarktes, den die Migranten
in ihrer Arbeitsmarktkarriere in der Residenzgesellschaft individuell erreichen
können, besteht in dem selbständigen Unternehmertum (self-employment), das
in der Regel erst dann realisierbar ist, wenn sie zuvor im „Angestelltenverhält-
nis" irgendwo auf dem ethnischen oder im sog. sekundären Arbeitsmarkt gearbeitet haben. Die Gründe, warum Migranten diesen beruflichen Übergang wagen und dieser Schritt im Regelfall erst nach einigen Jahren möglich ist, sind
vielschichtig. Wie bereits angedeutet, ist die Beschäftigungsmöglichkeit in der
ethnischen Enklavenwirtschaft für die Neueingewanderten Segen und Fluch
zugleich. Segen deshalb, weil Migranten sich nicht dem Wettbewerb auf dem

offenen Arbeitsmarkt stellen müssen. Sie werden dadurch weitgehend vor ethnischen Diskriminierungen, formalen Kontrollen und Regulierungen des offiziellen Arbeitsmarktes geschützt (vgl. Min Zhou, John R. Logan, 1989, 809). Fluch deshalb, weil die Beschäftigung in der Enklavenwirtschaft mit einer Reihe von ausbeuterischen Verfahren verbunden ist, z.B. schlechtere Arbeitsbedingungen, niedrigere Löhne, längere Arbeitszeiten ohne entsprechende Vergütung, fehlende Aufstiegsmöglichkeiten. Trotz dieser Ambivalenz, die oft in der hohen Jobfluktuation zum Ausdruck kommt, verbringen die Migranten einige Jahre in der Enklavenwirtschaft, um zu Ersparnissen zu kommen und mit der neuen Sprache sowie mit den neuen Lebensbedingungen vertrauter zu werden. Sie verbringen in diesem Sinne eine Eingewöhnungszeit, die ihnen soziale Erfahrungen unterschiedlicher Art ermöglicht, die für das Leben in der Residenzgesellschaft notwendig sind.

Im Verlauf dieser Eingewöhnungszeit reift bei vielen Migranten der Entschluss, sich wirtschaftlich selbständig machen zu wollen. Hinter diesem Entschluss stehen viele Motive. Die, die auf dem offenen Arbeitsmarkt gearbeitet haben, wollen vom harten Wettbewerb und von ethnischer Diskriminierung freikommen. Die, die in der ethnischen Enklavenwirtschaft unter schwierigen Bedingungen gearbeitet haben, wollen ein autonomes Leben führen. In beiden Fällen tauschen sie ihre bisherige Fremdausbeutung durch Selbstausbeutung (self-exploitation) aus, weil darin die einzige Möglichkeit besteht, ein freieres Leben zu führen bzw. ein besseres Einkommen zu erzielen. Um diese Ziele zu erreichen, nehmen sie in Kauf, noch härter und länger zu arbeiten als bisher (vgl. Terry Boswell, 1986, 354). Oft wird auch darin die beste Möglichkeit gesehen, ihr mitgebrachtes Humankapital, das bis dahin kaum Verwertung gefunden hat, im Bereich der eigenen Geschäftsplanung und -führung sinnvoll einzusetzen. Ihre Sprachkenntnisse, sozialen Netzwerke und beruflichen Erfahrungen, die sie sich in ihrer Eingewöhnungszeit angeeignet und ausgebaut haben, ermutigen sie in ihrem Entschluss. Sie verfügen auch über bescheidene Ersparnisse, die als Startkapital (start-up capital) für ihre wirtschaftliche Selbständigkeit eingesetzt werden können (vgl. Victor Nee, Jimy M. Sanders, Scott Sernau, 1994, 861).

Das selbständige Unternehmertum der Migranten, die durch ihre Waren- und Dienstleistungsangebote primär die sog. ethnischen Bedürfnisse der Migranten zu befriedigen versuchen, ist in seiner Gründungszeit zumeist ein Familienunternehmen. Die Familie stellt hier ein unverzichtbares Sozialkapital (social capital) dar, das nicht nur bei der Gründung, sondern auch bei der Fortführung des Unternehmens in vieler Hinsicht eine überlebensnotwendige und nicht ersetzbare Rolle spielt. Bei der Gründung des Unternehmens reicht oft das angesparte eigene Kapital nicht aus, so dass zusätzliches Investitionskapital beschafft werden muss. Dieses Kapital wird oft von Familienmitgliedern aufgebracht. Sie stellen auch solidarisch ihre Arbeitskraft trotz relativ geringer finanzieller Gegenleistung bzw. trotz fehlender Bezahlung zur Verfügung. Sie arbeiten unter schwierigen materiellen und finanziellen Arbeitsbedingungen, um die Betriebskosten des Familienunternehmens nach Möglichkeit niedrig zu halten und die Wettbewerbschancen zu steigern. Da sie mit persönlichem Einsatz und aus innerer Einsicht zusammenarbeiten, können sie in ihrer Arbeit produktiver sein als diejenigen, die nur wegen der Bezahlung arbeiten. Die Vertrauensbeziehungen untereinander machen auch solche Transaktionen möglich, die unter Umgehung von staatlichen Steuerbestimmungen informell erfolgen. Die Familie als das entscheidende Sozialkapital macht somit erst das Überleben und die Fortführung des Unternehmens möglich (vgl. Jimy M. Sanders, Victor Nee, 1996, 233).

Wie die empirischen Erhebungsbefunde zeigen, erwirtschaften Migranten in ihren selbständigen Unternehmen durchschnittlich höheres Einkommen als in abhängigen Arbeitsverhältnissen (vgl. Victor Nee, Jimy M. Sanders, Scott Sernau, 1994, 866). Dieser wirtschaftliche Erfolg führt in mehrerer Hinsicht langfristig zur Expansion des Unternehmens. Das Unternehmen, das ursprünglich als Familienunternehmen begonnen hat, wächst allmählich zu einem Mischunternehmen (hybrid firm), das seine Belegschaft nun nicht nur aus der eigenen ethnischen Gruppe, sondern darüber hinaus aus anderen ethnischen Gruppen rekrutiert. Die ökonomische Rationalität und der Wettbewerbsdruck des Marktes zwingen oft ethnische Unternehmer dazu, bei der Rekrutierung von Arbeitskräften mehr auf die Kostenseite und weniger auf den ethnischen Aspekt zu achten. Diese Expansion bedeutet auch, dass sich der Kreis der Geschäftspartner und der Klientel, auf andere ethnische Gruppen ausdehnt, ebenso wie das ökonomische Betätigungsfeld. Die Grenzen zwischen der mehr geschlossenen Enklavenwirtschaft und der offenen „mainstream economy" verwischen zunehmend. Es entwickelt sich allmählich eine Form der „mixed economy", eine Wirtschaftsform, in der ein kontinuierlicher Austausch von Ressourcen und Gütern stattfindet, der die Interdependenzen zwischen Unternehmern, Managern, Arbeitnehmern, Geschäftsleuten und Konsumenten, die unterschiedlichen ethnischen Gruppen angehören, zunehmend größer werden lässt (vgl. Victor Nee, Jimy M. Sanders, Scott Sernau, 1994, 851-853).

3.) „Job Transition" (berufliche Übergänge) von der geschlossenen Enklavenwirtschaft zur offenen „Mainstream Economy"

In dem Ausmaß jedoch, in dem die Migranten mit den sprachlichen und kulturellen Anforderungen der Residenzgesellschaft vertraut werden, wächst die Erkenntnis, dass der offene Arbeitsmarkt in der „mainstream economy" größere Vorteile und Sicherheiten (z.B. bessere Arbeitsbedingungen, geregelte Arbeitszeiten, bessere Bezahlung, Aufstiegsmöglichkeiten, soziale Absicherung, gesetzlich geregelte Renten) bietet. Migranten bemühen sich daher mit zunehmenden Anstrengungen um einen Arbeitsplatz außerhalb der ethnischen Enklavenwirtschaft. Dazu gehört z.B. das Bemühen, sich das notwendige Humankapital (z.B. berufliche Ausbildung und Umschulung) anzueignen (vgl. Terry Boswell, 1994, 854). Die Anstrengungen der zweiten und dritten Generation der Migranten, durch möglichst große Investitionen in die Humankapitalbildung in die „mainstream economy" beruflich integriert zu werden, ist ein deutlicher Beleg dafür, dass sozialer Aufstieg nur durch assimilatives Lernen zu erreichen ist. Dieses setzt wiederum die Risikobereitschaft voraus, die psychosoziale Sicherheit in der ethnischen Enklave zu verlassen und die dadurch eintretende Unsicherheit außerhalb der ethnischen Enklave bewusst in Kauf zu nehmen. Im Kontinuum des umfassenden Arbeitsmarktes der Residenzgesellschaft findet somit stufenweise und individuell differierende „job transition" der Migranten von der weitgehend geschlossenen ethnischen Enklavenwirtschaft zur formalen und offenen „mainstream economy" statt.

4.3   Ethnische Vorurteile und Diskriminierungen

Migranten sind im Regelfall anderer ethnischer und kultureller Herkunft als die Einheimischen. Ihr sozialer Status in der Residenzgesellschaft liegt im Vergleich zu dem der Einheimischen wesentlich niedriger. Aufgrund dieses objektiv wahrnehmbaren Unterschiedes sind sie oft Vorurteilen und Diskriminierungen im sozialen und institutionellen Bereich der Residenzgesellschaft ausgesetzt. Sie werden vielfach aufgrund negativer Eigenschaften und Merkmale, die ihnen zugeschrieben und die teilweise durch unangemessene Witze sowie herablassende Bemerkungen zum Ausdruck gebracht werden, sozial gemieden. Sie werden auch im öffentlichen Bereich (z.B. Wohnungsmarkt und Arbeitsmarkt) benachteiligt. Ihnen werden staatsbürgerliche Rechte vorenthalten, die den Einheimischen zustehen, weil sie nicht den gleichen Rechtsstatus haben. Dieser benachteiligende Rechtsstatus führt oft zu institutionellen Diskriminierungen auf legaler Grundlage (z.B. restriktive Handhabung des Aufenthalts- und Arbeitsrechts), die wiederum die Vorurteilsbildung verstärken, weil sie ethnische Vorurteile als quasi legitim bzw. berechtigt erscheinen lassen. Das Verhältnis zwischen Vorurteilen und Diskriminierungen ist dennoch nicht immer so eindeutig, so dass entweder die Diskriminierungen als unmittelbare Folgen der Vorurteile oder Vorurteile als unvermeidbare Folgen der Diskriminierungen betrachtet werden können. Vorurteile und Diskriminierungen können auch völlig unabhängig voneinander vorkommen.

Die wissenschaftliche Erforschung der ethnischen Vorurteile und Diskriminierungen begann erst in den 1920er Jahren in den USA durch Emory S. Bogardus an der Universität von Chicago. Er untersuchte zunächst im Rahmen der Migrations- und Stadtsoziologie das Phänomen der sozialen Distanz, das bei städtischen Bewohnern, die in großer physischer Nähe zusammenlebten, zu beobachten war. Für sein Begriffsverständnis bestand soziale Distanz im Fehlen freundschaftlicher Gefühle und mitfühlenden Verständnisses (the lack of fellow-feeling and understanding). In der Untersuchung, die primär die interethnischen Beziehungen zwischen verschiedenen Einwanderergruppen und Einheimischen erforschte, stellte sich heraus, dass zwischen ethnischen Vorurteilen der Einheimischen und deren sozialer Distanz gegenüber den ethnischen Einwanderergruppen eine enge Wechselbeziehung bestand.

Seine 1925 durchgeführte Untersuchung bestand darin, dass zunächst 60 Personen gebeten wurden, 7 unterschiedlich formulierte soziale Beziehungsformen in eine Reihenfolge zu bringen, bei der eine sukzessive Abnahme freundschaftlicher Gefühle und mitfühlenden Verständnisses erkennbar werden sollte. Danach wurden 450 Einheimische mit Bildung und Erfahrung gebeten, den einzelnen in den USA lebenden Rassen- und Sprachgruppen, die in einer vorbereiteten Liste erfasst waren, durch Kreuzzeichen diejenigen sozialen Beziehungformen, die sie diesen nach ihrem spontanen Gefühl zubilligen würden, kenntlich zu machen (vgl. Emory S. Bogardus, 1925, 48-51). Wollte man sich diese Untersuchung veranschaulichen, so könnte man sich einen Fragebogen vorstellen, in dessen oberem Teil der Spalten von links beginnend 7 soziale Beziehungsformen nebeneinander angegeben werden, in deren Reihenfolge die jeweils abnehmenden freundschaftlichen Gefühle, d.h. die zunehmende soziale Distanz, zum Ausdruck kommen, und in dessen Zeilen nacheinander die wichtigsten in den USA lebenden Rassen- und Sprachgruppen aufgelistet sind. Die befragten Personen sollten den einzelnen Rassen- und Sprachgruppen durch Kreuzzeichen in entsprechenden Spalten und Zeilen die sozialen Beziehungsformen zuordnen, die sie diesen ad hoc nach ihrem spontanen Gefühl zubilligen würden.

Die genannten 7 sozialen Beziehungsformen:

(1) Als enge Verwandte durch Heirat vorstellbar
(2) Als Freund in Frage kommend
(3) Als Nachbar auf der gleichen Straße vorstellbar
(4) Als Kollege des gleichen Berufes im eigenen Land vorstellbar
(5) Als Staatsbürger des eigenen Landes vorstellbar
(6) Nur als Besucher des eigenen Landes vorstellbar
(7) Einreise in eigenes Land soll ausgeschlossen werden

Nach den Ergebnissen räumten die befragten Personen ohne Probleme die ersten fünf sozialen Beziehungsformen den Rassen- und Sprachgruppen zu, die zu Nordwesteuropa zählen (z.B. Engländer, Franzosen, Norweger, Schotten), während nur sehr wenige die ersten drei sozialen Beziehungsformen den Rassen- und Sprachgruppen der Armenier, Schwarzen, Chinesen, Hindus und Türken zubilligten. Die letzteren Gruppen sind somit eindeutig von größerer sozialer Distanz betroffen. Bogardus schlußfolgerte hieraus, dass soziale Distanz mit niedrigem sozialem Status korreliert, so dass die Einheimischen immer dann gegenüber Einwanderergruppen mit sozialer Distanz reagieren, wenn ihr sozialer Status durch diese gefährdet erscheint (vgl. Emory S. Bogardus, 1925, 54). In weiteren Untersuchungen hat Borgardus die rassischen und nationalen Vorurteile (rassische und nationale Bevorzugung) untersucht (vgl. Daniel Katz; Kenneth W. Braly, 1978, 35-38).

Neben der soziologischen Vorurteilsforschung befassten sich seit den 1950er Jahren auch die Tiefen- und Sozialpsychologie intensiv mit dem Vorurteilsphänomen. Die tiefenpsychologische Vorurteilsforschung, die von Theodor W. Adorno und seinen Mitarbeitern in den USA durchgeführt und unter dem Buchtitel der „Authoritarian Personality" veröffentlicht wurde, sowie die sozialpsychologische Vorurteilsforschung von Gordon W. Allport sind dabei die zwei bekanntesten der 1950er Jahre, die in der Folgezeit viele weitere angeregt haben.

Der Ausgangspunkt für Theodor W. Adorno und seine Mitarbeiter war die Erforschung des Antisemitismus. Ausgehend von den schrecklichen Erfahrungen mit Krieg, Faschismus und Nationalsozialismus stellten sie die Charakterstudie des autoritären Menschentypus in den Mittelpunkt ihrer Forschungen. Sie stellten dabei fest, dass Menschen, die gegenüber faschistischer Propaganda empfänglich waren, viele gemeinsame Charaktermerkmale zeigten.

Diese autoritären Menschen waren nicht nur antisemitisch, sie waren generell anderen Minderheiten gegenüber feindlich gesonnen, so dass die ursprüngliche Forschung des Antisemitismus auf die der minderheitenfeindlichen Ideologien ausgeweitet wurde. Der Ausdruck „Authoritarian Personality" war in diesem Zusammenhang die Bezeichnung für die potentiell faschistischen bzw. antidemokratischen Persönlichkeiten, die besonders empfänglich gegenüber faschistischen Ideologien waren. Unter dem Begriff der Ideologie wurde die Organisation der Meinungen, Haltungen und Wertvorstellungen verstanden, die zu einer bestimmten Denkweise über Menschen und Gesellschaft (a way of thinking about man and society) führt. Adorno und seine Mitarbeiter wiesen ausdrücklich darauf hin, dass die tiefliegenden Vorurteile der autoritären Persönlichkeiten gegen Minderheiten bzw. ihre unkritische Empfänglichkeit (susceptibility) gegenüber faschistischen Ideologien ein Produkt der Sozialisation waren, die diese in ihrer Kindheit erhalten haben. Sie legten dennoch ihren Forschungsschwerpunkt bewusst auf die Untersuchung der tiefenpsychologischen Charakterstrukturen autoritärer Persönlichkeiten, weil sie in den individuellen Bedürfnissen (human needs) die Determinanten von Meinungen, Haltungen und Wertvorstellungen sowie in der Organisation dieser Bedürfnisse die grundlegende Verankerung der Persönlichkeit sahen. Die individuelle Persönlichkeitsstruktur gewährleistet somit die relative Konstanz individueller Haltungen, Meinungen und Wertvorstellungen. Durch die Forschung sollte diese Tiefendimension der Persönlichkeitsstruktur, die die relativ gleichbleibende innere Bereitschaft (readiness) der autoritären Persönlichkeiten, faschistische Ideologien und minderheitenfeindliche Vorurteile zu übernehmen und zu verteidigen, erklärt werden (vgl. Theodor W. Adorno u. a., 1950, 1-11).

Gordon W. Allport ging auch in seiner Vourteilsforschung vom individualistischen Ansatz aus, obwohl er damit keineswegs leugnen wollte, dass die individuellen Einstellungen auch Gruppeneinstellungen wiedergeben. Nach seiner Auffassung ist dennoch die Übereinstimmung der individuellen mit der kollektiven Einstellung nur annäherungsweise möglich. Jede Gruppe räumt ihren Mitgliedern eine gewisse Toleranzspanne des Verhaltens ein, innerhalb derer jeder die für ihn mögliche Konformität erreichen kann. Er ging daher von der Prämisse aus, dass „Vorurteil letztlich ein Problem der Persönlichkeitsbildung und -entwicklung ist." (vgl. Gordon W. Allport, 1971, 54). Das Vorurteil ist für Allport das vorschnelle und unbegründete Urteil, das sich durch zwei Eigenschaften auszeichnet. Es lässt sich durch neue Informationen nicht berichtigen und löst bei seiner Widerlegung gefühlsmäßigen Widerstand bei dem aus, der das Vorurteil hat. Ethnisches Vorurteil ist zumeist ein negatives Vorurteil, das von Allport wie folgt definiert wird: „Ein ethnisches Vorurteil ist eine Antipathie, die sich auf eine fehlerhafte und starre Verallgemeinerung gründet. Sie kann ausgedrückt oder auch nur gefühlt werden. Sie kann sich gegen eine Gruppe als ganze richten oder gegen ein Individuum, weil es Mitglied einer solchen Gruppe ist." (vgl. Gordon W. Allport, 1971, 23).

Nach der psychologischen Forschung enthält das Vorurteil folgende Aspekte (vgl. George Eaton Simpson, J. Milton Yinger, 1985, 21):

a) Das Vor-Urteil (pre-judgement) führt die vorurteilsvollen Menschen dazu, die Selektion der Außensignale nur in der Weise vorzunehmen, dass die gewählten Informationen dem Konzept des Vorurteils entsprechen. Die emotionale Prägung dieser einseitigen Auswahl macht gerade die relative Starrheit bzw. Dauerhaftigkeit des Vorurteils aus.

b) Das Vorurteil enthält nicht nur Elemente des vorschnellen und voreiligen Urteils, sondern auch Elemente des Fehlurteils in dem Sinne, dass es als kategorisches Denken systematisch Fakten und Realitäten fehl interpretiert. Das Fehlurteil ist nicht immer das Vorurteil. Das Vorurteil ist das Fehlurteil, das der Vorverurteilende verteidigt.

Betrachtet man das Vorurteil nur aus der Sicht der psychologischen Vorurteilsforschung, besteht die Gefahr, dieses Phänomen nur als individuelles Problem bzw. individuell-pathologische Eigenschaft einzelner vorurteilsvoller Persönlichkeiten zu behandeln. Im Gegensatz zu dieser individualisierenden Sichtweise (vgl. Gordon Marshall, 1994, 414) tendiert die soziologische Vorurteilsforschung dazu, das Vorurteil im Gruppenkontext zu sehen und es als Produkt gesellschaftlicher Verhältnisse und Prozesse zu untersuchen.

William Graham Sumner machte bereits 1906 auf die ethnozentrische Denk- und Sichtweise der Menschen aufmerksam, die aus der Unterscheidung zwischen „we-group" bzw. „in-group" (Eigengruppe) und „others-groups" bzw. „out-groups" (Fremdgruppen) resultiert. Die Entwicklung von der primitiven zur modernen Gesellschaft war nach seiner Auffassung von der zunehmenden Differenzierung gesellschaftlicher Gruppen begleitet. Menschen haben dabei eigene Gruppen immer in Relation zu anderen Gruppen gesehen. Die Mitglieder der Eigengruppe verstanden sich als „Wir" bzw. Einheimische (insider) und entwickelten ein Gruppengefühl (group sentiment) in Abgrenzung zu allen anderen Fremdgruppen. Alle, die keine Zugehörigkeit zur Eigengruppe hatten, waren Fremde (outsiders). Die Beziehungen der Menschen in der Wir-Gruppe waren durch Kameradschaft und durch Frieden geprägt, während ihre Beziehungen zu Fremdgruppen durch Feindseligkeit und Krieg bestimmt waren. Der

Eigengruppe gegenüber waren sie loyal und opferbereit, während sie den Fremdgruppen gegenüber Hass- und Verachtungsgefühle entwickelten. Der Ethnozentrismus ist eine Bezeichnung für diese Art des Denkens. Er besteht darin, dass die Eigengruppe als Mittelpunkt und Maßstab aller Dinge begriffen und bewertet wird. Damit wird die Eigengruppe überlegener (superior), göttlich und sogar zur Religion, während die Fremdgruppen als minderwertig verachtet werden (vgl. William Graham Sumner, 1940, 12-15). Die Menschen haben somit ihrer eigenen Gruppe gegenüber positive Vorurteile, während sie gegenüber anderen Gruppen negative Vorurteile haben. Ethnische Vorurteile sind in diesem Sinne meist negative Vorurteile gegenüber der Gruppe von Menschen, die eine andere ethnische Herkunft aufweisen.

Eine aufschlussreiche soziologische Vorurteilsforschung, die das Phänomen des Vorurteils im Gruppenkontext untersucht hat, ist die von Herbert Blumer. Er setzte sich mit Rassenvorurteilen (race prejudice) in den USA auseinander. Wie bei William Graham Sumner war für ihn von fundamentaler Bedeutung, dass Rassenvorurteile nicht aus individuellen Gefühlen und Charakterstrukturen, sondern durch die Beziehungen zwischen den Rassengruppen zu erklären sind. Dabei ging er von der Prämisse aus, dass die Beziehungen zwischen den Rassengruppen wesentlich durch die prozesshafte Entwicklung ihrer Vorstellungen zur Gruppenidentität bestimmt werden. Dieser Prozess ist für ihn ein kollektiver Vorgang, in dem die Bestimmung der eigenen Gruppenidentität durch die Charakterisierung anderer Gruppen erfolgt. Nach seiner Überzeugung gibt es folgende vier Rassengefühle (racial feelings), die die dominante Gruppe bei ihren Vorurteilen gegenüber anderen Rassengruppen entwickelt (vgl. Herbert Blumer, 1958, 3-4):

a) Gefühl der Überlegenheit (Gefühl, dass andere Gruppen minderwertige Eigenschaften haben),

b) Gefühl, dass die unterlegene Rasse wesentlich anders und fremd ist („Sie sind anders als wir"),

c) Gefühl des berechtigten Rechtsanspruchs (proprietary claim) auf Privilegien und Vorteile (Anspruch auf Exklusivrechte in allen Bereichen des öffentlichen Lebens),

d) Angst und Misstrauen, dass die unterlegene Rasse Pläne gegen die Vorrechte der dominanten Gruppe hegt (Angst, in der eigenen Position durch die unterlegenen Gruppen bedroht zu sein).

Nach der Auffassung von Blumer führen die ersten drei Gefühle nicht unbedingt zum Rassenvorurteil. Entscheidend für die Entstehung von Rassenvorurteilen ist der vierte Aspekt, nämlich die Angst, in der eigenen Überlegenheit angegriffen und bedroht zu sein. Diese vier Gefühlsarten bestimmen zusammen, so die Auffassung von Blumer, die positionalen Relationen (z.B. die untere und ausgegrenzte Position der Minderheiten) zwischen zwei oder mehreren Rassengruppen und produzieren das Rassenvorurteil. Diese Gruppenposition (group position) liefert auch den umfassenden und über die individuellen Denk- und Gefühlsdimensionen hinausgehenden Bezugsrahmen für die gruppenbezogenen Wahrnehmungen, Urteile, Aufmerksamkeiten und emotionalen Neigungen. Dieser Bezugsrahmen bestimmt auch darüber, wie die Einzelnen über andere „unterlegene" Gruppen denken und fühlen. Die einzelnen Mitglieder halten in ihrer Orientierung an ihrer Gruppenposition fest und teilen miteinander ein gemeinsames Bewusstsein zur eigenen Gruppenposition (the sense of group position). Diese gibt an, was die Gruppe sein sollte. Rassenvorurteile treten dann auf, wenn diese Gruppenposition herausgefordert wird. Sie sind defensive Reaktionen aus der Gruppenposition heraus (vgl. Herbert Blumer, 1958, 5). Die einzelnen Mitglieder können nicht gegen diese Gruppenposition vorgehen, ohne dabei selbst von der Gruppe isoliert zu werden.

Die Entstehung der Gruppenposition geht auf einen historischen Prozess zurück, in dem zwei Faktoren eine bestimmende Rolle spielen. Sie geht zum einen auf die Interaktion und Kommunikation zwischen gesellschaftlich einflussreichen Menschen innerhalb der dominanten Gruppe zurück, die durch ihre Gefühlsäußerungen und Einschätzungen andere Gruppen in bestimmter Weise charakterisieren und definieren. In einem solchen Prozess werden kollektive Vorstellungen und Gefühle zum Rassenvorurteil gebildet, die dann auch weitgehend die individuellen Vorstellungen innerhalb der dominanten Gruppe prägen. Die Entstehung der Gruppenposition geht zum anderen auf den Definitionsprozess der unterlegenen Rassengruppe durch die dominante Gruppe zurück. Diese definiert die unterlegene Gruppe als abstrakte Einheit bzw. reale Entität. Dieser Prozess findet nicht durch die Generalisierung individueller Erfahrungen statt, die die Einzelnen mit konkreten Rassengruppen gemacht haben, sondern auf abstrakter Ebene so, als ob die Rassengruppen z.B. der Schwarzen, Japaner oder Juden konkret fassbare Entitäten wären. Dieser abstrakte Definitionsprozess im öffentlichen Bereich tritt auf folgende Weise ein (vgl. Herbert Blumer, 1958, 6-7):

a) Offizielle Stellungnahmen durch Sprecher von gesellschaftlichen Interessengruppen, Medienberichte, öffentliche Tagungen, Kongresse usw.

b) Öffentliche Diskussionen über die sog. großen Ereignisse („big event") der Gesellschaft, die öffentliche Aufmerksamkeit mobilisieren. Die Definition solcher Ereignisse ist hauptsächlich verantwortlich für die Entwicklung von Gruppenvorstellungen und das Gespür für die Gruppenposition.

c) Politische und soziale Eliten sowie Führungskräfte mächtiger gesellschaftlicher Organisationen sind maßgeblich an der Formung der Gruppenposition sowie an der Charakterisierung unterlegener Gruppen beteiligt.

d) Organisierte Interessengruppen der dominanten Mehrheit sorgen dafür, dass Themen und Richtungen in der gesellschaftlichen Diskussion so gewählt und gesetzt werden, dass ihre Privilegien und Vorteile geschützt bzw. ausgebaut werden können. Ihr Einfluss ist bestimmend für die Prägung der Gruppenposition der dominanten Gruppe in Abgrenzung zu den Minderheitengruppen.

Diese Darstellung der soziologischen Vorurteilsforschung von Herbert Blumer war mit der Intention verbunden, die soziologische Sichtweise des Vorurteilsphänomens exemplarisch aufzuzeigen und zu dokumentieren, dass gerade sein Forschungsansatz in neueren soziologischen Publikationen positive empirische Resonanz zu finden scheint (vgl. A. Wade Smith, 1981, 558-573, Lincoln Quillian, 1995, 586-610, Lawrence Bobo; Vincent L. Hutchings, 1996, 951-972). Für die soziologische Vorurteilsforschung sind die Vorurteile nicht von der individuell-pathologischen Persönlichkeitsstruktur abzuleiten. Sie stellen nicht Ausnahmeescheinungen dar, die nur bei pathologischen Persönlichkeiten vorkommen (vgl. Heinz W. Wolf, 1969, 944). Sie werden vielmehr durch den sozialen Lernprozess von Gruppen und Gesellschaft übernommen. Dies bedeutet, dass Menschen nur die Vorurteile übernehmen, die mit den Interessen ihrer eigenen Gruppe und Gesellschaft übereinstimmen, weil sie sonst mit negativen Sanktionen zu rechnen haben.

Vorurteile entsprechen der Neigung der Menschen, ihr Denken durch Verallgemeinerungen zu vereinfachen (vgl. Gordon W. Allport, 1971, 41). Sie dienen der gruppenkonformen sozialen Orientierung (vgl. Peter Heinz, 1957, 28). Das Phänomen des Vorurteils ist immer im Zusammenhang mit der Privilegienstruktur der Gesellschaft zu sehen. Vorurteile werden zum Schutz der Privilegien erzeugt und instrumentalisiert. In diesem Sinne sind sie Instrumente von Gruppenkonflikten, deren sich die privilegierten Gruppen häufig bedienen (vgl. George Eaton Simpson; J. Milton Yinger, 1985, 79-87). Gruppen und Gesellschaften waren in der Geschichte bei der Erfindung von Rechtfertigungsideolgien und Vorurteilen immer ideenreich, wenn es um Schutz und Ausbau der eigenen Privilegien und Interessen ging.

Migranten sind nicht nur ethnischen Vorurteilen, sondern auch ethnischen Diskriminierungen durch die Residenzgesellschaft ausgesetzt. Der Begriff der Diskriminierung bedeutet eine Ungleichbehandlung (differential and unequal treatment), die den Gleichheitsgrundsatz verletzt (vgl. Charles F. Marden; Gladys Meyer, 1968, 31, E. E. Hirsch, 1969, 190). Nach dem Gleichheitsgrundsatz darf niemand wegen seiner Zugehörigkeit zu einer bestimmten sozialen Gruppe oder sozialen Kategorie (zum Forschungszweck gedanklich vorzunehmende Zusammenfassung von Menschen in einer fiktiven Gruppe, die ein oder mehrere Merkmale gemeinsam haben) bevorzugt bzw. benachteiligt werden. Liegt eine ungleiche Behandlung von Menschen auf der Basis ihrer natürlichen und sozialen Unterschiede vor, spricht man von Diskriminierung. Eine ungleiche Behandlung, die mit unterschiedlichen individuellen Fähigkeiten oder Verdiensten zusammenhängt, wird dagegen nicht als Diskriminierung bezeichnet. Ethnische Diskriminierungen liegen vor, wenn Einzelnen oder Gruppen auf der Basis ethnischer Kategorisierungen die Gleichheit der Behandlung vorenthalten wird (vgl. Gordon W. Allport, 1971, 64). Obwohl das reale Verhältnis zwischen ethnischen Vorurteilen und Diskriminierungen sehr kompliziert sein kann, ist eine ihrer häufigsten Konstellationen in der zirkulären Wechselbeziehung zu sehen, in der die beiden Elemente jeweils durch das andere bedingt und verstärkt werden.

Ethnische Diskriminierungen resultieren oft aus den Bestrebungen der dominanten Gruppe, die Aktivitäten und Alternativen der Minderheitengruppen zum eigenen Vorteil einzuschränken. Die dominante Gruppe kann den Angehörigen der Minderheiten z.B. politisches Wahlrecht, Mitgliedschaft in Organisationen, Zugang zu öffentlichen Einrichtungen, freie Wahl des Berufes und Wohnsitzes, Ausbildungschancen usw. verwehren. Solche Bestrebungen resultieren oft aus drei grundlegenden Einschätzungen der Realität durch die Angehörigen der dominanten Mehrheit (vgl. Richard M. Burkey, 1978, 79-87):

a)   Wahrnehmung von Vorteilen

Die dominante Mehrheit diskriminiert Minderheitengruppen besonders dann, wenn sie dadurch politische, ökonomische und psychosoziale Vorteile erwartet. Sie überträgt auf die Minderheiten z.B. eine politische Sündenbockfunktion, um die Massen von den tatsächlichen Ursachen politischer und sozialer Ungleichheiten abzulenken. Dadurch wird die Aufrechterhaltung ihrer Privilegien und Machtinteressen abgesichert. Sie schürt daher bewusst negative Vorurteile gegenüber den Angehörigen von Minderheiten. Sie diskriminiert die Minderheitengruppen auch im ökonomischen Bereich, um das Eintreten von Wettbewerbssituationen zu verhindern. Gesetzliche Bestimmungen, die z.B. Ausländern das Betreiben von Handel und Geschäften in bestimmten Bereichen verbieten, sind Maßnahmen zur Protektion einheimischer Geschäftsleute. Die Beschäftigung von Einwanderern als unterbezahlten Arbeitskräften, was einer Lohndiskriminierung gleichkommt, ist nicht nur als Gewinnvorteil der Unternehmer zu sehen. Sie stellt für die Unternehmer auch ein Druckmittel gegenüber den Forderungen der einheimischen Arbeiter dar, so dass diese oft zu deren Disziplinierung eingesetzt wird. Ethnische Diskriminierungen erzeugen auch eine unterwürfige Haltung der Angehörigen der Minderheiten, die umgekehrt das Überlegenheitsgefühl und Selbstbewusstsein der Angehörigen der dominanten Mehrheit fördert, so dass die Letzteren psychosoziale Vorteile haben.

b) Wahrnehmung der Bedrohung

Ethnische Diskriminierungen werden dann besonders intensiv, wenn Konkurrenz, Widerstand und unterstellte subversive Aktivitäten der Minderheiten durch die dominante Mehrheit als Bedrohung erlebt werden. Eine der beliebtesten Diskriminierungsstrategien besteht in solchen Fällen in der räumlichen Isolierung der Minderheiten (Segregation). Die Angehörigen der Minderheiten werden zwangsweise in Reservate/Sperrbezirke eingewiesen und von den zentralen Wohngebieten der Städte isoliert. Damit sollen die „Gefahrenelemente" nicht nur ferngehalten, sondern deren Kontrolle effektiviert und die dominante Mehrheit vor potentiellen Gefahren geschützt werden. Die Segregation der Indianer in Reservaten und die der Amerikaner japanischer Herkunft während des Zweiten Weltkrieges an der amerikanischen Westküste in den sog. „relocation center", die Deportation von ethnischen Gruppen in der Sowjetunion nach Sibirien während des Zweiten Weltkrieges sind Beispiele für die erwähnte Strategie.

Das Wachstum der Minderheitenbevölkerung wird von der dominanten Mehrheit als besondere Bedrohung erfahren, weil sie darin unter anderem die Gefahr der Zunahme von Kriminalität, der Verunreinigung der „reinen Rasse" und Nachteile im Wettbewerb sieht. Die dominante Mehrheit reagiert hier oft mit der Strategie der Vertreibung. Die Vertreibung von annähernd 100.000 Juden aus Spanien im Jahre 1492, die nicht zum Christentum konvertieren wollten, ist ein Beispiel hierfür. Die Vertreibung von Millionen Deutschen aus der Sowjetunion gegen Ende des Zweiten Weltkrieges und die Vertreibung von Asiaten aus Kenia und Uganda sind weitere Belege.

c) Wahrnehmung des Konformitätsdrucks

Nicht alle Angehörigen der dominanten Mehrheit halten die Diskriminierung der Minderheiten für vorteilhaft und sinnvoll. Sie akzeptieren und dulden dennoch die Praxis der Diskriminierung, weil sie mit der Mehrheit der eigenen Gruppe, die die Diskriminierung für legitim hält, konform sein wollen. Sie haben Angst vor negativen Folgen der Nonkonformität. Ein anderer Grund, warum sie Diskriminierungen stillschweigend dulden, ohne diese gut zu heißen, besteht in der Tatsache, dass die Diskriminierungen institutionalisiert worden sind. Institutionalisierung ist hier als Prozess gemeint, in dem sich bestimmte kulturelle Muster gebildet, standardisiert, mit bestimmten Sanktionen untermauert und für das allgemeine Verhalten bindend gemacht haben. Die Institutionalisierung ethnischer Diskriminierungen tritt auch dann ein, wenn diese zu sozialen Normen werden. In diesem Fall spricht man von Diskriminierungsnormen im Gegensatz zu Privilegiennormen. Das Verbot des politischen Wahlrechts für Angehörige von Minderheiten ist ein Beispiel für Diskriminierungsnormen. Diese können formale Normen sein, die zu einem Teil des Systems der Gesetzgebung und Rechtssprechung geworden sind, aber auch informelle Normen, die ohne Kodifizierung nur als „common sense" in die allgemeinen Erwartungen und Gewohnheiten einer Gesellschaft Eingang gefunden haben.

Ausgehend von den obigen Ausführungen sind ethnische Diskriminierungen in folgenden Bereichen zu unterscheiden:

- im politischen Bereich (z.B. Einschränkung politischer Aktivitäten, Ausschluss vom politischen Entscheidungsprozess, Zugangsverbot zu den mit öffentlichen Mitteln finanzierten Einrichtungen),

- im ökonomischen Bereich (z.B. Benachteiligung im Bereich öffentlicher und privater Beschäftigung, Benachteiligung bei Entlohnung und beruflicher Beförderung, Ausgrenzung aus bestimmten Wohngebieten),

- im sozialen Bereich (z.B. Benachteiligung in sozialen Interaktionen und Vereinigungen),

- im institutionellen und legalen Bereich (z.B. ungleiche Behandlung durch Behörden und Gesetze).

Die direkten und indirekten sozialen und psychischen Folgen ethnischer Diskriminierungen können sehr unterschiedlich sein. Soziale Folgen werden besonders in der Einschränkung sozialer Mobilität, politischer Aktionen und des beruflichen Betätigungsfeldes sichtbar. Dagegen werden die psychischen Folgen im mangelnden Selbstbewusstsein, aber auch in psychosomatischen Erkrankungen und Psychosen der Betroffenen deutlich.

4.4 Fremdenangst (Xenophobie) und gesellschaftliche Bedingungen der manifesten Fremdenfeindlichkeit

Geht man von historischen Erfahrungen der Länder aus, die aus bevölkerungs-, wirtschafts- und arbeitsmarktpolitischen Erwägungen oder aus humanitären und sonstigen Gründen die Zuwanderung von Migranten gefördert bzw. zugelassen haben, kommt man zu der Feststellung, dass die interethnischen Beziehungen zwischen Einheimischen und Einwanderern, unabhängig von ihren jeweiligen länderspezifischen Ausgangssituationen, in Entwicklung und Verlauf durchweg von sozialen und rassischen Spannungen und gewalttätigen Konflikten begleitet wurden. Aus retrospektiver Sicht sind dabei gesellschaftliche Bedingungen zu beobachten, die in allen Ländern vorkommen und bei deren Eintreten die latent vorhandene Fremdenangst der Einheimischen in manifeste und gewalttätige Fremdenfeindlichkeit gegenüber den Einwanderern überzugehen scheint. Da diese konflikthafte Zuspitzung interethnischer Beziehungen die ohnehin durch ethnische Vorurteile und Diskriminierungen benachteiligten Lebensbedingungen der Migranten in ihrer Residenzgesellschaft zusätzlich verschlechtert und marginalisiert, sollen im Folgenden diese Bedingungsfaktoren in ihren Grundzügen skizziert und zur Diskussion gestellt werden.

In allen Aufnahmeländern ist zu beobachten, dass die Zuwanderung von Arbeitsmigranten anfänglich in einer Phase des wirtschaftlichen Aufschwungs und Arbeitskräftemangels durch einflussreiche wirtschaftliche Interessengruppen angeregt und durch die offizielle Politik in Gang gesetzt wird. Die Politik und die wirtschaftlichen Interessengruppen versäumen dabei oft, die einheimische Bevölkerung in ihre Entscheidungen einzubeziehen und rechtzeitig darüber aufzuklären, welche mittel- und langfristigen politischen Ziele mit der Zuwanderung angestrebt werden und welche unmittelbaren sozialen Konsequenzen durch die Zuwanderung zu erwarten sind. Verantwortlich für diese Versäumnisse ist der fehlende Weitblick von Politik und Wirtschaft, die nur die Arbeitsproduktivität im Blick haben und vergessen, dass Arbeitskraft durch Menschen produziert wird. Die Bevölkerung wird unvorbereitet mit dem Phänomen der Zuwanderung konfrontiert und reagiert mit reserviertem Abwarten, Skepsis und diffuser Angst sowohl dieser Politik als auch den Zuwanderern gegenüber. Diese anfänglichen Vorbehalte und latenten Ängste der Bevölkerung scheinen leicht zu manifesten Fremdenfeindlichkeiten eskalieren zu können, wenn zwei gesellschaftliche Bedingungen eintreten.

Die erste Bedingung besteht in der quantitativen Zunahme der Migranten, die die Toleranzschwelle der Einheimischen überschreitet. Die Frage, wo genau diese Toleranzgrenze liegt, ist jedoch nicht objektiv zu beantworten und eher von der jeweiligen sozialen Stimmungslage abhängig zu machen, die ihrerseits oft durch eine Reihe irrationaler Faktoren bestimmt wird. Die zahlenmäßige Zunahme der Fremden kann aus mehreren Gründen die latent vorhandenen Ängste der Einheimischen verstärken (vgl. Lincoln Quillian, 1995, 589). Wie bereits William Graham Sumner verdeutlicht (siehe S. 275), ist es ständiges Bemühen von Menschen, ihre Eigengruppe (in-group) gegenüber den anderen Fremdgruppen (out-groups) abzugrenzen. Obwohl die Existenz der Eigengruppe keineswegs eine primordiale bzw. von Natur vorgegebene Einheit, sondern eine soziale Konstruktion darstellt, die historisch und gruppenspezifisch nach wechselnden Kriterien (z.B. religiöse, rassische, ethnische, kulturelle, nationale Kriterien) sozial und kollektiv hergestellt wird, fühlen sich die Menschen erfahrungsgemäß in der Geschlossenheit der Eigengruppe sicher und geborgen. Die Grenzziehung der Eigengruppe gegenüber anderen Gruppen beschränkt sich dabei nicht nur auf die physisch-räumliche Dimension. Sie erfolgt auch im geistig-kulturellen Bereich durch die kultur- und gesellschaftsspezifische Sozialisation, die einerseits die Menschen in ihrer Kultur und Gesellschaft lebensfähig macht, andererseits diese gleichzeitig auf ihre Gesellschaft und Kultur hin fixiert und eingrenzt. Jeder Mensch erhält somit durch Sozialisation eine Prädisposition zum Ethnozentrismus im Sinne von William Graham Sumner: Die grundlegende geistige Haltung, die Eigengruppe zum Mittelpunkt aller Dinge aufzuwerten und die Welt durch das Wertsystem der eigenen Gruppe zu sehen. Die Befangenheit durch und die voreingenommene Parteilichkeit für die Eigengruppe ist die logische Folge. Damit werden Abweichungen von dem Wertsystem der eigenen Gruppe als auffällig und anormal abgewertet und abgelehnt. Die Konsequenz dieser Haltung ist sowohl die Entwicklung eines subjektiven Überlegenheitsgefühls als auch die latente Xenophobie (Xenophobie: Angst vor Fremden bzw. Fremdenangst, Xenos: Gast, Fremder; Phobie: Angst).

Der sozialen Konstruktion der Eigengruppe folgt dann die soziale Konstruktion des Fremden. Der Fremde ist, wie Georg Simmel analysiert, derjenige, der heute kommt und morgen bleibt (siehe Kapitel 3.4). Er kommt von außen in die Eigengruppe, zu der er keine Zugehörigkeit hat. Er will dennoch bleiben, indem er dort eine neue Gruppenzugehörigkeit anstrebt. Solange ihm diese angestrebte neue Zugehörigkeit verweigert wird, bleibt sein Status in der Gruppe als Fremder erhalten. Die Existenz und Definition des Fremden wird somit durch die kollektive Selbstabgrenzung und Selbstdefinition der Gruppe, der sich der Fremde annähert, sozial konstituiert. Damit wird deutlich, dass die soziale Konstruktion des Fremden nicht nur gruppenspezifisch erfolgt, sondern sich auch mit der Veränderung der jeweiligen Kriterien, die die einzelnen Gruppen in ihrer historischen Entwicklung zu ihrer Selbstdefinition und Selbstabgrenzung gegenüber den anderen Gruppen kollektiv aufstellen, inhaltlich verändert.

Die Zuwanderung der Fremden weckt, wenn ihre Zahl gering bleibt, bei den Einheimischen zunächst nur latente und diffuse Gefühle von Angst und Bedrohung. Unter dem Phänomen der Angst wird hier ein innerer Erregungszustand gemeint, der dann eintritt, wenn Menschen sich bedroht fühlen (vgl. Bernhard Floßdorf, 1988, 34). Mit zunehmender Zahl werden die Fremden immer deutlicher wahrnehmbar (visibility) und auffällig. Für die Wahrnehmung der Einheimischen treten sie allmählich als Gruppe von Menschen in Erscheinung, die anders aussehen und sich verhalten, anderer sprachlicher, ethnischer, kultureller, religiöser Herkunft sind. Die Einheimischen fühlen sich in ihrer Homogenität bedroht. Negative ethnische Vorurteile und Stereotypen gegenüber den Fremden werden mobilisiert und verstärken diese Angstgefühle zusätzlich. Dabei ist zu bedenken, dass die Angst als innerer Erregungszustand vor drohender Gefahr den Organismus generell in nervöse Spannungszustände versetzt, die entweder die Aktivitäten des Organismus zur Bewältigung der Gefahr erhöhen oder vorübergehend gänzlich lähmen (z.B. Schreckmomente) können. Es ist normal, dass der Organismus grundsätzlich dazu tendiert, die eingetretenen unangenehmen Spannungen möglichst schnell zu beseitigen und sein Gleichgewicht bzw. seinen vorherigen Normalzustand wieder herzustellen. Die Angstbewältigung auf kollektiver Ebene ist auch in analoger Weise vorzustellen. Dies bedeutet, dass die zahlenmäßige Zunahme der Fremden die Xenophobie intensiviert und die intensivierte Xenophobie wiederum die Einheimischen dazu veranlasst, konkrete Schritte zu ihrer Bewältigung zu unternehmen.

Die Mobilisierung der Einheimischen zur aktiven Bewältigung der Xenophobie kann dabei unter verschiedenen ideologischen Voraussetzungen erfolgen, die historisch und länderspezifisch bedingt sind. Eine in der Geschichte oft vorkommende Mobilisierungsform gegen die Xenophobie im Einwanderungskontext stellen die nativistischen Bewegungen unterschiedlicher ideologischer Prägung dar. Sie bestehen allgemein in dem Bemühen der Einheimischen, die tatsächlich oder vermeintlich drohende Beeinträchtigung und Relativierung ihrer ethnischen, religiösen, rassischen und sonstigen Vorrangstellung, die durch fremde Elemente der Zugewanderten verursacht werden, zu beseitigen und den ursprünglichen Zustand wieder herzustellen (vgl. Friedrich Heckmann, 1992, 152). Die antikatholische Organisation „The American Protective Association", die in den USA gegründet wurde, als um 1882 die zahlenmäßige Dominanz der Einwanderer aus Nordeuropa mit überwiegend protestantischer Glaubenszugehörigkeit durch die der Einwanderer aus Südeuropa mit überwiegend katholischer Glaubenszugehörigkeit überlagert wurde, ist ein typisches Beispiel für eine nativistische Bewegung. Die dadurch ausgelösten ethnischen Unruhen und Protestbewegungen der dominanten protestantischen Mehrheit haben 1921 zur Einführung der Quotenregelung (the national quota system) zugunsten der weißen Einwanderer aus Nordeuropa in der US-amerikanischen Einwanderungspolitik geführt (vgl. Milton M. Gordon, 1964, 97).

Die zweite gesellschaftliche Bedingung, die die latent vorhandene Xenophobie der Einheimischen zur manifesten Fremdenfeindlichkeit gegenüber Einwanderern eskalieren lässt, tritt mit wirtschaftlichen Krisen ein (vgl. Lincoln Quillian, 1995, 590), die fast zyklisch alle Länder heimsuchen. Sie setzen die Toleranzschwelle der Einheimischen herab und intensivieren dadurch die latent vorhandene Xenophobie. Ein wesentlicher Grund für diese Entwicklung ist darin zu sehen, dass die Ängste der Menschen vor dem möglichen Verlust ihres Arbeitsplatzes sowie ihres erreichten Besitzstandes mit wirtschaftlichen Krisen größer werden. Die Anwesenheit von Fremden in Krisenzeiten erhöht solche Ängste zusätzlich, weil die Einheimischen in ihrer Einschätzung der Krisensituation oft von der Vorstellung des sog. „Null-Summen-Wettbewerbs" (Zero-Sum-Competition) ausgehen (vgl. Lawrence Bobo, Vincent L. Hutchings, 1996, 958). Sie stellen sich die Gesamtsumme der politischen, ökonomischen und sozialen Ressourcen der Gesellschaft (z.B. Lehrstellen, Wohnungen, Arbeitsplätze, staatliche Leistungen) als mehr oder minder begrenzt und vorgegeben vor, die es nun möglichst gerecht zu verteilen gilt. Dabei gehen sie von der Annahme aus, dass wirtschaftliche Krisen Menschen zu erhöhter Anstrengung führen, um bei der Verteilung der begrenzten gesellschaftlichen Ressourcen einen möglichst großen Vorteil zu erkämpfen. Der Wettbewerb um die knappen und begrenzten Ressourcen in der Gesellschaft wird damit in wirtschaftlichen Krisenzeiten wesentlich schärfer als in der Zeit der wirtschaftlichen Prosperität. Die Anwesenheit der Fremden in einer verschärften Wettbewerbssituation erhöht die Ängste der Einheimischen deswegen, weil diese annehmen, dass der Anspruch der Fremden auf die ohnehin begrenzten gesellschaftlichen Ressourcen zwangsläufig den ihnen rechtmäßig zustehenden Anteil reduzieren wird. Fremdenfeindliche Parolen wie „Ausländer raus", „Deutschland den Deutschen" bringen die aus solchen Ängsten resultierende defensive Reaktion der Einheimischen zum Ausdruck.

Das Eintreten der beiden aufgezeigten gesellschaftlichen Bedingungen hat in der Geschichte oft zur manifesten Fremdenfeindlichkeit geführt. Ihre konkreten Erscheinungsformen hängen dabei wesentlich von den sozialen Stimmungen der jeweiligen Gesellschaft ab, die oft durch die nationalistischen und rassistischen Ideologien von rechtsradikalen Parteien unterschiedlicher Couleur erzeugt und beeinflusst werden. Nach Auffassung von Gordon W. Allport sind folgende Erscheinungsformen der feindseligen Ablehnung der Fremden denkbar, die durch negative ethnische Vorurteile induziert werden können. Die Reihenfolge der einzelnen Nennungen bringt dabei die graduell steigende Intensität der feindseligen Ablehnung zum Ausdruck (vgl. Allport W. Gordon, 1971, 28-29):

a) Verleumdung

Diese besteht aus verbalen Äußerungen fremdenfeindlicher Gefühle und Gedanken. Sie stellt eine milde Form der Fremdenfeindlichkeit dar.

b) Vermeidung

Diese besteht in dem Ausweichen und Verweigern sozialer Kontakte mit Fremden. Beim Vermeiden des Kontaktes können sogar beachtliche Unbequemlichkeiten, die als unmittelbare Folge eintreten können, in Kauf genommen werden. Damit wird den Fremden kein direkter Schaden zugefügt und der, der die Fremden vermeidet, trägt die Kosten seines Rückzugs selbst.

c) Diskriminierung

Hier wird die faktische Ungleichbehandlung der Fremden in allen Lebensbereichen (z.B. Wohnungsmarkt, Arbeitsmarkt, Erziehung, Gesundheitswesen) zum Nachteil der Fremden praktiziert.

d) Körperliche Gewaltanwendung

Hier äußert sich die feindselige Ablehnung in der aggressiven Anwendung unterschiedlicher Formen physischer Gewalt, die den Zweck haben, den Fremden direkten physischen Schaden zuzufügen und sie zu erniedrigen.

e) Vernichtung, Lynchjustiz, Pogrome

Tötung, Massenmorde und Genozid kennzeichnen die brutalste und grausamste Form der Fremdenfeindlichkeit.

Die bisher skizzierten gesellschaftlichen Bedingungen (Zusammenkommen der quantitativen Zunahme von Fremden und wirtschaftliche Krisen) als auslösende Bedingungen für die manifeste Fremdenfeindlichkeit sind im relativen Sinne zu verstehen. Sie implizieren keine Gesetzmäßigkeiten, sondern weisen nur auf große Wahrscheinlichkeiten hin, die sich auf geschichtliche Erfahrungswerte vieler Einwanderungsländer stützen. Sie wurden hier besonders hervorgehoben, weil sie die wesentlichen Bedingungen für die Entstehung manifester Fremdenfeindlichkeit ausmachen. Dabei bleibt die Erkenntnis unbestritten, dass die manifeste Fremdenfeindlichkeit ein hoch komplexes Phänomen darstellt, dessen adäquates Verständnis differenzierte Kausalanalysen voraussetzt. Unbeschadet dieser Erkenntnisse stellen die oben aufgezeigten gesellschaftlichen Bedingungen die wichtigsten Faktoren für die Entstehung manifester Fremdenfeindlichkeit dar. Sie sollen im Folgenden aus der Einwanderungsgeschichte der USA und aus der jüngsten Zeitgeschichte des wieder vereinten Deutschlands exemplarisch vorgestellt und empirisch untermauert werden.

Als eindrucksvolles Beispiel der Fremdenfeindlichkeit in der Einwanderungsgeschichte der USA können die antichinesischen Aufstände und Protestbewegungen in Kalifornien genannt werden, die von 1852 bis 1882 in drei Wellenbewegungen eingetreten waren. Vor 1852 war nur eine kleine Zahl von chinesischen Einwanderern, die sogar vom kalifornischen Staat offiziell willkommen geheißen wurde, in Kalifornien ansässig. Als dann 1852 der kalifornische Goldrausch ausbrach, versiebenfachte sich die Zahl der chinesischen Einwanderer innerhalb kurzer Zeit von 2.716 auf 20.026. Die weißen Goldminenarbeiter reagierten mit „race riots" gegen die Zuwanderung der chinesischen Arbeiter. Der kalifornische Staat führte für die chinesischen Minenarbeiter eine Sondersteuer von monatlich 3 US-Dollar pro Kopf ein und erhöhte nach kurzer Zeit diese sogar auf 4 US-Dollar. Einerseits ging es darum, die Staatseinnahmen zu verbessern, andererseits bessere Wettbewerbsbedingungen für die einheimischen Minenarbeiter zu schaffen. Ab 1854 wurde sogar die Einbürgerung der Chinesen in Kalifornien gesetzlich verboten. Die sinkenden Goldpreise in den Jahren 1853/1854 haben den Wettbewerb um die Abbaurechte von profitablen Goldminen so verschärft, dass die chinesischen Minenarbeiter fast vollständig aus dem Goldmimenbergbau verdrängt wurden. Die erste Welle des kalifornischen Goldrausches ging dabei von dem Abbau des ebenen golderzhaltigen

Bodens („placer mining") aus, dessen Bearbeitung relativ einfach war und keine besonderen Qualifikationen und Investitionen voraussetzte. Als um 1859 die Goldgewinnung in den tieferliegenden unterirdischen Bergwerken durch große Firmen industriell vorangetrieben wurde („lode mining"), gaben die meisten weißen Goldminenbesitzer ihre „placer mines" auf und arbeiteten als Lohnarbeiter der Bergbaufirmen, weil sie dadurch höhere Einkommen erzielen konnten. Die chinesischen Minenarbeiter übernahmen Goldminen, die die Weißen aus Rentabilitätsgründen aufgaben, um den harten und diskriminierenden Wettbewerb mit den weißen Lohnarbeitern zu vermeiden bzw. umgehen zu können (vgl. Terry E. Boswell, 1986, 356-360).

1865 wurden von den US-amerikanischen Eisenbahnbaugesellschaften für den Bau des „The Central Pacific Railroad" entlang der kalifornischen Westküste weiße Arbeiter angeworben. Als sich nur 800 Arbeiter bewarben, obwohl mehrere Tausende benötigt wurden, gingen die Firmen zur Rekrutierung chinesischer Einwanderer über. Als 1869 der Bau der Eisenbahnstrecke vollendet war, waren 83 % der 12.500 Arbeiter Chinesen. Sie erhielten niedrigere Löhne als die weißen Arbeiter, so dass eine eindeutige rassische Diskriminierung bei der Entlohnung praktiziert wurde. Die chinesischen Arbeiter konnten jedoch keine Forderung nach gleichem Lohn stellen, weil immer mehr Einwanderer kamen, die bereit waren, für niedrigere Löhne zu arbeiten. Der Arbeitsmarkt des Eisenbahnbaus war somit ein „split labor market". Die Entlassung von chinesischen Arbeitern nach der Fertigstellung der Eisenbahnstrecke hat in den Jahren von 1867 bis 1869 zu einer dramatischen Zuspitzung der antichinesischen Agitationen und Übergriffe geführt. Die chinesischen Arbeiter haben durch den Bau der Eisenbahnstrecke Qualifikationen (z.B. Umgang mit Sprengstoff, der beim industriellen Minenbergwerk nur von weißen Arbeitern beherrscht wurde) erworben, die sie in den Wettbewerb am Arbeitsmarkt einbringen konnten. Die weißen Arbeiter versuchten z.B. durch generelle Ausgrenzung (exclusion) der chinesischen Arbeiter vom Arbeitsmarkt ihren Wettbewerbsvorteil zu erhalten und zu sichern (vgl. Terry E. Boswell, 1986, 361-362).

Die Rassendiskriminierung gegenüber den chinesischen Einwanderern hat zu ihrer Exklusion und Segregation auf dem Arbeitsmarkt geführt. Ihnen blieb nur die Möglichkeit, durch Geschäftsgründungen in den Bereichen zu überleben, in denen kein Wettbewerb mit Einheimischen zu erwarten war (z.B. Herstellung von Bekleidung, Zigarren, Schuhen). So entstanden kleine Handwerks- und Manufakturbetriebe in chinesischen Enklaven, die sich durch die Beschäftigung von billigeren und loyalen chinesischen Arbeitern allmählich Wettbewerbsvorteile verschafften und konkurrenzfähig werden konnten. Diese Entwicklung hat dazu geführt, dass die weißen Unternehmer von Handwerks- und Manufaktur-betrieben und die dort beschäftigten weißen Arbeiter über ihre Klassengrenzen hinweg eine gemeinsame antichinesische Allianz bildeten, um geschlossen ge-gen ihre Wettbewerbsnachteile anzugehen. 1879 erwirkten sie mit politischer Unterstützung der „Democratic Party" eine Reihe von lokalen Diskriminie-rungsvorschriften gegen Chinesen. Viele arbeitslose Chinesen wanderten von Kalifornien in andere Gebiete der USA aus, so dass zwischen 1860 und 1880 die chinesische Bevölkerung in Kalifornien um 25 Prozent reduziert wurde. 1882 beschloss der US-Kongress „The Exclusion Act", das für 10 Jahre die Einwanderung der Chinesen in die USA auf der Basis der nationalen Gesetzge-bung untersagte, eine Kulmination der Fremdfeindlichkeit, die sich bereits seit den gewalttätigen Übergriffen auf Chinesen während der wirtschaftlichen Re-zession von 1876 angebahnt hatte (vgl. Terry E. Boswell, 1986, 364-366).

Ein Beispiel der jüngsten Zeitgeschichte des wieder vereinten Deutschlands ist die dramatische Zuspitzung der gewalttätigen Fremdenfeindlickeit gegen Arbeitsmigranten, Ausländer und Asylbewerber zu Beginn der 1990er Jahre. Wenn man bedenkt, dass die Bundesanstalt für Arbeit mit 260 Mitarbeitern Tag für Tag bis zu 1.600 Ausländer angeworben und die Bundesvereinigung der Arbeitgeberverbände im September 1964 den millionsten Arbeitsmigranten in der Bundesrepublik Deutschland mit einem Moped-Geschenk empfangen hat (vgl. Rolf Meinhardt, 1984, 12), ist der stimmungsmäßige Umschwung zur ge-walttätigen Fremdenfeindlichkeit zu Beginn der 1990er Jahre ein mehr als dra-matischer Vorgang. Dabei ist festzuhalten, dass die Anwerbung von Arbeits-migranten ohne Vorbereitung der deutschen Bevölkerung durch die einseitigen Initiativen der deutschen Wirtschaft und Politik erfolgte, so dass die in der Bevölkerung latent vorhandene Skepsis gegen die Zuwanderung nicht beachtet wurde (vgl. Gary P. Freeman, 1995, 889-893). Sie blieb solange verdeckt, wie die wirtschaftliche Entwicklung ihren wachstumsorientierten Verlauf fortsetzen konnte. Bereits in der ersten größeren Rezession 1966/67 wurde die fremden-feindliche Stimmung deutlich, indem den Italienern vorgeworfen wurde, den Deutschen die Arbeitsplätze wegzunehmen (vgl. Rolf Meinhardt, 1984, 17).

Die Bundesvereinigung der Arbeitgeberverbände und die Bundesanstalt für Arbeit haben die zunehmenden Unruhen in der Bevölkerung bezüglich der Arbeitsmigranten mit dem Argument zu besänftigen versucht, dass die Mehr-heit von ihnen in ihre Heimat zurückkehren würde, wenn die wirtschaftlichen Voraussetzungen für ihre Anwesenheit in der Bundesrepublik Deutschland entfallen (vgl. Lutz Hoffmann, Herbert Even, 1984, 143-144). Die weltweite Rezession nach der Energiekrise 1973 hat in der Bundesrepublik Deutschland dazu geführt, dass die Anwerbung von Arbeitsmigranten ab dem 23. November 1973 offiziell eingestellt wurde. Die Mehrheit der Arbeitsmigranten kehrte jedoch nicht in ihre Heimat zurück, wie allgemein erhofft wurde. Die Arbeitsmigranten, die als „Gäste" angeworben wurden, richteten sich offensichtlich auf Dauer in der Bundesrepublik ein, unabhängig von bzw. trotz der Wirtschaftskrise. Ihr Bleiben wurde für die deutsche Gesellschaft zum Problem, das nicht nur kontroverse öffentliche Diskussionen auslöste, sondern auch zur zunehmenden Manifestation der bis dahin latent vorhandenen Fremdenfeindlichkeit führte.

Einen brisanten Höhepunkt bildete das von 16 Professoren unterzeichnete Heidelberger Manifest vom 17. Juni 1981, das ausgehend vom völkisch-rassistischen Gedankengut Szenarien der „Unterwanderung" des deutschen Volkes und der „Überfremdung" der deutschen Identität und Kultur, die auf der Grundlage des christlich-abendländischen Erbes entstanden sind, ausmalte. Sein Einfluss auf die Ausländerpolitik liess nicht auf sich warten. Eine Reihe restriktiver Ausländererlasse in Berlin, Schleswig-Holstein, Nordrhein-Westfalen folgte unmittelbar nach der Veröffentlichung des Heidelberger Manifestes (vgl. Claus Burgkart, 1984, 144, 155). Am 10. November 1983 wurde schließlich vom Deutschen Bundestag das Rückkehrhilfegesetz beschlossen, um mit finanziellen Anreizen die in der Bundesrepublik Deutschland lebenden Arbeitsmigranten zur Rückkehr in ihre Heimat zu bewegen. Die erhoffte Remigration trat jedoch nur in geringem Umfang ein, so dass die „Ausländerfrage" (Anwesenheit der Arbeitsmigranten und ansteigende Zahl der Asylbewerber) als ungelöstes Dauerthema erhalten blieb. In den 1980er Jahren verlagerte sich der Schwerpunkt der Ausländerfrage von der Thematik der Arbeitsmigranten auf die des Asylrechtes sowie auf die Veränderung des Art. 16 des Grundgesetzes.

Zu Beginn der 1990er Jahre rollte im Osten und Westen Deutschlands gleichermaßen eine Woge fremdenfeindlich motivierter Gewalttaten und Anschläge (siehe folgende Tabelle 19). Die sechstägige Randale und die gezielten Angriffe gegen die mozambikanischen und vietnamesischen Bewohner eines Arbeiterwohnheimes im sächsischen Hoyerswerda (September 1991), fanden unter stillschweigender Genugtuung und mit offenem Beifall der dortigen Bevölkerung statt und zwangen den Rechtsstaat, die Heimbewohner in westliche Bundesländer umzusiedeln. Die tagelangen Krawalle auf Straßen in Rostock-Lichtenhagen (September 1992), der Mordanschlag auf eine türkische Familie in Mölln/Schleswig-Holstein (23. November 1992), bei dem eine türkische Frau und zwei türkische Mädchen starben, der Brandanschlag auf das Haus einer türkischen Familie im Solingen (25. Mai 1993), bei dem zwei Frauen und drei

Mädchen starben, sind einige Beispiele dafür, mit welchem Hass und welcher Brutalität die fremdenfeindlichen Gewalttaten ausgetragen wurden. Wie den Zahlen der Tabelle 19 zu entnehmen ist, war das wieder vereinte Deutschland in der ersten Hälfte der 1990er Jahre von einer erschreckenden Welle fremdenfeindlicher Gewaltexzesse überzogen, die Brandanschläge, Sachbeschädigungen, Angriffe auf Personen und Störungen des öffentlichen Friedens umfasste.

Die abrupte Steigerungsrate der fremdenfeindlichen Gewalttaten 1991 und ihre Kulmination in den Jahren 1992/1993 fanden in einer Situation statt, in der die Zahl der zugewanderten Fremden von Jahr zu Jahr neue Rekordhöhen erreichte (siehe Tabelle 20). Die Kommunen, die bei der Unterbringung und Versorgung dieser Zuwanderer bis zum Rand ihrer Aufnahmekapazität belastet wurden, stellten die Forderung nach sofortigen finanziellen Hilfen und einer dauerhaften politischen Lösung durch die Änderung des Verfassungsrechts auf Asyl, Art. 16 des Grundgesetzes. Die sprachlich dramatisierenden Berichterstattungen in den Medien mit rassistischem und nationalistischem Unterton und Hinweisen auf die sog. „Asylantenflut" und „Schein-Asylanten", die das Asylrecht missbrauchen, und den Zustrom von „Armutsflüchtlingen", die nun massenweise nach Deutschland strömen, erzeugten große soziale Ängste (vgl. Ute Gerhard, 1991, 12). Die Partei der Republikaner und die DVU instrumentalisierten die ausländerfeindliche gesellschaftliche Stimmung für ihre politischen Interessen und stilisierten diese durch ihre völkisch-rassistischen Parolen zu einer nationalen Krise hoch. Unter derartigen gesellschaftlichen Bedingungen war es nicht verwunderlich, dass sich die Bevölkerung in ihrer Existenz bedroht fühlte. Dies war vielleicht auch Grund dafür, dass die mehrtägigen Straßenkrawalle gegen Ausländer in Hoyerswerda unter offenem Beifall der dortigen Bevölkerung stattfinden konnten.

Tabelle 19:   Jährliche Gesamtzahl der polizeilich registrierten fremdenfeindlichen Straf- und Gewalttaten unmittelbar vor und nach der deutschen Vereinigung (1987-1994)

1987-1990	250
1991	2.427
1992	6.336
1993	6.721
1994	3.491

Zusammengestellt nach den Angaben von Helmut Willems, 1996, 32-33

Typisch für die gewalttätige Fremdenfeindlichkeit zu Beginn der 1990er Jahre war die Tatsache, dass die Angriffe weitgehend von Mitgliedern rechtsextremistischer Splittergruppen (z.B. Neonazis, Skinheads) ausgeübt wurden. 1992 schätzte das Bundesamt für Verfassungsschutz die Zahl der Skinheads in Deutschland auf 6.500, von denen etwa 4.500 dem neonazistischen Gewaltpotential zuzurechnen waren (vgl. Peter Meier-Bergfeld, 1992, 5). Sie waren sowohl im Westen als auch im Osten Deutschlands zu finden. Fremdenfeindlichkeit gegen Polen, Vietnamesen, Afghanen und Angolaner gab es auch in der ehemaligen DDR. Naziparolen und Hakenkreuze an Schul- und Häuserwänden und die Schändung von jüdischen Friedhöfen kamen im Osten bereits vor der deutschen Einigung vor (vgl. Wolfgang Thierse, 1992, 12). Dies bedeutet, dass die Anhänger der rechtsextremistischen Gruppen, die bereits vorher bekannt waren, erst zu Beginn der 1990er Jahre unter den angespannten gesellschaftlichen Bedingungen offen und manifest in Erscheinung treten konnten. Die abrupte Halbierung der fremdenfeindlichen Gewalttaten 1994 ist auch vor dem Hintergrund zu sehen, dass die restriktive Änderung des Verfassungsrechts auf Asyl im Art. 16 des Grundgesetzes durch den Bundestag am 25. Mai 1993, die am 1. Juli 1993 rechtskräftig wurde, bereits 1994 die Zahl der Asylsuchenden um fast zwei Drittel gegenüber der Zahl von 1993 reduzierte.

Tabelle 20:   Zahl der zugewanderten Aussiedler und Asylsuchenden unmittelbar vor und nach der Änderung des Verfassungsrechts auf Asyl im Art.16 des GG

Jahr	Aussiedler	Asylsuchende
1990	397.075	193.063
1991	221.995	256.112
1992	230.565	438.191
1993	218.888	322.599
1994	222.591	127.210

Quelle: Bundesverwaltungsamt (www. bva.bund.de) Bundesamt für die Anerkennung ausländischer Flüchtlinge (www.bafl.de) (1993)

Fremdenfeindlichkeit besteht aus der Abwehr der „Anderen", die ethnisch als „fremd" eingestuft werden. Sie ist eine Ausdrucksform des Ethnozentrismus. Sie wird besonders häufig von rechtsradikalen Gruppen ausgeübt, wie die historischen Beispiele zeigen. Die Legitimationsideologien der Fremdenfeindlichkeit bestehen oft aus einer Mischung von rassistischen, nationalistischen und religiös-fundamentalistischen Vorstellungen (vgl. Michael Minkenberg, 1998, 119-122). Die Träger solcher Ideologien haben das Ziel, die biologische, kulturelle oder religiöse „Reinheit" wieder herzustellen, indem sie die angebliche Verunreinigung, die durch Vermischung eintritt, zu beseitigen suchen. Solche ideologisch-fanatischen Bemühungen haben in der Geschichte oft zur Vertreibung von Minderheiten (z.B. der Juden aus Spanien 1492, weil sie nicht bereit waren, zum katholischen Glauben zu konvertieren) oder zum Pogrom und Genozid (z.B. industriell durchgeführtes Genozid an Juden und anderen Volksgruppen in Nazideutschland zur Reinhaltung des deutschen Blutes) geführt (vgl. Imanuel Geiss, 1988, 30, 118-121, 283-293).

5. Pluralisierung der Gesellschaft durch Einwanderung und multikulturelle Orientierung der Eingliederungspolitik

Migration bringt nicht nur für die Migranten eine grundlegende Veränderung ihres Lebens. Sie verändert langfristig auch die Struktur einer Gesellschaft, die eine große Zahl von Migranten aufnimmt. Unabhängig von den jeweiligen Gründen der Aufnahme, führt die Einwanderung langfristig zu spürbaren Veränderungen der Aufnahmegesellschaft in ihren kulturellen, wirtschaftlichen, sozialen und demographisch-biologischen Strukturen. Ihre Heterogenität nimmt weiter zu, so dass die strukturelle Pluralisierung eine logische Folge ist. Jede Gesellschaft, die aus zwingenden wirtschaftlichen und/oder demographischen Gründen die Zuwanderung von Migranten zulässt, ist daher gleichzeitig bestrebt, die damit verbundenen Veränderungen durch die konsequente Orientierung an politischen Leitideen, die möglichst durch eine Allparteienkoalition festgelegt werden, zu steuern und gering zu halten.

Im Mittelpunkt dieses Kapitels stehen zum einen der von den traditionellen Einwanderungsländern vorsichtig eingeleitete Übergang der einwanderungspolitischen Leitidee vom Assimilations- zum Pluralismusmodell des Multikulturalismus und zum anderen die migrationssoziologischen Aussagen zur Integration der Migranten in die Aufnahmegesellschaft. Die Letzteren können für die Länder von besonderer Bedeutung sein, die keine offizielle Einwanderungspolitik betreiben, weil sie sich nicht als Einwanderungsland verstehen, dennoch mit Problemen der Einwanderung und damit der Pluralisierung ihrer Gesellschaft konfrontiert sind. Dabei sollen die länderspezifischen Bedingungen, die diesen Übergang bewirkt haben, aufgezeigt und über ihre möglichen Perspektiven, auch für die europäischen Industrieländer mit Einwanderungsproblemen, kritisch nachgedacht werden.

5.1 Assimilationsmodell der Eingliederungspolitik im Übergang zum Pluralismusmodell des Multikulturalismus

Die Einwanderungs- und Eingliederungspolitik der traditionellen Einwanderungsländer USA, Kanada und Australien waren bis in die 1950er Jahre hinein weitgehend durch die Assimilationsvorstellungen der weißen Mehrheit geprägt, die die Einwanderer aus Nordeuropa mit anglo-teutonischer Herkunft und protestantischer Religionszugehörigkeit bevorzugten. Das Ziel dieser anglozentrischen Politik war die Bestrebung, die Einwanderung und Eingliederung der Immigranten so zu steuern, dass die rassische und religiöse Dominanz und Homogenität der weißen Einwanderer nordeuropäischer und anglo-teutonischer Herkunft bewahrt bleiben. Ausgehend von einer begriffsinhaltlichen Differenzierung der Assimilation wird versucht, die zeitgeschichtlichen Umstände aufzuzeigen, die zur Erosion und Revision der Assimilationsvortellungen dieser Länder geführt haben.

Allgemein wird unter dem Begriff der Assimilation die völlige Identifikation der Angehörigen von Minderheiten mit der Kultur der dominanten Mehrheit verstanden. Dabei wird unterstellt, dass die Angehörigen der Minderheiten eine über die externe und interne Akkulturation (siehe S. 222) hinausgehende neue Identität und Loyalität annehmen, die sich auf die dominante Kultur stützen. Sie werden dabei ihrer Herkunftskultur entfremdet und von der dominanten Kultur absorbiert, so dass die Differenzen der Minderheitenkultur zur Letzteren gänzlich verwischt werden (vgl. G. W. Horobin, 1957, 242). Assimilation in diesem Sinne findet eher bei Einzelnen als in einer Minderheitengruppe statt, weil in jeder ethnischen Minderheitengruppe das Bestreben vorhanden ist, ihre ethnische Tradition und Kultur zu pflegen und aufrechtzuerhalten.

Geht man von der differenzierten Begriffsvorstellung der Assimilation von Ronald Taft aus, beinhaltet Assimilation einen Prozess der Angleichung (a process of becoming alike), der auf drei verschiedenen Wegen eintreten kann. Die oben dargestellte allgemeine Begriffsbedeutung der Assimilation entspricht der monistischen Assimilation (monistic assimilation) von Ronald Taft. Sie beruht auf der Vorstellung, dass man die Wertvorstellungen der dominanten Mehrheit positiver bewertet als die der Minderheiten. Unter dieser Voraussetzung besteht die monistische Assimilation darin, dass man die Minderheitenidentität verliert, indem die Zugehörigkeit zur Minderheitengruppe aufgegeben und die Standards und Wertvorstellungen der herrschenden Mehrheit übernommen werden: „According to this viewpoint, assimilation ist conceived as a „swallowing-up" of the minority group so that it loses all identity by taking over the standards and values of the latter (majority, der Verf.)." (Ronald Taft, 1953, 45). Monistische Assimilation setzt, wie Ronald Taft selbst hervorhebt, eine Hierarchie der Kulturen voraus, die durch ethnozentrische Einstellungen begründet wird. Sie löst daher bei den „unterlegenen" Minderheiten Widerstände gegen die Teilnahme am Assimilationsprozess aus.

Eine der monistischen Assimilation diametral entgegengesetzte Assimilationsform ist die pluralistische Assimilation (pluralistic assimilation). Diese besteht darin, dass zwei oder mehrere kulturell verschiedene Gruppen zu einem Teil der gleichen und umfassenden Gemeinschaft werden („two or more cultural groups can form part of the same community") und ihre Assimilation gegenseitig auf ein Minimum reduzieren. Der wesentliche Grund für die Einschränkung der Assimilation ist die Schwierigkeit, eine von allen Gruppen getragene Vereinbarung (agreement) zur gleichzeitigen Erhaltung und Tolerierung ihrer Unterschiede zu erzielen. Alle Gruppen sollen gleichberechtigt und tolerant miteinander leben und gleichzeitig ein gemeinsames und alle Gruppen umfassendes Wertsystem (shared set of values) teilen. Der Pluralismus hat damit nur dann Erfolgsaussicht, wenn alle beteiligten Gruppen bereit sind, gegenseitig das Wertesystem anderer Gruppen zu tolerieren (vgl. Ronald Taft, 1953, 46-48).

Die dritte Form der Assimilation bei Ronald Taft ist die interaktionistische Assimilation (the interactionist approach to assimilation). Sie geht von der Annahme aus, dass verschiedene kulturelle Gruppen durch ihre sozialen Interaktionen zu gegenseitiger Annäherung (convergence) gelangen, so dass sie trotz ihrer Unterschiede bereit werden, ein alle Gruppen umfassendes Wertsystem als gemeinsamen Bezugsrahmen (common frame of reference) zu akzeptieren. Unter diesem Aspekt bedeutet Assimilation einen Konvergenzprozess, in dem kulturell unterschiedliche Gruppen durch soziale Interaktionen gemeinsame Gruppennormen aus ihren jeweils unterschiedlichen Normen bilden, die sie dann als gemeinsamen Bezugsrahmen (shared frame of reference) für ihre Rollenerwartungen akzeptieren (vgl. Ronald Taft, 1953, 48-52).

Ronald Taft hat den Assimilationsbegriff theoretisch differenziert, um ihn auf den Prozess der Assimilation der Immigranten in Australien analytisch anzuwenden. Er machte jedoch keinen Hehl daraus, dass die effektivste Assimilationsform für ihn die interaktionistische Assimilation ist, wie bereits die Überschrift seines Aufsatzes „The shared frame of reference concept applied to the assimilation of immigrants" andeutet (vgl. Ronald Taft, 1953, 45). Dennoch bleiben seine Überlegungen eher theoretisch, weil die tatsächlichen Bedingungen sozialer Kommunikation und Interaktion, die zur erwünschten Konvergenz unterschiedlicher Standpunkte der Minderheitsgruppen führen können, in der gesellschaftlichen Wirklichkeit selten vorhanden sind. Auf der anderen Seite stellt seine Begriffsdifferenzierung zur Assimilation ein vereinfachendes theoretisches Modell dar, das bei der Analyse komplexer einwanderungs- und eingliederungspolitischer Zusammenhänge hilfreich ist. Unter Berücksichtigung dieser Differenzierung sollen im Folgenden die soziologischen Analysen der Assimilationsideologie der USA vorgestellt werden, die Milton M. Gordon 1964, d.h. 11 Jahre nach dem Erscheinen des Aufsatzes von Ronald Taft, publiziert hat. Gordon veranschaulicht darin die zeitgeschichtlichen Umstände in den USA, die zur radikalen Ablehnung des Assimiationsmodells der Eingliederung durch die Minderheiten geführt haben (vgl. Petrus Han, 1995, 26-31).

Eine der herrschenden ideologischen Vorstellungen, die die Einwanderungsgeschichte der USA bis in die 1950er Jahre begleitet hat, war die Vorstellung der Integration und Assimilation aller Einwanderer in die neue große amerikanische Gesellschaft. Sie war ideologisch, weil sie der Realität der amerikanischen Gesellschaft nie entsprochen hat. In der Realität war und ist die amerikanische Gesellschaft eine Gesellschaft rassischer und ethnischer Diskriminierung und Segregation. Der ideologische Charakter der in den USA verbreiteten Assimilationsvorstellungen kommt bereits in ihren begrifflichen Implikationen deutlich zum Ausdruck.

Nach der Auffassung von Milton M. Gordon besteht die Assimilationsidee in den USA aus drei allgemein verbreiteten ideologischen Vorstellungen. Es handelt sich um die der „anglo-conformity", des „melting pot" und des „cultural pluralism", die nach der Reihenfolge der Nennung zeitlich nacheinander entstanden sind (vgl. Milton M. Gordon, 1964, 85). Eine nähere Betrachtung dieser drei ideologischen Varianten der Assimilation kann die treibenden historischen Beweggründe des „ethnic revival" in den USA verständlicher machen, weil das „ethnic revival" als eine soziale Bewegung entstanden ist, die die Assimilationsideologien generell und radikal ablehnt.

Die Assimilation wurde in den USA anfänglich mit der Ideologie der „anglo-conformity" assoziiert, deren begriffliche Einführung auf die Arbeit von G. Stewart und Mildred W. Cole zurückgeht. Assimilation wurde dabei gleichgesetzt mit der Anpassung der Einwanderer an die dominante anglo-protestantische Kultur der US-amerikanischen Gesellschaft. Danach sollten die Einwanderer ihre Sprache, ethnischen Sitten und Lebensgewohnheiten zugunsten der Sprache, Sitten, Gewohnheiten und Lebensweise der amerikanischen und angelsächsischen „core culture" aufgeben (vgl. Milton M. Gordon, 1964, 85, 101; Charles Price, 1969, 183). Die sog. WASPS-Ideologie (White Anglo Saxon Protestants-Ideologie), die die Merkmale der Zugehörigkeit zur weißen Rasse, zur ethnischen Gruppe der Anglo-Sachsen und zur protestantischen Religionsgemeinschaft als die entscheidenden Voraussetzungen für den sozialen Aufstieg in der amerikanischen Gesellschaft betont, ist eine unverkennbare Ausdrucksform der Ideologie der „anglo-conformity". Es handelt sich um eine ideologische Vorstellung der monistischen Assimilation, um den Begriff von Ronald Taft zu gebrauchen, die aus der Position des Ethnozentrismus und der Machtüberlegenheit resultiert.

Die zweite Ideologie der Assimilation ist die Schmelztiegel-Vorstellung (melting pot), die von Israel Zangwill und Anderen vertreten wurde. Sie entstand gegen Ende des 18. Jahrhunderts (ca. 1782), als die Einwanderung von Nord- und Mitteleuropäern nichtenglischer Herkunft (Deutsche, Schweden, Franzosen usw.) einsetzte. Sie unterschieden sich kulturell und rassisch nicht grundlegend von den englischen Einwanderern, so dass sie relativ problemlos in die angloamerikanische Gesellschaft integriert werden konnten (vgl. Milton M. Gordon, 1964, 115-119). Die ursprüngliche Melting-Pot-Idee, die die amerikanische Gesellschaft als einen einzigen Schmelztiegel betrachtete, der die Einwanderer unterschiedlicher Herkunft und Kultur aufnahm und integrierte, erfuhr 1940 durch eine empirische Untersuchung von Ruby Joe Reeves eine Relativierung. Er untersuchte das Heiratsverhalten der Einwanderer und stellte fest, dass das endogame Heiratsverhalten zwischen den unterschiedlichen ethnischen und nationalen Gruppen mit der Zeit gelockert wurde, während es innerhalb der drei Religionsgemeinschaften der Juden, Protestanten und Katholiken unabhängig von dem Zeitfaktor insgesamt erhalten blieb. Er schlug daher vor, die Idee des „simple melting pot" durch die des „triple melting pot" zu ersetzen (vgl. Milton M. Gordon, 1964, 122).

Die dritte und zeitlich zuletzt entstandene Ideologie der Assimilation ist die Vorstellung des „cultural pluralism". Der 1924 von Horace Kallen stammende Begriff „cultural pluralism" erfuhr erst in den 1950er Jahren im Zusammenhang mit dem Gleichheitspostulat der amerikanischen Unabhängigkeitserklärung, das allen Amerikanern und allen ethnischen Gruppen der amerikanischen Gesellschaft die formale Rechtsgleichheit, auch im Sinne des Rechts, so zu sein, wie sie sind (affirmation of the right to be different) zuerkennt, eine theoretische Fundierung (vgl. Milton M. Gordon, 1964, 144-145; Michael Omi, Howard Winant, 1986, 15). Kultureller Pluralismus bedeutet dabei, dass die ethnischen

Gruppen unter Wahrung ihrer Kultur in die amerikanische Gesellschaft so integriert werden sollen, dass sie friedlich und gleichberechtigt zusammenleben können. Die gegenseitige Respektierung und die Aufrechterhaltung der kulturellen Unterschiede und Eigenwertigkeit sollen als gesellschaftspolitisches Ziel angestrebt werden (vgl. Petrus Han, 1989, 17).

Die Vorstellungen der „anglo-conformity", des „melting pot" und des „cultural pluralism" waren jedoch mehr ideologische Wunschvorstellungen als Realität der amerikanischen Gesellschaft. Die Einwanderer passten sich überwiegend auf der Verhaltensebene den angloamerikanischen Standards an, so dass ihre Anpassung nicht „anglo-conformity", sondern nur eine externe Akkulturation darstellte (vgl. Milton M. Gordon, 1964, 114). Die These des „triple melting pot" hat außerdem gezeigt, dass die Vorstellung einer völligen Verschmelzung der Einwanderer in die amerikanische Gesellschaft eine Illusion war. In den drei Religionen der Juden, Protestanten und Katholiken wurden die Grenzen der Assimilation deutlich. Die amerikanische Gesellschaft war in der Realität ein „multiple melting pot" (vgl. Milton M. Gordon, 1964, 131). Die Vorstellung des „cultural pluralism" entsprach zudem nicht der Realität der amerikanischen Gesellschaft, weil die drei Religionen jeweils unterschiedliche ethnische Gruppen in sich integrierten und sich dadurch innerhalb der Religionsgemeinschaften ethnische Grenzen relativierten. Die amerikanische Gesellschaft kann daher, wie Milton M. Gordon hervorhebt, durch den strukturellen Pluralismus besser charakterisiert werden als durch den kulturellen Pluralismus (vgl. Milton M. Gordon, 1964, 159; Nathan Glazer, Daniel P. Moynihan, 1963, 314). Die genannten Vorstellungen des „melting pot" und „cultural pluralism" sind inhaltlich verwandt mit der „pluralistischen Assimilation" von Ronald Taft, zeigen jedoch die Grenzen der Assimilation aufgrund des Problems, gleichzeitig ethnische Unterschiede behaupten und tolerieren zu wollen.

Die Vorstellungen der Integration und Assimilation in den USA waren nicht nur ideologisch, sie hatten darüber hinaus die Probleme der sozialen, politischen und wirtschaftlichen Ungleichheiten der amerikanischen Gesellschaft lange Zeit verdeckt und die durch sie verursachten anhaltenden rassischen und ethnischen Diskriminierungen außer Acht gelassen. Die Schwarzen fühlten sich durch ihre benachteiligte und ungleiche Teilhabe an Macht und Ressourcen als „interne Kolonie" der amerikanischen Gesellschaft degradiert (vgl. Joe R. Feagin, 1990, 101-104). Der wachsende Widerspruch zwischen der Integrations- und Assimilationspolitik und den sozialen Ungleichheiten veranlassten in den 1950er und 1960er Jahren vor allem die Schwarzen, die eingeborenen Amerikaner (Indianer) und die Einwanderer asiatischer, mexikanischer und spanischer

Herkunft zu organisierten politischen Protesten und Bürgerrechtsbewegungen. Sie forderten in ihrer „civil rights movement" die politische, wirtschaftliche und soziale Gleichberechtigung, ihre Integration in den „mainstream" Amerikas und die Beseitigung aller Formen institutioneller und legaler Diskriminierung. Sie wollten eine grundlegende Veränderung (great transformation) der amerikanischen Gesellschaft (vgl. Michael Omi, Howard Winant, 1986, 19). Die Bürgerrechtsbewegungen waren dennoch von ihrer Grundkonzeption her strukturell ausgerichtet, weil sie die Gleichberechtigung der diskriminierten Minderheiten forderten, indem sie gegen die institutionelle Segregation im Bereich des politischen Wahlrechts, von Bildung, Arbeit, Wohnung usw. protestierten. Sie wollten ihre soziale und gesellschaftliche Gleichberechtigung durch Anpassung an die dominante Kultur der Weißen erreichen (vgl. Gita Steiner-Khamsi, 1990, 283-286).

Ihre Anpassungsbemühungen brachten jedoch kaum positive Veränderungen mit sich. Umgekehrt wurden die sozialen Ungleichheiten, denen sie ausgesetzt waren, trotz der wohlfahrtstaatlichen Entwicklungen zunehmend größer. So entstanden aus den Bürgerrechtsbewegungen, die anfänglich Integrationsziele anstrebten, radikalisierte soziale Bewegungen der Schwarzen (z.B. die „Black Power" und „Black Panther"), die der bisherigen Integrations- und Assimilationspolitik eine klare Absage erteilten. Für sie ist nun die Gleichberechtigung nicht mehr die Voraussetzung für die Integration, sondern umgekehrt sind politische Macht und Gleichheit die Voraussetzungen für die gesellschaftliche Integration der benachteiligten Minderheiten. Die Bürgerrechtsbewegungen der Schwarzen nahmen daher nationalistische Züge an (vgl. Anthony D. Smith, 1981, 160). Sie propagierten nun „Pan-Africanism" und „culture of resistance", indem sie die Schwarzen an ihre afrikanischen Wurzeln mit der Eigenwertigkeit ihrer Musik, Folklore und Literatur erinnerten (vgl. Michael Omi, Howard Winant, 1986, 101). Ethnische Merkmale und Symbole sollten zur Herstellung einer gemeinsamen Identität kultiviert werden, um sich von Weißen abgrenzen und Solidarität für die gemeinsamen politischen Aktionen mobilisieren zu können. Das „black ethnic revival" war entstanden (vgl. Anthony D. Smith, 1981, 162).

Eine der politischen Reaktionen auf die Ghettoaufstände, Bürgerrechtsbewegungen und nationalistischen Bewegungen (new wave of Black ethnic nationalism) der Schwarzen war das 1967 erlassene Regierungsprogramm „affirmative action" der Johnson-Administration (vgl. Donata Eschenbroich, 1986, 192). Es handelt sich um ein per Gesetz angeordnetes und erzwungenes Programm der Desegregation und Gleichstellung der Schwarzen, das die Schwarzen als die am meisten diskriminierte und daher als förderungsbedürftigste Gruppe offiziell und aktiv anerkennt. Danach sollten öffentliche Einrichtungen (z.B. Universitäten) und alle Vertragspartner der Regierung in der Wirtschaft auf gesetzlichem Weg gezwungen werden, bei der Vergabe von Studienplätzen und bei der Stellenbesetzung schwarze Bewerber per Quotenregelung zu berücksichtigen.

Das „ethnic revival" seit den 1970er Jahren in den USA ist eine von der multiethnischen Basis der amerikanischen Gesellschaft ausgehende soziale Bewegung, die sowohl die Assimilationsideologien als auch die Vorzugsbehandlung (preferential treatment) der schwarzen Minderheit durch die „affirmative action" ablehnt (vgl. Michael Omi, Howard Winant, 1986, 113). Die Tatsache, dass das spezifisch amerikanische „ethnic revival" erst in den 1970er Jahren eintritt, kann durch folgende Umstände erklärt werden:

a) In den 1950er und 1960er Jahren haben sich viele ethnische Minderheiten in den USA den Bürgerrechtsbewegungen der Schwarzen angeschlossen und sie aktiv mitgetragen, um die sozialen Ungleichheiten, die die rassischen und ethnischen Diskriminierungen und Segregationen verursachten, gemeinsam zu bekämpfen. Ethnische Solidarisierung und ethnisches Selbstbewusstsein wurden dabei sozial aktiviert und durch gemeinsame Aktionen und Erfahrungen verstärkt.

b) Die besondere Berücksichtigung der Schwarzen durch die „affirmative action" hat die weißen Minderheiten (z.B. die zweite und dritte Generation polnischer, italienischer, griechischer, slawischer, jüdischer Herkunft), die aktiv an den Bürgerrechtsbewegungen beteiligt waren, enttäuscht (vgl. Donata Elschenbroich, 1986, 133). Sie fühlten sich in ihren Leistungen, die sie für die amerikanische Gesellschaft erbracht hatten, nicht anerkannt und zudem umgekehrt rassisch diskriminiert (reverse discrimination). Sie wurden zu den entschiedenen Gegnern der „affirmative action", weil sie in ihr eine neue Form rassischer Diskriminierung und sozialer Ungerechtigkeit sahen, zu deren Opfer sie nun geworden zu sein glaubten (vgl. Michael Omi, Howard Winant, 1986, 113).

c) In den USA begannen die neuen Rechten politischen Einfluss zu gewinnen. Zudem machte sich eine neokonservative Stimmung breit, die besonders von weißen Minderheiten und Intellektuellen vertreten wurde. Diese Stimmung wurde durch die wirtschaftliche Stagflation, die in den 1970er Jahren eintrat und durch die politischen Niederlagen der Weltmacht USA in Vietnam, Nicaragua und Iran zusätzlich verstärkt. Der Neokonservatismus in der Politik seit der

Reagan-Administration und in den Sozialwissenschaften lehnte aus mehreren Gründen die „affirmative action" ab. Er sah darin eine übertriebene und rassisch orientierte Staatsintervention, die die rassische und ethnische Gruppenzugehörigkeit zu einem entscheidenden Kriterium sozialer Statuszuweisung machte, was die Bürgerrechtsbewegungen gerade beseitigen wollten. Nach seiner Kritik stellte die „affirmative action" die fundamentalen Ideale der amerikanischen Gesellschaft, wie die des Individualismus, des marktorientierten Wettbewerbsprinzips und der grundsätzlichen Einschränkung der Staatsintervention, in Frage. Seine gesellschaftspolitische Zielsetzung war somit die Errichtung einer „colorblind society", einer Gesellschaft, in der die Hautfarbe keine Rolle bei der sozialen Statuszuweisung spielt. Diese Zielsetzung wurde von der Reagan-Administration aktiv unterstützt (vgl. Michael Omi, Howard Winant, 1986, 127-133). Die „affirmative action" förderte außerdem nur die Aufstiegsorientierten der schwarzen Minderheit, während die Mehrheit der amerikanischen Minderheiten kaum gefördert wurde. Sie belohnte im Endeffekt die schwache Leistung der Minderheiten und unterhöhlte dadurch das meritokratische Leistungprinzip Amerikas (vgl. Donata Elschenbroich, 1986, 213).

Die ethnischen Gruppen in den USA besinnen sich heute, ausgehend von den zeitgeschichtlichen Erfahrungen in der ersten Hälfte des 20. Jahrhunderts, stärker als je zuvor auf ihre ethnische Herkunft und Kultur. Sie sind von der bisherigen Ideologie und Politik der Integration und Assimilation enttäuscht und lehnen diese als Versuche der „Zwangsamerikanisierung" ebenso ab, wie den bisherigen Anglozentrismus (vgl. Donata Elschenbroich, 1986, 33, 141). Sie wollen auch mit der verspäteten Integrationspolitik der Bundesregierung (federal government) nichts zu tun haben (vgl. Anthony D. Smith, 1981, 161). Als vierte oder fünfte Generation der Einwanderer haben sie kaum emontionale Bindungen zu Herkunftsland und -kultur ihrer Vorfahren, sie haben dennoch ihr ethnisches Gruppenbewusstsein nie gänzlich abgelegt (vgl. Nathan Glazer, Daniel P. Moynihan, 1964, 17). Sie betonen nun selbstbewusster ihre ethnische Herkunft (voluntary ethnicity), indem sie nach neuen Ausdrucksformen ihrer Identität suchen. Auf ihr Alltagsleben hat zwar die ethnische Herkunftskultur keinen realen Einfluss, sie legen dennoch großen Wert auf die „symbolic ethnicity", d.h. auf solche Symbole (z.B. Riten, Zeremonien, Esskultur, Konsumgüter und Mode), die ein Fluidum des ethnischen Zugehörigkeitsgefühls (attenuated ethnic sentiments) vermitteln (vgl. Anthony D. Smith, 1981, 156). Das „ethnic revival", das besonders von den aufstiegsorientierten jungen Amerikanern verkörpert und getragen wird, ist zu einem bestimmenden Faktor der heutigen amerikanischen Gesellschaft geworden.

Die amerikanische Gesellschaft war zu keiner Zeit ein „simple melting pot",
sie war schon immer eine multikulturelle Gesellschaft. Die multikulturelle Aus-
prägung war jedoch noch nie so deutlich im Bewusstsein der Amerikaner wie in
der Gegenwart. Dieser Multikulturalismus ist jedoch nicht ein Ausdruck des
natürlich gewachsenen Zusammenlebens von Menschen multiethnischer Herkunft. Er ist eher Ausdruck der Proteste und Frustrationen ethnischer Gruppen, der zunehmend und bedenklich die amerikanische Gesellschaft in kulturell
unverrückbare Segmente parzelliert und ethnisiert. Das spezifisch amerikanische „ethnic revival" und der dadurch geprägte Multikulturalismus sind in ihrem Entstehungszusammenhang verständlich, ihre gesellschaftspolitischen Perspektiven sind jedoch besorgniserregend.

Anders als in den USA gehört der Multikulturalismus zum offiziellen Programm der Einwanderungs- und Eingliederungspolitik in Kanada und Australien. Kanada als eines der liberalen Einwanderungsländer verfolgt seit 1971 eine
Politik des Multikulturalismus, die durch das Multikulturalismus-Gesetz (Multi-
cultural Policy) im Jahre 1988 institutionalisiert wurde. Diese kulturelle Ausrichtung der offiziellen Politik ist Folge der sozialen Bewegung der „new-ethnicity"
in Kanada, die in den 1970er Jahren im Zusammenhang mit dem „ethnic revival" in den USA ausgelöst wurde und gegen die Politik der Assimilation der
Einwanderer nach dem Muster der „anglo-conformity" bzw. des „melting pot"
gerichtet war (vgl. Petrus Han, 1995, 33).

Der Multikulturalismus in Kanada geht ursprünglich als politische Reaktion
aus den Spannungen zwischen den zwei großen Bevölkerungsgruppen anglokel-
tischer und französischer Herkunft hervor. Er zielt darauf ab, durch Erweiterung des bilingualen und bikulturellen Blickwinkels die Gleichwertigkeit aller
Bevölkerungsgruppen im kulturellen, politischen, sozialen, wirtschaftlichen
Leben offiziell anzuerkennen und dadurch eine neue nationale Identität zu
schaffen. Die kulturelle Ausrichtung der Multikulturalismus-Politik wird dabei,
so die gesetzliche Formulierung, durch die sozialstrukturelle Dimension ergänzt. Die Spannungen zwischen den polyethnischen Bevölkerungsgruppen
sollen dadurch absorbiert und kanalisiert werden. Dennoch stieß der Multikulturalismus auf Ablehnung der Frankokanadier, weil sie darin vermeintlich die
Strategie der anglokeltischen Bevölkerungsgruppe sehen, ihre Privilegien und
Sonderstellung, die sie als eine der beiden Gründernationen bisher hatten, zu
schwächen (vgl. Gita Steiner-Khamsi, 1990, 289-292). Die Bewährungsprobe
der Multikulturalismus-Politik steht somit noch aus.

Der Multikulturalismus bestimmt seit Mitte 1970 auch in Australien die offizielle Politik, jedoch seit Beginn in einer sehr umstrittenen Weise. Der Grund

dafür liegt wesentlich in dem ausgeprägten Rassismus, der die Einwanderungspolitik Australiens in der Vergangenheit bestimmt hat. Seit der weißen Besiedlung Australiens im Jahre 1788 bestehen 99 % der gesamten Bevölkerung aus
Einwanderern und deren Nachkommen, die zunächst die Ureinwohner (Abo-
rigines) als genetisch unterlegene Menschen rassistisch ausgegrenzt haben. Die
überwiegend britischen Einwanderer haben diesen Rassismus in der Einwanderungspolitik fortgesetzt und im ersten Gesetz der Einschränkung der Einwanderung (Immigration Restrict Act von 1901) eine „Politik des Weißen Australiens" (White Australia Policy) gesetzlich verankern lassen, so dass die Einwanderer aus Nordeuropa bevorzugt, während die aus Südeuropa und Asien benachteiligt wurden (vgl. Stephen Castles, 1990, 45-46).

Der Aufschwung der australischen Wirtschaft im Zweiten Weltkrieg machte
jedoch einen erhöhten Bedarf an Arbeitskräften erforderlich, den der heimische
Arbeitsmarkt nicht befriedigen konnte. Als sich die Einwanderung von Arbeitskräften aus Nordeuropa, die nach der Rassenideologie Australiens leichter
in die anglo-australische Kultur assimiliert werden können, nicht kontinuierlich
fortsetzte, musste die „Politik des Weißen Australien" 1966 offiziell aufgegeben
werden und zu einer Politik des kulturellen Pluralismus übergehen. Das von
dem „Australian Council of Population und Ethnic Affairs" im Jahre 1982
verabschiedete politische Dokument „Multiculturalism for all Australians" markiert diese Politik (vgl. Stephen Castles, 1990, 48-55).

Der Multikulturalismus in Australien ist trotz seiner Proklamation durch die
offizielle Politik bisher insgesamt widersprüchlich und unklar geblieben. Über
seinen konzeptionellen Inhalt besteht weder ein klarer gesellschaftlicher noch
ein sozialwissenschaftlicher Konsens. Seine kulturalistische Deutung, die bei
den akademischen Diskussionen immer mehr Einfluss zu gewinnen scheint,
geht von dem statischen Kulturverständnis aus und versteht unter Ethnizität
etwas „Naturhaftes" und „Vorsoziales", was unabhängig von sozialstrukturellen
Bedingungen existiert. Danach ist die multikulturelle Gesellschaft eine ethnisch
segmentierte Gesellschaft, die in sich die Gefahr des ethnischen Separatismus
einschließt. Nur „übergreifende Werte" sollen die gesellschaftliche Integration
und Kohäsion der verschiedenen ethnischen Gruppen gewährleisten. Die Frage
jedoch, welche Werte diese sein können, bleibt unbeantwortet. Die sog. Neo-
Assimilationisten und diejenigen, die die Richtung des Humankapitalansatzes
der Wirtschaftswissenschaft vertreten, lehnen sogar den Multikulturalismus als
überflüssig ab, so dass er gesellschaftlich und wissenschaftlich umstritten bleibt
(vgl. Stephen Castles, 1990, 55-67).

Der Multikulturalismus in den USA und die offizielle Politik des Multikulturalismus in Kanada und Australien unterscheiden sich, wie gezeigt, in ihren Zielsetzungen. Der Erstere lehnt die gesellschaftliche Integration ethnischer Minderheiten ab, während die Letzteren umgekehrt die Integration ethnischer Minderheiten in eine neue nationale Identität politisch anstreben. Sie stimmen jedoch in der Betonung der Eigenwertigkeit ethnischer Kulturen überein. In dieser kulturellen Ausrichtung scheint jedoch der Multikulturalismus, hier sowohl als soziale Bewegung als auch als offizielle Politik, die Gefahr der Ethnisierung einzuschließen.

Die Ethnisierungstendenzen des Multikulturalismus in den USA sind, wie gezeigt, bereits offenkundig, während die Bewährungsprobe der offiziellen Politik des Multikulturalismus in Kanada und Australien noch aussteht. Kanada und Australien werden diese Bewährungsprobe nur bestehen, wenn sie die Gleichstellung ethnischer Gruppen in allen gesellschaftlichen Lebensbereichen gewährleisten können. Ansonsten setzt sich ihre Integrationspolitik der Gefahr aus, wie die Zeitgeschichte der USA zeigt, von den ethnischen Gruppen abgelehnt zu werden. Die Ethnisierung der Gesellschaft wäre dann die unvermeidbare Folge. Es muss somit festgehalten werden, dass das Zusammenleben einer Vielzahl ethnischer Gruppen innerhalb einer Gesellschaft wesentlich von ihrer formalen und faktischen Gleichstellung in allen sozialstrukturellen Bereichen abhängt, weniger von der Betonung des Eigenwerts der ethnischen Kultur. Eine kulturelle Ausrichtung der Integrationspolitik für ethnische Minderheiten ohne ihre Integration in die Sozialstruktur der Gesellschaft wäre in ihrer letzten Konsequenz mehr als problematisch (vgl. Petrus Han, 1995, 35).

5.2 Theoretische Aussagen zur Integration der Immigranten von Shmuel N. Eisenstadt, Milton M. Gordon und Hartmut Esser

Die Einwanderungs- und Eingliederungspolitik der traditionellen Einwanderungsländer befinden sich, wie gezeigt, im Übergang vom Assimilations- zum Pluralismusmodell des Multikulturalismus. Die europäischen Industrieländer gelten dagegen nicht als Einwanderungsländer. Ihre Einwanderungspolitik besteht in der Eingliederung der sog. „Gastarbeiter" und derjenigen, die überwiegend auf dem Wege der Familienzusammenführung zugewandert sind und noch zuwandern. Sie reagieren mit ihrer nationalstaatlichen Ausländer-, Arbeitsmarkt- und Asylpolitik lediglich auf die Zuwanderung und der damit einhergehenden Pluralisierung ihrer Gesellschaft. Die Reaktionen sind dabei restriktiv und in ihren politischen Konzeptionen uneinheitlich, obwohl sektoral (z.B. Asylpolitik) politische Bestrebungen zur Harmonisierung zu erkennen sind. Beispiele von Deutschland, Frankreich und Großbritannien können diese europäische Situation verdeutlichen.

Die Politik der Bundesrepublik Deutschland hat seit dem generellen Anwerbestopp der „Gastarbeiter" 1973 eine Entwicklung genommen, in der die sog. „Ausländerfrage" und die soziale Integration der Zuwanderer politischgesamtgesellschaftliche Bedeutung gewonnen haben. Die dauerhafte Niederlassung der Mehrheit der Arbeitsmigranten nach dem Anwerbestopp und die sozialen Folgen haben die Politik mehr als überrascht und in den 1970er Jahren zu einer ambivalenten Politik zwischen Rückkehrförderung und defensiv eingeschränkter Integration veranlasst, die den dauerhaft bleibenden Arbeitsmigranten einen kontrollierten Zugang zu Teilbereichen der deutschen Gesellschaft (z.B. Arbeitsmarkt) erlaubte. Vor dem Hintergrund, dass die Zahl der Ausländer trotz des Anwerbestopps weiter anstieg, wurde in den 1980er Jahren die „Ausländerfrage" durch die kontroversen Asyldebatten zwischen den politischen Parteien überlagert, die 1993 zur restriktiven Veränderung des Verfassungsrechts auf Asyl im Grundgesetz Art. 16 geführt haben. Nach dieser Grundgesetzänderung war aufgrund sukzessiv sinkender Zahlen von Asylsuchenden und Aussiedlern sowie der weitgehend abgeschlossenen Familienzusammenführung der Arbeitsmigranten eine Konsolidierung der Zuwandererzahl in der Bundesrepublik Deutschland feststellbar. Dies ließ deren soziale Integration umso notwendig erscheinen. Das neue Staatsangehörigkeitsgesetz, das am 1. Januar 2000 in Kraft trat, stellte eine Weichenstellung in der Migrationspolitik dar, die die Integration der Zuwanderer in Deutschland erleichtern sollte. Die Green-Card-Verordnung der Bundesregierung von August 2000 und die öffentlichen Diskussionen zum Fachkräftemangel in der deutschen Wirtschaft und zur Begrenzung sowie Steuerung der Zuwanderung haben ihren Niederschlag in dem neuen Zuwanderungsgesetz gefunden, das am 1. Januar 2005 in Kraft trat. Danach hat das Bundesamt für Migration und Flüchtlinge die Aufgabe, u.a. Integrationskurse zu entwickeln und durchzuführen, während die Neuzugewanderten Anspruch und Verpflichtung haben, an einem Integrationskurs teilzunehmen (siehe S. 191). Um zu dokumentieren, wie wichtig das Thema Integration ist, wurde die Beauftragte der Bundesregierung für Migration, Flüchtlinge und Integration, die zuvor beim Familienministerium angesiedelt war, nun direkt der Bundeskanzlerin zugeordnet. Die Staatsministerin Maria Böhmer hat Juli 2006 den ersten Integrationsgipfel in Berlin mit dem Ziel einberufen, durch die Zusammenarbeit zwischen den Vertretern von Bundesregierung, Ländern, Gemeinden, Wirtschaft und Migrantenverbänden einen nationalen Integrationplan auszuarbeiten. Beim zweiten Integrationsgipfel Berlin 2007 wurde dieser Plan mit rund 400 Selbstverpflichtungen von den Teilnehmerorganisationen verabschiedet. Die Bundesregierung legte auf dem dritten Integrationsgipfel November 2008 den ersten Fortschrittsbericht zum nationalen Integrationsplan vor (vgl. MuB, 6/2006, 6/2007, 9/2008).

Die skizzierten Entwicklungen lassen erkennen, dass die Integration der Zuwanderer nicht nur in einen gesetzlichen Rahmen gestellt wurde, sondern sich auch zu einer gesamtgesellschaftlichen Aufgabe entwickelt hat. Die von der Bundesregierung praktizierte „partizipative Integrationspolitik" ist dabei positiv zu bewerten.

Unter den europäischen Ländern steht die französische Eingliederungspolitik dem Assimilationsmodell am nahesten (siehe S. 181). Eine Konsequenz dieser Politik ist die liberale Rechtsbestimmung zur Einbürgerung. Die Zuwanderer können nach fünfjährigem rechtmäßigem Aufenthalt die französische Staatsbürgerschaft erhalten. Die Kinder, die in Frankreich geboren sind, aber ausländische Eltern haben, werden mit dem 18. Lebensjahr französische Staatsbürger, wenn sie nicht ausdrücklich auf dieses Recht verzichten (OECD, 1995, 84). In sozialer und wirtschaftlicher Hinsicht gerät jedoch diese „Assimilationspolitik" in Widerspruch, weil sie den Zuwanderern, insbesondere denen afrikanischer Herkunft, nicht die erhoffte soziale Gleichheit und den notwendigen Schutz vor Rassismus bringt. Die Mehrheit der Zuwanderer fühlt sich rassisch diskriminiert und wirtschaftlich marginalisiert. In den 1980er Jahren revoltierten arbeitslose Jugendliche der zweiten Zuwanderergeneration in Lyon und Paris. Sie wollten auf ihre gesellschaftliche Benachteiligung aufmerksam machen. Sie lehnen zunehmend, wie die ethnischen Minderheiten in den USA, Assimilationsbestrebungen ab und schließen sich in ethnischen und islamischen Organisationen zusammen. Die Reaktion der französischen Regierung bestand in der Verschärfung der Einwanderungsgesetze. Die Regierung versuchte sogar die Einbürgerungsrechte restriktiv zu verändern, was jedoch aufgrund massiver Widerstände und Proteste der Öffentlichkeit scheiterte (vgl. Stephen Castles, 1995, 298-300).

Die schweren Ausschreitungen und Brandstiftungen von Jugendlichen mit Migrationshintergrund im Pariser Vorort Clichy-sous-Bois 2005, die auf andere Großstädte, wie Lyon, Toulouse und Straßburg übergriffen, haben wiederum gezeigt, dass die Integration der Zuwanderer, insbesondere der Jugendlichen, nach wie vor als ungelöstes Problem bleibt. Die Arbeitslosigkeit der Zugewanderten liegt doppelt so hoch wie die der Einheimischen, während diese bei den

Jugendlichen mit Migrationshintegrund sogar 30 % beträgt (vgl. OECD, 20008, 243; MuB, 10/2005).

Großbritannien hat bis in die 1950er Jahre eine Politik der offenen Tür für die Immigranten aus den Commonwealth-Ländern betrieben. Alle Bewohner des Commonwealth konnten sich ohne Einschränkung in Großbritannien niederlassen. Die Assimilation der Einwanderer wurde dabei ausschließlich den Erziehungssystemen überlassen, wo die Kinder mit der britischen Kultur vertraut wurden. Die in den späten 1950er Jahren einsetzende Einwanderungswelle aus Asien und den karibischen Ländern sowie die rassistischen und fremdenfeindlichen Aufstände und Gewalttaten in Notting Hill (1958) haben dazu geführt, dass die britische Regierung durch „The Immigration Act" von 1971 und „The British Nationality Act" von 1981 ihre Politik der offenen Tür beendete. Sie ging von der Assimilations- zur Integrationspolitik über, um durch die soziale Integration der Zuwanderer ihre Arbeitslosigkeit zu bekämpfen und den sozialen und rassistischen Unruhen entgegen zu wirken. Ihre Politik ist eine Mischung des Assimilations- und Pluralismusmodells (vgl. Stephen Castles, 1995, 300-301).

Wie exemplarisch aufgezeigt, versuchen die europäischen Industrieländer einerseits die Zuwanderung zu kontrollieren und nach Möglichkeit zu verhindern, andererseits die bereits Zugewanderten gesellschaftlich zu integrieren. Unabhängig von ihren unterschiedlichen Zielsetzungen ist der Integrationspolitik einzelner Nationalstaaten gemeinsam, dass sie von ihrem bisherigen Assimilationsmodell der Eingliederung Abstand nehmen und sich mehr in Richtung Pluralismusmodell bewegen. Um die darin sich abzeichnenden politischen und sozialen Chancen sowie Probleme kritisch zu reflektieren, müssen wissenschaftliche Theorieansätze als Reflexionsrahmen dienen. Die Theorien zur Integration der Einwanderer von Shmuel N. Eisenstadt, Milton M. Gordon und Hartmut Esser werden dazu exemplarisch herangezogen.

In der Migrationstheorie von Shmuel N. Eisenstadt ist der Integrationsprozess der Immigranten in die Aufnahmegesellschaft dem Prozess der umfassenden Absorption zeitlich vorgelagert (vgl. Shmuel N. Eisenstadt, 1954, 258). Das Ausmaß der Integration bezieht sich auf die Ausweitung des Partizipationsfeldes der Immigranten in den grundlegenden strukturellen Bereichen der Aufnahmegesellschaft sowie auf die der Identifikation mit ihr (vgl. Shmuel N. Eisenstadt, 1951, 223-224). Es ist wichtig zu betonen, dass Eisenstadt mit Integration den allmählichen und normkonformen Einzug der Immigranten in die strukturellen Bereiche der Aufnahmegesellschaft meint (vgl. Shmuel N. Eisenstadt, 1953, 178). In dem Ausmaß, in dem die Integration gelingt, können die migrationsbedingten Probleme der sozialen und psychischen Unsicherheiten bewältigt werden, so dass die vollständige Absorption (complete absorption) wahrscheinlicher wird.

"The immigrants integration within the new country may, then, be visualized as a process of extension of the immigrants field of social participation through mutual adaptation of their role-expectations and the institutionalized norms of the absorbing society. Through this process the immigrants may find solutions to the double social and psychological insecurity in which they are involved." (Shmuel N. Eisenstadt, 1952(1), 226).

Der Integrationsprozess der Immigranten findet innerhalb der vorgegebenen strukturellen Bedingungen der Aufnahmegesellschaft statt. Nach seiner Auffassung sind vier verschiedene Integrationsprozesse zu differenzieren, die in vier strukturellen Bereichen der Aufnahmegesellschaft stattfinden (vgl. Shmuel N. Eisenstadt, 1954, 168).

a)   Adaptive Integration (integration within the adaptive sphere)

Mit der adaptiven Integration der Immigranten ist der Prozess gemeint, in dem sie die Fähigkeit entwickeln, die Basisrollen erfolgreich zu spielen, die in den grundlegenden Hauptinstitutionen der Aufnahmegesellschaf (Familie, Erziehung, Wirtschaft, Politik) Bedeutung haben. Das heißt, dass neue Rollen in der Aufnahmegesellschaft und ihre Vollzugsweisen erlernt, soziale Kontakte mit den Einheimischen aufgebaut und die positive Identifikation mit den Werten und Strukturen der Aufnahmegesellschaft erreicht werden. Dabei setzt eine erfolgreiche Integration das Vorhandensein von zwei Grundbedingungen voraus, nämlich die Integrationsbereitschaft der Immigranten und die Bereitschaft der Aufnahmegesellschaft, den Immigranten Opportunitäten zur Integration zu eröffnen. Der Integrationsprozess ist daher für die Immigranten ein langsamer und krisenanfälliger Prozess (vgl. Shmuel N. Eisenstadt, 1952(1), 225; 1953, 169).

Gelingt ihre Integration nicht, kann die Stabilität ihrer Rollenerwartungen und ihres Rollenvollzugs nicht erwartet werden, was wiederum zu unterschiedlichen Formen ihrer persönlichen Desorganisation führen kann. Dabei wirkt sich die gestörte Kommunikation mit den Einheimischen integrationshemmend aus. Vor diesem Hintergrund kommen den Eliten und Trägern von Führungsrollen (z.B. Priester, Lehrer, Repräsentanten) der Immigrantengruppen wichtige Vermittlerfunktionen (mediators, transmitters) zu (vgl. Shmuel N. Eisenstadt, 1951, 226; 1952, 47; 1953, 170).

b) Instrumentale Integration (integration within instrumental sphere)

Die Immigranten entwickeln in der ersten Phase ihrer Einwanderung eine Vielzahl von Aktivitäten im Bereich der Wirtschaft, um ihre Grundbedürfnisse unterschiedlicher Art zu befriedigen. Solche Aktivitäten sind in erster Linie zweckorientiert bzw. instrumental. Sie haben primär zum Ziel, die persönlichen Ressourcen zum wirtschaftlichen Vorteil und im beruflichen Interesse optimal einzusetzen (allocation). Diese zweckorientierten Bemühungen setzen jedoch die Übernahme und den Vollzug der Rollen voraus, die für das Wirtschaftsleben der Aufnahmegesellschaft grundlegend sind. Die hier stattfindende Angleichung bedeutet noch nicht, dass die Immigranten auch die mit diesen Rollen verbundenen Wertvorstellungen der Aufnahmegesellschaft übernehmen. In diesem Sinne findet bei ihnen zunächst eine instrumentale Integration statt (vgl. Shmuel N. Eisenstadt, 1954, 169; 1952(1), 229).

c) Solidarische Integration (integration within the solidary sphere)

Hierbei handelt es sich um den Prozess der Identifikation und Solidarisierung der Immigranten mit den zentralen Wertvorstellungen der Aufnahmegesellschaft. In diesem Prozess entwickeln sie ein Zugehörigkeitsgefühl (feeling of belonging to the new society) und die Motivation zur aktiven Partizipation am sozialen Leben der Aufnahmegesellschaft (vgl. Shmuel N. Eisenstadt, 1952(3), 374). Dieser Prozess ist deswegen nicht immer einfach und selbstverständlich, weil Primärgruppen und ethnische Kolonien umgekehrt bemüht sind, ethnische Wertvorstellungen zu vermitteln und diese gegenüber denen der Aufnahmegesellschaft zu verteidigen und zu bewahren. Sie bieten ihren Angehörigen in der Anfangsphase wichtige Orientierungshilfen und verringern dadurch die migrationsbedingten Unsicherheiten. Durch das Angewiesensein auf diese Hilfestellung bleiben die Migranten lange Zeit von ihrer ethnischen Kolonie abhängig (vgl. Shmuel N. Eisenstadt, 1954, 170).

Für sie ist daher die Solidarisierung mit den zentralen Wertvorstellungen der Aufnahmegesellschaft dann denkbar, wenn sie aufstiegsorientierte Aspirationen entwickeln. Diese sind jedoch erst in einer relativ fortgeschrittenen Phase der Einwanderung zu erwarten, weil die realistische Einschätzung sozialer Chancen die Fähigkeit voraussetzt, sich in der Aufnahmegesellschaft orientieren zu können. Erst nach einer gewissen Eingewöhnungszeit kann auch wahrgenommen werden, dass eine einseitige Orientierung an den partikularistischen Wertvorstellungen der ethnischen Primärgruppe und Kolonie den sozialen Aufstieg erschwert (vgl. Hartmut Esser, 1980, 81, 95, 98). Die Fixierung auf die ethnisch orientierten Gruppen hindert in der Regel die positive Identifikation mit der

Aufnahmegesellschaft und das assimilative Lernen außerhalb der ethnischen Kolonie (vgl. Shmuel N. Eisenstadt, 1954(1), 184).

Die Solidarisierung mit den zentralen Wertvorstellungen der Aufnahmegesellschaft kann auf der anderen Seite zu psychosozialen Konflikten der Immigranten führen (z.B. Schuldgefühle, Loyalitätskonflikte), weil die Kulturen der Aufnahme- und Herkunftsgesellschaft oft grundlegende Unterschiede aufweisen und nicht kompatibel sind (basic cultural incompatibility). Die psychosozialen Belastungen bei der persönlichen Auseinandersetzung mit kulturellen Unvereinbarkeiten erzeugen Stresssituationen, die oft die persönliche Bewältigungskapazität überfordern. Es ist daher wichtig, gemeinsame Berührungspunkte (common meeting-grounds) zwischen den Kulturen herauszuarbeiten, um die schwierige solidarische Integration zu erleichtern, was allerdings die Bereitschaft zur interethnischen Kommunikation sowohl der Immigranten als auch der Einheimischen voraussetzt (vgl. Shmuel N. Eisenstadt, 1954, 171).

d) Kulturelle Integration (integration within cultural sphere)

Im Mittelpunkt der kulturellen Integration der Immigranten steht die Übernahme emotionaler Ausdrucksformen und Symbole (expressive patterns and symbols of life) der Aufnahmegesellschaft, die im Alltag eine wichtige Rolle spielen. Kulturelle Integration ist im engen Zusammenhang mit der solidarischen Integration zu sehen, weil die Letztere die Annahme von emotional besetzten Symbolen und Verhaltensmustern des Alltagslebens voraussetzt. Sie übersetzen die kulturellen Wertvorstellungen und bringen diese im Alltag zum Ausdruck. Da im privaten Lebensbereich eigene subkulturelle Symbole und Verhaltensmuster Bedeutung haben, die sich von denen der Aufnahmegesellschaft unterscheiden, wird die kulturelle Integration erst in einer fortgeschrittenen Phase der Eingliederung erfolgen (vgl. Shmuel N. Eisenstadt, 1954, 171-172).

Es ist davon auszugehen, dass die genannten bereichsbezogenen Integrationsprozesse nicht notwendigerweise in jedem Fall durchlaufen werden müssen. Richtig ist zwar, dass die Immigranten durch ihre Migration vor unsicheren und unzulänglichen Lebensbedingungen geflüchtet sind, sie müssen jedoch nicht mit allen Lebensbedingungen unzufrieden gewesen sein. Mit Lebensbereichen im Herkunftsland, mit denen sie zufrieden waren, können sie sich nach wie vor innerlich verbunden fühlen, so dass diese aus dem Integrationsprozess im Aufnahmekontext vorläufig ausgeklammert werden (vgl. Shmuel N. Eisenstadt, 1954, 2, 4, 18). Auch das Tempo und die Richtung der genannten Integrationsprozesse differieren bzw. weichen voneinander ab, so dass zwischen ihnen Reibungen und Spannungen eintreten können. Die Folgen dieses Ungleichgewichts (the lack of equilibrium) sind oft desintegrative Tendenzen, die sowohl bei der gesamten Immigrantengruppe als auch bei den Einzelnen auftreten können (vgl. Shmuel N. Eisenstadt, 1954, 20, 172, 258-262).

Die Integration der Immigranten in die strukturellen Lebensbereiche der Aufnahmegesellschaft ist so gesehen ein komplizierter und schwieriger Prozess, der sowohl für diese als auch für die Aufnahmegesellschaft im seltensten Fall vollkommen zufriedenstellend gelingt. Die Veränderung der Aufnahmegesellschaft in eine pluralistische Gesellschaft ist somit unvermeidbare Konsequenz der Einwanderung (vgl. Shmuel N. Eisenstadt, 1953, 168; 1954, 258-262). Der dadurch eintretende Strukturwandel der Aufnahmegesellschaft impliziert den allmählichen Wertewandel, die Zunahme von Anomien (Normbrüche unterschiedlicher Art) und die Zunahme an Spannungen zwischen den gesellschaftlichen Gruppen (vgl. Shmuel N. Eisenstadt, 1952(3), 394).

Im Gegensatz zu Shmuel N. Eisenstadt verwendet Milton M. Gordon in seiner Assimilationstheorie nur an wenigen Stellen den Begriff der Integration, um den Prozess der Eingliederung der Einwanderer in die zivilen (integration in civic life), politischen und wirtschaftlichen Lebensbereiche (political and economical integration) der sog. "core society" zu erklären (Milton M. Gordon, 1964, 106, 85). Dabei geht er von der These aus, dass die Assimilation vieler ethnischer Einwandererminderheiten deswegen nicht stattfindet, weil ihre Anpassung überwiegend bei der Akkulturation (nur bei der äußeren Anpassung auf der Verhaltensebene) stehen bleibt und nicht weiter zur strukturellen Assimilation führt, die die Voraussetzung der weiteren Phasen der Assimilation bildet. Milton M. Gordon verwendet den Begriff der Integration im Sinne der strukturellen Assimilation (vgl. Milton M. Gordon, 1964, 110-111, 114). Integration ist daher dann zu erwarten, wenn die Einzelnen ihre Ängste und stereotypischen Vorstellungen vor bzw. gegenüber anderen ethnischen Gruppen überwinden und dazu kommen, durch eine prinzipielle Veränderung ihrer Grundhaltungen die soziale Interaktion über die Primärguppen hinaus auszudehnen. Das setzt die Bereitschaft voraus, am Gemeinschaftsleben anderer ethnischer Gruppen teilzunehmen (vgl. Milton M. Gordon, 1964, 246-247). Integration ist somit ein Teilprozess innerhalb des umfassenden Assimilationsprozesses. Gordon war zugleich der Überzeugung, dass Integration nicht nur von der Integrationsbereitschaft der Einzelnen, sondern auch entscheidend von der Politik der Aufnahmegesellschaft abhängt, die die ethnischen Diskriminierungen beseitigt und das gleiche Recht für alle Bürger garantiert (vgl. Milton M. Gordon, 1964, 252, 265).

Diese Überzeugung von Gordon geht auf seine persönlichen Erfahrungen zurück, die er als Zeitzeuge der gewalttätigen Ghettoaufstände, Bürgerrechtsbewegungen und des „ethnic revival" in den USA aus unmittelbarer Nähe machen konnte. Ausgehend von diesen Ereignissen versuchte er 1975 die Variablen „Macht" und „Konflikt" in seine Assimilationstheorie einzubauen (vgl. Milton M. Gordon, 1975, 86-88). Er kommt dabei zu der Schlussfolgerung, dass eine gleichmäßige Verteilung der Macht zwischen den verschiedenen ethnischen Gruppen in einer demokratisch-pluralistischen Gesellschaft mit Gleichheitsideal höchstwahrscheinlich größere gesellschaftliche Instabilität und Konflikte erzeugen wird. Eine für die interethnischen Beziehungen optimale Voraussetzung sieht er in einer Gesellschaftskonstellation, in der die Wettbewerbsmacht (competitive power) einzelner ethnischer Minderheiten zwar insgesamt schwächer als die der dominanten Mehrheit, sie dennoch zum Schutz ihrer Rechte stark genug ist (vgl. Milton M. Gordon, 1975, 109). Mit dieser theoretischen Schlussfolgerung steht er der radikalen Position der schwarzen Minderheiten in den USA sehr nah, die in der politischen Macht und Gleichheit die Voraussetzungen für die gesellschaftliche Integration der benachteiligten Minderheiten sehen.

Im deutschsprachigen Raum geht Hartmut Esser am ausführlichsten auf die migrationssoziologischen Fragen ein und versucht eine allgemeine Theorie der Eingliederung und Integration der Immigranten zu entwickeln. Es ist damit geboten, der Vorstellung der Integrationstheorien von Shmuel N. Eisenstadt und Milton M. Gordon auch die von Hartmut Esser folgen zu lassen. In Essers Überlegungen finden unter anderem die migrationssoziologischen Theorieansätze von Shmuel N. Eisenstadt und Milton M. Gordon breite Berücksichtigung, weil er ihre Analysen als „die bis heute am weitesten entwickelten und systematischsten Fassungen des Problems der Eingliederung" bewertet (vgl. Hartmut Esser, 1980, 70).

Für Hartmut Esser ist die Integration ein „Zustand des Gleichgewichts", den ein Immigrant durch einen angleichenden Lernprozess erreicht und zwar als Zustand der Orientierung in seiner Relation zu beliebigen Bezugspunkten der Aufnahmegesellschaft (vgl. Hartmut Esser, 1980, 80; 1981, 77). Dieser Zustand des Gleichgewichts kommt in drei Dimensionen zum Ausdruck, so dass drei Arten der Integration zu unterscheiden sind:

a) Personale Integration

Diese äußert sich im personalen Bereich als „Zufriedenheit" und „Spannungsfreiheit" im Sinne fehlender Anomie und psychischer Desorganisation. Sie ist Ausdruck gelungener Veränderungen des gesamten Wahrnehmungs- und Beurteilungssystems und tritt als Resultat des gelungenen Lernens ein (vgl.

Hartmut Esser, 1980, 20, 23, 73). Personale Integration wird als Gleichgewicht empfundener Bedürfnisse und Ansprüche und der vorhandenen Möglichkeiten der Problemlösung erlebt (vgl. Hartmut Esser, 1980, 75) und bringt die psychische Stabilität im Sinne einer transsituational stabilen personalen Identität zum Ausdruck (vgl. Hartmut Esser,1980, 23). Integration in diesem Sinne ist auf zwei unterschiedliche Arten realisierbar: „Bei hohem Anspruchsniveau und komplexer Orientierung und bei erfolgreicher Bewältigung komplexer Situationen einerseits, und entsprechend bei nur gering entwickeltem Anspruchsniveau und kognitiver Orientierung und bei relativ beliebigen Umgebungsmöglichkeiten andererseits." (Hartmut Esser, 1980, 75). Wenn zwischen den verschiedenen Orientierungen der Person keine Spannungen, Dissonanzen oder Widersprüche bestehen, liegt eine personale Integration vor (vgl. Hartmut Esser, 1982, 282).

b) Soziale Integration

Diese äußert sich als die gleichgewichtige Verflechtung einer Person in relationale Bezüge, die die Geregeltheit von Interaktionsbeziehungen mit Einheimischen zum Ausdruck bringt (vgl. Hartmut Esser, 1980, 23-24). Dies bedeutet, dass der Einwanderer im relationalen bzw. interaktionellen Bereich soziale Rollen gemäß den institutionellen Normen und Erwartungen so spielt, dass er „normal funktioniert" (vgl. Hartmut Esser, 1980, 20). In diesem Sinne liegt eine soziale Integration vor, wenn sich die sozialen Beziehungen der Person zu anderen Personen im Gleichgewicht befinden (vgl. Hartmut Esser, 1982, 282).

c) Systemische Integration

Diese äußert sich als das Gleichgewicht eines Makrosystems. Die Subeinheiten des Systems stehen in einem spannungsarmen funktionalen Verhältnis zueinander (vgl. Hartmut Esser, 1980, 23). Verschiedene Gruppen befinden sich in einem gleichgewichtigen Interdependenzverhältnis zueinander (vgl. Hartmut Esser, 1982, 282).

Übersicht 8: Begriffliche Dimensionen der Eingliederung von Wanderern von Hartmut Esser

Begriff	Dimension	Bezug		
		individuell absolut	individuell relational	kollektiv
Akkulturation	Prozess	Prozess des Erwerbs kulturell üblicher Eigenschaften (kognitiv, identifikativ)	Prozess der Aufnahme interethnischer Beziehungen: Statuseinnahme	Prozess der kulturellen Homogenisierung von Kollektiven
Assimilation	Zustand	Ähnlichkeit in Fertigkeiten, Orientierungen, Bewertungen; kognitive u. identifikative Assimilation	Ausübung interethnischer Rollen, Statuseinnahme, soziale u. strukturelle Assimilation	kulturelle Einheitlichkeit eines Kollektivs bei Geltung institutionalisierter Differenzierungen
Integration	Zustand	Gleichgewicht und Spannungsfreiheit des personalen Systems	Gleichgewicht und Spannungsfreiheit relationaler Bezüge	latente Gleichgewichtigkeit eines Makrosystems

Quelle: Hartmut Esser, 1980, 25

Bezüglich der zeitlichen Verhältnisse zwischen den einzelnen Teilprozessen der Eingliederung weist Esser darauf hin, dass die Integration als Zustand der innerpsychischen Zufriedenheit die Stabilität der Orientierung voraussetzt, die als Folge der gelungenen Lernprozesse eintritt (vgl. Hartmut Esser, 1980, 72). Damit ist deutlich, dass die Akkulturation der Integration vorausgeht. Akkulturation führt auch langfristig zur Assimilation (vgl. Hartmut Esser, 1980, 76), so dass die Akkulturation die Anfangsphase der Eingliederung ausmacht. Der Akkulturation folgt dann die Integration, wobei diese zur Assimilation führt: „Integration als Folge von Lernvorgängen, die als Zustand der Orientierung gefasst wird, ist Voraussetzung aller langfristigen Assimilationsbemühungen."

(Hartmut Esser, 1980, 80). Esser betont jedoch, dass auf die Integration die Assimilation nur dann folgt, wenn der Einwanderer über die Befriedigung seiner Grundbedürfnisse hinaus weitere Ziele entwickelt (vgl. Hartmut Esser, 1980, 82). Vor diesem Hintergrund wäre es logisch, wenn in der obigen Übersicht 8 die Integration vor der Assimilation plaziert wäre. „Die identifikative Assimilation tritt erst nach Vorliegen der anderen Assimilationstypen ein. Die kognitive Assimilation geht sowohl der sozialen wie der strukturellen Assimilation voraus. Die strukturelle Assimilation geht dann ihrerseits der sozialen Assimilation voraus" (Hartmut Esser, 1980, 231; 1982, 283). Die identifikative Assimilation ist damit das Endstadium des gesamten Prozesses.

Aus den bisherigen begrifflichen und theoretischen Aussagen zur Integration und Assimilation der Immigranten in die Aufnahmegesellschaft lassen sich folgende Schlussfolgerungen ableiten:

a) Der Prozess der Integration der Immigranten in die Aufnahmegesellschaft findet theoretisch in dem Kontinuum des Assimilations- bzw. Absorptionsprozesses statt, der aus mehreren nacheinander folgenden Phasen besteht; aus der prozesshaften und stufenweisen Eingliederung der Immigranten in die unterschiedlichen strukturellen Bereiche der Aufnahmegesellschaft. So gesehen geht der Akkulturationsprozess dem Integrationsprozess voraus, weil in der Regel ohne Akkulturation eine strukturelle Eingliederung nicht denkbar ist. Dies bedeutet jedoch nicht zwingend, dass die Immigranten gleichzeitig die herrschenden Wertvorstellungen der jeweiligen Strukturbereiche übernehmen, da sie sich auch nur instrumental und zweckorientiert anpassen können.

b) Der Integrationsprozess besteht aus individuell-subjektiven (persönlicher Lernprozess) und institutionellen Dimensionen (institutionelle Bereitstellung von Opportunitäten). Da die individuelle Lern- und Anpassungsfähigkeiten sowie Zielvorstellungen der Immigranten unterschiedlich sind, muss unterstellt werden, dass ihre strukturelle Eingliederung in die Aufnahmegesellschaft hinsichtlich ihrer Stoßrichtung und ihres Tempos bei Einzelnen und zwischen Einzelnen unterschiedlich ausfallen. Auf der anderen Seite ist ebenfalls davon auszugehen, dass die Aufnahmegesellschaft nicht immer mit den strukturbezogenen Zugangswünschen der Immigranten einverstanden sein wird (z.B. ethnische Diskriminierung). Dies bedeutet, dass die Einzelnen ihre strukturelle Eingliederung (Integration) nicht nur mit unterschiedlichen Problemen (persönliche Konflikte, Frustrationen, Anomien), sondern auch mit unterschiedlichem Erfolg bewältigen werden. Damit wird deutlich, dass der Integrationsprozess nicht zwingend bis zur vollen Assimilation bzw. Absorption führen muss, so dass die dadurch eintretenden Divergenzen und Brüche unausweichlich zu Komplikationen und zur Pluralisierung der Aufnahmegesellschaft führen werden. Die Einwanderung von Migranten führt somit früher oder später zur strukturellen Pluralisierung der Aufnahmegesellschaft, die sowohl mit positiven als auch mit negativen Folgen verbunden sein wird.

c) Eine Integrationspolitik unter dem bewussten Verzicht auf die politische Assimilations- bzw. Absorptionszielsetzung (z.B. multikulturelle Politik) bedeutet de facto, dass die Pluralisierung der Gesellschaft politisch gewollt wird und die Politik bereit sein muss, die notwendigen Opportunitäten im strukturellen Bereich zu öffnen und bereitzustellen. Dies bedeutet auch, dass die Bevölkerung für diese Politik gewonnen und von ihr überzeugt werden muss.

5.3 Ethnische Mobilisierungen in multiethnischen Gesellschaften und theoretische Erklärungsansätze

Nationalstaaten sind überwiegend Nationalitätenstaaten, deren Bevölkerung sich aus unterschiedlichen ethnischen Bevölkerungsgruppen zusammensetzt. 1971 befanden sich unter den 132 Nationalstaaten der Welt nur 12 Staaten (9,1 %) mit ethnisch homogener Bevölkerung. 53 Staaten (40,2 %) bestanden dagegen aus einer Bevölkerung, die aus mehr als 5 verschiedenen ethnischen Bevölkerungsgruppen zusammengesetzt war (vgl. Anthony D. Smith, 1981, 59). 2005 existierten weltweit 209 Staaten (vgl. The World Bank, 2009, 128-129). Damit ist die Gesamtzahl der Nationalstaaten im Vergleich zu der von 1971 auf 58 % gestiegen. Die Zahl der Nationalstaaten wird auch in Zukunft weiter steigen, weil der Prozess der Bildung von Nationalstaaten noch keineswegs abgeschlossen ist. Dennoch dürfte sich das quantitative Verhältnis zwischen den Nationalstaaten mit ethnisch homogener und heterogener Bevölkerung, das 1971 bestanden hat, seitdem kaum verändert haben. Die Tatsache, dass die überwiegende Mehrheit der Nationalstaaten aus einer Mehrzahl ethnisch heterogener Bevölkerungsgruppen besteht, ist wesentlich auf zwei Ursachen zurück zu führen. Die erste Ursache liegt darin, dass die Bildung eines Nationalstaates ein geographisch abgegrenztes Territorium als politisches Herrschaftsgebiet voraussetzt. Ethnische Gruppen, die in dem territorialen Gebiet eines neu entstehenden Nationalstaates ansässig sind (Autochthonen), werden, unabhängig von ihren ethnischen Unterschieden, von dem neuen Staat geographisch erfasst und politisch integriert. Die zweite Ursache ist die durch die Migrationsbewegungen

(Ein- und Auswanderungen) eintretende ethnische Pluralisierung der Bevölkerung. Ihre Bedeutung nimmt für die moderne Gesellschaft aus folgenden Gründen kontinuierlich zu.

Eine der qualitativen Veränderungen der weltweiten Migrationsbewegungen seit dem Ende des Zweiten Weltkrieges besteht darin, dass sich die klassische Einteilung zwischen den typischen Ein- und Auswanderungsländern weitgehend relativiert hat. Die sog. traditionellen Auswanderungsländer, wie z.B. Griechenland, Italien und Spanien, sind heute zeitgleich zu Einwanderungsländern geworden (vgl. OECD, 2007, 257, 282). Die wachsende strukturelle Ungleichheit der Welt und der daraus resultierende Migrationsdruck nehmen weltweit so zu, dass der einseitige Migrationsstrom von Aus- zu Einwanderungsländern zunehmend durch den zirkulierenden Migrationsstrom überlagert wird. Die zunehmende Liberalisierung und Globalisierung von Personen-, Waren- und Kapitalverkehr und die Ungleichheiten der wirtschaftlichen Entwicklungen einzelner Länder sind wesentlich für diesen Prozess verantwortlich. Danach zirkuliert der Migrationsstrom sukzessiv von weniger zu höher entwickelten Regionen und von den sich verändernden Krisenregionen zu relativ krisenarmen Gebieten. Migration ist zu einem globalen Phänomen geworden, so dass heute auch diejenigen Länder, die offiziell keine Einwanderungsländer sind, selbst die Schwellenländer in Asien, mit dem Problem der Migration konfrontiert werden. Damit tritt eine Entwicklung für fast alle Länder der Welt ein, in der die Bevölkerung zunehmend der ethnischen Pluralisierung ausgesetzt ist.

Die ethnische Pluralisierung der modernen Gesellschaft ändert jedoch nichts an der Tatsache, dass die politische Herrschaft der multiethnischen und multikulturellen Nationalstaaten von der staatstragenden ethnischen Gruppe, die die dominante Mehrheit bildet, ausgeübt wird. Die machtlosen kleinen ethnischen Gruppen werden zu ethnischen Minderheiten, wenn sie von der dominanten Mehrheit ausgegrenzt und marginalisiert werden (vgl. Stephen Castles, Mark J. Miller, 1993, 195). Der Begriff „Minderheit" bezeichnet in Europa die Nationalitätengruppen, die ihren Lebensraum innerhalb einer Nation haben, deren politische Kontrolle jedoch durch eine andere mehrheitsbildende Nationalitätengruppe ausgeübt wird (vgl. Klaus Hornung, 1983, 300-305). Diesen mehr völkerrechtlich zu verstehenden nationalen Minderheiten werden häufig die gleichberechtigte Beteiligung am politischen Prozess sowie die Ausübung bürgerlicher Grundrechte verwehrt. Der Minderheitenschutz als Individualrecht richtet sich gegen Diskriminierung jeglicher Art, die die Freiheits- und Gleichheitsrechte der Angehörigen der Minderheiten einschränkt (vgl. Gilbert H. Gornig, 2001, 20; Dietrich Murswiek, 2001, 83-98). Dieser Schutz ist auch deswegen notwendig, weil die Konflikte zwischen den Nationalstaaten ständig zur Auflösung bzw. zur Neubildung von nationalen Minderheiten führen, was mit erheblichen Folgeproblemen verbunden ist.

Im Gegensatz zu Europa bezeichnet der Begriff „Minderheit" in den USA, wo faktisch keine Nationalitätengruppe politische Vorherrschaft hat, die Gruppen, die dem Vorurteil und der Diskriminierung der dominanten Gruppe ausgesetzt sind und deren Mitglieder sich selbst als Angehörige der Minderheiten verstehen und empfinden (vgl. A. M. Rose, 1969, 703). Die Minderheiten werden seit jeher mit Fremd- und Selbstzuschreibungen von Merkmalkomplexen konfrontiert, die der Gegenstand von Vorurteilen und Dikriminierungen sind (vgl. Susan Olzak, 1983, 356; Georg Elwert, 1982, 720). Die ethnische Identität (die bewusste und öffentlich deklarierte Zugehörigkeit zu einer ethnischen Gruppe), die für die Angehörigen der Minderheiten ethnische Orientierung ermöglicht, ist ohne diese individuelle Selbstzuschreibung von Merkmalen (askriptive Zuschreibung) und ohne persönlichen Glauben an die Eigenwertigkeit dieser ethnischen Merkmale nicht denkbar.

Die Beziehungen der ethnischen Minderheiten zur staatstragenden dominanten Mehrheit waren seit jeher und in allen Nationalstaaten konflikthaft und spannungsreich. Die politischen, soziokulturellen und wirtschaftlichen Ausgrenzungen und Konflikte der Minderheiten wurden oft von sozialwissenschaftlichen Theorien als vorübergehende Probleme deklariert, die in der gesellschaftlichen Modernisierung als unvermeidbare Begleiterscheinungen zeitweilig eintreten, die aber im Zuge der fortschreitenden Entwicklungen schließlich beseitigt werden. Geht man von der Soziologie Max Webers aus, beruhen die ethnischen Gemeinschaftsbeziehungen auf „einem subjektiven Glauben an eine Abstammungsgemeinsamkeit", den die Angehörigen einer ethnischen Gruppe haben. Die Grundlagen dieser „ethnischen Gemeinsamkeit" sind im Wesentlichen die Ähnlichkeiten des äußeren Habitus, der Sitten, der Sprache und der Religion. Diese ethnische Gemeinsamkeit, an die die Einzelnen nur subjektiv glauben, „ist selbst nicht Gemeinschaft, sondern nur ein die (ethnische, der Verf.) Vergemeinschaftung erleichterndes Moment". Eine Gemeinschaft, die auf der Grundlage der diffusen ethnischen Gemeinsamkeit gebildet wird, ist somit eine Vergemeinschaftung, die durch askriptive und affektuelle (d.h. irrationale) Elemente geprägt ist. Sie ist noch keine durchrationalisierte und interessenorientierte Vergesellschaftung. Die Entstehung ethnischer Vergemeinschaftungen ist so ein Symptom des „geringen Rationalisierungsgrades" des Gemeinschaftshandelns (vgl. Max Weber, 1956, 29-31, 303-311). Dies bedeutet, dass ethnische Mobilisierungen in dem Ausmaß zurückgehen müssten, in dem der

Rationalisierungsprozess der Gesellschaft voran schreitet. Dies ist jedoch noch nicht eingetreten.

Die theoretischen Annahmen des Liberalismus, insbesondere des Wirtschaftsliberalismus, bestanden darin, dass die unaufhaltsame Entwicklung von den Agrar- zu Industriegesellschaften die primordialen religiösen, sprachlichen, rassischen und ethnischen Bindungen der Menschen obsolet machen würde. Die wirtschaftlichen Entwicklungen würden vor den nationalstaatlichen Grenzen nicht Halt machen. Vielmehr würden sie die Interdependenzen der Industrieländer verstärken. Die weltweite Kommunikation, die bei dieser Entwicklung stattfindet, würde kulturelle Unterschiede überwinden, nationale Kulturen fusionieren und zur Entstehung einer globalen Massenkultur mit universalen Wertvorstellungen beitragen, so dass die Frage des Nationalismus und der Ethnizität nur ein transitorisches Phänomen bleiben würde (vgl. Anthony D. Smith, 1981, 1-3). Diese optimistischen Annahmen sind bisher durch die faktischen Entwicklungen weitgehend widerlegt worden.

Die Welt war noch nie so globalisiert und die politische und wirtschaftliche Integration der Nationalstaaten durch regionale Gemeinschaftsbildungen (z.B. EU, NAFTA, AFTA, APEC, ASEAN) war noch nie so voran geschritten wie in der Gegenwart. Parallel hierzu ist aber auch festzustellen, dass die weltweite Renaissance des Nationalismus und die ethnischen Mobilisierungen noch nie so global in ihrem Ausmaß und so katastrophal in ihren Folgen waren, wie in der zweiten Hälfte des 20. Jahrhunderts. Ethnische Aufstände sind heute in allen Kontinenten der Welt zu beobachten: In Asien (z.B. Malaysia, Indonesien, Sri Lanka, Philippinen, Tibet, China, Indien, Pakistan, Iran, Irak, Türkei), in Afrika (z.B. Somalia, Äthiopien, Eritrea, Kongo, Sudan, Ghana, Togo, Uganda, Ruanda, Südafrika, Senegal, Tschad, Algerien), in Amerika und in Europa (z.B. Quebec in Kanada, Indianer und Schwarze in den USA, Schottland und Wales, Nordirland, Baskenland, Katalonien, Korsika, Bretagne, Flamen und Wallonen in Belgien, das ehemalige Jugoslawien).

Die Intensität und das Ausmaß ethnischer Konflikte und Spannungen haben weltweit eine noch nie dagewesene destruktive und dissoziative Dimension erreicht, so dass in der soziologischen Literatur für diese qualitativ neue Entwicklung die Bezeichnungen „ethnische Mobilisierung" (ethnic mobilization) und „ethnic revival" gebildet wurden. Mit der ethnischen Mobilisierung ist der Prozess gemeint, in dem Gruppierungen von Menschen nach ethnischen Gesichtspunkten organisiert werden, um ihre jeweils wechselnden Interessen effektiv zu vertreten und durchzusetzen (vgl. Joane Nagel, Susan Olzak, 1982, 127). Die Tatsache, dass die Orientierung an der ethnischen Gemeinsamkeit als gemeinsame Interessenbasis dient, ist eine neue und konfliktträchtige Entwicklung, die erst nach dem Zweiten Weltkrieg verstärkt einsetzt und sich wie ein Flächenbrand in allen Regionen der Welt ausbreitet. In Anbetracht der Tatsache, dass die ethnische Gemeinsamkeit im Grunde aus einem diffusen Merkmalbündel besteht, das individuell unterschiedlich verstanden und interpretiert wird, verlangt die genannte Entwicklung nach einer tragfähigen Erklärung. Bei oberflächlicher Betrachtung widerspricht sie der zunehmenden Individualisierungstendenz der modernen Menschen, die sich in ihren Entscheidungen und Handlungen weitgehend vom subjektiven Nutzenkalkül und von persönlichen Interessen leiten lassen und weniger an kollektiver Verantwortung und Gemeinschaftssinn orientiert sind.

Die ethnische Mobilisierung setzt dagegen bewusste ethnische Solidarisierungsprozesse voraus. Indem sich ethnische Gruppen unter dem Druck der Ausschließung durch die dominante Mehrheit zusammenschließen, werden sie erst politisch aktionsfähig. Dies bedeutet, dass sie sich zunehmend die Strategie des Solidarismus zueigen machen, um gegenüber der Strategie der Ausschließung durch die dominante Mehrheit effektiver reagieren zu können (vgl. Frank Parkin, 1983, 123-125). Die Bezeichnung „ethnic revival" bringt diese qualitativen Veränderungen der Strategien zum Ausdruck, die die ethnischen Minderheiten in ihrer Beziehung zur dominanten Mehrheit innerhalb des multiethnischen Nationalstaates anwenden. Für sie kommen 6 Strategien in Frage (vgl. Anthony D. Smith, 1981, 15-17):

a) Isolation

Diese Strategie wurde bisher von den kleinsten ethnischen Minderheiten gewählt, um abseits der Gesamtgesellschaft zu überleben. Die Juden des Mittelalters, die Burakumin als die Unberührbaren in Japan, die chinesischen Minderheiten in Südostasien, die Drusen, Beduinen, Aramäer usw. hatten in sozialer und gesellschaftlicher Isolation gelebt, um zu überleben.

b) Akkommodation

Ethnische Minderheiten ermutigen hier ihre Angehörigen, am sozialen und politischen Leben der Residenzgesellschaft teilzunehmen und sich daran anzupassen. Viele von ihnen werden dadurch akkulturiert und oft voll in die Gesellschaft assimiliert. Die zweite Generation der Einwanderer geht diesen Weg, um die defensive Isolation ihrer Elterngeneration zu durchbrechen. Sie lebt dennoch in zwei Welten, in der der Eltern und der Residenzgesellschaft.

c) Kommunalismus

Diese Strategie stellt eine aktive und dynamische Form der Akkommodation dar. Hier versucht die ethnische Minderheit die kommunalen Angelegenheiten der Gemeinde, in der sie die Mehrheit bildet, selbst zu bestimmen (z.B. die Schwarzen in den USA). Die Gemeinde als politische Einheit soll hier als „pressure group" (Interessengruppe) ihren Einfluss (z.B. bei politischen Wahlen) geltend machen.

d) Autonomie

Die ethnische Minderheit strebt hier besonders nach politischer und kultureller Autonomie. Sie will die Besetzung von Stellen in entscheidenden Bereichen beeinflussen, wie z.B. im Erziehungs- und Gerichtswesen, im Presse- und Medienbereich. Im öffentlichen Bereich will sie alle Aspekte des sozialen, politischen und wirtschaftlichen Lebens bestimmen. Sie fordert eine föderale Struktur, um ihre Interessen maximal vertreten zu können, ohne dabei ihre Beziehungen zum Staat abzubrechen (z.B. Schottland, Bretagne, Katalonien). Unterschiedliche Formen und Grade der Autonomie kommen vor.

e) Separatismus

Es handelt sich hier um die klassische politische Strategie der Minderheit, die auf die ethnonationale Selbstbestimmung abzielt (z.B. Kurden, Tamilen, Frankokanadier in Quebec). Ihre Zielsetzung ist die endgültige Loslösung vom zugeordneten Staatswesen und die Gründung eines eigenen souveränen Staates.

f) Irredentismus

Hier versucht die ethnische Minderheit, deren Angehörige in mehreren Staaten verstreut leben, die Wiedervereinigung des Volkes und die Wiedergewinnung ihres verlorenen Territoriums zu erreichen (z.B. Polen, Bulgaren, Kurden, Turkmenen, ethnische Minderheiten auf dem Balkan). Pan-Slavismus, Pan-Arabismus usw. stellen eine Variante des Irredentismus dar. Die Erfolgschancen sind in der Regel gering.

Das „ethnic revival", das seit den 1950er und 1960er Jahren weltweit zu beobachten ist, unterscheidet sich von den früheren passiven und defensiven ethnischen Bewegungen durch seine aggressiveren Strategien. Es hat die Strategien der Isolation und Akkommodation aufgegeben und ist zu denen des Kommunalismus, der Autonomie, des Separatismus und des Irredentismus übergegangen. Ethnische Minderheiten sind selbstbewusster geworden und verfolgen nun klarer ideologische Visionen zur grundlegenden ethnischen Transformation. Sie schließen zum Erreichen ihrer Ziele physische Gewaltanwendung nicht aus (vgl. Anthony D. Smith, 1981, 17). Diese qualitative Veränderung der Strategien ethnischer Minderheiten ist eine Reaktion auf die frustrierenden Erfahrungen mit der Ausschließungsstrategie durch die dominante Mehrheit, wie es der Multikulturalismus in den USA exemplarisch zeigt.

Unterschiedliche Theorieansätze in den Sozialwissenschaften versuchen, das brisante und weltweit eskalierende ethnische Phänomen zu erfassen. Die überwiegende Zahl dieser Forschungen ist in den anglophonen Ländern (z.B. USA, England) unter dem historisch wenig belasteten Begriff der „ethnicity" (Ethnizität) zu finden. Im Folgenden sollen zwei zentrale sozialwissenschaftliche Konzeptionen der Ethnizität vorgestellt werden, die Christian Giordano in Anlehnung an die begriffliche Strukturierung des britischen Anthropologen J. C. Mitchell anführt (vgl. Christian Giordano, 1996, 24-27):

a) Strukturelle Konzeption der Ethnizität (essentialistischer bzw. primordialer Ansatz)

Die Ethnizität wird aus objektiven Merkmalen abgeleitet, die einen Komplex von Grundeigenschaften darstellen. Diese Eigenschaften werden als unwandelbare Züge definiert, die ihrerseits die Emanation einer schwer definierbaren, aber unstreitbar existierenden Wesenheit (Essenz) darstellen. Ethnizität ist somit eine objektive Realität (Hypostasierung der Ethnizität). Diese Konzeption birgt die Gefahr in sich, die Ethnizität auf eine biologisch-genetische Dimension (z.B. das ewig „Völkische") zu reduzieren. Sie suggeriert die Vorstellung unüberwindbarer und unwandelbarer Unterschiede zwischen den Menschen. Die Apartheidspolitik wird durch solche Ethnizitätsvorstellungen legitimiert.

b) Kognitive Konzeption der Ethnizität (konstruktivistischer bzw. interpretativer Ansatz)

Die Ethnizität wird durch die Einstellungen und durch das gemeinsame kulturelle Wissen definiert, z.B. „der subjektive Glaube an eine Abstammungsgemeinsamkeit" bei Max Weber. Sie ist ein von den Betroffenen kollektiv konzipiertes Konstrukt. Sie wird als eine Bewegung auf ein Ethnos hin begriffen, wobei Ethnos als „vorgestellte" politische Gemeinschaft (z.B. „imagined nation" bei Benedict Anderson) definiert wird. Mit anderen Worten setzen die Menschen bewusst ethnische Charakteristika als Abgrenzungskriterien gegenüber anderen ethnischen Gruppen ein, um bestimmte Ziele zu erreichen. Ethnizität wird nicht von einer objektiv vorhandenen Essenz (z.B. die Vorstellung der „Volksseele" bei Herder) abgeleitet, sondern prozesshaft und kollektiv konstruiert. Dieser Prozess kann seinen Ausgang entweder von den spontanen und kollektiven Frustrationen der Menschen an der Basis oder von den Bestrebungen der Eliten „von oben", die die kollektive Identität herstellen wollen, nehmen.

Im Mittelpunkt der Ethnizitätsforschungen in den anglophonen Ländern steht wesentlich die Untersuchung der Ethnizität im Kontext der urbanen Migrantensubkulturen. Es geht dabei primär um die kulturelle Autonomie und um die soziale Anerkennung der Einwandererminderheiten unterschiedlicher nationaler und ethnischer Herkunft, die zumeist im urbanen Milieu marginalisiert leben. Charakteristisch für diese Ethnizitätsforschung ist die Tatsache, dass für sie die territorialen Ansprüche, die für die ethnischen Mobilisierungen in den osteuropäischen Ländern zumeist eine zentrale Rolle spielen, unbekannt sind. Die Einwanderer, die ihr angestammtes Territorium verlassen haben, wollen das Niederlassungsrecht im Aufnahmeland. Auch bei den separatistischen, autonomistischen und regionalistischen Bewegungen der Minderheiten in Kontinentaleuropa (z.B. Katalonien, Baskenland, Südtirol, Schottland, Wales) spielt die Territorialfrage nur eine untergeordnete Rolle. Im Vordergrund stehen vielmehr die Bestrebungen nach kultureller, administrativer und wirtschaftlicher Autonomie. Bei den relativ neuen Minderheiten der Arbeitsmigranten in den europäischen Industrieländern beschränken sich auch die Ethnizitätsdiskurse auf die Frage der kulturellen und rechtlichen Anerkennung (vgl. Christian Giordano, 1996, 30-33).

Ausgehend von dem beschriebenen Forschungsansatz der Ethnizität sind seit den 1960er Jahren unterschiedliche sozialwissenschaftliche Theorieansätze zur Erklärung der weltweit zunehmenden ethnischen Mobilisierungen bzw. des „ethnic revival" entwickelt worden. Einer dieser Ansätze ist die Deprivationstheorie. Sie führt die politische Mobilisierung ethnischer Minderheiten auf die Disparität der regionalen Entwicklungen zurück, die im Zuge der Modernisierung innerhalb eines Nationalstaates eintritt. Sie geht dabei von der Einteilung zwischen dem politischen Machtzentrum in der Kernregion und der wirtschaftlich besser entwickelten Peripherie (Zentrum-Peripherie-Modell) aus. Danach sollen ethnische Mobilisierungen dann wahrscheinlich sein, wenn die zu starke politische Kontrolle des Zentrums über die wirtschaftliche Entwicklung der Peripherie zu wirtschaftlichen Benachteiligungen (Deprivation) einzelner Regionen führt.

Die Kritik an der Deprivationstheorie zeigt jedoch, dass die Deprivationstheorie ungeeignet ist, die ethnischen Mobilisierungen zu erklären. Zwei zentrale Aspekte sind dazu zu nennen. Zum einen, dass mit einem unklaren und ambivalenten Begriff der Deprivation argumentiert wird. Es bleibt unklar, wann eine absolute bzw. relative Deprivation vorliegt, die zur ethnischen Mobilisierung führt. Zum anderen geht sie einseitig von der Prämisse aus, dass ethnische Mobilisierungen nur in den wirtschaftlich rückständigen und deprivierten Regionen eintreten. Sie kann nicht erklären, warum diese auch in den wirtschaftlich hoch entwickelten Regionen, wie z.B. im Baskenland und in Katalonien, auftreten (vgl. Anthony D. Smith, 1981, 27-28). Die spanischen Provinzen Baskenland und Katalonien als hochindustrialisierte Regionen weisen einen weitaus höheren wirtschaftlichen Fortschritt auf als die Kernregionen von Kastilien und Aragonien, so dass viele Spanier ins Baskenland einwandern, um dort zu arbeiten und zu leben. Die seit etwa 1876 anhaltenden radikalen nationalistischen Bewegungen im Baskenland mit separatistischen und autonomistischen Zielsetzungen (zwei rivalisierende Subgruppen) sind somit ethnische Bewegungen, die durch die Deprivationstheorie nicht erklärt werden können (vgl. Juan Diez Medrano, 1994, 877).

Als weiterer Ansatz zur Erklärung ethnischer Mobilisierungen ist die Theorie des internen Kolonialismus (internal colonialism) zu nennen, die inhaltlich mit der Deprivationstheorie verwandt ist. Sie weist auf die Konzentration ethnischer Gruppen in bestimmten wirtschaftlich rückständigen Randregionen innerhalb des Nationalstaates hin. Dabei vertritt sie die These, dass die westlichen Länder auf der Suche nach neuen Märkten und billigen Arbeitskräften nicht nur fremde Länder zur Koloniebildung annektierten, sondern selbst in ihren eigenen Ländern „interne Kolonien" (internal colonies) aus den rückständigen und ethnisch konzentrierten Peripherieregionen gebildet haben. Damit geht sie auch in ihrer Theorie von einem Zentrum-Peripherie-Modell (core-periphery-model) aus. Als Exponent dieser Theorie gilt Michael Hechter, der die historische Entstehung des irischen, schottischen und walisischen Nationalismus in Großbritannien untersucht hat.

Nach seiner Theorie hat die regional unterschiedliche Industrialisierung die Einteilung der Menschen in Gruppen mit relativ größerem bzw. geringerem Fortschritt und Wohlstand mit sich gebracht. Diejenigen, die in der ersteren Gruppe (core group) zu mehr Macht und Wohlstand gekommen sind, versuchten ihre Privilegien zu erhalten und zu verteidigen, indem sie Positionen mit höherem sozialem Status nur ihren eigenen Gruppenmitgliedern zuteilten. Dadurch trat die „cultural division of labour" zwischen normanisch angelsächsischer und keltischer Kultur ein. Berufe mit höherem sozialem Status blieben weitgehend Menschen aus dem städtischen Kulturbereich (Zentrum) vorbehalten, während sich die Menschen aus der lokalen Kultur in der untersten beruflichen Stratifikation konzentrierten. Die Rückständigkeit wirtschaftlicher Entwicklungen in den Peripherien stärkte die ethnische Solidarität und führte zur Entstehung des ethnischen Nationalismus, der Widerstand gegen die politischen Integrationsversuche des Zentrums auslöste (vgl. Michael Hechter, 1975, 39-43, 344). Dies sei vergleichbar mit der Koloniebildung in Übersee, in der eine „cultural division of labour" in dem Sinne eintritt, in dem die objektiven kulturellen Unterschiede mit den Klassenlinien zusammenfallen. Nach der Theorie von Michael Hechter ist die beschriebene Entwicklung seit dem 16. Jahrhundert in Großbritannien eingetreten. Bei der staatlichen Einigung in Großbritannien wurden Irland, Wales und Schottland zu „internen Kolonien" mit wirtschaftlicher Abhängigkeit und Stagnation auf der Basis der „cultural division of labour". Der ethnische Nationalismus in der keltischen Peripherie (Celtic fringe) Großbritanniens ist somit für Hechter eine Reaktion aus der rückständigen regionalen Entwicklung (vgl. Michael Hechter, 1975, 65-78, 309-310; Anthony D. Smith, 1981, 30-32).

Die Theorie des internen Kolonialismus wird in folgenden Punkten kritisiert (vgl. Anthony D. Smith, 1981, 33-36):

a) Der „Celtic Nationalism", auf dessen Untersuchungsergebnissen Michael Hechter seine Theorie stützt, umspannt zeitlich die letzten 4 Jahrhunderte. Dabei nahmen die ethnisch-nationalistischen Bewegungen in den keltischen Randregionen Großbritanniens erst gegen Ende des letzten Jahrhunderts politische Formen an und wurden erst in den 1960er Jahren nach dem Zweiten Weltkrieg zu populären politischen Bewegungen. Wieso ethnischer Nationalismus nicht vorher eingetreten ist, bleibt unbeantwortet.

b) Die Theorie geht von der regionalen Disparität aus, die durch die Industrialisierung eintritt. Es muss jedoch mitbedacht werden, dass nationalistische ethnische Bewegungen auch in den Regionen der Dritten Welt in Afrika und Asien eintreten, wo die Industrialisierung und die damit einhergehende „cultural division of labour" noch nicht bzw. kaum zu beobachten sind. Außerdem ist die Gleichsetzung der Regionen mit ethnisch homogenen Gemeinden nicht überall durchzuhalten.

c) Es wird nicht deutlich, warum Proteste und Unzufriedenheit der wirtschaftlich deprivierten Regionen ethnische Formen annehmen müssen. Es gibt wirtschaftliche Deprivation auch in ethnisch homogenen Regionen (z.B. Süditalien), wo trotz der Deprivation keine ethnischen Protestbewegungen eintreten. Der ethnische Faktor wird damit unabhängig von den wirtschaftlichen Entwicklungen wirksam. Deutlich wird, dass ethnische Phänomene nicht nur wirtschaftlich erklärt werden können.

Ein neuer Ansatz zur Erklärung ethnischer Mobilisierungen, der von einer Forschungsgruppe der Standford Universität/USA (1996) vertreten wird, verbindet die Deprivationstheorie mit der Wettbewerbstheorie. Dieser Ansatz fußt auf den Ergebnissen einer empirischen Untersuchung von 1770 Rassenaufständen (race-riots), die sich im Zeitraum von 1960 bis 1993 in 55 SMSAs (Standard Methropolitan Statistical Areas: Stadtbezirken) in den USA zugetragen haben und über die in „The New York Times" als Rassenaufstände bzw. Rassenunruhen (racial unrest) berichtet wurde (vgl. Susan Olzak, Suzanne Shanahan, Elisabeth H. McEneaney, 1996, 598-613). Es wurde festgestellt, dass die Rassenunruhen bzw. Rassenaufstände nicht in den Stadtbezirken auftraten, in denen Armut, Arbeitslosigkeit und Kriminalität am höchsten waren. Damit fand die Hypothese der Deprivationstheorie, dass Rassenaufstände mit kollektiven Gewaltausbrüchen auf materielle Armut, rassische Diskriminierung und Deprivation zurückzuführen seien, keine empirische Bestätigung. Die Ergebnisse der Untersuchung zeigten vielmehr, dass die Rassenaufstände in den Stadtbezirken gehäuft auftraten, in denen die Schwarzen in residentialer Segregation der Wohnghettos weitgehend sozial isoliert gelebt und sich daher starke Rassensolidarität gebildet hatten. Dabei wurde deutlich, dass die Rassenaufstände in dem Ausmaß zunahmen, in dem die Wettbewerbschancen der sozial isoliert lebenden Schwarzen größer wurden (vgl. Susan Olzak, Suzanne Shanahan, Elisabeth H. McEneaney, 1996, 605-607).

Übersicht 9   Prozesshafte Entwicklung ethnischer Mobilisierungen

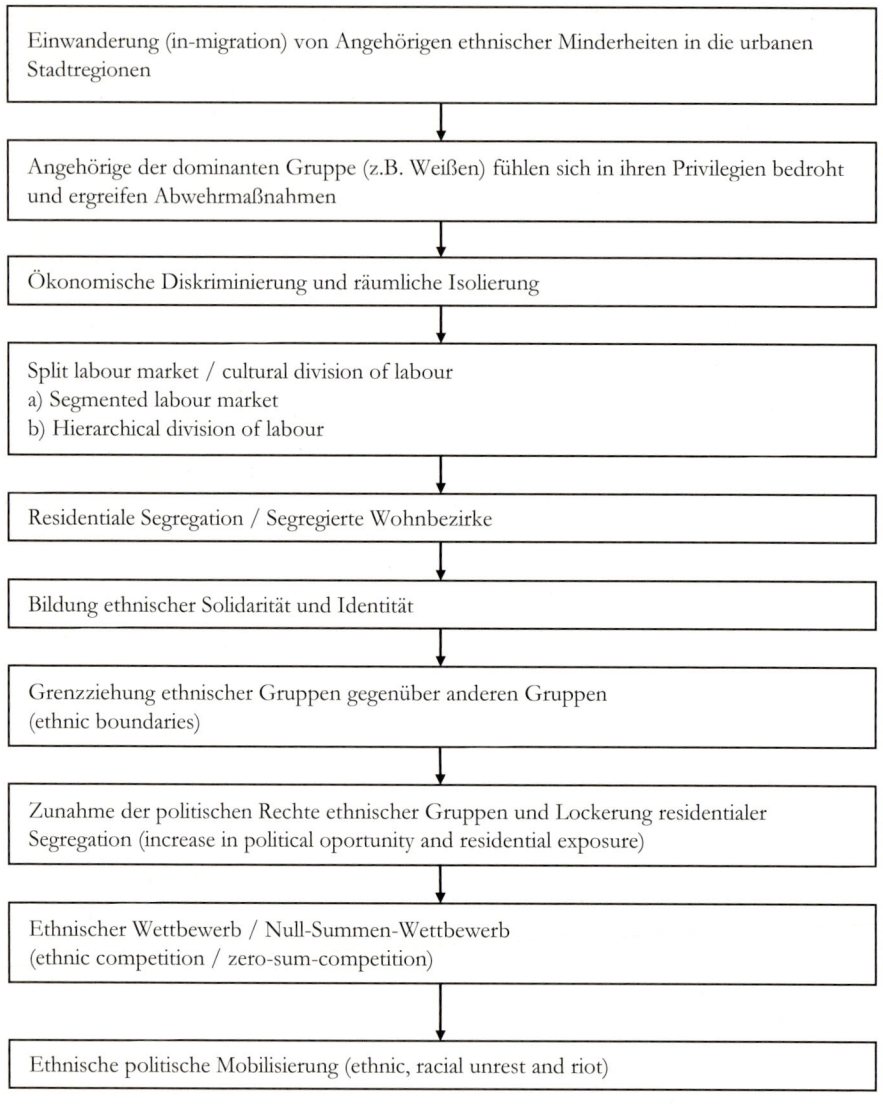

Einwanderung (in-migration) von Angehörigen ethnischer Minderheiten in die urbanen Stadtregionen

Angehörige der dominanten Gruppe (z.B. Weißen) fühlen sich in ihren Privilegien bedroht und ergreifen Abwehrmaßnahmen

Ökonomische Diskriminierung und räumliche Isolierung

Split labour market / cultural division of labour
a) Segmented labour market
b) Hierarchical division of labour

Residentiale Segregation / Segregierte Wohnbezirke

Bildung ethnischer Solidarität und Identität

Grenzziehung ethnischer Gruppen gegenüber anderen Gruppen
(ethnic boundaries)

Zunahme der politischen Rechte ethnischer Gruppen und Lockerung residentialer Segregation (increase in political oportunity and residential exposure)

Ethnischer Wettbewerb / Null-Summen-Wettbewerb
(ethnic competition / zero-sum-competition)

Ethnische politische Mobilisierung (ethnic, racial unrest and riot)

Ausgehend von diesen Ergebnissen vertritt die Forschungsgruppe die These, dass die Armut bzw. Deprivation als solche nicht die Ursache ethnischer Mobilisierung ausmacht. Entscheidend für die ethnische Mobilisierung ist vielmehr das Mobilisierungspotential ethnischer Gruppen, das durch den ethnischen Solidarisierungsprozess gebildet wird, wobei Angehörige ethnischer Gruppen durch die residentiale Segregation zur Solidarisierung gezwungen werden. Dieses Mobilisierungspotential wird zuerst aufgrund der Machtlosigkeit ethnischer Gruppen unterdrückt. Es kommt jedoch zu dem Zeitpunkt als Rassenunruhen zum Ausbruch, in dem die residentiale Segregation, die gerade zur Bildung dieses ethnischen Mobilisierungspotentials geführt hat, gelockert wird. Die dadurch eintretenden größeren Wettbewerbschancen bringen das angestaute Mobilisierungspotential in Rassenunruhen zum Ausbruch bzw. zum Ventilieren. Dieses Ergebnis kann in einem Diagramm zusammengefasst werden, um die prozesshafte Entwicklung ethnischer Mobilisierungen zu visualisieren.

Wie der obigen Übersicht 9 zu entnehmen ist, wandern zuerst Menschen fremder ethnischer Herkunft in ein städtisches Gebiet ein. Die Einheimischen reagieren anfänglich mit sozialer Distanz, um ihre Statusunterschiede zu demonstrieren. Wenn die Zahl der Zuwanderer zunimmt, fühlen sich die Einheimischen in ihrer Homogenität bedroht und ergreifen Abwehrmaßnahmen. Die Folge ist, dass sie die Zuwanderer ökonomisch und räumlich segregieren. Die Zuwanderer werden vom primären Arbeitsmarkt verdrängt, so dass sie sich in den Bereichen des Arbeitsmarktes konzentrieren (crowding), die die Einheimischen aus Prestigegründen freigelassen haben. Diese Arbeitsmarktnischen der Zuwanderer bilden ein „split labour market", weil dort für die Verrichtung gleicher Arbeit weniger gezahlt wird als auf dem primären Arbeitsmarkt. Dadurch tritt eine „cultural division of labour" ein, weil hier die kulturellen Unterschiede mit den Linien beruflicher Stratifikationen zusammenfallen. Dieser Arbeitsmarkt der Zuwanderer kann ein „segmented labour market" sein, wenn ethnische Gruppen mit ihren jeweils spezialisierten Berufsnischen nebeneinander existieren oder es handelt sich um „hierarchical division of labour", wenn zwischen den ethnischen Berufsgruppen eine soziale Hierarchie entsteht. Die Einkommenssituation und Diskriminierung der Zuwanderer auf dem Wohnungsmarkt führen dazu, dass sie in bestimmten Wohngebieten konzentriert leben. Diese residentiale Segregation fördert die ethnische Solidarität und Identitätsbildung, so dass sie sich kulturell und räumlich gegenüber anderen Gruppen abgrenzen (ethnic boundaries). In dem Ausmaß, in dem die politische, rechtliche und residentiale Situation der Migranten verbessert wird, steigt der ethnische Wettbewerb, weil die Immigranten sich einen größeren Vorteil aus den vermeintlich begrenzten Gesamtressourcen der Gesellschaft verschaffen wollen (Null-Summen-Wettbewerb). Damit steigt auch die Wahrscheinlichkeit, dass das bis dahin unterdrückte ethnische Mobilisierungspotential unter den verbesserten politischen und rechtlichen Bedingungen zum gewaltsamen Ausbruch kommt.

5.4 Problematische Vorstellungen zur multikulturellen Gesellschaft in Deutschland und Gefahren der Ethnisierung der deutschen Gesellschaft

Vor dem Hintergrund der Multikulturalismusbewegungen in den USA und der offiziellen Multikulturalismus-Politik in Kanada und Australien in den 1970er Jahren begannen auch in der Bundesrepublik Deutschland seit Mitte der 1980er Jahre kontroverse Diskussionen über die Idee der multikulturellen Gesellschaft. Sie wurden durch die zunehmende ethnische Pluralisierung der deutschen Gesellschaft ausgelöst, die durch folgende Ereignisse intensiviert wurde: a) die dauerhafte Bleibe der Mehrheit der Arbeitsmigranten, deren Beschäftigung in der Bundesrepublik Deutschland nur transitorischen Charakter haben sollte, b) die trotz des Anwerbestopps steigende Zahl der Ausländer durch die Familienzusammenführung der Arbeitsmigranten, c) der steigende Zuzug von Aussiedlern und d) die steigende Zahl der Asylsuchenden.

Diese Ereignisse verstärkten die soziale Krisenstimmung, die durch die steigende Arbeitslosigkeit im Inland im Zuge der weltweiten wirtschaftlichen Strukturkrisen erzeugt wurde. Alle diese Faktoren waren für die politischen Parteien und gesellschaftlichen Interessengruppen Anlass dafür, über das bisherige Selbstverständnis der deutschen Gesellschaft nachzudenken und sich mit den Veränderungen ihres ethnographischen Gefüges kritisch auseinanderzusetzen. Dabei gingen die gesellschaftspolitischen Vorstellungen einzelner Interessengruppen auseinander. Im Folgenden werden wesentliche Positionen zur Idee der multikulturellen Gesellschaft in Deutschland zusammengefasst, um die darin sichtbar werdenden Annahmen und Probleme aufzuzeigen.

Untersucht man die bisherigen Diskussionen zur Idee der multikulturellen Gesellschaft in Deutschland nach ihren inhaltlichen Ausrichtungen, so stellt man vier unterschiedliche Argumentationsrichtungen fest (vgl. Petrus Han, 1995, 6-8).

Die erste Richtung kann als die an den universalen Menschenrechten orientierte bezeichnet werden, die von Befürwortern unterschiedlicher Provenienz vertreten wird. Ihre Anhänger sind von der grünalternativen Partei über Kirchen und Gewerkschaften bis zu verschiedenen Initiativgruppen faktisch in allen gesellschaftlichen Gruppen zu finden (vgl. Axel Schulte, 1990, 6). Sie gehen in ihren Argumenten von der Einschätzung aus, dass Deutschland de facto bereits ein Einwanderungsland ist und treten für eine multikulturelle Gesellschaft ein, die nationalistische und rassistische Ausgrenzungen von Menschen ausschließt.

Die zweite Argumentationsrichtung kann als die sozial- und wirtschaftspolitische Richtung bezeichnet werden, die wesentlich vom sozialkritischen Flügel der CDU und von der Arbeitgeberseite der Wirtschaft vertreten wird. Sie begründet ihre Position mit sozial- und wirtschaftspolitischen Argumenten (vgl. Heiner Geißler, 1991, 72-73). Angesichts der rückläufigen Bevölkerungsentwicklung und der steigenden Lebenserwartung der Menschen in Deutschland werden enorme sozialpolitische Probleme bei der Finanzierung der Altersversorgung gesehen. Die geregelte Zuwanderung von jungen qualifizierten Arbeitskräften, auch aus Nicht-EU-Ländern, und die Öffnung des inländischen Arbeitsmarktes für Zuwanderer werden somit als wirtschafts- und arbeitsmarktpolitische Notwendigkeit gesehen, um den Wohlstand volkswirtschaftlich sichern und die Kosten der Bevölkerungsalterung finanzieren zu können. Untersuchungen namhafter Forschungsinstitute der Wirtschaft bestätigen diese Argumente (vgl. Rheinische Merkur, Nr. 12, 19. März 1993, 14).

Die dritte Argumentationsrichtung kann als die völkisch-nationalistische bezeichnet werden, die von den Gegnern der Idee der multikulturellen Gesellschaft vertreten wird. Sie lehnt die Koexistenz von „gleichberechtigten Kulturen" neben der deutschen Kultur ab, um an der nationalen und kulturellen Identität der Deutschen festzuhalten, eine „durchrasste und durchmischte Gesellschaft" zu verhindern (vgl. Heiner Geißler, 1990, 181) und dadurch die Gefahr der „Überfremdung" der deutschen Kultur und „Unterwanderung" des deutschen Volkes zu bannen (vgl. Axel Schulte, 1990, 4). Sie beharrt auf der Vorstellung, dass Deutschland kein Einwanderungsland ist und sein sollte.

Die vierte Argumentationsrichtung kann als die akademische bezeichnet werden. Dabei sind zwei Positionen zu unterscheiden. Eine radikal ablehnende Position der Idee der multikulturellen Gesellschaft wird von den Professoren vertreten, die das sog. „Heidelberger Manifest" vom 17. Juni 1981 unterzeichnet haben (vgl. Claus Burgkart, 1984, 14). Sie begründen ihre Ablehnung mit völkisch-nationalistischen Argumenten. Eine andere Position besteht aus einer eher verhaltenen und skeptischen Reaktion gegenüber der Idee der multikulturellen Gesellschaft. Diese Position geht von den negativen Erfahrungen mit ethnischen Konflikten aus, die die traditionellen Einwanderungsländer mit der Politik des Multikulturalismus gemacht haben (vgl. Hartmut Esser, 1983; Frank-Olaf Radtke, 19992: Claus Leggerwie, 1993).

Eine auffallende Gemeinsamkeit bei allen genannten Argumenten und Positionen besteht darin, dass sie entweder den zentralen Begriff der Kultur gar nicht thematisieren, oder dass sie stillschweigend von einem statischen Kulturbegriff ausgehen. Es wird mit dem Begriff der Kultur ein homogenes und in sich geschlossenes System von nicht präzisierten Inhalten unausgesprochen unterstellt, das für alle Zeit unveränderbar zu konservieren und von einer Generation zu nächsten zu tradieren ist. Es ist daher für die weitere Diskussion sachlich hilfreich, die Gültigkeit des statischen Kulturverständnisses als zentraler Prämisse der Idee der multikulturellen Gesellschaft kritisch zu hinterfragen. Es muss überprüft werden, ob sich die Zielsetzungen, die durch die Idee der multikulturellen Gesellschaft erreicht werden sollen, nämlich das Zusammenleben der Menschen unterschiedlicher Kulturen in einer Gesellschaft, mit dem statischen Kulturverständnis als kompatibel erweisen können. Zudem ist zu untersuchen, ob das völkisch-nationalistische Kulturverständnis in einer Gesellschaft der global zunehmenden Pluralisierung durchgehalten werden kann.

Die Vorstellungen zur multikulturellen Gesellschaft, die in den bisherigen Diskussionen und Publikationen in Deutschland bekannt geworden sind, sind allgemein und diffus. Sie zeigen kaum eine theoretische Systematisierung und Klärung auf, da sie über allgemein gehaltene Ideen nicht hinausgehen. Mit dieser inhaltlichen Unklarheit gründen sowohl die Befürworter als auch die Gegner ihre Argumente und Positionen auf einer Anzahl von stillschweigend vorausgesetzten Annahmen, die in ihrer Sachlogik höchst problematisch sind. Bei genauer Betrachtung widersprechen sich Befürworter und Gegner in ihren anvisierten Zielsetzungen und leisten darüber hinaus der Ethnisierung der Gesellschaft Vorschub. Im Folgenden wird zu einigen dem Autor wesentlich erscheinenden Annahmen, die die Idee der multikulturellen Gesellschaft implizit voraussetzt, Stellung genommen.

a)   Annahme der Unveränderlichkeit und Homogenität der Kultur

Für die Befürworter der menschenrechtlichen Orientierung ist die multikulturelle Gesellschaft eine notwendige Gesellschaftsform, die angestrebt werden muss, um das Zusammenleben der Menschen unterschiedlicher Kulturen ohne nationalistische und rassistische Ausgrenzung ermöglichen zu können. Für die Befürworter der ökonomischen Orientierung ist die multikulturelle Gesellschaft eine unvermeidliche Konsequenz der wirtschafts- und sozialpolitisch zwingend notwendigen Öffnung des inländischen Arbeitsmarktes für

Zuwanderer, die im Interesse der deutschen Gesellschaft hingenommen werden muss. Dabei gehen sie von der Annahme aus, dass die Zuwanderer ihre Herkunftskultur in die deutsche Gesellschaft hinein tragen. Die Zuwanderer werden hier als Träger ihrer jeweils nationalen Kultur gesehen. Für die Gegner ist dagegen die multikulturelle Gesellschaft mit allen Mitteln abzulehnen, weil dies die gleichberechtigte Koexistenz unterschiedlicher Kulturen bedeutet, die die deutsche Kultur gefährden und verdrängen kann (vgl. Heiner Geißler, 1990, 180; Axel Schulte, 1990, 6). In beiden Positionen wird der zentrale Begriff der Kultur nicht inhaltlich präzisiert. Es wird lediglich unterstellt, dass Kultur ein in sich geschlossenes und inhaltlich homogenes Gebilde ist, das unverändert konserviert und von einer Generation zur nächsten tradiert werden sollte.

Dieses statische Kulturverständnis hätte möglicherweise in traditionellen Gesellschaften des Mittelalters seine Geltung gehabt, da Grenzen und soziale Ordnungen der Gesellschaft relativ unverändert blieben und das Leben der Menschen insgesamt durch Traditionen bestimmt wurde (vgl. Friedrich Tenbruck, 1979, 413). Dieses Verständnis kann jedoch nicht in einer Zeit gelten, in der weltweit dramatische demographische Veränderungen, grundlegende technologische Wandlungen, wachsende Migrationsbewegungen und ein dichtes Netz von internationalen Verflechtungen politischer, wirtschaftlicher, ökologischer und kultureller Art ein enges Zusammenrücken nationaler Kulturen fast unausweichlich machen. In den modernen offenen Gesellschaften muss somit von einem dynamischen und offenen Kulturverständnis ausgegangen werden. Kultur ist dabei „kein museales Endprodukt", das eine einmalig erbrachte historische Leistung beinhaltet, die „die vollständige und vollkommene Verwirklichung menschlicher Möglichkeiten" darstellt (vgl. Walter L. Bühl, 1986, 125).

Nach dem modernen dynamischen Kulturverständnis gibt es die Kultur schlechthin nicht, die als eine inhaltlich homogene Einheit zu verstehen wäre und eine umfassende gesellschaftliche Integration stiften könnte (vgl. Wolfgang Lipp, 1979, 451). Kultur bleibt ständig in Bewegung und ist veränderbar (vgl. Friedrich Tenbruck, 1979, 413; Ronald Inglehart, 1989, 83). Es treten fortgesetzte Vermischungen und Adaptationen zwischen Kulturen auf (vgl. Robert E. Park, 1928, 883). Kultur beinhaltet „Prozesse der Diffusion und Selektion, der Sedimentation und Kanalisation, aber auch der Rekombination" (Walter L. Bühl, 1986, 126). Dabei wird deutlich, dass Kultur kein homogenes, sondern ein komplexes Mehrebenensystem darstellt (System mit kognitiven, künstlerisch-expressiven, lebenspraktisch-instrumentellen, sozialintegrativen, affektiv-psychosomatischen Ebenen), das plurale Trägergruppen mit unterschiedlichen Organisationsmustern und Arbeitsweisen hat (vgl. Walter L. Bühl, 1986, 127).

Diese Trägergruppen befinden sich nicht nur in harmonischen Wechselbeziehungen; sie können gegenseitig konfligierende Reaktionen und Gegenbewegungen auslösen. Die trägerspezifische Einteilung der Kultur nach ihren unterschiedlichen Ebenen in Hochkultur (z.B. literarische, philosophische, bildnerische, musikalische Werke mit quasi „überzeitlichen Ansprüchen"), in Lebenskultur (z.B. Esskultur, Mode) und in Trivialkultur (z.B. Arbeitsalltag, Körperhygiene) ist ein deutliches Bespiel, das idealtypisch selektive Aspekte des komplexen Mehrebenensystems der Kultur aufzeigt (vgl. Wolfgang Lipp, 1979, 452; Walter L. Bühl, 1986, 129).

Kultur ist damit nicht etwas, was endgültig festgelegt ist und Ewigkeitsgeltung in sich trägt. „Es gibt nicht die Kultur, es gibt (nur) kulturelle Prozesse" (Wolfgang Lipp, 1979, 465), die auf dem Wege der Auseinandersetzungen, Gegenbewegungen und Pluralisierungen unterschiedliche Kulturzüge, Kulturströmungen, Kulturschichten und den ständigen Kulturwandel hervor bringen (vgl. Walter L. Bühl, 1986, 122). Kultur stellt somit einen dynamschen, plurivalenten und lebendigen Prozess dar. Die Vorstellung der Unveränderbarkeit und allzeitigen Gültigkeit der einmal geschaffenen Kultur ist eine mystifizierende Fiktion. „Die Vorstellung einer einheitlichen deutschen Volkskultur, sei sie derb, schlicht, rebellisch oder wie auch immer, entpuppt sich als Phantasieschöpfung sozialhistorischer Romantiker" (Gerhard Schulze, 1993, 160).

Indem die Idee der multikulturellen Gesellschaft stillschweigend von dem statischen Kulturverständnis ausgeht und eine Gesellschaft von kultureller Vielfalt projektiert, verhindert sie gerade das, was sie erreichen will, nämlich das Zusammenleben von Menschen unterschiedlicher Kulturen. Eine multikulturelle Gesellschaft mit einer Vielzahl von unvermittelbar abgegrenzten und gegensätzlichen Kulturen ist eine ethnisch parzellierte und segmentierte Gesellschaft, in der der ethnische Wettbewerb um die gesellschaftlichen Ressourcen unvermeidlich ethnische Mobilisierungen und Konflikte mit sich bringen wird.

b) Annahme der Menschen als Träger der kollektiven kulturellen Identität

Sowohl die Befürworter als auch die Gegner der Idee der multikulturellen Gesellschaft gehen in ihren Argumenten ausdrücklich von der Annahme aus, dass die Menschen Träger der nationalen und kulturellen Identität sind. Die Befürworter treten daher für eine Gesellschaftsform ein, in der Menschen unterschiedlicher Kulturen frei von politischem Assimilationszwang und unter Wahrung ihrer kulturellen Eigenständigkeit und Identität zusammenleben können (vgl. Heiner Geißler, 1991, 80; Hartmut Esser, 1983, 30). Die Gegner sehen umgekehrt in der multikulturellen Gesellschaft die Gefährdung der nationalen und geistigen Identität des deutschen Volkes und des christlich-abendländischen Erbes (vgl. Claus Burgkart, 1984, 141-143; Axel Schulte, 1990, 6).

Diese selbstverständlich erscheinende Annahme bedarf einer kritischen Überprüfung, weil sie in sich wiederum einige unausgesprochene Teilannahmen einschließt, die bei näherer Betrachtung problematisch sind. Eine dieser Teilannahmen besteht in der statisch verstandenen Identitätsvorstellung, die wiederum von einem statisch verstandenen Kulturverständnis abgeleitet wird. Es wird unterstellt, dass jede Nation (Volk mit eigenem Staat) eine kollektive nationale und kulturelle Identität erzeugt, die von den ihr angehörenden Menschen unverändert übernommen, gegen die Einflüsse fremder Kulturen verteidigt und im Falle der Migration sogar in die Aufnahmegesellschaft mittransportiert wird.

Geht man von dem existentiellen Begriff „Volk" aus, d.h. der Betrachter beschreibt den Gegenstand nicht aus der Distanz, sondern versteht sich selbst unter diesem Begriff, wie Lutz Hoffmann hervorhebt, dann ist das Volk eine Menge von Menschen mit einem gemeinsamen Zugehörigkeitsgefühl. Sie hat es, ohne irgendwelche gesellschaftliche Beziehungen zueinander zu haben. Was verbindet, ist lediglich die Idee oder die Vorstellung der gemeinsamen Zugehörigkeit. Das Volk ist so gesehen zuerst nur eine Idee in der subjektiven Vorstellung der einzelnen Menschen. Erst wenn diese subjektive Zugehörigkeitsidee in einer kollektiven „Wir-Idee" objektiviert wird, führt sie die Menschen dazu, ihre Gemeinsamkeit zu definieren, zu begründen und sich gegen Andere abzugrenzen. Sie bedienen sich dabei bestimmter Wertkriterien, wie Abstammung, Sprache, Geschichte, Kultur, Religion, Herrschaft oder des Territoriums (vgl. Lutz Hoffmann, 1991, 195-199). Damit wird deutlich, dass das gemeinsame Zugehörigkeitsbewusstsein nicht von der objektiven Realität des Volkes, sondern umgekehrt die Objektivation des Volkes von dem gemeinsamen Zugehörigkeitsbewusstsein abgeleitet werden muss. „Die objektive Realität des Volkes geht daher der Wir-Idee des Volkes nicht voraus, sondern wird durch sie immer erst hergestellt." (Lutz Hoffmann, 1991, 196).

Die konkrete Auswahl von Wertkriterien (z.B. Abstammung, Sprache, Geschichte, Kultur, Religion, Territorium) zur Objektivation und Konstitution des Volkes als einer realen Gemeinschaft hängt im Einzelfall von den jeweiligen historischen Konstellationen ab. Es ist jedoch durch eine Vielzahl historischer Beispiele evident, dass diese Konstellationen weitgehend von den jeweiligen politischen Ideologien und Machtverhältnissen bestimmt werden. So hat z.B. die politische Ideologie des ethnischen Nationalismus in Deutschland dazu geführt, die staatliche Organisation und die Frage der Staatsangehörigkeit nach dem ethnischen Kriterium der gemeinsamen Abstammung (jus sanguinis) zu gestalten und zu bestimmen, während die Nation und der Nationalstaat in

Frankreich und in der Schweiz ausschließlich durch politische Gemeinsamkeitskriterien (jus soli) konstituiert werden (vgl. Gilles Verbunt, 1990, 75-76).

Die politischen Ideologien und Machtverhältnisse sind jedoch dem sozialen Wandel ausgesetzt. Sie sind in ihrer Geltung begrenzt und Veränderungen unterworfen. Vor diesem Hintergrund ist die Vorstellung, dass die Nation bzw. der Nationalstaat dauerhafte kollektive nationale und kulturelle Identität erzeugt und vermittelt, sachlich nicht durchzuhalten. Die Einschätzung, dass die Deutschen aufgrund ihrer Geschichte eine gebrochene nationale Identität hätten und von daher nicht nur einen Mangel an kollektiver Selbsteinschätzung zeigen, sondern darüber hinaus deutlich Abkehr von der Nation genommen hätten und versuchten, ihre beschädigte kollektive Identität durch ausgeprägten Regionalismus zu kompensieren (vgl. Bernd Estel, 1988), ist ein illustratives Beispiel dafür, wie problematisch die genannte Teilannahme ist.

Eine zweite Teilannahme besteht in der Vorstellung, dass die einzelnen Menschen die ihnen übertragene kollektive nationale und kulturelle Identität unverändert beibehalten. Diese Vorstellung kann auch sachlich nicht durchgehalten werden. Es ist kaum bestritten, dass Menschen während ihrer familialen Sozialisation einen Prozess der Enkulturation (Prozess der Vererbung der Kultur) durchlaufen und dabei eine kulturelle Basisidentität erwerben (vgl. Dieter Claessens, 1962, 100-121). Dies bedeutet jedoch nicht, dass sie gegen den Einfluss fremder Kulturen immun sind. Die Geschichte dokumentiert vielmehr, dass Menschen durch ihre Lernfähigkeit, Anpassungsfähigkeit und durch ihre Fähigkeit zur kritischen und konstruktiven Auseinandersetzung mit den Elementen fremder Kulturen stets Kulturprozesse und Kulturentwicklungen ausgelöst und voran getrieben haben. Außerdem ist die nationale und kulturelle Identität nur diffus und individuell differierend bestimmbar, so dass ihre bewusste Aufrechterhaltung und Abgrenzung nur in Teilbereichen möglich sind.

Die Identitätsfrage setzt prinzipiell die Emanzipation des Menschen voraus. Wenn der Mensch sich nur anpassen muss, kann keine individuelle Identität erwartet werden. Die Vorstellung der bleibenden kulturellen Identität verkennt die Tatsache, dass die Identitätsformation ein dauernder Prozess ist, in dem der einzelne sich den widersprüchlichen Anforderungen sozialer Interaktionen stellen und seine eigene Identität (Besonderheit) ständig neu bewähren, modifizieren, ergänzen und sogar ersetzen muss. So gesehen setzt die Identitätsformation über die individuelle Emanzipation hinaus auch besondere individuelle Leistungen voraus. Man kann daher im Prozess der Identitätsformation immer nur von einer „balancierten Identität" sprechen, und zwar nur unter der Voraussetzung, dass der Mensch in der Lage ist, die dabei erforderlich werdenden individuellen Leistungen tatsächlich zu erbringen (vgl. Lothar Krappmann, 1993, 9, 68, 79, 207).

Die Idee der multikulturellen Gesellschaft hat das friedliche Zusammenleben der Menschen unterschiedlicher Kulturen zum Ziel. Indem sie jedoch von einer Fiktion der Unveränderbarkeit nationaler und kultureller Identitäten ausgeht und deren Konservierung als zwingend notwendig suggeriert, führt sie kontraproduktive Auswirkungen herbei, weil dadurch indirekt die Unterschiede und Gegensätze zwischen den Kulturen verstärkt werden. Sie erinnert Menschen an ihre kulturelle Herkunft und verhindert dadurch unvoreingenommene soziale Interaktionen. Eine der damit verbundenen gesellschaftlichen Konsequenzen ist die Trennung von Menschen nach Herkunft und Nationalität, wie es die Bildung von Nationalitätengruppen im Bereich der Schule vor Augen führt. Die Idee der multikulturellen Gesellschaft fördert suggestiv ethnische Grenzziehungen und bewusste Fremdheitserfahrungen zwischen den Menschen. Sie veranlasst, eigene und fremde Kulturen zu vergleichen (superior, inferior), abzugrenzen und ethnozentrisch zu bewerten. Sie fördert in ihrer Konsequenz die Ethnisierung der Gesellschaft.

c) Annahme der Respektierung und Toleranz fremder Kulturen als Bedingung des Zusammenlebens

Die Befürworter der Idee der multikulturellen Gesellschaft gehen von der Annahme aus, dass das Zusammenleben der Menschen unterschiedlicher Kulturen gewährleistet wird, wenn zwei Bedingungen erfüllt werden: a) die Bereitschaft der Mehrheitsgesellschaft, die kulturelle Eigenart und Identität der Minderheiten zu respektieren und zu tolerieren, b) die Verpflichtung der Zuwanderer, die universellen Menschenrechte, die Grundwerte und die Sprache der Mehrheitsgesellschaft zu achten und sich anzueignen.

"Multikulturelle Gesellschaft bedeutet die Bereitschaft, mit Menschen aus anderen Ländern und Kulturen zusammenzuleben, ihre Eigenart zu respektieren, ohne sie germanisieren und assimilieren zu wollen. Das heißt auf der anderen Seite, ihnen, wenn sie es wollen, ihre kulturelle Identität zu lassen, aber gleichzeitig von ihnen zu verlangen, dass sie die universellen Menschenrechte und die Grundwerte der Republik, z.B. die Gleichberechtigung der Frau und die Glaubens- und die Gewissensfreiheit, achten und zweitens die deutsche Sprache beherrschen." (Heiner Geißler, 1990, 193).

Diese Sichtweise der Befürworter ist einseitig und problematisch, weil sie das gesellschaftliche Zusammenleben der Menschen auf die kulturelle Dimension reduziert und die ökonomischen und sozialstrukturellen Bedingungen der Gesellschaft ausblendet, die jedoch entscheidend das faktische Leben der Menschen bestimmen. Sie verkennt und übersieht die strukturell erzeugten sozialen Ungleichheiten, die besonders massiv in der Lebenssituation der Zuwanderer erkennbar werden. Es ist bekannt, dass die Migrationsbewegungen der Menschen heute weitgehend eine Folge der zunehmenden strukturellen Ungleichheiten der Welt sind (vgl. Petrus Han, 1992, 157-170). Die Zuwanderer, die vor dem Druck der strukturellen Ungleichheiten ihres Herkunftslandes geflohen sind, erfahren in ihrem Aufnahmeland in der Regel wiederum schmerzhaft die Folgen sozialer Ungleichheiten, diesmal nur auf einem anderen Niveau.

Untersucht man exemplarisch die gesellschaftliche Situation der Arbeitsmigranten in Deutschland als De-facto-Einwanderer, stellt man fest, dass sie eine in vieler Hinsicht benachteiligte und diskriminierte Bevölkerungsgruppe darstellt. Ihnen wird die rechtliche Gleichstellung vorenthalten, weil ihre Anwerbung als Arbeitskräfte von Anfang an nur für eine begrenzte Zeit gedacht war. Sie sind der Steuerpflicht unterworfen, sie haben aber weder staatsbürgerliche noch politische Rechte. Sie haben auch kein Niederlassungsrecht. Ihre befristete bzw. unbefristete Aufenthaltsgenehmigung kann prinzipiell zu jeder Zeit in Frage gestellt werden.

Die Arbeitsmigranten sind auch im sozialen und wirtschaftlichen Bereich mit Benachteiligungen und Diskriminierungen unterschiedlicher Art konfrontiert. Ihnen bleiben überwiegend solche Arbeiten, die die einheimischen Arbeitnehmer weitgehend ablehnen. Sie schließen somit die Lücken im Arbeitsmarkt, die durch einheimische Arbeitskräfte nicht zu beseitigen sind. Die Zuwanderung von Arbeitsmigranten löst daher den Prozess der Unterschichtung insofern aus, als die Migratnen eine neue soziale Unterschicht bilden, durch die die einheimischen Arbeiter einen sozialen Aufstieg erfahren. (vgl. Stefan Hradil, 1985, 63).

Die von den Befürwortern der Idee der multikulturellen Gesellschaft geforderte Respektierung bzw. Tolerierung fremder Kulturen ist zwar lobenswert, sie allein können jedoch keineswegs die strukturell erzeugten sozialen Ungleichheiten verändern. Teilnahmslose und distanzierte Toleranz erzeugt eher eine geistige Haltung der Gleichgültigkeit und des Desinteresses. Sie kann nur dazu beitragen, das öffentliche Interesse von den eigentlichen Problemen abzulenken und dadurch die vorhandenen sozialen Ungleichheiten zu verdecken und zu verfestigen. Eine multikulturelle Gesellschaft, die auf der Basis solcher Toleranz errichtet wird, ist zum Scheitern verurteilt. Sie kann auf Dauer das friedliche Zusammenleben von Menschen schon deswegen nicht gewährleisten, weil die Konzentration von sozialen Ungleichheiten bei den marginalisierten ethnischen Minderheiten konfliktträchtige soziale Ventilkraft entwickeln wird.

Als Fazit ist festzuhalten, dass die bisherigen Diskussionen zur multikulturellen Gesellschaft in Deutschland von Annahmen ausgehen, die nicht nur durch ihre sachlich diffusen Begründungen, sondern auch von ihren logischen Konsequenzen her problematisch sind. Sie verleiten die Menschen eher zu ethnischen Grenzziehungen, erschweren das natürliche und unvoreingenommene Zusammenleben von Menschen unterschiedlicher ethnischer Herkunft und fördern die Ethnisierung der Gesellschaft. Ihre kulturelle Ausrichtung blendet die strukturell erzeugten sozialen Ungleichheiten aus und lenkt die öffentliche Aufmerksamkeit von den eigentlichen sozialstrukturellen Problemen ethnischer Minderheiten ab.

Diese Ergebnisse lassen bereits die Idee der multikulturellen Gesellschaft bedenklich erscheinen. Was darüber hinaus zusätzlich gegen diese Idee zu sprechen scheint, ist die besondere geschichtliche und kulturelle Situation der deutschen Gesellschaft, die die Erblast der politischen Ideologie des ethnischen Nationalismus zu verarbeiten hat. Beginnend mit den gesetzlichen Regelungen zur Staatsbürgerschaft ist die Idee der völkischen Gemeinschaft, die die gemeinsame Abstammung (jus sanguinis) und Kultur besonders betont, in Deutschland nach wie vor weiter verbreitet als man wahrhaben will. Dies ist sicherlich auch ein Grund dafür, warum die Debatten zur multikulturellen Gesellschaft in Deutschland so viele Ängste und Widerstände hervorrufen.

Diejenigen, die durch eine Ex-Post-Analyse der Ist-Situation der deutschen Gesellschaft (z.B. die Anwesenheit von ca. 7,255 Mio. Ausländern) die Faktizität der deutschen Gesellschaft als einer multikulturellen Gesellschaft abzuleiten versuchen, wecken in besonderer Weise diese Ängste, weil sie mit einem ca. 8,8 % Bevölkerungsanteil der Ausländer die Mehrheitssituation der Gesellschaft majorisieren und definieren wollen. Diejenigen wiederum, die ausgehend von den sich abzeichnenden globalen Entwicklungen der Welt eine Ex-Ante-Analyse versuchen, um die multikulturelle Gesellschaft als Gesellschaftsform darzustellen, die ohnehin in Zukunft eintreten wird, verstärken auch diese Ängste. Sie nehmen die Illusion derjenigen, die eine in sich homogene und geschlossene Gesellschaft mit gemeinsamer Kultur und Abstammung aufrechterhalten wollen.

Die Tatsache allein, dass die Idee der multikulturellen Gesellschaft bei einem nicht geringen Teil der Bevölkerung Ängste und Widerstände auslöst, kann sicherlich kein überzeugender Grund ihrer Ablehnung sein. Auf der anderen Seite ist kein Vorteil erkennbar, der mit der offiziellen Einführung der Idee bzw. der Politik der multikulturellen Gesellschaft verbunden wäre. Von ihr gehen umgekehrt mehr die Gefahren der Ethnisierung der Gesellschaft aus, wie die bisherigen Analysen dokumentieren. Die Zulassung dieser Gefahren wäre verhängnisvoll angesichts der fast mit Sicherheit voraussehbaren Entwicklungsperspektiven der deutschen Gesellschaft. Sie ist bereits heute auf dem Weg zu einer multiethnischen und multinationalen Gesellschaft. Die Frage nach einer multiethnischen, multinationalen und multikulturellen Gesellschaft ist keine Zukunftsprojektion, sondern Realität, die bereits konkret Gestalt angenommen hat.

Diese sich abzeichnenden gesellschaftlichen Entwicklungen bergen in sich bereits die Gefahr der Ethnisierung. Eine der vorrangigen gesellschaftspolitischen Aufgaben müsste daher die Verhinderung dieser potentiellen Gefahr sein. Die deutsche Gesellschaft müsste vorrangig die Ent-Ethnisierung anstreben und die Betonung ethnischer Unterschiede meiden. In dem Ausmaß, in dem die Zusammensetzung der Bevölkerung ethnisch pluraler und heterogener wird, wird die Herstellung gesellschaftlicher Bedingungen notwendiger werden, die die bunte Vielfalt zu einer übergeordneten Einheit zusammenfasst und integriert. Nur unter solchen Bedingungen kann die wachsende Pluralität und Heterogenität der ethnischen Zusammensetzung der Bevölkerung zur Normalität werden. Indem man jedoch in Anlehnung an die Idee der multikulturellen Gesellschaft die Eigenständigkeit ethnischer Gruppen und Kulturen betont, schafft man eher ein Nebeneinander als ein Miteinander. Damit lässt man bewusst oder unbewusst die Notwendigkeit einer umfassenden Integrationspolitik in den Hintergrund treten. Will man die gesellschaftliche Einheit trotz ihrer ethnischen Vielfalt erreichen, ist eine Bewusstseinsänderung der Gesellschaft notwendig, die die Pluralität und Heterogenität als normal erkennt und akzeptiert. Dieser Prozess der neuen Bewusstseinsbildung, der die völkisch-nationalistische Orientierung hinter sich lassen muss, braucht nicht nur Zeit, sondern setzt auch flankierende gesellschaftspolitische Rahmenbedingungen voraus.

Eine unabdingbare Grundvoraussetzung, die Politik und Gesellschaft schaffen müssen, ist die Gewährung und Garantie der vollen Bürgerrechte für alle Gesellschaftsmitglieder und Angehörigen der Minderheiten. Der britische Sozialwissenschaftler T. H. Marshall unterscheidet drei Formen der Bürgerrechte. Die legalen Bürgerrechte (Grundrechte der persönlichen Freiheit und Gleichheit vor dem Gesetz), die politischen Bürgerrechte (Mitbestimmungsrecht bei der Ausübung politischer Macht) und die sozialen Bürgerrechte (Recht jeden Bürgers auf ein Minimum an Lebensstandard, wirtschaftlicher Wohlfahrt und Sicherheit). Diese Bürgerrechte waren für die europäischen Gesellschaften nicht immer selbstverständlich. Sie mussten, wie die Sozialgeschichte dokumentiert, durch die langen sozialen Klassenkonflikte mühsam errungen und ausgebaut werden (vgl. Anthony Giddens, 1983, 15-22). Vor diesem geschichtlichen Hintergrund ist anzunehmen, dass die benachteiligten Minderheiten immer wieder versuchen werden, ihre soziale und rechtliche Gleichheit einzufordern. Die Bürgerrechtsbewegungen der diskriminierten Minderheiten in den USA zeigen dies deutlich.

Die hier zusammengefassten Ergebnisse deuten darauf hin, dass die Vorbeugung von Ethnisierungstendenzen eine der wichtigen zukünftigen Aufgaben sein wird, die die deutsche Gesellschaft und Politik zu bewältigen haben. Vor diesem Hintergrund ist die Idee der multikulturellen Gesellschaft, wie sie in Deutschland gedacht wird, kaum von Nutzen, weil sie die Ethnisierung der Gesellschaft eher fördert als beseitigt. Es wird darauf ankommen, die Ent-Ethnisierung zu erreichen. Sie kann aber nur in dem Umfang gelingen, indem allen ethnischen Gruppen gleiche Chancen und Rechte in allen gesellschaftlichen Bereichen zugestanden werden. Kulturelle Vielfalt kann so zur Quelle gesellschaftlichen Reichtums werden, eine Zielsetzung, die die Einwanderungspolitik der USA mit ihrer „diversity provision" verfolgt.

Abkürzungen

AJS	American Journal of Sociology
ASR	American Sociological Review
BJS	British Journal of Sociology
HR	Human Relations
IM	International Migration
IMR	International Migration Review
KZfSS	Kölner Zeitschrift für Soziologie und Sozialpsychologie
SF	Social Forces
SR	The Sociological Review
SW	Soziale Welt
ZfB	Zeitschrift für Bevölkerungswissenschaft
ZfS	Zeitschrift für Soziologie
ZfSH/SGB	Zeitschrift für Sozialhilfe und Sozialgesetzbuch

Literaturverzeichnis

Abella, Manolo, 1996: Policies and Institutions for the Orderly Movement of Labour Abroad. In: OECD: Migration and the Labour Market in Asia. Prospects to the Year 2000. Paris: OECD, 221-240

Adorno, T. W.; Frenkel-Brunswick, Else, Levinson, Daniel J.; Sanford, R. Nevitt, 1950: The Authoritarian Personality. New York, London: Harper & Row

Agisra (Aktionsgemeinschaft gegen internationale und rassistische Ausbeutung) (Hg.), 1990: Fruanehandel und Prostitutionstourismus. Eine Bestandsaufnahme zu Prostitutionstourismus, Heiratsvermittlung und Menschenhandel mit ausländischen Mädchen und Frauen. München: Tricker Verlag

Albrecht, Günther, 1972: Soziologie der geographischen Mobilität. Zugleich ein Beitrag zur Soziologie des sozialen Wandels. Stuttgart: Enke

Allport, Gordon W., 1971: Die Natur des Vorurteils. Herausgegeben und kommentiert von Carl Friedrich Graumann. Köln: Kiepenheuer & Witsch

Allport, Gordon W., 1978: Struktur und Ausbreitung des Vorurteils. In: Karsten, Anitra (Hg.): Vorurteil. Ergebnisse psychologischer und sozial psychologischer Forschung. Darmstadt: Wissenschaftliche Buchgesellschaft, 139-156

Alpheis, Hannes, 1984: Integration von rückkehrenden Migranten in Johannina, Griechenland. In: ZfS, 13, 4/1984, 371-376

Altermatt, Urs (Hg), 1996.: Nation, Ethnizität und Staat in Mitteleuropa. Wien, Köln, Weimar: Böhlau Verlag Gesellschaft

Anderson, Benedict, 1993: Die Erfindung der Nation. Zur Karriere eines folgenreichen Konzepts. 2. Aufl. Frankfurt, New York: Campus

Antonovsky, Aaron, 1956: Toward a Refinement of the „Marginal Man" Concept. In: SF, 35, 1/1956, 57-62

Appadurai, Arjun, 1990: Disjuncture and Difference in the Global Cultural Economy. In: Public Culture, 2(2), 1-24

Appleyard, Reginald, 1992: International Migration and Development -An Unresolved Relationship. In: IM, 30, 3/4/1992, 251-266

Assion, Peter, 1989: Die Ursachen der Massenwanderung in die Vereinigten Staaten. Objektive Zwänge und ihre subjektive Wahrnehmung. In: Zeitschrift für Kulturaustausch 39, 1/1989, 258-265

Baboglu, Ali Nahit, 1982: Some Social and Psychiatric Aspects of Uprooting among Turkish Immigrant Workers in West Germany. In: Nann, Richard C. (Ed.), 1982: Uprooting and Surviving. Adaptation and Resettlement of Migrant Families and Children. Dordrecht, Boston, London: D. Reidel Publishing Company, 111-118

Bade, Klaus (Hg.), 1992: Deutsche im Ausland - Fremde in Deutschland. Migration in Geschichte und Gegenwart. München: C. H. Beck

Bader, Erik-Michael, 1994: In der Hast trifft es häufig die Falschen. Das neue Asylrecht aus der Sicht kirchlicher Hilfswerke. Verfahrensmängel und Kommunikationspannen/Kurze Rechtsmittelfristen Unzureichende Beratung. In: FAZ, Nr. 177, 2. August, 4

Baldwin, George B., 1970: Brain Drain or Overflow ?. In: Foreign Affairs, 48, 2/1970, 358-372

Bar-Yosef, Rivska Weiss, 1968: Desocialization and Resocialization: The Adjustment Process of Immigrants. In: IMR, 2, 1968, 27-45

Beauftragte der Bundesregierung für Ausländerfragen (Hg.), 2001: Migrationsbericht der Ausländerbeauftragten im Auftrag der Bundesregierung. Berlin und Bonn: Bonner Universitäts-Buchdruckerei

Beck, Ulrich 1986: Risikogesellschaft. Auf dem Weg in eine andere Moderne. Frankfurt am Main: Suhrkamp

Bell, Daniel, 1975: Die nachindustrielle Gesellschaft. Frankfurt/Main: Campus

Bernard, Thomas L., 1970: United States Immigration Laws and the Brain Drain. In: IM, 8, 1970, 31-38

Bernard, Thomas L., 1971: The Brain Drain: Why do They Come Here? In: The Educational Forum, 35, 1971, 353-358

Bernstein, Stan, 1997: Weltbevölkerungsbericht 1997 des Bevölkerungsfonds der Vereinten Nationen. Das Recht zu wählen: Reproduktive Rechte und reproduktive Gesundheit. Bonn: UNO-Verlag

Berry, J. W. 1992: Acculturation and Adaptation in a New Society. In: IM, 30, 1992, 69-85

Berry, J. W. und Kim Uichol 1987: Comparative Studies of Acculturative Stress. In: IMR, 21, 3/1987, 491-511

Birg, Herwig, 1994: Weltbevölkerungswachstum, Entwicklung und Umwelt. In: Aus Politik und Zeitgeschichte, B. 35-36/94, 2. September 1994, 21-36

Birg, Herwig, 1996: Die Weltbevölkerung. Dynamik und Gefahren. Beck'sche Reihe 2050. München: C. H. Beck

Birk, Klaus, 1997: Volksrepublik China. In: Opitz, Peter J. (Hg.), 1997: Der globale Marsch. Flucht und Migration als Weltproblem. München: C. H. Beck, 144-163

Blalock, Hubert M., 1956: Economic Discrimination and Negro Increase. In: ASR, 21, 1956, 548-588

Blalock, Hubert M., 1957: Percent Non-White and Discrimination in the South. In: ASR, 22, 1957, 677-682

Bloom, David E. und Brender, Adi, 1993: Labor and the Emerging World Economy. In: Population Bulletin, 48, 1993, 3-32

Blumenwitz, Dieter; Gornig, Gilbert H; Murswiek, Dietrich (Hg.), 2001: Ein Jahrhundert Minderheiten- und Volksgruppenschutz. Köln: Wissenschaft und Politik

Blumer, Herbert 1958: Race Prejudice as a Sense of Group Position. In: Pacific Sociological Review, 1, 1958, 3-7

BMI, 1998: Das Schengener Abkommen. Dokumentation des Bundesministeriums des Inneren zum Schengener Durchführungsübereinkommen (SDÜ) anläßlich des ersten Jahrestages der Inkraftsetzung. Bonn

Bobo, Lawrence und Hutchings, Vincent L., 1996: Perception of Racial-Group Competition: Extending Blumers Theory of Group Position to a Multiracial Social Context. In: ASR, 61, 1996, 951-972

Boffey, Philip M., 1971: The Brain Drain: New Law Will Stem Talent Flow from Europe. In: Science, 159, 1971, 282-284

Bogardus, Emory S., 1926: Social Distance in the City. In: Burgess, Ernest W. (Ed.), 1926: The Urban Community. Selected Papers from the Proceedings of the American Sociological Society 1925. Chicago: The University of Chicago Press, 48-54

Bommes, Michael und Halfmann, Jost 1994: Migration und Inklusion. Spannungen zwischen Nationalstaat und Wohlfahrtsstaat. In: KZfSS, 46, 3/1994, 406-424

Bonacich, Enda, 1972: A Theory of Ethnic Antagonism: The Split Labor Market. In: ASR, 37, 5/1972, 547-559

Bonacich, Enda, 1973: A Theory of Middleman Minorities. In: ASR, 38, 4/1973, 583-594

Bonacich, Enda, 1975: Abolition, the Extension of Slavery, and the Position of Free Blacks: A Study of Split Labor Markets in the United States, 1830-1863. In: AJS, 81, 3/1975, 601-628

Borjas, George J., 1999: Heaven's Door. Immigration Policy and the American Economy. Princeton, New Jersey: Princeton University Press

Bös, Mathias 1997: Migration als Probleme offener Gesellschaften. Globalisierung und sozialer Wandel in Westeuropa und in Nordamerika. Opladen: Leske + Budrich

Boswell, Terry E., 1986: A Split Labor Market Analysis of Discrimination against Chinese Immigrants, 1850-1882. In: ASR, 51, 1986, 352-371

Bovenkerk, Frank, 1986: Das multiethnische Zusammenleben im Mikroverband. Am Beispiel der Stadt Utrecht. In: Hoffmeyer-Zlotnik, Jürgen H. P. (Hg.), 1986: Segregation und Integration. Die Situation von Arbeitsmigranten im Aufnahmeland. Berlin. Quorum, 1-14

Boyd, Monica, 1989 Family and Personal Networks in International Migration: Recent Developments and New Agendas In IMR, 23 (3), 638-670

Bracher, Karl Dietrich, 1983: Nationalismus. In: Mickel, Wolfgang W., (Hg), 1983: Handlexikon zur Politikwissenschaft. München: Ehrenwirth, 309-313

Brandes Detlef, 1992: Die Deutschen in Russland und der Sowjetunion. In: Bade, Klaus (Hg.), 1992 Deutsche im Ausland-Fremde in Deutschland. Migration in Geschichte und Gegenwart. München: C. H. Beck, 85-134

Brecht, Werner 1994: Selbstbestimmungsrecht und Flüchtlingsproblematik. Zur Ambivalenz einer politischen Ordnungsidee. In: Welt Trends, 5, 1994, 35-52

Brepohl, Wilhelm 1948: Der Aufbau des Ruhrvolkes im Zuge der Ost-West-Wanderung. Beiträge zur deutschen Sozialgeschichte des 19. und 20. Jahrhunderts. Recklingausen: Verlag Bitter & Co.

Brown, Lawrence A. und Sander, Rickie L. 1981: Toward a Development Paradigm of Migration, with particular Reference to Third World Settings. In: De Jong, Gordon F. und Gardner, Robert W., 1981: Migration Decision Making. Multidisciplinary. Approach to Microlevel Studies in Developed and Developing Countries. New York: Pergamon Press, 149-185

Bruinsma, Jelle (Ed.), 2003: World Agriculture: Toward 2015/2030. An FAO Perspective. London: Earthscan Publications Ltd.

Bühl, Walter L., 1986: Kultur als System. In: Neidhardt, Friedhelm; Lepsius, Rainer M.; Weiß, Johannes (Hg.), 1986: Kultur und Gesellschaft. Sonderheft 27 der KZfSS, 118-144

Burgess, Ernest W., 1925: The Growth of the City. In: Park, Robert E.; McKenzie, R. D.; Burgess, Ernest W.: The City. Chicago: The University of Chicago Press, 47-62

Burkar, Roland, 1995: Kommunikationswissenschaft Grundlagen und Problemfelder. Wien, Köln, Weimar: Böhlau

Burgkart, Claus, 1984: Das „Heidelberger Manifest"- Grundlage staatlicher Ausländerpolitik ? In: Meinhardt, Rolf (Hg.), 1984: Türken raus ? oder Verteidigt den sozialen Frieden. rororo aktuell Bd. Nr. 5033, Reinbeck bei Hamburg: Rowohlt, 141-161

Burkey, Richard M., 1978: Ethnic and Racial Groups. The Dynamics of Dominance. Menlo Park u.a.: Benjamin / Cumming

Callovi, Giuseppe 1992: Regulation of Immigration in 1993: Pieces of the European Community Jig-Saw Puzzle. In IMR, 26, 1/1992, 353-372

Case, Charles, Greely, Andrew, Fuchs, Stephen, 1989: Determinats of Racial Prejudice. In: Sociological Perspectives, 32, 1989, 469-483

Castles, Stephen, 1990: Sozialwissenschaften und ethnische Minderheiten in Australien. In: Dittrich, Eckhard J.und Radtke, Frank-Olaf (Hg.), 1990: Ethnizität, Wissenschaft und Minderheiten. Opladen: Westdeutscher Verlag, 43-71

Castle, Stephe, 1995: How Nations-States Respond to Immigration and Ethnic Diversity. In: New Community, 21, 3/1995, 293-308

Castles, Stephen und Miller, Mark J, 1993: The Age of Migration. International Population Movements in the Modern World. London Th. Macmillan Press Ltd.

Charles, Carolle, 1992: Transnationalism in the Construct of Haitian Migrants' Racial Categories of Identity in New York City. In: Glick-Schiller, Nina; Basch, Linda; Blanc-Szanton, Cristina (Ed.), 1992 Toward a Transnational Perspective on Migration. Race, Class, Ethnicity and Nationalism Reconsidered. New York: The New York Academy of Science, 101-123

Choldin, Harvey M. 1973: Kinship Networks in the Migration Process. In: IMR, 7/1-4, 163-175

Claessens, Dieter, 1962: Familie und Wertsystem. Eine Studie zur „zweiten, sozio-kulturellen Geburt" des Menschen. Berlin: Duncker & Humblot

Clark, W. A. V., 1986: Human Migration. Beverly Hills, London, New Delhi: Sage Publications

Clarke, Harry R. und Smith, Lee, 1996: Labor Immigration and Capital Flows: Long-Term Australian, Canadian and United States Experience. In: IMR 30, 4/1996, 925-949

Collatz, Jürgen, 1992: Ethnizität und Krankheit. Zur Notwendigkeit ethnomedizi-nischer Orientierungen der psychosozialen Gesundheitsversorgung in Europa. In: Holthaus, Eckhard u.a. (Hg.), 1992: Soziale Arbeit und Soziale Medizin. Berlin: Ei-genverlag der Fachhochschule für Sozialarbeit und Sozialpädagogik, 42-67

Collins, Sidney, 1952: Social Processes Integrating Coloured People in Britain. In: BJS, 3, 1952, 20-29

Convcy, Andrew und Kupiszewski, Marek, 1995: Keeping Up with Schengen: Migra-tion and Policy in the European Union. In: IMR, 29, 4/1995, 939-963

Das, Man Singh, 1971: The „Brain Drain" Controversy in a Comparative Perspective. In: Social Science, 46, 1971, 16-26

DaVanzo, Julie, 1981: Microeconomic Approach to Studying Migration Decisions. In: De Jong, Gordon F. und Gardner, Robert W., 1981: Migration Decision Making. Mul-tidisciplinary Approach to Microlevel Studies in Developed and Developing Coun-tries. New York u.a.: Pergamon Press, 90-129

David, Matthias, Chen, Frank, K., Borde, Theda, 2006: Schweres Schwangerschafts-erbrechen bei Migrantinnen - eine Folge psychischer Belastungen im Zuwanderungs-prozess ? In: Borde, Theda, David, Matthias (Hg.), 2006: Migration und psychische Gesundheit. Belastungen und Potentiale. Frankfurt am Main: Mabuse-Verlag, 95-103

De Haen, Hartwig, Alexandratos, Nikos, Bruinsma, Jelle, 1998: Prospects for the World Food Situation on the Threshold of the 21st Century. In: OECD, 1998: The Future of Food. Longterm Prospects for the Agrofood Sector. Paris: OECD, 21-52

De Jong, Gordon F. und Gardner, Robert W., 1981: Migration Decision Making. Mul-tidisciplinary Approach to Microlevel Studies in Developed and Developing Coun-tries. New York u.a.: Pergamon Press

De Jong, Gordon F. und Fawcett, James T., 1981: Motivations for Migration: An Assessment and a Value-Expectancy Research Model. In: DeJong, Gordon F. und Gardner, Robert W., 1981: Migration Decision Making. Multidisciplinary Approach to Microlevel Studies in Developed and Developing Countries. New York u. a.: Pegamon Press, 13-58

De Wenden, Catherube Wihtol, 1997: Kulturvermittlung zwischen Frankreich und Algerien: Eine transnationale Brücke zwischen Immigranten, neuen Akteuren und dem Maghreb. In: Pries, Ludger (Hg.), 1997: Trannationale Migration. Sonderband 12 der Zeitschrift „Soziale Welt". Baden-Baden: Nomos Verlagsgesellschaft, 265-275

Duncan, Otis Dudley und Duncan, Beverly, 1955: Residential Distribution and Occupational Stratification. In: AJS, 60, 5/1955, 493-503

DSW (Deutsche Stiftung Weltbevölkerung), 2008: DSW-Datenreport 2008. Soziale und demographische Daten zur Welbbevölkerung. Hannover: DSW

Eaton, William W. 1992: Mental Health in Mariel Cubans and Haitian Boat People. In: MR, 26, 4/1992, 1395-1415

Ehrlich, Paul R. u.a., 1993: Food Security, Population, and Environment. In: Population and Development Review, 19, 1/1993, 1-32

Eisenstadt, Shmuel. N., 1951: The Place of Elites and Primary Groups in the Absorption of New Immigrants in Israel. In: AJS, 57, 2/1951, 222-231

Eisenstadt, Shmuel N., 1952(1): The Process of Absorption of New Immigrants in Israel. In: HR, 5, 1952, 223-246

Eisenstadt, Shmuel N., 1952(2): Communication Processes among Immigrants in Israel. In: Public Opinion Quarterly, 2, 1952, 42-58

Eisenstadt, Shmuel N., 1952(3): Institutionalization of Immigrant Behaviour. In: HR, 5, 1952, 373-395

Eisenstadt, Shmuel N., 1953: Analysis of Patterns of Immigration and absorption of Immigrants. In: Population Studies, 7, 1953, 167-180

Eisenstadt, Shmuel N., 1954: The Absorption of Immigrants. A Comparative Study Based Mainly on the Jewish Community in Palestine and the State of Israel. London: Routledge & Kegan Paul LTD.

Eisenstadt, Shmuel N. 1954: Reference Group Behavior and Social Integration: An Explorative Study. In: ASR, 19, 1/1954(1), 175-185

EKD, 1994: Dokumentation: „Nicht mehr der Fluchtgrund, sondern der Fluchtweg ist maßgeblich". Wie der Rat der Evangelischen Kirche in Deutschland die Auswirkungen des geänderten Asylgesetzes bewertet. In: Frankfurter Rundschau, Nr. 268, 18. November 1994, 12

Elias, Nobert, 1996: Was ist Soziologie? 8. Aufl. Weinheim, München: Juventa

Elschenbroich, Donata, 1986: Eine Nation von Einwanderern. Ethnisches Bewußtsein und Integrationspolitik in den USA. Frankfurt, New York: Campus

Elwert, Georg, 1982: Probleme der Ausländerintegration. Gesellschaftliche Integration durch Binnenintegration? In: KZfSS, 34, 1982, 717-731

Engelsing, Rolf, 1973: Sozial- und Wirtschaftsgeschichte Deutschlands. Göttingen: Vandenhoeck u. Ruprecht

Erikson, Erik H., 1976: Identität und Lebenszyklus. Drei Aufsätze. Frankfurt am Main: Suhrkamp

Esser, Hartmut, 1980: Aspekte der Wanderungssoziologie. Assimilation und Integration von Wanderern, ethnischen Gruppen und Minderheiten. Eine handlungstheoretische Analyse. Darmstadt, Neuwied: Luchterhand

Esser, Hartmut, 1981: Aufenthaltsdauer und die Eingliederung von Wanderern: Zur theoretischen Interpretation soziologischer "Variablen". In: ZfS, 10, 1/1981, 76-97

Esser, Hartmut, 1982: Sozialräumliche Bedingungen der sprachlichen Assimilation von Arbeitsmigranten. In: ZfS, 11, 3/1982, 279-306

Esser, Hartmut, 1983: Multikulturelle Gesellschaft als Alternative zu Isolation und Assimilation. In: Ders. (Hg.), 1983: Die fremden Mitbürger. Möglichkeiten und Grenzen der Integration von Ausländern. Düsseldorf: Patmos, 25-38

Esser, Hartmut, 1988: Ethnische Differenzierung und moderne Gesellschaft. In: ZfS, 17, 4/1988, 235-248

Estel, Bernd, 1988: Gesellschaft ohne Nation ? Zur nationalen Identität der Deutschen heute. In: Sociologia Internationalis, 26, 1988, 175-207

Evans, Jeffrey, 1987: Migration and Health. In: IMR, 21, 3/1987, V-XIV

Fairchild, Henry P., 1925: Immigration: A World Movement and its American Significance. New York: Macmillan

Falkenstein, Florian, 1997: Südosteuropa. In: Opitz, Peter J. (Hg.), 1997: Der globale Marsch. Flucht und Migration als Weltproblem. München: C. H. Beck, 78-99

FAO (Food and Agriculture Organization of the United Nations), 2002: World Agriculture: Towards 2015/2030. Rome

FAO (Food and Agriculture Organization of the United Nations), 2008: The State of Food Insecurity in the World 2008. High Food Prices and Food Security -Threats and Opportunities. Rom 2008

Feagin, Joe R., 1990: Theorien der rassischen und ethnischen Beziehungen in den U.S.A. Eine kritische und vergleichende Analyse. In: Dittrich Eckhard J. und Radke, Frank-Olaf (Hg.), 1990: Ethnizität, Wissenschaft und Minderheiten. Opladen: Westdeutscher Verlag, 85-118

Feldman-Bianco, Bela, 1992: Multiple Layers of Time and Space: The Construction of Class, Ethnicity, and Nationalism among Portuguese Immigrants. In: Glick-Schiller, Nina; Basch, Linda; Blanc-Szanton, Cristina (Ed.), 1992: Toward a Transnational Perspective on Migration. Race, Class, Ethnicity, and Nationalism Reconsidered. New York: The New York Academy of Science, 145-174

Ferdowski, Mir A.,1997: Naher und Mittlerer Osten. In: Opitz, Peter J. (Hg.), 1997: Der globale Marsch. Flucht und Migration als Weltproblem. München: C. H. Beck, 223-240

Fijalkowski, Jürgen, 1993: Aggressive Nationalism, Immigration Pressure and Asylum Policy Disputes in Contemporary Germany. In: IMR, 27, 4/1993, 850-869

Floßdorf, Bernhard, 1988: Angst. In: Asanger, Roland und Wenninger, Gerd (Hg.), 1988: Handwörterbuch Psychologie. München, Weinheim: Psychologie Verlagsunion, 34-37

Földy, Reginald und Semrau,Eugen, 1984: Kommunikationswissenschaft heute. Eine Einführung in interdisziplinäre Aspekte von Forschung und Praxis. Wien: Deuticke

Fon, Pang Eng und Lim Linda Y. C., 1996: Structural Change in the Labour Market, Regional Integration and International Migration. In: OECD, 1996: Migration and the Labour Market in Asia. Prospects to the Year 2000. Paris: OECD, 61-72

Francis, Emerich, 1965: Ethnos und Demos. Soziologische Beiträge zur Volkstheorie. Berlin: Duncker & Humblot

Franz, Fritz, 1989: Benachteiligungen der ausländischen Wohnbevölkerung in Beruf, Gewerbe und Gesundheitswesen. In: Zeitschrift für Ausländerrecht und Ausländerpolitik 4, 1989, 154-162

Freeman, Gary P., 1992: Migration Policy and Politics in the Receiving States. In: IMR, 29, 4/1992, 1145-1167

Freeman, Gary P., 1995: Modes of Immigration Politics in Liberal Democratic States. In: IMR, 29, 4/1995, 881-902

Friedrichs, Jürgen, 1977: Stadtanalyse. Soziale und räumliche Organisation der Gesellschaft. rororo Studium, Nr. 104, Reinbeck bei Hamburg: Rowohlt

Frühwald, Wolfgang, 1996: Arbeitsplätze für morgen. In: Rheinischer Merkur, Nr. 51, 20. Dezember

Geiss, Imanuel, 1988: Geschichte des Rassismus. Neue Historische Bibliothek. Edition suhrkamp, NF Bd. 530, Frankfurt am Main: Suhrkamp

Geißler, Heiner, 1990: Zugluft. Politik in stürmischer Zeit. München: Bertelsmann

Gellner, Ernest, 1995: Nationalismus und Moderne. Hamburg: Rotbuch

Genfer Flüchtlingskonvention. In: Friedrich-Naumann-Stiftung, 1992: Dokumentation. Europäische Ausländer und Asylpolitik. 12-23

Georges, Eugenia, 1992: Gender, Class, and Migration in the Dominican Republic: Women's Experience in an Trnasnational Community. In: Glick Schiller, Nina; Basch, Linda; Blanc-Szanton, Cristina (Ed.), 1992: Toward a Transnational Perspective on Migration. Race, Class, Ethnicity, and Nationalism Reconsidered. New York: The New York Academy of Science, 81-100

Gerhard, Ute, 1991: Wenn Flüchtlinge und Einwanderer zu „Asylanten" werden. Über den Diskurs des Rassismus in den Medien und im allgemeinen Bewußtsein/Eine Dokumentation. In: Frankfurter Rundschau, Samstag, 18. Oktober, Nr. 243, 12

Ghosh, Bimal, 1996: Economic Migration and the Sending Countries. In: Van den Broeck, Julien (Ed.), 1996: The Economics of Labour Migration. Cheltenham, Vermont: Edward Elgar, 77-113

Giddens, Anthony, 1983: Klassenspaltung, Klassenkonflikt und Bürgerrechte - Gesellschaft im Europa der achtziger Jahre. In: Kreckel, Reinhard (Hg.): Soziale Ungleichheiten. Sonderband 2 der Zeitschrift SW, Göttingen: Otto Scharz & Co., 15-33

Giddens, Anthony, 1995: Ethnizität und Rasse. In: Ders.: Soziologie. Hrg. von Fleck, Christian und Zilian, Graz-Wien H. G.: Nauser & Nauser, 269-303

Giordano, Christian, 1996: Ethnizität und das Motiv des mono-ethnischen Raumes in Zentral- und Osteuropa. In: Altermatt, Urs (Hg.), 1996: Nation, Ethnizität und Staat in Mitteleuropa. Wien u.a.: Böhlau Verlag Gesellschaft, 22-33

Gish, Oscar, 1970: Britain and America: Brain drains and brain gains. In: Social Science and Medicine, 3, 1970, 397-400

Glazer, Nathan und Moynihan, Daniel Patrick, 1963: Beyond the Melting Pot. The Negroes, Puerto Ricans, Jews, Italians, and Irish of New York City. Cambridge, Massachusetts: The M.I.T. Press

Glick-Schiller, Nina; Basch, Linda; Blanc-Szanton, Cristina, 1992: Toward a Definition of Transnationalism. Introductory Remarks and Research Questions. In: Glick-Schiller, Nina; Basch, Linda; Blanc-Szanton, Cristina (Ed.), 1992: Toward a Transnational Perspective on Migration. Race, Class, Ethnicity, and Nationalism Reconsidered. New York: The New York Academy of Science, IX-XIV

Glick-Schiller, Nina; Basch, Linda; Blanc-Szanton, Cristina, 1992: Transnationalism: A New Analytic Framework for Understanding Migration. In: Glick-Schiller, Nina; Basch, Linda; Blanc-Szanton, Cristina (Ed.), 1992: Toward a Transnational Perspective on Migration. Race, Class, Ethnicity, and Nationalism Reconsidered. New York: The New York Academy of Science, 1-24

Glick-Schiller, Nina; Basch, Linda; Blanc-Szanton, Cristina, 1997: From Immigrant to Transmigrant: Theorizing Transnational Migration. In: Pries, Ludger (Hg.), 1997: Transnationale Migration. Sonderband 12 der Zeitschrift „Soziale Welt". Baden-Baden: Nomos Verlagsgesellschaft, 121-140

Goffma, Erving, 1975: Stigma. Über Techniken der Bewältigung beschädigter Identität. Frankfurt am Main: Suhrkamp

Goldring, Luin, 1997: Power and Status in Transnational Social Space. In: Pries, Ludger (Hg.), 1997: Transnationale Migration. Sonderband 12 der Zeitschrift „Soziale Welt". Baden-Baden: Nomos Verlagsgesellschaft, 179-195

Golini, Antonio und Bonifazi, Corrado, 1987: Demographic Trends and International Migration (1). In: OECD, 1987: The Future of Migration. Paris: OECD, 110-136

Golovensky, David I., 1952: The Marginal Man Concept. An Analysis and Criticque. In: SF, 30, 3/1952, 333-339

Goodman, John L., 1981: Information, Uncertainty, and the Microeconomic Model of Migration Decision Making. In: De Jong, Gordon F. und Gardner, Robert W., 1981:

Migration Decision Making. Multidisciplinary Approach to Microlevel Studies in Developed and Developing Countries. New York u.a.: Pergamon Press, 130-148

Gordon, Milton M., 1964: Assimilation in American Life. The Role of Race, Religion, and National Origin. New York: Oxford University Press

Gordon, Milton M. 1975: Toward a General Theory of Racial and Ethnic Group Relations. In: Nathan Glazer a. Daniel P. Moynihan, Eds.: Ethnicity. Theory and Experience. Cambridge, Massachusetts, London: Harvard University Press, 84-110

Gornig, H. Gilbert, 2001: Die Definition des Minderheitenbegriffs aus historisch-völkerrechtlicher Sicht. In: Blumenwitz, Dieter; Gornig, Gilbert H; Murswiek, Dietrich (Hg.), 2001: Ein Jahrhundert Minderheiten- und Volksgruppenschutz. Köln: Wissenschaft und Politik, 19-46

Graeme, Hugo, 1996: Environmental Concerns and International Migration. In: IMR, 30, 1/1996, 105-1317

Green, Arnold W., 1947: A Re-Examination of the Marginal Man Concept. In: SF, 26, 2/1947, 167-171

Grimes, Seamus, 1993: Residential Segregation in Australian Cities: A Literature Review. In: IMR, 27, 1/1993, 103-120

Grosse, Rudolf, 1994: Der Einzelne in der sprachlichen Gemeinschaft. Sitzungsberichte der Sächsischen Akademie der Wissenschaften zu Leipzig. Bd. 134, Heft 2, Berlin: Akad. Verlag

Groth, Annette, 1985: Bürgerliche und politische Rechte der Wanderarbeitnehmer in der EG, A. Vergleichende Analyse. In: Just, Wolf Dieter und Groth, Annette (Hg.), 1985: Wanderarbeiter in der EG. Bd. 1: Vergleichende Analyse und Zusammenfassung. Mainz, München: Grünewald und Kaiser, 82-111

Gunkel, Stefan und Priebe, Stefan, 1992: Psychische Beschwerden nach Migration: Ein Vergleich verschiedener Gruppen von Zuwanderern in Berlin. In: Psychotherapie, Psychosomatik, medizinische Psychologie 42, 12/1992, 414-423

Gupta, Akhil, 1992: The Song of the Nonaligned World. Transnational Identities and the Reinscription of Space in Late Capitalism. In: Cultural Anthropology, 7(1), 63-77

Gupta, Akhil und Ferguson, James, 1992: Beyond „Culure": Space, Identity, and the Politics of Difference. In: Cultural Anthropology, 7(1), 6-23

Gustafsson, Björn, 1995: Assessing Poverty. Some Reflections on the Literature. In: Journal of Population Economics 8, 1995, 361-381

Halbach, Uwe, 1997: Kaukasus und Zentralasien. In: Opitz, Peter J. (Hg.), 1997: Der globale Marsch. Flucht und Migration als Weltproblem. München: C. H. Beck, 121-143

Haberkorn, Gerald, 1981: The Migration Decision-Making Process. Some Social-Psychological Considerations. In: De Jong, Gordon F. und Gardner, Robert W., 1981: Migration Decision Making. Multidisciplinary Approach to Microlevel Studies in Developed and Developing Countries. New York u.a.: Pergamon Press, 252-278

Hagen, Elisabeth und Jenson, Jane, 1988: Paradoxies and Promises. Work and Politics in the Postwar Years. In: Jenson, Jane; Hagen, Elisabeth; Reddy, Ceallaigh (eds.), 1988: Feminization of the Labour Force: Paradoxes and Promises. Cambridge: Polity Press, 3-16

Han, Petrus, 1989: Minderheiten in der modernen Gesellschaft - Soziale Mechanismen der Ablehnung und Diskriminierung und Gedanken zur Integration. Breuer, Karl Hugo (Hg.): Forum Jugendsozialarbeit. H. 6. Köln: Heimstatt

Han, Petrus, 1990: Integration der Fremden als gesamtgesellschaftliche Aufgabe. In: ZfSH/SGB, 29, 5/1990, 252-255 und 6/1990, 535- 546

Han, Petrus, 1990: Fremde unter uns - Gegenwartsprobleme im Lichte von Theorien und historischen Erfahrungen. In: Jahrbuch für Jugendsozialarbeit XI, 1990, 121-143

Han, Petrus, 1992: Wachsender Einwanderungsdruck und Fremdenprobleme als Herausforderungen der Zukunft. In: Jahrbuch für Jugendsozialarbeit XIII, 1992, 155-184

Han, Petrus, 1995: Multikulturelle Gesellschaft. Problematische Annahmen einer gesellschaftspolitischen Idee und Notwendigkeit der Ent-Ethnisierung der Gesellschaft. Breuer, Karl Hugo (Hg.): Forum Jugendsozialarbeit. H. 13. Köln: Heimstatt

Han, Petrus, 2000: Soziologie der Migration. Erklärungsmodelle . Fakten Politische Konsequenzen . Perspektiven. 13 Tabellen und 7 Übersichten. UTB 2118. Stuttgart: Lucius & Lucius

Han, Petrus, 2003: Frauen und Migration. Strukturelle Bedingungen, Fakten und soziale Folgen der Frauenmigration. UTB 2390. Stuttgart: Lucius & Lucius

Han, Petrus, 2005: Soziologie der Migration. Erklärungsmodelle . Fakten Politische Konsequenzen Perspektiven. 2. überarbeitete und erweiterte Auflage. 17 Tabellen und 9 Übersichten. UTB 2118. Stuttgart: Lucius & Lucius

Han, Petrus, 2006: Theorien zur internationalen Migration. Ausgewählte interdisziplinäre Migrationstheorien und deren zentrale Aussagen. UTB 2814. Stuttgart: Lucius & Lucius

Handlin, Oscar, 1953: The Uprooted. London: Watts & Co.

Harbison, Sarah F., 1981: Family Structure and Family Strategy in Migration Decision Making. In: De Jong, Gordon F. und Gardner, Robert W., 1981: Migration Decision Making. Multidisciplinary Approache to Microlevel Studies in Developed and Developing Countries. New York u.a.: Pergamon Press, 225-251

Hauser, Jürg A., 1990/1991: Bevölkerungs- und Umweltprobleme der Dritten Welt. Bd. 1 u. 2. Bern, Stuttgart: Haupt

Heberle, Rudolf, 1955: Theorie der Wanderungen. Soziologische Betrachtung. In: Schmollers Jahrbuch 4, 1955, 1-23

Hechter, Michael, 1973: The Political Economy of Ethnic Change. In: AJS, 79, 5/1973, 1151 1178

Hechter, Michael, 1975: Internal Colonialism. The Celtic Fringe in British National Development, 1536-1966. London: Routledge & Kegan Paul

Hechter, Michae, 1981: A Theory of Ethnic Collective Action. In: IMR, 16, 2/1981/82, 412-434

Heckmann, Friedrich, 198: Die Bundesrepublik: Ein Einwanderungsland? Zur Soziologie der Gastarbeiterbevölkerung als Einwanderrungsminorität. Stuttgart: Klett-Cotta

Heckmann, Friedrich, 1992: Ethnische Minderheiten, Volk und Nation. Soziologie interethnischer Beziehungen. Stuttgart: Enke

Heer, David M., 1992: International Migration. In: Borgatta, Edgar F. und Borgatta, Marie L. (Eds.), 1992: Encyclopedia of Sociology. New York u.a.: Macmillan Publishing Company, 984-990

Heer, David M., 1996: Migration. In: Kuper, Adam und Kuper, Jessica (Eds.), 1996: The Social Science Encyclopedia. 2. ed., London, New York: Routlege, 538-540

Heilig, Gerhard und Krebs Thomas, 1987: Bevölkerungswachstum und Nahrungsversorgung in Schwarzafrika. Modellrechung zur künftigen Entwicklung. In: ZfB, 13, 1/1987, 81-119

Heintz, Peter, 1957: Soziale Vorurteile. Ein Problem der Persönlichkeit, der Kultur und der Gesellschaft. Köln: Verlag für Politik und Wirtschaft

Heintz, Peter u.a., 1978 : Strukturelle Bedingungen von sozialen Vorurteilen. In: Karsten, Anitra (Hg.), 1978: Vorurteil. Ergebnisse psychologischer und sozialpsychologischer Forschung. Darmstadt: Wissenschaftliche Buchgesellschaft, 321-349

Hemmer, Hans-Rimbert, 1988: Wirtschaftsprobleme der Entwicklungsländer. Eine Einführung. München: Vahlen

Hemmer, Hans-Rimbert und Bohnet, Frank, 1995: Die Schlüsselrolle der Armut bei der Erklärung des schnellen Bevölkerungswachstums. In: Schäfer, Hans-Bernd (Hg.), 1995: Bevölkerungsdynamik und Grundbedürfnisse in Entwicklungsländern. Schriften des Vereins für Socialpolitik. Bd. 241. Berlin: Duncker & Humblot, 145-171

Herbert, Ulrich, 1992: „Ausländer-Einsatz" in der deutschen Kriegswirtschaft, 1939-1945. In: Bade, Klaus (Hg.), 1992: Deutsche im Ausland - Fremde in Deutschland. Migration in Geschichte und Gegenwart. München: C. H. Beck, 354-367

Herlyn, Ulfert, 1974: Soziale Segregation. In: Pehnt, Wolfgang (Hg.): Die Stadt in der Bundesrepublik Deutschland. Lebensbedingungen. Aufgaben. Planung. Stuttgart: Philip Reclam Jun., 89-106

Herzog, Arnold J., 1983: Career Patterns of Scientists in Peripheral Communities. In: Research Policy 12, 6/1983, 341-349

Hettlage-Varjas Andrea und Hettlag, Robert, 1984: Kulturelle Zwischenwelten. Fremdarbeiter - Eine Ethnie? In: Schweiz. Z. Soziologie, 2, 1984, 357-404

Hirsch, E E., 1969: Diskriminierung. In: Bernsdorf, Wilhelm (Hg.), 1969: Wörterbuch der Soziologie. Stuttgart: Enke, 190-191

Höhn, Charlotte, 1994: Weltbevölkerung - Wachstum ohne Ende? In: Aus Politik und Zeitgeschichte B. 35-36/94, 2. September, 3-10

Hoffmann, Karl-Dieter, 1995: Bevölkerungswachstum, Armut und Umweltzerstörung in der Dritten Welt. In: Gegenwartskunde, 3/1995, 393-425

Hoffmann, Lutz und Even, Herbert, 1984: Soziologie der Ausländerfeindlichkeit. Zwischen nationaler Identität und multikultureller Gesellschaft. Weinheim und Basel: Beltz

Hoffmann, Lutz, 1990: Die unvollendete Republik. Einwanderungsland und deutscher Nationalstaat. Köln: PapyRossa

Hollmann, Lutz, 1991: Das Volk. Zur ideologischen Struktur eines unvermeidbaren Begriffs. In: ZfS, 20, 3/1991, 191-208

Hoffmann-Nowotny, Hans-Joachim, 1970: Migration. Ein Beitrag zu einer soziologischen Erklärung. Stuttgart: Enke

Hoffmann-Nowotny, Hans-Joachim, 1997: World Society and the Future of International Migration: A Theoretical Perspective. In: Ucarer, Emek M. u. Puchala, Donald J. (Hg.), 1997: Immigration into Western Societies: Problems and Policies. London, Washington: Pinter, 95-117

Hoffmeyer-Zlotnik, Jürgen H. P., 1986: Eingliederung ethnischer Minoritäten - unmöglich? In: Ders., (Hg.), 1986: Segregation und Integration. Die Situation von Arbeitsmigranten im Aufnahmeland. Berlin: Quorum, 15-55

Horkheimer, Max, 1978: Persönlichkeit und Vorurteil. In: Karsten, Anitra (Hg.), 1978: Vorurteil. Ergebnisse psychologischer und sozialpsychologischer Forschung. Darmstadt: Wissenschaftliche Buchgesellschaft, 247-260

Hornung, Klaus, 1983: Nation/Nationalismus/Nationalstaat. In: Mickel, Wolfgang W. (Hg.), 1983: Handlexikon zur Politikwissenschaft. München: Ehrenwirth, 305-309

Hornung, Klaus, 1983: Minderheiten. In: Mickel, Wolfgang W. (Hg.), 1983: Handlexikon zur Politikwissenschaft. München: Ehrenwirth, 300-305

Horobin, G. W., 1975: Adjustment and Assimilation: The Displaced Person. In: SR, 5, 1975, 239-253

Hradil, Stefan, 1985: Die „neuen" sozialen Ungleichheiten. Was man von der Industriegesellschaft erwartete und was sie gebracht hat. In: Ders. (Hg.), 1985: Sozialstruktur im Umbruch. Karl Martin Bolte zum 60. Geburtstag. Opladen: Leske + Budrich, 51-66

Horstmann, Kurt, 1969: Zur Soziologie der Wanderungen. In: König, Rene´, (Hg.), 1969: Handbuch der empirischen Sozialforschung, Bd. 5: Soziale Schichtung und Mobilität. dtv Wissenschaftliche Reihe, Nr. 4240, Stuttgart: Enke, 104-186

Hughes, Everett C., 1949: Social Change and Status Protest: An Essay on the Marginal Man. In: Phylon, 10, 1/1949, 58-65

Hurh, Won Moo und Kim, Kwang Chung, 1990: Adaptation Stages and Mental Health of Korean Male Immigrants in the United States. In: IMR, 24, 1/1990, 456-479

Iguchi, Yasushi, 2001: Migration Policies in East and South Asia in the 21st Century. In: OECD, 2001: International Migration in Asia. Trends and Policies. Paris: OECD, 21-34

Inglehart, Ronald, 1989: Kultureller Umbruch. Wertewandel in der westlichen Welt. Frankfurt/Main, New York: Campus

International Labour Office (ILO), 1998: World Employment Report 1998-99. Employability in the Global Economy. How Training Matters. Geneva: ILO

International Monetary Fund (IMF), 2000: World Economic Outlook October 2000. Focus on Transition Economies. Washington D. C.: IMF

International Monetary Fund (IMF), 2003: World Economic Outlook September 2003. Puiblic Debt in Emerging Markets. Washington D. C.: IMF

International Monetary Fund (IMF), 2009/1: World Economic Outlook April 2009. Crisis and Recovery. Washington D. C.: IMF

International Monetary Fund (IMF), 2009/2: World Economic Outlook Update. Contractionary Forces Receding But Weak Recovery Ahead. July 8. 2009. www.imf.org.

International Monetary Fund (IMF), 2009/3: World Economic Outlook Oktober 2009. Sustaining the Recovery. Washington D. C.: IMF

Internationa Organization for Migration (IOM) and United Nations, 2000: World Mi gration Report 2000. United Nations Publication

International Organization for Migration (IOM), 2003: World Migration 2003. Managing Migration Challenges and Responses for People on the Move. Geneva: IOM

International Organization for Migration (IOM), 2008: World Migration 2008. Managing Labour Mobility in the Evolving Global Economy. Geneva: IOM

Jäggi, Christian J., 1993: Nationalismus und ethnische Minderheiten. Zürich: Orell Füssli

Jackson, J. A, 1986: Migration. London, New York: Longman

Jacobmeyer, Wolfgang, 1992: Ortslos am Ende des Grauens: „Displaced Persons" in der Nachkriegszeit. In: Bade, Klaus (Hg.), 1992: Deutsche im Ausland - Fremde in Deutschland. Migration in Geschichte und Gegenwart. München: C. H. Beck, 367-373

Johnson, Allan G., 1995: The Blackwell Dictionary of Sociology. A User's Guide to Sociological Language. Oxford: Blackwell

Jolles, Hiddo M., 1965: Zur Soziologie der Heimatvertriebenen und Flüchtlinge. Köln, Berlin: Kiepenheuer & Witsch

Karsten, Anitra (Hg.), 1978: Vorurteil. Ergebnisse psychologischer und so-zialpsychologischer Forschung. Darmstadt: Wissenschaftliche Buchgesellschaft

Katz, Daniel und Braly, Kenneth W. 1978: Rassische Vorurteile und Rassenstereotypen. In: Karsten, Anitra (Hg.), 1978: Vorurteil. Ergebnisse psychologischer und sozialpsychologischer Forschung. Darmstadt: Wissenschaftliche Buchgesellschaft, 35-59

Kaja, Bülent, 2002: The Changing Face of Europe – Population Flows in the 20th Century. Translated from the French by Campbell, Margaret and Reynolds, Christopher. Strasburg: Council of Europe

Kelley, Allen C. 1988: Economic Consequences of Population Change in the Third World. In: Journal of Economic Literature, 26, 1988, 1685-1728

Kenwood, A. G. und Lougheed, A L. 1999: The Growth of the International Economy 1820-2000. An Introductory Text. Fourth Edition. London, New York: Routledge

Kielhorn, Rita, 1996: Krank in der Fremde. In: Psychosozial, 19, 1/1996, 15-27

Kiesel Doron u. a (Hg.), 1995: Bittersüße Herkunft. Zur Bedeutung ethnisch-kultureller Aspekte bei Erkrankungen von Migrantinnen und Migranten. Frankfurt a. M.: Haag + Herchen

Khoshkish, A., 1966: Intellectual Migration. A Sociological Approach to "Brain Drain". In: Journal of World History, 10, 1966, 178-197

King, Russell, 1996: Migration in a World Historical Perspective. In: Van den Broeck, Julien (Ed.), 1996: The Economics of Labour Migration. Cheltenham, Vermont: Edward Elgar, 7-75

Klingst, Martin, 1996: Was wird Karlsruhe sagen? Das Bundesverfassungsgericht entscheidet Anfang nächster Woche über das Asylrecht. In: Die Zeit, Nr. 20 vom 10. Mai 1996, 12

Knabe, Bernd, 1997: Russische Föderation. In: Opitz, Peter J. (Hg.), 1997: Der globale Marsch. Flucht und Migration als Weltproblem. München: C. H. Beck, 199-114

König, Rene´, 1985: Der Wandel in der Problematik der sozialen Klassen und Minoritäten. In: Hradil, Stefan (Hg.), 1985: Sozialstruktur im Umbruch. Karl Martin Bolte zum 60. Geburtstag. Opladen: Leske + Budrich, 11-28

Kösler, Reinhard, 1997: Globalisierung, internationale Migration und Begrenzung ziviler Solidarität. Versuch über aktuelle Handlungsformen von Nationalstaaten. In: Pries,

Ludger (Hg.), 1997: Transnationale Migration. Sonderband 12 der Zeitschrift „Soziale Welt". Baden Baden: Nomos Verlagsgesellschaft, 329-347

Kowalsky, Wolfgang, 1991: Ohne Quoten helfen Ideale wenig. In: Rheinischer Merkur, Nr. 40, 4. Oktober, 3

Krappmann, Lothar, 1993: Soziologische Dimensionen der Identität. Strukturelle Bedingungen für die Teilnahme an Interaktionsprozesse. 8. Aufl. Stuttgart: Enke

Kraus, Doris, 1992: Aus Angst vor Rassenunruhen immer höhere Barrieren. In: Rheinischer Merkur, Nr. 1-3, Januar, 14

Kraus, Rudolf, 1994: Die neuen Gesetze zur Aufnahme und Eingliederung von Aussiedlern / Spätaussiedlern. Eine Dokumentation der wesentlichen Argumente im Gesetzgebungsverfahren. Breuer, Karl Hugo (Hg.): Forum Jugendsozialarbeit. Doppelheft 10/11, Köln: Heimstatt

Kruse, Alfred, 1961: Wanderungen. (II) Internationale Wanderungen. In: v. Beckenrath, Erwin u.a. (Hg.), 1961: Handwörterbuch der Staatswissensenschaften 11. Bd., Stuttgart, Tübingen, Göttingen: Gustav Fischer, J. B. Mohr (Paul Siebeck), Vandenhoeck & Ruprecht, 503-523

Kunieda, Masaki, 1996: Foreign Worker Policy and Illegal Migration in Japan. In: OECD, 1996: Migration and The labour Market in Asia. Perspects to the Year 2000. Paris: OECD, 195-206

Kutsch, Thomas und Wiswede Günter, 1986: Wirtschaftssoziologie. Grundlegung . Hauptgebiete . Zusammenschau. Stuttgart: Enke

Läufer, Thomas (bearbeitet und eingeleitet), 1992: Europäische Gemeinschaft, Europäische Union. Neufassung der europäischen Vertragstexte. Bonn

Lee, Everett S., 1958: Migration and Mental Disease: New York State, 1949-1951. In: Selected Studies of Migration since World War II. Proceedings of the Thirty-Fourth Annual Conference of The Milbank Memorial Fund, Held October 30-31, 1957, At The New York Academy of Medicine, Part III. New York: Milbank Memorial Fund ,141-152

Lee, Everett S. 1966: A Theory of Migration. In: 3 Demography, 47, 49-56

Leggewie, Claus, 1993: Multi-Kulti- Schlachtfeld oder halbwegs erträliche Lebensform. Plädoyer für ein ganzheitliches Konzept für Einwanderung und Integration. In: Frankfurter Rundschau, Freitag, 29. Januar Nr. 24, 12

Lessinger, Johanna, 1992: Investing or Going Home? A Transnational Strategy among Indian Immigrants in the United States. In: Glick-Schiller, Nina; Basch, Linda; Blanc-Szanton, Cristina (Ed.), 1992: Toward a Transnational Perspective on Migration. Race, Class, Ethnicity, and Nationalism Reconsidered. New York: The New York Academy of Science, 53-80

Leyer, Emanuela, 1987: Von der Sprachlosigkeit zur Körpersprache. Erfahrungen mit türkischen Patienten mit psychosomatischen Beschwerden. In: Praxis der Psychotherapie und Psychosomatik, 32, 1987, 301-313

Lipp, Wolfgang, 1979: Kulturtypen, kulturelle Symbole, Handlungswelt. Zur Plurivalenz von Kultur. In: KZfSS, 31, 1979, 450-484

Logan, Bernard Ikubolajeh, 1992: The Brain Drain of Professional, Technical and Kindred Workers from Developing Countries: Some Lessons from the Africa-US Flow of Professionals (1980-1989). In: IM XXX, 3/4, 1992, 289-312

Lohrmann, Reinhard, 1989: Irregular Migration: An Emerging Issue in Developing Countries. In: Appleyard, Reginald (Ed.), 1989: The Impact of International Migration on Developing Countries. Paris: OECD, 129-140

Longino Jr., Charles F., 1992: Internal Migration. In: Borgatta, Edgar F. und Borgatta, Marie L. (Eds.), 1992: Encyclopedia of Sociology. New York u.a.: Macmillan Publishing Company, 974-980

Lottes, Günther (Hg.), 1992: Region Nation Europa. Historische Determinanten der Neugliederung eines Kontinents. Heidelberg, Regensburg: Physica Verlag und Mittelbayerische Verlagsgesellschaft

Lütge, Friedrich, 1996: Deutsche Sozial- und Wirtschaftsgeschichte. Ein Überblick. Berlin, Heidelberg, New York: Springer Verlag

Luhmann, Niklas, 1974: Soziologische Aufklärung. Aufsätze zur Theorie sozialer Systeme. Bd. 1, 4. Auflage. Opladen: Westdeutscher Verlag

MacDonald, John S. und MacDonald, Leatrice, 1974: Chain Migration, Ethnic Neighborhood Formation, and Social Networks. In: Tilly, Charles (Ed.), 1974: An Urban World. Boston, Toronto: Little, Brown and Company, 226-236

MAGS NW (Hg.), 1992: Ausländer, Aussiedler und Einheimische als Nachbarn. Wuppertal: Klüsener-Druck

Mälich, Wolfgang, 1989: Wanderungen. In: Die Görres-Gesellschaft, Hrsg.: Staatslexikon. Recht, Wirtschaft, Gesellschaft in 5 Bänden. Bd. 5. Freiburg, Basel, Wien: Herder, 875-882

Mangiafico, Luciano, 1988: Contemporary American Immigrants. Patterns of Filipino, Korean and Chinese Settlement in the United States. New York, Westport, Connecticut, London: Praeger

Marden, Charles F. und Meyer, Gladys, 1968: Minorities in American ciety. 3. ed.New York u.a.: Van Nostrand Reinhold Company

Marshall, Gordon (Ed.), 1994: The Concise Oxford Dictionary of Sociology. Oxford u.a.: Oxford University Press

Martin, Philip L., 1994: Comparative Migration Policies. In: IMR, 28, 1994, 164-170

Massey, Douglas S., 1988: Economic Development and International Migration in Comparative Perspective. In: Population and Development, 14 (3), 383-413

Massey, Douglas S. und Denton, Nancy A., 1987: Trends in the Residential Segregation of Blacks, Hispanics, and Asians: 1970-1980. In: ASR, 96, 1987, 802-825

Massey, Douglas S.; Gross, Andrew B.; Shibuya, Kumiko, 1990: American Apartheid: Segregation and the Making of the Underclass. In: AJS, 96, 1990, 29-357

Massey; Douglas S.; Gross, Andrew B; Shibuya, Kumiko, 1994: Migration, Segregation, and The Georgraphic Concentration of Poverty. In: ASR, 59, 1994, 425-445

Mayer, Tilman, 1986: Prinzip Nation. Dimensionen der nationalen Frage am Beispiel Deutschlands. Opladen: Leske + Budrich

Mckenzie, R. D., 1974: Konzepte der Sozialökologie. In: Atteslander, Peter und Hamm, Bernd (Hg.), 1974: Materialien zur Siedlungssoziologie. Köln: Kiepenheuer & Witsch, 101-112

Mead, George Herbert, 1991: Geist, Identität und Gesellschaft. Aus der Sicht des Sozialbehaviorismus. Mit einer Einleitung Hrsg.: von Charles W. Morris. Frankfurt am Main: suhrkamp

Medrano, Diez Juan, 1994: The Effects of Ethnic Segregation and Ethnic Competition on Political Mobilization in the Basque Country. In: ASR, 59, 1994, 873-889

Meier-Bergfeld, Peter, 1992: Der braune Sumpf treibt viele tödliche Blüten. In: Rheinischer Merkur, Nr. 41, 9. Oktober, 5

Meinhardt, Rolf, 1984: Pollacken, Itaker, Kanaken - Zur Leidensgeschichte der Fremden in Deutschland. In: Ders. (Hg.), 1984: Türken raus? oder Verteidigt den sozialen Frieden. rororo aktuell Bd. 5033, Reinbeck bei Hamburg: Rowohlt, 9-21

Memmi, Albert, 1992: Rassismus. Hamburg: Europäische Verlagsanstalt.

Merton, Robert K., 1964: Social Theory and Social Structure. Revised and Enlarged Edition. 9th Printing. London: The Free Press of Glencoe

Minkenberg, Michael, 1998: Die neue radikale Rechte im Vergleich. USA, Frankreich, Deutschland. Opladen: Westdeutscher Verlag

Mirdal, G. M., 19984: Stress and Distress in Migration: Problems and Resources of Turkish Women in Denmark. In: IMR, 18, 4/1984, 984 -1003

Mitglieder des Bundesverfassungsgerichts (Hg.), 1997: Entscheidungen des Bundesverfassungsgerichts. Bd. 94. Tübingen: J. C. B. Mohr (Paul Siebeck)

Mitscherlich, Alexander, 1978: Zur Psychologie des Vorurteils. In: Karsten, Anitra (Hg.), 1978: Vorurteil. Ergebnisse psychologischer und sozialpsychologischer Forschung. Darmstadt: Wissenschaftliche Buchgesellschaft, 270-285

Morita, Kiriro und Sassen, Saskia, 1994: The New Illegal Immigration in Japan, 1980-1992. In: IMR, 30, 1/1994, 153-163

Morokvasic, Mirjana, 1993: „In and Out"of the Labour Market: Immigrant and Minority Women in Europe. In: New Community, 19, 3/1993, 459-483

MuB (Migration und Bevölkerung): Newletters. Hrsg. von Bundeszentrale für politische Bildung und Netzwerk Migration in Europa e.V. (www. migration-info.de)

Murphy, H. B. M., 1973: Migration and the Major Mental Disorders: A Re-appraisal. In: Zwingmann, Charles und Pfister-Ammende, Maria (Eds.), 1973: Uprooting and After. New York u.a.: Springer Verlag, 204-220

Murphy, H. B. M., 1973: The Low Rate of Mental Hospitalization Shown by Immigrants to Canada. In: Zwingmann, Charles und Pfister-Ammende, Maria (Eds.), 1973: Uprooting and After. New York u.a.: Springer Verlag, 221-231

Murswiek, Dietrich, 2001: Das Verhältnis des Minderheitenschutzes zum Selbstbestimmungsrecht der Völker. In: Blumenwitz, Dieter; Gornig, Gilbert H; Murswiek, Dietrich (Hg.), 2001: Ein Jahrhundert Minderheiten- und Volksgruppenschutz. Köln: Wissenschaft und Politik, 83-99

Nagel, Joane und Olzak, Susan, 1982: Ethnic Mobilization in New and Old States: An Extension of the Competition Model. In: Social Problems, 30, 2/1982, 127-143

Nann Richard C. (Ed.), 1982: Uprooting and Surviving. Adaptation and Resettlement of Migrant Families and Children. Dordrecht, Boston, London: D. Reidel Publishing Company

Nauck, Bernhard, 1988: Sozialstrukturelle und individualistische Migrationstheorien. In: KZfSS, XL, 1988, 15-39

Nee, Victor; Sanders, Jimy M.; Sernau, Scott, 1994: Job Transitions in an Immigrant Methropolis: Ethnic Boundaries and The Mixed Economy. In: ASR, 59, 1994, 849-872

Nee, Victor und Sanders Jimy, 1987: On Testing the Enclave-Economy Hypothesis. In: ASR, 52, 1987, 771-773

Neundörfer, Ludwig, 1961: Wanderungen. (1) Binnenwanderungen. In: v. Beckenrath, Erwin. u. a. (Hg.), 1961: Handwörterbuch der Staatswissenschaften. 11. Bd., Stuttgart, Tübingen, Göttingen: Gustav Fischer, J. C. Mohr (Paul Siebeck), Vandenhoeck & Ruprecht, 497-503

Nuscheler, Franz, 1995: Internationale Migration. Flucht und Asyl. Opladen: Leske + Budrich

Odegaard, Ornulv, 1936: Emigration and Mental Health. In: Mental Hygiene, 20, 1936, 546-553. Neuer Abdruck. In: Zwingmann, Charles und Pfister-Ammende, Maria (Eds.), 1973: Uprooting and After.New York u. a.: Springer Verlag, 155-160

Odegaard, Ornulv, 1973: Norwegian Emigration, Re-Emigration And Internal Migration. In: Zwingmann, Charles und Pfister-Ammende, Maria (Eds.): Uprooting and After. New York u.a.: Springer Verlag, 161-177

OECD, 1987: The Future of Migration. Paris: OECD

OECD, 1992: Trends in International Migration. Continuous Reporting System on Migration. SOPEMI. Paris: OECD

OECD, 1995: Trend in International Migration. Annual Report 1994. SOPEMI. Paris: OECD

OECD, 1996: Migration and the Labour Market in Asia. Prospects to the Year 2000. Paris: OECD

OECD, 1997: Trends in International Migration. Annual Report 1996. SOPEMI. Paris: OECD

OECD, 1998: Trends in International Migration. Annual Repot 1997. SOPEMI. Paris: OECD

OECD, 1999: OECD in Figures. Statistics on the Member Countries. Paris: OECD

OECD, 2001: International Migration in Asia. Trends and Policies. Paris: OECD

OECD, 2003: Trends in International Migration. Annual Report 2002. SOPEMI. Paris: OECD

OECD, 2007: International Migration Outlook. SOPEMI. Paris: OECD

OECD, 2008: International Migration Outlook. SOPEMI. Paris: OECD Annual Report 2008 Edition

OECD, 2009: International Migration Outlook. SOPEMI. 2009. Special Focus: Managing Laobour Migration Beyond the Crisis. Paris: OECD

Olzak, Susan, 1983: Contemporary Ethnic Mobilization. In: Annual Review of Sociology, 9, 1983, 355-374

Olzak, Susan; Shanahan, Suzanne; McEneaney, Elisabeth H., 1993: Poverty, Segregation, and Race Riots: 1960 to 1993. In: ASR, 61, 1996, 590-613

Omi, Michael und Winant, Howard, 1980: Racial Formation in the United States from the 1960s to the 1980s. New York, London: Routledge & Kegan Paul

Ong, Aihwa, 1992: Limits to Cultural Accumulation: Chines Capitalist on the American Pacific Rim. In: Glick-Schiller, Nina; Basch, Linda; Blanc-Szanton, Cristina (Ed.), 1992: Toward a Transnational Perspective on Migration. Race, Class, Ethnicity, and Nationalism Reconsidered. New York: The New York Academy of Science, 125-143

Opitz, Peter J., 1988: Das Weltflüchtlingsproblem. Ursachen und Folgen. München: C. H. Beck

Opitz, Peter J., 1996: Flucht, Vertreibung, Migration 1945-1995. Zur Problematik von Zuwanderung und Integration. In: Aus Politik und Zeitgeschichte B 44-45/96, 3-16

Opitz, Peter J. (Hg.), 1997: Der globale Marsch. Flucht und Migration als Weltproblem. München: C. H. Beck

Otto, Johannes, 1993: Weltbevölkerung - bisherige Entwicklungen, gegenwärtige Strukturen und zukünftige Trends. In: ZfB 19, 3/1993-94, 323-363

Pagenstecher, Cord, 1996: Die „Illusion" der Rückkehr. Zur Mentalitätsgeschichte von „Gastarbeit" und Einwanderung. In: SW 47, 2/1996, 149-179

Papademetriou, Demetrios G., 1993: Illegal Mexican Migration in the United States and US Responses. In: IM 31, 1/1993, 314-331

Park, Robert E., 1928: Human Migration and the Marginal Man. In: AJS 33, 1928, 881-893

Park, Robert E., 1926: The Urban Community as a Spacial Pattern and a Moral Order. In: Burgess, Ernest W. (Ed.), 1925: The Urban Community. Selected Papers from the Proceedings of the American Sociological Society. Chicago: The University of Chicago Press, 3-18

Parkin, Frank, 1983: Strategien sozialer Schließung und Klassenbildung. In: Kreckel, Reinhard (Hg.), 1983: Soziale Ungleichheiten. Sonderband 2 der SW. Göttingen: Otto Schwarz & Co., 121-135

Pellegrino, Adela, 2001: Trends in Latin American Skilled Migration: "Brain Drain" or "Brain Exchange"? In: IMR, 39(5), 111-132

Pessar, Patricia R., 1982: The Role of Households in International Migra-tion and the Case of U. S.-Bound Migration from the Dominican Republic. In: IMR, 16(2), 342-364

Petersen, William, 1958: A General Typology of Migration. In: ASR 23, 1/1958, 256-266

Petersen, William und Thomas, Brinley, 1972: Migration. In: David L. Sills (Ed.), 1972: International Encyclopedia of the Social Sciences. Vol. 9, London: The Macmillan Company & The Free Press, 286-300

Pettigrew, Thomas S., 1980: Prejudice. In: Thernstrom, Stephan u.a. (Eds.), 1980: Harvard Encyclopedia of American Ethnic Groups. Cambridge, London: Havard University Press, 820-829

Pfister-Ammende, Maria, 1973: The Problem of Uprooting. In: Zwingmann, Charles und Pfister-Ammende, Maria (Eds.), 1973: Uprooting and After. New York u.a.: Springer Verlag, 7-17

Pillai, Patrick, 1996: Labour Market Developments and International Migra-tion in Malaysia. In: OECD, 1996: Migration and the Labour Market in Asia. Prospects to the Year 2000. Paris: OECD, 137-149

Pinzler, Petra, 2002: Öffnung nach Osten. Europas Wirtschaft wird von der Erweiterung profitieren. Doch der politische Widerstand wächst. Die Zeit, Nr. 44, 19

Pinzler, Petra, 2002: Mehr Macht für Brüssel ? Wie nationale Regierungen die EU-Wirtschaftspolitik torpedieren. Die Zeit, Nr. 51, 21-22

Portes, Alejandro und Jensen, Leif, 1987: What's an Ethnic Enclave? The Case for Conceptual Clarity. In: ASR 52, 1987, 768-771

Price, Charles, 1969: The Study of Assimilation. In: J. A. Jackson (ed.), 1969: Migration. Cambridge: The University Press, 181-237

Price, Charles, 1968: Southern Europeans in Australia: Problemes of Assimilation. In: IMR II, 1968, 3-26

Pries, Ludger, 1999: Transnationale soziale Räume zwischen Nord und Süd. Ein neuer Forschungsansatz für die Entwicklungssoziologie. In: Gabbert, Karin u.a. (Hg.), 1999: Lateinamerika. Analysen und Berichte 23 Migrationen. Bad Honnef: Horlemann, 39-54

Pries, Ludger, 1998: „Transmigranten" als ein Typ von Arbeitswanderern in plurilokalen sozialen Räumen. Das Beispiel der Arbeitswanderung zwischen Puebla/Mexiko und New York. In: Soziale Welt, 1998, 49, 135-150

Pries, Ludger, 1996: Transnationale Soziale Räume. Theoretisch-empirische Skizze am Beispiel der Arbeitswanderungen Mexiko-USA. In: ZfS, 25(6), 456-472

Quillian, Lincoln, 1995: Prejudice as a Response to Perceived Group Threat: Population Composition and Anti-Immigrant and Racial Prejudice in Europe. In: ASR, 60, 1995, 586-611

Ramthun, Christian, 1992: Kollege Ausländer, verachtet und verkannt. In: Rheinischer Merkur, Nr. 43 vom 23. Oktober, 9

Radtke, Frank-Olaf, 1992: Multikulturalismus. Ein postmoderner Nachfahre des Nationalismus? In: Vorgänge. Zeitschrift für Bürgerrechte und Gesellschaftspolitik, 31, 3/1992, 23-30

Ravenstein, Ernest George, 1889: The Laws of Migration. Second Paper. In: Journal of The Royal Statistical Society, 52, 1889, 241-301

Richardson, Alan, 1955: The Assimilation of British Immigrants in Australia. In: HR 10, 1955, 157-166

Richter, Dirk, 1994: Der Mythos der „guten" Nation. Zum theoriegeschichtlichen Hintergrund eines folgenschweren Mißverständnisses. In: SW 45, 3/1994, 304-32

Richter, Roland E., 1997: Subsaharisches Afrika. In: Opitz, Peter J. (Hg.), 1997: Der globale Marsch. Flucht und Migration als Weltpolem. München: C. H. Beck, 257-290

Riesman, David, 1968: Die einsame Masse. Eine Untersuchung der Wandlungen des amerikanischen Charakters. Mit einer Einführung in die deutsche Ausgabe von Helmut Schelsky. rde Nr. 72/75 , reinbeck bei Hamburg: Rowohlt

Rios, Palmira N., 1992: Comments on Rethinking Migration: A Transnational Perspective. In: Glick-Schiller, Nina; Basch, Linda; Blanc-Szanton, Cristina (Ed.), 1992: Toward a Transnational Perspective on Migration. Race, Class, Ethnicity, and Nationalism Reconsidered. New York: The New York Academy of Science, 225-229

Rosenthal, Erich, 1960/61: Acculturation without Assimilation? The Jewish Community of Chicago, Illinois. In: AJS, 66, 1960/61, 275-288

Rothkegel, Ralf, 1993: Der Asylbewerber in der Transitfalle. Was ein Richter am Bundesverwaltungsgericht von dem Bonner „Kompromiß" hält. In: Frankfurter Rundschau, Nr. 46, 24. Februar, 12

Rotte, Ralph u.a., 1996: Asylum Migration and Policy Coordination in Europe. Münchener wirtschaftswissenschaftliche Beiträge. 96-11. Volkswirtschaftliche Fakultät der Ludwig-Maximilian-Universität München (Hg.). München

Rotte, Ralph u.a., 1996: South-North Refugee Migration. Lessons for Development Cooperation. Münchener wirtschaftswissenschaftliche Beiträge, 96-22. Volkswirtschaftliche Fakultät der Ludwig-Maximilian Universisät München (Hg.). München

Rouse, Roger, 1992: Making Sense of Settlement: Class Transofrmation, Cultural Struggle, and Transnationalism among Mexican in the United States. In: Glick-Schiller, Nina; Basch, Linda; Blanc-Szanton, Cristina (Ed.), 1992: Toward a Transnational Perspective on Migration. Race, Class, Ethnicity, and Nationalism Reconsidered. New York: The New York Academy of Science, 25-52

Sanders, Jimy M. und Nee, Victor, 1987: Limits of Ethnic Solidarity in The Enclave Economy. In: ASR 52, 1987, 745-773

Sanders, Jimmy M. und Nee, Victor, 1996: Immigrant Self-Employment: The Family as Social Capital and the Value of Human Capital. In: ASR, 61, 1996, 231-249

Sassen-Koob, Saskia, 1984: Notes on the Incorporation of Third World Women into Wage-Labor through Immigration and Off-Shore Production. In: IMR, 18(4), 1144-1167

Sayari, Sabri, 1986: Migration Policies of Sending Countries: Perspectives on the Turkish Experience. In: The Annals of the American Academy of Political and Social Science, 485, 87-97

Schiffer, Eckar, 1992: Wie stellt sich Europa zur Einwanderung ? In: Zeitschrift für Ausländerrecht und Ausländerpolitik 3, 1992, 107-111

Schipulle, Hans P., 1974: Ausverkauf der Intelligenz aus Entwicklungsländern? München: Weltforum Verlag

Schlegel, Markus und Wiedemeier, Ludger, 1994: Fostering Brain Drain. In: Communications 19, 1/1994, 105-126

Schmid, Josef, 1994: Die wachsende Weltbevölkerung. Ursachen, Folgen, Bewältigung. In: Aus Politik und Zeitgeschichte, B. 35-36/94, 2. September, 11-20

Schmid, Josef, 1990: Der Bevölkerungsfaktor im Entwicklungsprozeß. Kritische Anmerkungen zur „Population Debate". In: Felderer, Bernhard (Hg.), 1990: Bevölkerung und Wirtschaft. Schriften des Vereins für Sozialpolitik, Gesellschaft für Wirtschafts- und Sozialwissenschaften, Bd. 202, Berlin: Duncker & Humblot, 577-592

Schmid, Gabriele, 1992: The Development of Migration Policies and Their Contradictions. In: Innovation in Social Sciences Research, 5, 2/1992, 41-50

Schmitter Heisler, Barbara, 1992: The Future of Immigrant Incorporation: Which Models? Which Concepts? In: IMR, 26, No. 2, 623-645

Schnitzer, Klaus, 1996: - Zusammenfassung - Die wirtschaftliche und soziale Lage der ausländischen Studierenden in Deutschland unter besonderer Berücksichtigung der Bildungsausländer. Ergebnisse der 14. Sozialerhebung des Deutschen Studentenwerks. Hg. von BMBF. Bonn

Schulte, Axel, 1990: Multikulturelle Gesellschaft: Chancen, Ideologie oder Bedrohung? In: Aus Politik und Zeitgeschichte. Beilage zur Wochenzeitung Das Parlament, B. 23-24 vom 1. Juni, 3-15

Schulze, Gerhard, 1992: Die Erlebnisgesellschaft. Kultursoziologie der Gegenwart. Frankfurt/Main, New York: Campus

Schulze, Hagen, 1994: Staat und Nation in der europäischen Geschichte. München: C. H. Beck

Schuster, Jack H., 1994: Emigration, Internationalization and `Brain Drain`: Propensities among British Academics. In: Higher Education, 28, 4/1994, 437-452

Schütz, Alfred, 1972: Der Fremde. In: Ders., 1972: Gesammelte AufSätze. Bd. II. Studien zur Soziologischen Theorie. Hg. von Brodersen, Arvid und übersetzt aus dem Amerikanischen von Alexander von Baeyer. Den Haag: Martinus Nijhoff, 53-69

Schwartau, Imke, Borde Theda, David Matthias, 2006: Psychische Belastung von Patientinnen und Patienten in gynäkologisch-internistischen Notfallambulanzen von drei Berliner Innenstadtkliniken. In: Borde, Theda, David, Matthias (Hg.), 2006: Migration und psychische Gesundheit. Belastungen und Potentiale. Frankfurt am Main: Mabuse-Verlag, 105-118

Schwarz, Thomas, 1997: Baltische Staaten und Polen. In: Opitz, Peter J. (Hg.), 1997: Der globale Marsch. Flucht und Migration als Weltproblem. München: C. H. Beck, 56-77

Schweigler Gebhard, 1973: Nationalbewußtsein in der BRD und der DDR. Düsseldorf: Bertelsmann

Seifert, Wolfgang, 1996: Neue Zuwanderergruppen auf dem westdeutschen Arbeitsmarkt. Eine Analyse der Arbeitsmarktchancen von Aussiedlern, ausländischen Zuwanderern und ostdeutschen Übersiedlern. In: SW, 47, 2/1996, 180-201

Semmer, Norbert, 1988: Streß. In: Asanger, Roland und Wenninger, Gerd (Hrg.), 1988: Handwörterbuch Psychologie. 4. völlig neubearb. und erw. Aufl. München, Weinheim: Psychologie Verlagsunion, 744-752

Shu, Jing und Hawthorne, Lesleyanne, 1996: Asian Student Migration to Australia. In: IM 30, 1/1996, 65-94

Siegrist, Johannes, 1970: Das Consensus-Modell. Studien zur Interaktionstheorie und zur kognitiven Sozialisation. Stuttgart: Enke

Simanovsky, Stanislav, 1994: Brain Drain from the former Soviet Union and the Position of the International Community. In: Osteuropawirtschaft 39, 1/1994, 17-25

Simmel, Georg, 1958: Soziologie. Untersuchungen über die Formen der Vergesellschaftung. 4. Aufl. des unveränderten Nachdruckes der 1928 erschienenen 3. Auflage. Berlin: Duncker & Humblot

Simon, Gildas, 1987: Migration in Southern Europe: An Overview. In: OECD, 1987: The Future of Migration. Paris: OECD, 258-291

Simpson, Geroge Eaton und Yinger, Milton J., 1985: Racial and Cultural Minorities. An Analysis of Prejudice and Discrimination. 5. ed., New York, London: Plenum Press

Smith, Anthony D., 1981: The Ethnic Revival. Cambridge u.a.: Cambridge University Press

Smith, Robert, 1997: Reflections on Migration, the State and the Construction, Durability and Newness of Transnational Life. In: Pries, Ludger (Hg.), 1997: Transnationale Migration. Sonderband 12 der Zeitschrift „Soziale Welt". Baden-Baden: Nomos Verlagsgesellschaft, 197-217

Smith, Wade A., 1981: Racial Tolerance as a Funktion of Group Position. In: ASR, 46, 1981, 558-573

Sorokin,Pitirim A., 1964: Social and Cultural Mobility. Containing Comp lete Reprints of Social Mobility and Chapter V from Volume IV of Social and Cultural Dynamics. London: The Free Press of Glencoe

Stalker, Peter, 1994: The Work of Strangers: A Survey of International. Labour Migration. International Labour Office. Geneva: ILO

Statistisches Bundesamt, 2003: Statistisches Jahrbuch 2003 für die Bundesrepublik Deutschland. Wiesbaden

Statistisches Bundesamt, 2007: Statistisches Jahrbuch 2007 für die Bundesrepublik Deutschland. Wiesbaden

Statistisches Bundesamt, 2009: Bildung und Kultur. Studierende an Hochschulen – Vorbericht. Wiesbaden

Steiner-Khamsi Gita, 1990: Postmoderne Ethnizität und nationale Identität. Kanadische Prägung. In: SW 41, 1990, 283-298

Stoller A.; Krupinski J., 1973: Immigration to Australia. Mental Health Aspects. In: Zwingmann, Charles und Pfister-Ammende, Maria (Eds.), 1973: Uprooting and After. New York u.a.: Springer Verlag, 252-268

Stölting, Erhard 1992: Spuren, Schichten, Heterogenität: Die Erosion des sowjetischen Imperiums und die Renaissance der Nationalismen. In: Lottes, Günther (Hrg.), 1992: Region Nation Europa. Historische Determinanten der Neugliederung eines Kontinents. Heidelberg, Regensburg: Physica-Verlag und Mittelbayerische Verlagsgesellschaft, 255-269

Stonequist, Everett V., 1935: The Problem of the Marginal Man. In: AJS, 41, 1935, 1-12

Stonequist, Everett V., 1937: The Marginal Man. A Study in Personality and Culture Conflict. New York: Russel & Russel

Sumner, William Graham, 1940: Folkways. A Study of the Sociological Importance of Usages, Manners, Customs, Mores, and Morals. Boston u.a.: Ginn and Company

Sundhaussen, Holm, 1992: Deutsche in Rumänien. In: Bade, Klaus (Hg.), 1992: Deutsche im Ausland - Fremde in Deutschland. Migration in Geschichte und Gegenwart. München: C. H. Beck, 36-54

Taft, Ronald, 1953: The Shared Frame of Reference Concept Applied to the Assimilation of Immigrants. In: HR, 6, 1953, 45-55

Taft, Ronald, 1955: A Psychological Model for the Study of Social Assimilation. In: HR, 10, 1955, 141-156

Taft, Ronald, 1963: The Assimilation Orientation of Immigrants and Australians. In: HR, 16, 1963, 279-293

Taylor, Marylee C.und Pettigrew, Thomas F., 1992: Prejudice. In: Borgatta, Edgar F. und Borgatta, Marie L. (Eds.), 1992: Encyclopadia of Sociology. New York: Macmillan, 1536-1541

Tenbruck, Friedrich, 1979: Grundprobleme der Kultursoziologie. Die Aufgaben der Kultursoziologie. In: KZfSS, 31, 1979, 339-421

Thalassionos, L. I., 1987: Income Distributional Effects on Factor Returns. In: IM, 25, 3/1987, 291-298

The World Bank, 1995: World Development Report 1995. Workers in an Intergrating World. Washington, D. C.

The World Bank, 1997: World Development Indicators. Washington, D. C.

The World Bank, 1998: World Development Indicators. Washington, D. C.

The World Bank, 2003: World Development Indicators. Washington, D. C.

The World Bank, 2003/2: World Bank Atlas. Washington, D. C.

The.World Bank, 2007 World Development Report 2008. Agriculture for Development. Washington, D. C.

The World Bank, 2008: World Development Indicators. Washington, D. C.

The World Bank, 2009: Atlas of Global Development. A Visual Guide to the World's Greatest Challenges. Second Edition. Washington, D. C.

Thierse, Wolfgang, 1992: Fremdenhaß ist kein spezifisch ostdeutsches Phänomen. Aber dennoch gab es eine DDR-typische Ausländerfeindlichkeit. In: Frankfurter Rundschau, Montang, 13. Januar 1992, Nr. 10 12

Tilli, Karin und Orduhan, Ayla, 1989: Trennungserfahrungen - Begleiterscheinung der Migration. In: Psychosozial, 12, 38/1989, 43-52

Tilly, Charles und Brown C. Harold, 1967: On Uprooting, Kinship, and the Auspices of Migration. In: International Journal of Comparative Sociology, 8, 139-164

Tinguy, Anne de und Wenden, Catherine de, 1993: Eastern Europe: What Benefits from the Brain Drain? In: The OECD-Observer, 184/1993, 33-36

Torbat, Akbar E., 2002: The Brain Drain from Iran to the United States. In: Middle East Journal, 56(2), 272-295

Treichler, Andreas (Hg.), 2003: Wohlfahrtsstaat, Einwanderung und ethnische Minderheiten: Probleme, Entwicklungen, Perspektiven. Wiesbaden: Westdt. Verlag

UNESCWA (United Nations Economic and Social Commission for Western Asia): Population and Development Report. Third Issue. International Migration and Development in the Arab Region: Challenges and Opportunies. United Nations. New York 2007

UNHCR-Report 1994: Die Lage der Flüchtlinge in der Welt. Übersetzung aus dem Englischen von Klaus Birker. Bonn

UNHCR-Report 2000/2001: Zur Lage der Flüchtlinge in der Welt. 50 Jahre humanitärer Einsatz. Übersetzung der englischsprachiger Vorlage von Klaus Birker. Bonn: Verlag J. H. W. Dietz Nachf.

UNHCR, 2006, The State of the World Refugees. Human displacement in the New Millennium. www.unhcr.org

UNHCR, 2008: The Global Report 2007. www.unhcr.org

UNHCR, 2009: 2008 Global Trends. Refugeees, Asylumseekers, Returnees, Internally Displaced and Stateless Persons. www.unhcr.org

United Nations. Population Division, 2001: World Population Prospects. The 2000 Revision. New York: United Nations Publication

United Nations. Population Division, 2002/1: International Migration 2002 – Wall Chart. New York: United Nations Publication

United Nations. Department of Economic and Social Affairs. Population division 2007: Urban Agglomerations 2005 – Wall Chart. United Nations Publication

Vander Zanden, James W., 1966: American Minority Relations. The Sociology of Race and Ethnic Groups. New York: The Ronald Press Company

Van den Berghe, Pierre L., 1975: Integration and Conflict in Multinational States. In: Social Dynamics, 1, 1975, 3-10

Van den Broeck, Julien, 1996: The Economics of Labour Migration. Cheltenham: Edward Elgar

Vega, William A.; Kolody, Bohdan; Valle, Juan Ramon, 1987: Migration and Mental Health: An Empirical Test of Depression Risk Factors among Immigrant Mexican Women. In: IMR, 21, 3/1987, 512-530

Velling, Johannes, 1993/1: Schengen, Dublin und Maastricht - Etappen auf dem Weg zu einer europäischen Immigrationspolitik. Discussion Paper No 93-11. Mannheim: Zentrum für Europäische Wirtschaftsforschung GmbH

Velling, Johannes, 1993: Immigration to Germany in the Seventies and Eighties - The Role of Family Reunification. Discussion Paper No 93-18. Mannheim: Zentrum für Europäische Wirtschaftsforschung GmbH

Verbunt, Gilles, 1990: Minderheiten und Sozialwissenschaften in Frankreich. In: Dittrich, Eckhard J. und Radtke, Frank-Olaf (Hg.), 1990: Ethnizität, Wissenschaft und Minderheiten. Opladen: Westdeutscher Verlag, 73-83

Weber, Max, 1956/1964: Wirtschaft und Gesellschaft. Grundriß der verstehenden Soziologie. Studienausgabe. Winckelmann, Johannes (Hg.), Bd. 1 u. 2. Köln, Berlin: Kiepenheuer & Witsch

Weintraub, Sidney und Stolp, Chandler, 1987: The Implication of Growing Economic Interdependence. In: OECD, 1987: The Future of Migration. Paris: OECD, 137-167

Weltbank, 1991: Weltentwicklungsbericht 1991. Entwicklung als Herausforderung. Washington, D.C., USA 1991. Frankfurt a. M.: UNO-Verlag

Weltbank, 2001: Weltentwicklungsbericht 2000/2001. Bekämpfung der Armut. Bonn: UNO-Verlag

Werz, Nikolaus, 1991: Multikulturalismus, multikulturelle Gesellschaft: Zur Diskussion in Frankreich und Deutschland. In: Interkulturell. Forum für interkulturelle Kommunikation, Erziehung und Beratung. H. 3/4 , 1991, 153-173

Wickramasekara, Piyasiri, 1996: Recent Trends in Temporary Labour Migration in Asia. In: OECD, 1996: Migration and the Labour Market in Asia. Prospects to the Year 2000. Paris: OECD, 97-122

Willems, Helmut, 1996: Kollektive Gewalt gegen Fremde. Entwickelt sich eine soziale Bewegung von rechts? In: Heiland, Hans-Günther und Lüdemann, Christian (Hg.), 1966: Soziologische Dimensionen des Rechstextremismus. Opladen: Westdeutscher Verlag, 27-56

Willke, Helmut, 1982: Systemtheorie. Eine Einführung in die Grundprobleme. UTB 1161, Stuttgart, New York: Fischer

Wilson, Kenneth und Portes, Alejandro, 1980: Immigrant Enclaves: An Analysis of the Labor Market Experiences of Cubans in Miami. In: AJS, 86, 2/1980, 295-319

Wiltshire, Rosina, 1992: Implications of Transnational Migration for Nationalism. The Caribbean Example. In: Glick Schiller, Nina; Basch, Linda; Blanc-Szanton, Cristina (Ed.), 1992: Toward a Transnational Perspective on Migration. Race, Class, Ethnicity, and Nationalism Reconsidered. New York: The New York Academy of Science, 175-187

Wiswede, Günter, 1977: Rollentheorie. Urban-Taschenbücher, Bd. 25. Stuttgart Berlin Köln Mainz: W. Kohlhammer

Wittmann, Fritz und Rhode, Gotthold, 1986: Flucht und Vertreibung. In: Görres-Gesellschaft (Hg.), 1986: Staatslexikon. Recht Wirtschaft Gesellschaft. 2. Bd. Freiburg, Basel, Wien: Herder, 619-628

Wöhlcke, Manfred, 1992: Umweltflüchtlinge. Ursachen und Folgen. Beck'sche Reihe 485, München: C. H. Beck

Wolf, Heinz E., 1969: Soziologie der Vorurteile. Zur methodologischen Problematik der Forschung und Theoriebildung. In: Rene´ König (Hg.): Handbuch der Empirischen Sozialforschung. II. Bd. Stuttgart: Enke, 912-960

Wong, Lloyd L., 1993: Immigration as Capital Accumulation: The Impact of Business Immigration to Canada. In: IM, 30, 1/1993, 171-187

Wong, Lloyd L. 1997: Globalization and Transnational Migration. A Study of Recent Chinese Capitalist Migration from the Asian Pacific to Canada. In: International Sociology, 12(3), 329-351

Zein, Ja'afer Mohammed, 198: „Brain drain" in den arabischen Staaten im Zusammenhang mit dem Technologietransfer und dem wissenschaftlich-technischen Schöpfertum. In: Wissenschaftliche Zeitschrift der Humboldt-Universität zu Berlin, Gesellschafts- und sprachwissenschaftliche Reihe. 30, 1/1981, 107-113

Zhou, Min und Logan, John R., 198: Returns on Human Capital in Ethnic Enclaves: New York City's Chinatown. In: ASR, 54, 1989, 809-820

Zimmermann, Klaus F., 1993: Immigration Policies in Europe - an Overview. Münchener wirtschaftswissenschaftliche Beiträge, Nr. 93-20. Volkswirtschaftliche Fakultät der Ludwig-Maximilian-Universität München (Hg.). München

Zwingmann, Charles und Pfister-Ammende, Maria (Eds.), 1973: Uprooting and After. Berlin u.a.: Springer Verlag

Zwingmann, Charles, 1973: The Nostalgic Phenomenon and its Exploitation. In: Zwingmann, Charles und Pfister-Ammende, Maria (Eds.), 1973: Uprooting and After. Berlin u.a.: Springer Verlag, 19-47

Zwingmann, Charles 1973: Nostalgic Behavior. A Study of Foreign Workers in West Germany. In: Zwingmann, Charles und Pfister-Ammende, Maria (Eds.), 1973: Uprooting and After. Berlin u.a.: Springer Verlag, 142-151

Sachregister

Personenregister

Petrus Han

Theorien zur internationalen Migration

Ausgewählte interdisziplinäre Migrationstheorien und komprimierte Zusammenfassung der zentralen Aussagen

2006. 306 S., kt. € 19,90. UTB 2814 (ISBN 978-3-8252-2814-9)

Der Strukturwandel der kapitalistischen Weltwirtschaft im 20. Jahrhundert hat die Bedingungen für die internationale Migration kontinuierlich und grundlegend verändert. Die Migrationsforschung stellt sich mit sukzessivem Paradigmenwechsel auf diese Veränderungen ein: Assimilation, ethnischer Pluralismus, Feminisierung, Transmigranten und Transnationalismus, Migration als Funktion steigender Mobilität des Kapitals und Kosten-Nutzen-Analyse der Migration.

Das vorliegende Buch versteht sich als Grundlagenwerk, das Studierende, thematisch Interessierte und Politiker in relevante interdisziplinäre Theorien zur internationalen Migration einführt. Diese Theorien sind zugleich Spiegelbild und Steuerungsinstrument gesellschaftlicher Entwicklungen und dokumentieren die kulturellen, politischen, wirtschaftlichen und sozialen Kontexte der internationalen Migration.

Petrus Han

Frauen und Migration

Strukturelle Bedingungen, Fakten und soziale Folgen der Frauenmigration

2003. XI/326 S., kt. € 18,90. UTB 2390 (ISBN 978-3-8252-2390-8)

Lange wurde die Migration von Frauen kaum beachtet, weil sie in Abhängigkeit von der der Männer gesehen wurde. Seit den 80er Jahren werden Frauen vermehrt als kostengünstige und flexibel einsetzbare Arbeitskräfte für Produktion und Dienstleistung neu entdeckt. Diese steigende Nachfrage in den wohlhabenden Ländern und die materielle Armut in der Dritten Welt sind ursächlich für die zunehmende Migration der Frauen.

Das vorliegende Buch zieht eine Zwischenbilanz und macht auf die problematische Situation der Migrantinnen in den drei Konzentrationsbereichen — „domestic work", Niedriglohnsektor, Sexindustrie — aufmerksam. Das Buch bietet Studierenden, Fachkräften in der Arbeit mit Migrantinnen sowie sozial- und wirtschaftspolitisch Interessierten einen umfassenden Einblick in die komplexen Zusammenhänge dieses neuen Migrationsphänomens und die Perspektiven der Migrantinnen im Aufnahmeland.

 *Stuttgart*

Heike Mónika Greschke
Daheim in www.cibervalle.com
Zusammenleben im medialen Alltag der Migration

Qualitative Soziologie Bd. 10

2009. X/258 S., kt. € 34,-. ISBN 978-3-8282-0466-9

Wie ist globales Zusammenleben möglich? Wie verändert die Verfügbarkeit des Internets Alltag und Zusammenleben in der Migration? In diesem Buch wird ein ‚fremdes Volk' vorgestellt, das gemeinsam einen virtuellen Raum bewohnt, während seine Mitglieder, die zumeist paraguayischer Herkunft sind, über den Globus verstreut leben. Mit Hilfe von ethnographischen und kommunikationsanalytischen Verfahren, die am und für den Gegenstand entwickelt wurden, untersucht die Autorin den Zusammenhang von (transnationaler) Migration und globalen Kommunikationstechnologien. Sie zeigt, wie sich die soziale Aneignung und technologische Weiterentwicklung des Internets wechselseitig beeinflussen, wie Medien als Substitutionsmechanismus für migratorisch bedingte Abwesenheiten fungieren und welche neuen, globalisierten Formen von Sozialität dabei entstehen.

Matthias Neske
Menschenschmuggel
Deutschland als Transit- und Zielland irregulärer Migration

Forum Migration Band 10 (europäisches forum für migrationsstudien (efms))

2007. IV/367 S., kt. € 36,-. ISBN 978-3-8282-0397-6

Der Menschenschmuggel als ein Phänomen, das vom Ungleichgewicht zwischen legalen Migrationsmöglichkeiten und globalen Migrationswünschen profitiert, ist in den letzten Jahren immer stärker öffentlich thematisiert worden. Oftmals beschränkte sich die Berichterstattung in den Medien aber auf bestimmte Bereiche wie die Schiffsschleusungen über das Mittelmeer oder auf die Kanaren. Dabei stand aus nachvollziehbaren Gründen das Schicksal der Migranten im Fokus. Über diejenigen aber, die Transporte organisieren und durchführen, die Menschenschmuggler selbst, erfuhr man bislang eher wenig.

Dieses Buch nähert sich daher einem Phänomen, das fast ausschließlich im Verborgenen stattfindet: Wer sind die Menschenschmuggler, wie sind sie untereinander verbunden, und wie ist es möglich, von Indien nach Westeuropa Tausende von Migranten unerkannt über Land zu transportieren? Erstmals ist hier mit Hilfe umfangreicher Polizeidokumente versucht worden, die Prinzipien der Organisierung des Menschenschmuggels aufzudecken.

 *Stuttgart*